# Pornopopeia

Dedication

Reinaldo Moraes

# Pornopopeia

*2ª edição*

ALFAGUARA

Copyright © 2008 by Reinaldo Moraes

*Grafia atualizada segundo o Acordo Ortográfico da Língua Portuguesa de 1990, que entrou em vigor no Brasil em 2009.*

*Capa*
Celso Longo

*Preparação*
Sônia Peçanha

*Revisão*
Tamara Sender
Tathyana Viana
Joana Milli

*Atualização ortográfica*
Valquíria Della Pozza

Dados Internacionais de Catalogação na Publicação (CIP)
(Câmara Brasileira do Livro, SP, Brasil)

Moraes, Reinaldo
    Pornopopeia / Reinaldo Moraes. — 2ª ed. — Rio de Janeiro : Alfaguara, 2019.

    ISBN 978-85-5652-079-1

    1. Ficção brasileira I. Título.

18-21149                                         CDD-869.3

Índice para catálogo sistemático:
1. Ficção : Literatura brasileira    869.3

Maria Alice Ferreira – Bibliotecária – CRB-8/7964

[2019]
Todos os direitos desta edição reservados à
EDITORA SCHWARCZ S.A.
Praça Floriano, 19, sala 3001 – Cinelândia
20031-050 – Rio de Janeiro – RJ
Telefone: (21) 3993-7510
www.companhiadasletras.com.br
www.blogdacompanhia.com.br
facebook.com/alfaguara.br
instagram.com/editora_alfaguara
twitter.com/alfaguara_br

*a*
*Marta Garcia*
*Marjorie Gueller*
*Isa Pessôa*
*Matthew Shirts*

*Meus agradecimentos a:*

*Sônia Peçanha e Bruno Porto pela sapiência e imensa boa vontade na edição destas mal sapecadas.*

"Tem dia que de noite é foda."
(*Autor anônimo do século XX*)

# Aviso à realidade

Nestas páginas, o real e o fabulado se encontram no ponto de fuga da imaginação. Eventuais semelhanças com fatos, pessoas e lugares da vida-como-ela-é serão nada mais que incríveis coincidências.

# PARTE I

# <1>

Vai, senta o rabo sujo nessa porra de cadeira giratória emperrada e trabalha, trabalha, fiadaputa. Taí o computinha zumbindo na sua frente. Vai, mano, põe na tua cabeça ferrada duma vez por todas: roteiro de *vídeo institucional*. Não é cinema, não é epopeia, não é arte. É — repita comigo — *vídeo institucional*. Pra ganhar o pão, babaca. E o pó. E a breja. E a brenfa. É cine-sabujice empresarial mesmo, e tá acabado. Cê tá careca de fazer essas merdas. Então, faz, e não enche o saco. Porra, tu roda até pornô de quinta pro Silas, aquele escroto do caralho, vai ter agora "bloqueio criativo" por causa dum institucionalzinho de merda? Faça-me o favor.

Ok, chega de papo. É só dirigir a porra da tua mente pra nova linha de embutidos de frango da Granja Itaquerambu. Podia ser qualquer outro tema, os cristais de Maurício de Nassau, a cavalgada das Valquírias, a vingança dos baobás contra o Pequeno Príncipe. Que diferença faz? Pensa que são os embutidos de frango do Nassau, a cavalgada das mortadelas, a vingança dos salsichões contra o Pequeno Salame. Pensa no target do vídeo: seres humanos a quem coube o karma nesta encarnação de vender no atacado os produtos da Itaquerambu. Pensa no evento em que o teu vídeo vai passar — vários eventos, aliás, todos no mesmo dia em todas as filiais do Brasil. Os seres humanos vendedores de embutidos verão teu vídeo e serão apresentados ao salsichão, ao salame e até à mortadela de frango, heresias saudáveis em matéria de junkyfood que a Itaquerambu vai lançar no mercado. Mesmo a tradicional salsicha e a insuperável linguiça de frango vão ser relançadas com outra formulação, segundo eles dizem. Quer dizer, em vez do jornal reciclado de praxe, os putos vão adicionar algum tipo de pasta de lixo orgânico pasteurizado na mistura, imagino, mais uma contribuição da Itaquerambu para um planeta sustentável.

Porra, mas eu sou cineasta, caralho. Artista. Não nasci pra rodar vídeo institucional. E de embutidos de frango, inda por cima, caceta!

Calma, calma. Pensa que o teu vídeo será visto "de Passo Fundo a Quixeramobim, do Rio de Janeiro a Corumbá", como disse o Zuba, ao sentir minha reação pouco eufórica diante do tema. "E capricha na linguagem brasileira universal, tá?", foi o que ele me pediu, como se *linguagem brasileira universal* fosse uma das opções do Final Draft ou do Magic Screen Writer. Você clica em LBU e seu texto será entendido nos pampas, serrados, praias, selvas, semi-áridos e caatingas do país, sem contar os aglomerados urbanos e seus múltiplos guetos. Teu único filme de cinema até agora, por exemplo, nunca passou em tantos lugares ao mesmo tempo. Na caatinga, por exemplo, nunca foi visto. Não que se saiba.

Volto a perguntar: qual a diferença entre *arte* e embutidos de frango? Ou melhor: por que embutidos de frango não podem se transformar em arte?

Mas não precisa pensar nisso agora, nem em merda nenhuma que não seja frango embutido. Faz logo essa porra, porra. É bico: oito minutos de duração, um curta-metragem. Não vai matar o artista que há em você, amice. Ou havia. Ou nunca houve nem haverá. Foda-se.

É isso aí: vídeo institucional, embutidos de frango, Granja Itaquerambu. Beleza.

O que fode é o prazo. Sempre a porra do prazo. Tá ligado que esse roteiro tem que estar escrito, aprovado, rodado, entregue em mídia DVCAM, e exibido pros vendedores até quinze dias antes do lançamento da campanha? Ou seja, daqui a nove dias. Você devia ter chamado um bosta dum roteirista qualquer pra te ajudar, desses que filam cigarro e cerveja de mesa em mesa na Merça e não perdem chance de puxar uma lousa e dar aula sobre Hal Hartley e a narrativa cinematográfica interior aos substratos descontínuos da consciência dos personagens pra alguma gostosinha basbaque de peitinhos soltos dentro de uma camiseta de pano fino. Conheço vários roteiristas desse naipe. Dúzias deles, na verdade. Tudo uma corja de bebum cafungueiro desempregado do caraio. Por uma peteca de pó e duas Original você contrata na hora um deles. Se calhar, o infeliz ainda leva teu carro no mecânico pra trocar a fricção e te faz o obséquio de encarar uma fila de banco pra pagar tuas contas atrasadas.

Bullshit. Não preciso, nunca precisei de roteirista nenhum. Merda por merda, deixa que eu mesmo chuto. Só que dessa vez travei geral. E o cara da Itaquerambu tá no pé do Zuba, que tá no meu pé, que tô em pé de guerra com os embutidos de frango. Ridículo, isso. Fala sério: nem uma reles ideiazinha pro vídeo pintou ainda na tua cabeça, meu filho. Nem a porra duma ideia de merda.

Pois é, nem a ideia.
Tá foda.
Embutidos de frango.
Foda.

As peças da campanha publicitária que eles vão lançar já estão prontas. Tive a honra de assistir às pérolas numa sessão privê lá na agência. Comovente. "Mais saúde, menos colesterol, mais sabor. Mais do melhor para toda a sua família!", proclama a locução em off do spot de quinze segundos pra TV e rádio que vai ao ar no horário nobre. Vou ter que usar alguns desses slogans no institucional. O débil mental do publicitário que bolou isso deve tá rodando agora num Land Rover zerinho, blindado, ao lado duma patricinha escultural no máximo 25 anos mais velha que o carro, os dois lindos, esculpidos na academia, com os intestinos repletos de fibras vegetais e substâncias antioxidantes e ácidos graxos insaturados, surfando confiantes na crista do futuro, sugando o melhor do presente, cagando e andando pro passado.

*Mais do melhor pra sua família.*
Vão se fuder.

Meu negócio não é publicidade. Antes fosse. Na publicidade é que rola a bufunfa. Já rolou mais. Ainda rola alguma. Mas você tem que ser um gênio da raça e bolar slogans nada menos que sublimes, como esse *Mais saúde, menos colesterol, mais sabor...*

(Porra, tu é uma anta mesmo. Em vez de cavar um lugarzinho numa agência quando teve a chance, foi se meter com cinema, e marginal inda por cima. Acabou no pornô e nessa bosta mole de *vídeo institucional*, o gonococus aureus da porra do cavalo land rover do publicitário. Agora foda-se, mermão. Embutidos de frango. Se concentra aí e manda vê, falô?)

Mandaram abrir e fechar o vídeo com a frase cunhada pelo diretor-presidente em pessoa, mote de toda a campanha: "Itaquerambu: os embutidos do século 21!" O cara do marketing endógeno e a diretora de relações institucionais repisaram mil vezes que a frase "sintetiza o conceito da nossa nova linha de produtos". *Conceito?* Conceito é o rabo deles. "Itaquerambu: os embutidos do século 21!" Pode uma platitude dessas sintetizar algum conceito? Vão tomar no ânus conceitual deles.

Se bem que, pensando bem, é um puta mantra budista essa frase. Capaz de induzir ao esvaziamento da mente, à levitação do espírito, ao cancelamento do ego, ao franqueamento de todos os portais da percepção, à náusea, ao vômito, ao aniquilamento do ser, à morte em vida severina.

Pronto. Já desabafou?

Legal. Agora, centra o foco nos embutidos de frango. Linguiça e salsicha de frango, salame de frango, salsichão de frango, mortadela de frango. Itaquerambu, os embutidos do século 21. Vídeo institucional. Mais do melhor pra toda a sua família. Uma ideia. Roteiro. Cachê. Vida prática.

Taqueopariu.

Desembutido de mim, embotado estou. Virei mal o século e pior ainda o milênio. Tô ficando grisalho. Pançudo. Mais bêbado e zoado que nunca. Cético, cínico, hipócrita a não poder mais.

Mas, e a Samayana ontem? E a Sossô? A Sossô... Puta merda. Só de pensar na Sossô já me/

Embutidos de frango. Institucional. Zuba. Itaquerambu. Deadline.

Não dá.

Dá, tem que dar.

Não dá!

Dá!

Tem que dar. Já estourei um segundo prazo negociado na porrada com o Zuba, que por sua vez o renegociou a tiros com o cliente. Caralho, por que tantos clientes e embutidos de frango nesse mundo de Deus, santo Deus? Quando furei o primeiro prazo, o Zuba quis me matar. Se eu furar de novo, ele *vai* me matar. O Zuba prefere perder uma bola do saco a furar o deadline acertado com o cliente, esse deus do Olimpo — da Vila Olímpia, no caso, vigésimo andar de uma torre de metal brilhante e vidro espelhado numa travessa da Berrini, de onde avistei pela janela selada o quadrilátero de grama da Hípica Paulista, ao entrar na sala de reunião. Era a Hípica lá embaixo, mas não tinha nenhum cavalo à vista.

"Cadê os cavalos?", eu disse em voz alta pro diretor de marketing endógeno ouvir. Ele tinha acabado de sentar à mesa.

"Que cavalos?", o cara respondeu.

"Lá embaixo, na Hípica", apontei.

O cara expirou sua má vontade pelo nariz e se levantou pra vir até a janela dar uma olhada, enquanto os demais se acomodavam em torno da mesa de reunião. Olhou pra baixo, olhou pra mim.

"É, não tem cavalo. Qual o problema?"

Eu não sabia o que responder. Pra mim era óbvio que havia um problema ali. Uma hípica sem cavalos? Como era possível um diretor de marketing endógeno não ver problema nisso? Só porque se tratava de um problema exógeno?

Foi aí que uma garota de calça bege de montaria, paletozinho preto, rabo de cavalo loiro esguichando do quepe preto de aba curta, com um baita cavalo entre as pernas, cruzou a galope o gramado, na diagonal. De longe era bonita. De perto devia ser rica. O cavalo tinha o mesmo rabo empinado que ela.

"Olha lá! Um cavalo!", berrei.

Achando que pegaria bem estabelecer algum tipo de cumplicidade machista com o diretor de marketing endógeno, agreguei no ouvido dele:

"*Fogosa, né? A égua, digo.*"

Não sei que réplica ele teria dado a esse comentário se o Zuba não tivesse me puxado pelo braço e me jogado numa cadeira, brincando de levar o aluno irrequieto ao seu lugar.

"Vem cá, Zequinha, senta aqui, senta? A reunião já começou, garoto", ele disse, com um sorriso e um olhar que escancaravam o subtexto: "*E vê se cala essa boca, animal!*"

O Zuba. Por conta de muitos prazos estourados e do meu "comportamento instável diante dos clientes", o Zuba tinha jurado nunca mais me chamar pra porra de job nenhum "na puta dessa vida". Não sei bem por quê, o idiota não cumpriu a promessa e, meses depois, me ligou perguntando se eu queria pegar um trabalho. Eu quero é grana, mas às vezes sou obrigado a trabalhar pra conseguir o desgraçado do metal vilão. Ele começou explicando que o job tinha o meu "perfil criativo". Como o meu perfil criativo anda sem um puto no bolso, topei a bagaça no escuro. Antes de me brifar, e de concordar com pesada relutância em me adiantar dois paus do bolso dele, o Zuba frisou umas setecentas e trinta e oito vezes:

"Fica esperto dessa vez, Zeca. Nada de pirar nas reuniões, tá? E se liga no deadline. É tua última chance comigo", me ameaçou ao telefone.

"Tô ligado na linha do morto", eu disse. "Fica frio."

Ouvi uma bufada do outro lado. Minhas subgags já não fazem mais sucesso com o Zuba como antigamente. Minha *última chance*. Já tive outras últimas chances com o Zuba. E também com a Lia, por falar nisso.

A Lia. Não dou as caras desde ontem. Deve tá puta comigo, claro. Mas não é nenhum fim do mundo. Sempre parece que é, mas acaba não sendo o fim do mundo. Já com o Zuba, sei não. Acho que o cara perdeu de vez a paciência comigo. Ele não é minha mulher, não tem filho comigo, não se deixa impressionar pelos meus olhos azuis, não conhece meus predicados viris. É só o filhadaputa do intermediário que me chama pra fabricar vídeos institucionais pros clientes dele, acenando com orçamentos ridículos que me deixam margens de lucro próximas do zero absoluto. Cuzão, esse Zuba.

Vídeo institucional. O meu coração é só de Jesus, a minha alegria são os embutidos de frango da Granja Itaquerambu. Tu só tira o rabo sujo dessa cadeira giratória que não gira sobre rodinhas que não rodam quando tiver esse roteiro pronto e enviado pro Zuba.

Falô?

E aquela garota a cavalo na Hípica? Tesãozinho sobre quatro patas. Queria eu ser o bem-aventurado a chupar aquela xaninha recém-desmontada da sela. *Houyhnhnm!*

Sexo, grana. Vídeo institucional. Embutidos de frango.

Em vez de perder tempo escrevendo essas inanidades, tu já devia estar acabando o roteiro da Itaquerambu. Logo mais estaria em casa com a Lia e o Pedrinho. Vida em família. Mais do melhor. O Zuba ficaria feliz, a diretora de relações institucionais ficaria feliz. O diretor de marketing endógeno ficaria feliz. Os frangos da Itaquerambu ficariam felizes.

Mais do melhor pra sua família.

Caralho.

O que tá pegando é esse oco na cabeça que sempre me acomete depois duma viagem de ácido. É um oco diferente dessa vez, como uma série de ocos embutidos um dentro do outro, até o oco nuclear infinitesimal onde se abriga o vazio compacto da alma inexistente.

A alma, como se sabe, é um organismo arcaico com três órgãos: miolos, estômago e genitália. Nenhum deles, no meu caso, quer saber de embutido de frango. Sem condições. Pau no cu da Itaquerambu, reiteram em rima pobre as três instâncias da minhalma rastaquera que me pariu.

Amanhã, sabadão, esse roteiro tem que tá na mão dos caras. Tem que tá, tem que tá. O endógeno e a magrela vão ler a porra no fim de semana e discutir por telefone ou internet, entre eles e com o Zuba. Os itaquerambus, aliás, já avisaram o Zuba de que não querem mais falar direto comigo. Mas é certo que vão encher o saco com reparos "conceituais", mil sugestões e o cacete. E vou ter que passar a noite de domingo e a madrugada de segunda refazendo a bagaça, reenviando, refazendo, reenviando, até o ok final, que deve acontecer na noite de segunda ou manhã de terça. Daí, com o roteiro aprovado, dou o start na produção, e na própria terça, mais tardar na quarta, começo a captar as imagens, com o fantasma do deadline no meu pé. Se a porra não ficar pronta no prazo, o dead me enforca na line dele.

Por isso, te apruma e trabaia, vagabundo. Pensa o seguinte: e se em vez de fazedor de vídeo institucional você fosse o cara que é obrigado a assistir a essa porra? Um vendedor da Itaquerambu, digamos. Caralho, acho que me matava se tivesse que percorrer supermercados e açougues e armazéns pelos brasis afora vendendo embutidos pra sobreviver. "Bom dia, amigo, já conhece a nova e revolucionária linha de embutidos de frango da Itaquerambu? Sua freguesia vai adorar. A propaganda tá bombando na tevê. É lucro certo, amigo."

Tá louco. Embutia um teco de chumbo na *mioleira*, que nem diz o Nissim, e um abraço.

Portanto, vamo lá, minha gente, embutidos de frango. Yes. Tá tudo aqui no catálogo da Itaquerambu. Ó só o salsichão de frango que beleza. Com ou sem alho. Tremendo pirocão, curtido no rabo da diretora de relações institucionais. Ou no do diretor de marketing exógeno.

"Uma festa para o paladar, um refresco para as coronárias", diz outro slogan da campanha.

Caraca, não foi pra isso que eu li Rimbaud. *J'ai horreur de tous les métiers.*

Aquela última reunião na Itaquerambu lá na Vila Olímpia foi o suprassumo da sacalidade corporativa. Fiquei filando a diretora de relações institucionais, tipinha magrela, 38, 40 anos, loira tingida, cabelo espantado a gel, alta, cara comprida atrás dos óculos estreitos a lhe afiar a navalha das retinas. Toda pose, a fulana, tailleur moderno, cor de aurora boreal em Júpiter. A saia do tailleur, curta, exibia razoável centimetragem de suas pernas granfinórias embaladas em meias pretas de náilon, pés magros enfiados em sapatos de bico fino e salto agulha. A mulher fazia dobradinha inquisitorial com o babaca do marketing endógeno, um pelintra pós-pós-yuppie com um iPhone na mesa à sua frente. Os dois, atuando em dupla de vôlei de praia, se comprazia em rebater cada ideia que eu e o Zuba, os caras da "criação", sacávamos na mesa. O atendimento da agência de publicidade, um gordinho de camisa roxa e uma inacreditável gravata amarela, que tinha chamado o Zuba pro job, olhava da dupla de clientes pra nós, e de nós pra dupla de clientes, com aquela cara de coala sorridente dele, como quem assiste a uma partida de tênis. Pelo menos não metia o bedelho nas discussões. Ele não podia discordar dos caras da Itaquerambu, fonte da nossa grana, nem do Zuba, escolha dele para o job, nem de mim, escolha do Zuba.

O papo ali era foco no cliente, agregar valor, sinergia, comunicação integrada, trade marketing, upscaling, benchmarking, opportunity scanning e o caralhaquatring. Levemente cheirado e fumado — sempre dou uns pegas e uns tirinhos no carro antes das reuniões —, eu boiava naquele patuá barbárico. Fico dois, três meses sem pegar um job, e quando volto à ativa já não entendo metade do que esses caras falam, tão rápido se renova a porra do marquetês. Uma hora lá, pra marcar presença, sugeri um slogan que tinha acabado de me vir à testa: "Porco só dá chabu. Peça Itaquerambu – o embutido do frango bidu".

Ninguém deu mostras de apreciar a excepcional sonoridade do meu mote, tão superior ao pífio "Itaquerambu, os embutidos do século 21", que nem rimar rima. O marqueteiro endógeno lembrou que eles também produzem e comercializam os tradicionais embutidos de porco, campeoníssimos no mercado. Ou seja, porco também é bidu, na visão deles.

"Não podemos estigmatizar o porco", reforçou a diretora anoréxica, sem esconder seu extremo enfado por ter que me explicar uma obviedade dessas. Retruquei no tom mais simpático que pude arrancar dos confins das minhas tripas:

"Longe de mim estigmatizar o porco, gente. Tô ligado que o porco é o melhor amigo do homem, muito mais que o cachorro. E que o frango também, se for ver, né? Quer dizer, numas. Quer dizer..."

Vi que o Zuba tinha se posto um tanto pálido de repente. Os demais se remexeram em seus assentos, como se acometidos por uma crise conjunta de hemorroidas. Arrematei:

"Eu, por exemplo, adoro uma linguicinha torrada. Pernil, então, nem se fala. Cuma breja bem gelada, sai de baixo!"

A diretora tentou me fatiar com seu olhar horizontal. O Zuba com toda certeza pensou em furar minha jugular com a Mont Blanc que fazia girar entre os dedos feito uma ginasta olímpica. Limitou-se, contudo, a comentar que eu não precisava me preocupar com slogans nem conceitos, que isso era com a publicidade, com o marketing, com os diretores da Itaquerambu ali presentes, e que, quanto à rima, ninguém estava tentando fazer poesia nem mesmo publicidade. A diretora, com sua voz de franga desossada, acrescentou que, de mim, eles só queriam o vídeo, "mais nada". O Zuba se apressou em explicar que eu às vezes exagerava um pouco na *criatividade*, mas que ninguém ali se preocupasse, "o Zeca é mó craque, tudo vai dar certo, de modo que vamo em frente, né?"

O Zuba estava certo. Tendo mesmo ao overacting nas reuniões com os clientes, falo dez vezes mais do que ouço, solto piadelhas infames e mudo de assunto com facilidade espantosa. "Só fala, esse menino. Fazer que é bom, não faz nada." Esse era um dos bordões prediletos do velho a meu respeito. Com meu irmão era o contrário: "Não abre mais a boca, o Rubens? Quê que tá acontecendo? Teve derrame, desaprendeu a falar?" O véio também estava certo. Tava tudo errado ali. Acho que estava. Sei lá, certo ou errado, ele já morreu. Meu irmão também, levando com ele as palavras que nunca falou.

Lá na reunião, consegui pelo menos manter restrito ao meu gabinete craniano outro slogan genial que me ocorreu: "Embutidos Itaquerambu – um refresco para o seu cu". Achei tão bom que me pus a rir sozinho, o que não deve ter ajudado muito a melhorar minha imagem no pedaço.

Quando a reunião acabou, o Zuba me olhava torto, o diretor de marketing endógeno da Itaquerambu olhava mais torto ainda pro Zuba, a diretora de relações institucionais olhava de esguelha pro diretor de marketing endógeno e pro atendimento da agência, que, por sua vez, olhava fixo pra sua Mont Blanc — só dá Mont Blanc nessas reuniões — que ele amaciava nos dedos como se fosse um charuto.

Job é foda, cara. Meu reino por um blowjob.

Nas despedidas, lembrei de dizer que, segundo o meu dicionário tupi-guarani, do Padre A. Lemos Barbosa, Itaquerambu queria dizer "pedra que ronca dormindo". Não sei se a turma deu muito crédito a essa informação, verdadeira, aliás.

"*Pedra que ronca dormindo*. Não é lindo, isso?", eu disse.

Depois de um silêncio que já ia apodrecendo de tão prolongado, e de uma nova troca de olhares inamistosos, o homem do marketing endógeno da Granja da Pedra que Ronca Dormindo nos conduziu até os elevadores. Na antessala, a secretária loira não estava na mesa dela. A secretária morena estava. Pena, a loira era bem mais gostosa. Diante dos elevadores, e sem olhar pra mim, o diretor de marketing endógeno cobrou do Zuba mais "objetividade" na condução do job. Mais objetividade, no caso, significava dar um pé na minha bunda e escalar alguém menos transtornado da cabeça pra fazer o trabalho.

Ô vida escrota do caralho.

Tenho a madrugada pela frente. Municiei-me dos secos e molhados necessários pra escrever essa merda. Embutidos de frango. Paga um pouco melhor que dirigir pornô, em todo caso. Só que hoje não tô conseguindo arregimentar um contingente mínimo de neurônios pra encarar o batente. Nem cheirando toda a cocaína dos Andes e do Buraco Quente. Tá foda. Todos os meus dias, se for ver, andam foda, às vezes no bom sentido. Uma fodinha aqui, outra ali. Pelo menos isso. Ontem, então, foi foda que não acabava mais. Preciso dar baixa nisso, de algum jeito — o jeito mais à mão: escrevendo. Contar duma vez por todas o que rolou lá na Samayana. Senão já vi que esse roteiro dos embutidos não sai nem a pau. Nunca tinha sentido antes tamanha compulsão de botar o recém-vivido no papel antes que tudo se esfumace na memória. Fora que eu posso muito bem tirar um belo roteiro de longa dessa história. Acho que, por causa do ácido, minha memória do vendaval de eventos de ontem tá surreal de tão nítida. Lembro de tudo que todo mundo fez e disse, em detalhes microscópicos. Cenários, volumes, cores, odores, climas, palavras, cacoetes, tá tudo aqui no meu hard-disk cabeludo. O presente virou um telão onde o passado recentíssimo se projeta sem parar em alta definição. Chega a ser aflitivo isso, provável sintoma de alguma síndrome com nome moderninho — *transtorno de recognição compulsiva pós-vivencial*, TRCPV —, passível de ser tratada com algum tarja-preta de última geração a 300 paus a caixa com doze comprimidos.

Mas e os embutidos de frango? Granja Itaquerambu. Século 21. Mais do melhor pra porra da sua família idiota.

Tô fudido.

O primeiro portuga que botou os pés nestas plagas, todo sarnento, sifilítico, diarreico, subnutrido, botulínico, também tava fudido. E, porra, olha lá, isso pode dar mote pro roteiro dos embutidos: náufrago esquelético, exausto e morto de fome vai dar numa praia deserta. De repente, o cara se vê cercado por uma tribo de belos e belas jovens de corpo sarado. É conduzido sob a mira de lanças e flechas prum banquete onde ele teme vir a ser o prato principal.

Mas não: chegando lá, o náufrago é recebido de braços abertos pelo velho cacique, tipo rijo e desempenado, apesar da idade avançadíssima, que o convida a traçar as fabulosas iguarias do banquete, às quais, como ele faz questão de ressaltar, todos na tribo devem a exuberante saúde de seus lindos corpos. E adivinha se as iguarias não são os embutidos de frango da Itaquerambu. Aí é só ir apresentando cada produto, um por um, nas mãos e na boca de cada membro da tribo, homens, mulheres, jovens, velhos e crianças. Mais do melhor pra toda a sua tribo.

No final, um helicóptero de salvamento sobrevoa a aldeia. Estão buscando o náufrago, que corre a se esconder na maloca. Ele não quer ser achado. Está feliz ali, cercado pelas nativas e pelos embutidos de frango — uma delícia, eles e elas.

Tão tá. Vamo nessa. Habemus ideia. Agora, é só escrever essa porra. Mas quem vai escrever? Eu, claro. Quem mais? Você é que não vai. Nem vós, nem eles. Mas o problema, insisto, é que eu não estou aqui-agora. Minha cabeça — minhas duas cabeças ainda não saíram do templo da Samayana. Será que ninguém aqui entende isso, porra?

Aliás, com quem eu tô falando aqui — porra? Até esse minuto tava achando que *você* era eu mesmo, como sempre. Mas me veio agora uma ideia maluca sobre a sua possível identidade. Nem quero especular muito sobre isso agora pra não bagunçar mais ainda o meu coreto psíquico. Mas é uma ideia interessante que o meu cérebro fabricou pra se entreter um pouco consigo mesmo enquanto não se decide a encarar os embutidos. Se der certo, tiro um filme da história de ontem na Samayana, e você, um livro. Não esquenta com isso agora, em todo caso. Continua lendo. Ou não. Cê que sabe. Por ora, só preciso de um ouvinte — um qualquer você, que poderá ou não ser *você*.

Que fome de cinema, cacete. Que fome de mulher também, agora e sempre. A Samayana, por exemplo. Sábia sensualíssima egressa das brumas brâmanes da Índia milenar, embora tenha nascido na Alta Sorocabana, numa fazenda em Anastácio, como reza aqui o folder do Centro Bhagadhagadhoga. Que alma imensa, que corpo acolhedor. Nem te conto.

*Nem te conto* o cacete. Porra, se não conto. Já comecei a contar, aliás. Mas isso aqui não é pra ser conto nem romance. Digamos que seja um pré-roteiro de cinema. A história começa lá no templo da Samayana, no porão pra ser mais preciso. Quer dizer, começar começou nessa minha sala mesmo quando o Ingo chegou aqui no fim da tarde de ontem e pôs em marcha as engrenagens do *destino*, como ele mesmo diz a cada três minutos. Porque foi ele quem me levou pra conhecer a Samayana. E a Sossô foi junto. Eu tinha acabado de conhecer a Sossô, uma santinha do pau oco de deixar qualquer um com o pau recheado de sangue. O Ingo é o Ingo: citarista, poeta e vagal assumido, praticante do ócio meditativo e da mais serena junkeria, meu amigo aleatório, "fã de Jimi Hendrix, Jim Morrison, Jean Seberg, Jim das Selvas, molho Jimmy, Jeannie é um Gênio, gim-tônica, ginasianas de meias três-quartos e das Gymnopedies do Satie", como ele adora se definir num jorro perdigótico-aliterativo.

Agora, voltando a *você*, começa a me seduzir cada vez mais a ideia de estar aqui de papo contigo, pra valer, ainda que papo assincrônico. Me pergunto se você viu ou pelo menos ouviu falar do meu primeiro e até hoje único longa, o Holisticofrenia. Fudidão, cara. Ganhou prêmio na Colômbia. Posso te mandar um DVD. Ou não. Esquece. Fica aí criando ácaros na sua biblioteca que eu, do meu lado, vou tentando faturar o roteirinho da Itaquerambu até o fim dessa noite cachorra. Dez, doze páginas, no máximo, de pura cascata bajulo-corporativa, tentando amarrar os "conceitos" da empresa dentro dessa merreca de orçamento, e ponto-final. Qualquer protozoário paralítico é capaz de escrever um troço desse. Vou partir daquela ideia do náufrago na ilha, os selvagens, o banquete de embutidos de frango, e tal. Putideia. Só tem um probleminha: a verba da produção não dá pra rodar nem meia sequência da putideia. Magina: praia deserta, dezenas de modelos, homens, mulheres e crianças, caracterizados de índio, tomadas de helicóptero. Nem fudendo.

Estaca zero.

# <2>

Caraca, a porra do meu coração começou a dar uns pinotes de novo. Sentimentos espaventados frigindo na chapa quente da consciência. O velho desconforto patafísico de ser e estar em mim. Mas, se eu fosse um outro qualquer, tenho certeza que o filhadaputa seria ainda pior que o meu atual mim mesmo. Batata. E estaria também às voltas com qualquer merda assemelhada a embutidos de frango pra levantar uma grana.

Falando nos embutidos, tá começando a me bater uma certa larica, com pó e tudo. É que essa farinha do Miro é uma merda e o fumo é du bão. O tetrahidrocanabinol acaba prevalecendo sobre os alcaloides hiperbatizados, de modo que você pode encher o cu de pó e na sequência traçar uma feijoada, na boa. Além disso, aquele sensacional bacon com ovos da Terezinha que eu mandei hoje à tarde já era no meu estômago lavado de cerveja e shots de Jack Daniel's, que tem essa fama toda mas não passa dum pingão desgraçado como qualquer outro. Se a Terezinha estivesse aqui, eu bem que mandava a minha secretária japa sapecar mais uma rodada de bacon & eggs na frigideira. Tesão. O bacon, não a Terezinha, que você não conhece nem faria questão de conhecer, te asseguro. (Mas acho que vai acabar conhecendo, dum jeito ou de outro.)

Cacete, começo a divagar. E já que comecei, continuo. Me agrada cada vez mais a ideia de sacar um roteiro de cinema daquela zoeirada de ontem no porão milenar. E é pra já. Assim elimino esse ruído da cabeça e abro espaço pra quantos embutidos de frango couberem lá dentro. Será um filme sem trama explícita, sem hitchcockadas suspensoides. Vou só encadear os fatos, um depois do outro, e pronto. Não tenho mais gosto por esse arsenal de *ganchos* que visam deixar o espectador pendurado pelo saco na ansiedade. Faz tempo que não tenho, aliás. Basta ver o Holisticofrenia, que rodei há uns dez anos, sem recorrer a verba oficial, ou renúncia fiscal, nem porra nenhuma do tipo. O pouco que gastei veio do bolso do cunhadão. A única renúncia no filme foi à lógica. Simplesmente, catei a minha Sonynha digital, chamei meia dúzia de malucos que não estavam fazendo picas naqueles dias e saí filmando por aí. Quase não editei nada. Só cortei as sequências nas pontas, pra não ficar um troço de dez horas de duração. Virou uma enxurrada de "imagens em desespero celebrando o caos da vida", como apregoava o cartaz do filme. Nada de culpas corrosivas nem de castigos iminentes em cinemascope. Nada de quase nada, aliás.

Do Hitchcock só roubarei agora a ideia que ele usou em Rope de paralelizar o tempo de filmagem com o tempo narrativo e o tempo "real". Mas, ao contrário do gordão charuteiro, vou cravar essa proeza fora de estúdio, com duas equipes, uma de filmagem, outra de produção. Enquanto a equipe A roda uma sequência numa locação, a equipe B produz a próxima sequência na locação seguinte. Daí a equipe A segue o personagem-pivô da história até lá, filma a nova cena, e assim por delante. Não tem como uma ideia dessas não ficar *ge-ni-al*. Não tem também como arranjar dinheiro pra realizá-la. Não aqui pela minha produtora, pelo menos. Duvido que o Leco vá abrir a burra de novo pra financiar um novo filme meu. Mas vou dar um jeito de "entrar na lei", levo um lero com Madame AAA, assalto a rede de lojas de conveniência do meu cunhado, dou um jeito. Se tudo der certo, vai sair mais um "delírio poético pré-lógico", como um crítico se referiu ao Holisticofrenia, o mesmo cabra, aliás, que apontou a "monomania solipsista exacerbada" da minha obra máxima e até agora única no luminoso horizonte da sétima arte, *por supuesto*. Não vou nem dizer o nome do filho da puta do crítico. Cuzão de Abreu, digamos. *Monomania solipsista. Delírio pré-lógico.* Tomá no cu.

Falando em pré-lógico, acabei de pegar uma peteca com o Miro. Tava precisando sair dessa lucidez de rodapé que me azucrina, me anula, me seca a medula — *be-bop-a-lula*. Um pozinho chuta o pensamento pro alto e é de lei pra quem precisa varar a noite escrevendo roteiro de embutido de frango. Liguei pro Miro e em menos de meia hora ele tava aqui na frente do prédio se anunciando com as buzinadinhas bandeirosas de praxe. Traficante que buzina na porta do cliente é o fim da picada. Não é à toa que o desgraçado já foi preso meia dúzia de vezes. Por que ele não bota logo um alto-falante na capota do carro, como o cara das pamonhas? "Olha lá freguesia! Cocaína fresquinha dos Andes!"

Vi por uma fresta da veneziana basculante que o Miro tinha vindo dessa vez com um Corsa preto de quatro portas equipado com um ridículo aerofólio na traseira. Das últimas vezes, que eu me lembre, era um Fiat Uno vermelho-desbotado. O modesto burocrata que tirou esse Corsa num consórcio e cometeu a imprudência de estacionar a joia num trecho escuro duma rua de pouco movimento — na Vila Madalena, aposto —, com centenas de prestações por pagar, tá agora a pé ou de ônibus, sonhando com um esquadrão da morte específico pra ladrão de carro. Dois Corsas pretos na minha vida num espaço de 24 horas: esse do Miro, de hoje, e o de ontem, da Sossô, idênticos, com exceção do aerofólio absurdo. Coincidência pífia, mas coincidência. Sou desses panacas que ficam encanados com coincidências, buscam analogias do arco da velha, augúrios, agouros, não sossegam enquanto não extraem algum sentido dos eventos aleatórios. Dois Corsas pretos. Sinal de alguma coisa — além de que a GM andou vendendo Corsa preto pra caralho nos últimos anos.

Saí da produtora, passei pelo Adermilson, o porteiro da noite que tinha acabado de chegar pro turno das corujas, e ganhei a calçada, coração batucando de ansiedade pré-cocaínica, rumo ao Corsa preto do meu Messias particular em eterno e cotidiano retorno, descontados os períodos que ele passa em cana ou sumido da praça, quando, então, me vejo obrigado a acionar algum outro dos milhares de vaporetos em atividade aqui em Nasópolis.

O Miro tinha estacionado do outro lado da rua, que é de mão única, debaixo de uma árvore, a roda esquerda da frente escalando uma entrada de garagem em aclive acentuado, estreitando a passagem dos pedestres na calçada. A mulata loira e popozuda que estava do lado dele, de jeans e sandália de salto alto, saiu do carro pra se meter no banco de trás, junto com outras duas gurias. O Miro ultimamente deu de aparecer acompanhado por um séquito variável de meninas brancas, morenas ou negras, muito jovens todas elas, uma ou outra de menor, aposto. Até onde eu sei, ele continua casado. A mulher do cara é uma escrava, nada menos.

Conheci a coitada quando fui com o Nissim pegar pó na casa do Miro uma vez, faz tempo. Era num prédio da Amaral Gurgel, "segundo travesti à direita, pra quem vem da Jaguaribe", como ele gostava de especificar. Nem posso dizer que conheci a mulher, que só vi de relance. Mas deu pra sacar que era lindinha de cara, e alta, uns puta peitão, grávida na época e rodeada de uma penca de crianças com graus variáveis de morenice. Deve ter sido bem gostosa antes de se casar com aquele megatraste branquelo e detonar uma miniexplosão demográfica naquele apê de quarto e sala. Diz o Nissim que a mulher do Miro foi passista da Vai-Vai antes de cometer a burrice de se juntar com o figura. Agora, obedecia calada aos comandos do maridão:

"Tira essas criança daqui, porra."

"Vai comprar cerveja e cigarro. E vê se não demora, porra."

"Cadê o isqueiro, porra?"

Deve ter sido treinada naquele mutismo servil à base de muita porrada, a pobre da ex-passista. Não me lembro de ter ouvido o Miro pronunciar o nome dela durante todo o tempo em que estivemos lá. Ela mesma deve ter esquecido o próprio nome. Devia achar que seu nome agora era Porra. Dona Porra. O Nissim, íntimo da casa, cumprimentou a "comadre" com dois beijinhos secos de bochecha. Tá louco, o Nissim. Eu não tive coragem nem de olhar direito pra ela, quanto mais de dar beijinho. Vai saber o que se passa na cabeça dum marginal com uma capivara da altura dele no fórum criminal e um berro sempre à mão em algum lugar.

Abri a porta do passageiro e entrei no Corsa. O assento ainda guardava o calor da bunda autêntica da falsa loira. As três girls cochichavam aos risos e gritinhos atrás da gente. Não olhei nem dei boa-noite pra nenhuma delas. Em se tratando do Miro, mais vale seguir a regra magna dos presídios de jamais olhar pras mulheres dos companheiros durante as visitas. Nem pra mãe. Nem pra avó.

Falando ao celular, o Miro me ofereceu um aperto de mão convencional. Ele odeia que venham cumprimentá-lo com toques rituais de mano, se o cara não for um mano autêntico. Uns dez anos atrás, quando comecei a pegar pó com ele, o Miro ainda exibia uma notória boa-pinta cafajeste, capaz de atrair passistas esculturais, entre outras beldades de todas as classes sociais. Os olhos verdes ajudavam bem nisso, herança italiana por parte de pai. Duns anos pra cá deu pra engordar, o desgraçado. Anda com uns camisões largos e coloridos de gângster cubano em Miami pra disfarçar a pança — e um eventual berro.

Naquela época a gente ligava pro bipe e deixava recado pra ele retornar. O maluco ligava de volta, ou não ligava, era imprevisível, e marcava o "aponto" num bar da Pompeia. Aparecia a pé, sempre meio encardido. Acho que passava dias e noites com a mesma roupa, sem teto ou banho. Olhar sempre vidrado, de pó e manguaça. A certa altura, de crack também. Você nunca via de onde ele vinha. De repente, o cara brotava do chão ao teu lado. Daí, grana vai, peteca vem, e, de repente, cadê o Miro? O diabo já tinha se desmineralizado e, de volta à nave internarcótica, se abalava pra outra galáxia fissurada a uma velocidade hipertraficônica.

Numa de suas longas sumidas, fiquei sabendo que ele tinha assaltado um hotel do centrão junto com uma puta, operação que terminou com o gerente ferido a bala. Depois de dois anos preso, um freguês dele, advogado, conseguiu descolar uma condicional. O Miro chegou a morar com essa puta do assalto, se não me engano. Me lembro duma quitinete lúgubre na alameda Glete, no coração dos Campos Elíseos, onde eu e o Nissim fomos pegar pó numa noite gelada de agosto. Com o único elevador quebrado, tivemos que encarar treze andares de escada com um vento encanado de congelar cu de pinguim. Por sorte não encontramos nenhum cadáver putrefato pelo caminho, só baratas. Eu não faria isso de subir treze andares gelados de treme-treme nem pela mais bela puta da putandade, mas fiz pela cocaína. Não cheguei a conhecer a então madame Miro, que devia estar manobrando umas pirocas na rua pra sustentar o ócio e os vícios do salafra.

Teve uma época que ele marcava os apontos em botecos do centrão, sempre por volta de nove da noite. Tinha dado alguma treta na Pompeia e ele precisou se mandar de lá. A transação agora rolava pela Rego Freitas, Amaral Gurgel, Cesário Motta, Marquês de Itu, Major Sertório. A gente ficava tomando cerveja até o Miro dar as caras, durante meia hora, uma hora, até duas horas já esperei o Miro, frigindo na fissura, com a boca do lixo em volta fervendo de putaria, polícia e crime.

O Miro já nasceu traficante. Posso ver o Mirinho baby passando as primeiras petequinhas pros colegas de berçário, sob a vista complacente de uma enfermeira subornada ou seduzida por ele. Como todo traficante, o Miro se aproveita até o último fiapo do poder que exerce sobre a clientela fissurada. Ele adora seu papel de ansiado das gentes, trazendo mais uma vez a peteca divina, a salvação em pó, o acesso rápido aos portais do nirvana dopamínico em troca de grana viva e, vez por outra, algum afago sexual da parte de algumas consumidoras mais cheias de gratidão e amor pra dar. Só eu conheço umas duas.

Uma vez, emprestei pra ele o vídeo do Holisticofrenia, movido pela estúpida generosidade cocaínica. Dias depois encontro o mala no Bitch:

"E aí, Mirão? Viu?"

"Viu o quê?", retrucou, invocado, como se eu me referisse a uma treta qualquer que não era pra eu saber que ele tinha visto.

"O filme."

"Que filme?"

"O meu filme."

"Seu filme?"

"Meu filme."

"Cê fez um filme, maluco?"

"Fiz."

"Já estreou?"

"Já."

"Quando? Nem me convidou."

"Faz uma cara que estreou, Mirão. Te emprestei o vídeo outro dia."

"Ah, é?"

"É. Viu?"

"Não."

"Tudo bem, quando der cê vê. E me devolve."

"O quê?"

"O vídeo."

E ficou por isso mesmo.

O Miro agora só anda motorizado, o que se deve à sua notória habilidade em expugnar veículos trancados, com ou sem alarme, e provocar a ignição de motores a explosão, tudo sem a mediação de chaves, embora alardeie a sua atual condição de negociante de carros usados. Hoje em dia você não tem mais que encontrar o Miro nos buracos quentes da cidade. Ele é que vem até você com seu saco de jujubas farináceas, cada semana num carro diferente. Uma peteca, um galo, isso há anos já. O pó não presta, mas pelo menos é imune à inflação. E já não demora tanto, brisa pontual.

O Miro começou a se irritar com seu interlocutor no celular, enquanto eu esperava do lado dele:

"Vai te catá, mano. Puta cara fo*r*gado. Se eu tô dizendo que não dá é porque não dá, caraio. (...) E não me chama de djô, tá ligado? (...) Nem de truta. Truta é a puta que o pariu. (...) Negativo. No Bonfigliole não vô nem fudendo, tá ligado?"

Desligou, puto. As miretes sentiram o clima e se aquietaram atrás de nós. O Miro me olhou com a mesma raiva endereçada a seu interlocutor telefônico.

"Esses pleiba é foda, meu. Querem que eu vô no cu-do-juda levá o bagulho. Tá loco. Cheio de alemão no caminho. Se me param, eu que rodo, né? E o viado fica lá na fissurinha, vendo televisão, tomando breja, roçando o pau mole na bunda da vagaba dele. Si fudê, mano."

As miretes caíram na gargalhada com aquele destampatório obsceno, aliviando a barra dentro do carro. Babujei um pode crê, e apresentei a cinquentinha, querendo concluir logo a transação. O Miro arrancou a nota da minha mão, invocado, como se eu fosse cúmplice do truta-que-o-pariu lá do Bonfigliole. Quanto será que ele lucra naquele galo, o Miro? Metade, no mínimo. Ou mais. Pega do bró atacadista, batiza o já malhado bagulho com farinha de gesso mais alguma meleca hipertóxica que provoca taquicardia e pressão alta, confecciona as petequinhas com plástico de sacolas de supermercado e sai pra rua servindo a nação cafunguêra.

Antes que ele pudesse providenciar minha peteca, soou a trilha do "Missão Impossível" no bolso do camisão dele: *Tãran-tãran-tãran-tã--tã-tã tãran-tãran-tãran...* Mais um nariz fribilando na linha. O Miro bateu o olho no visor e viu quem era.

"Aê, Silvinha", começou, enquanto se patolava distraído. "Tud'báo? (...) Há? (...) Hum. (...) É. (...) Dá não, fia. Meia porção num existe. O mínimo é aquilo memo. (...) É. (...) Não, tíqueti num tô aceitando, não. (...) Também não. (...) É. (...) Cê tá onde? (...) Pode descer em quinze minuto."

Desligou. Parecia bem mais tolerante com a tal da Sílvia. Devia ser das freguesas que lhe pagam em sexo. Pelas risadinhas sacanas das miretes imaginei que elas também acharam a mesma coisa.

Eu começava a ficar paranoico dentro daquele Corsa atravessado na calçada. Já devia ter pego minha peteca e caído fora faz tempo. Mas soou de novo a "Missão Impossível". Outra alma na fissura. Novo debate em torno de horário e ponto de encontro. Dava pra ouvir umas risadas de mulher no celular. Mais uma cafungueira du caraio. A mulherada tá mandando vê hoje em dia. Elas cheiram, ficam muito loucas e querem ser comidas dez vezes seguidas, e não necessariamente pelo mesmo cara nem pelo mesmo orifício. Já eu só queria a minha peteca. Tinha — tenho — que escrever a porra do roteiro dos embutidos. De frango. Mais do melhor pra sua família. Queria pegar logo o pó e me mandar dali. Mas sei que o Miro não gosta de ser pressionado. Ele é o cara, o mundo que espere. Tive que esperar.

Foi quando uma moto pesada se aproximou por trás, diminuindo a velocidade até parar do meu lado. O medo me congelou as gônadas. As miretes não deram mais um pio. É um rato dando um flagra na gente, pensei. Se for, fudeu: embutidos, roteiro de longa, Sossô, perspectiva de trampo na Índia (é, na Índia), e tudo mais — já era. Fora que eu tenho a ficha suja, já levei duas enquadradas por causa de bagulho. Morri cuma grana pra cair fora da primeira, fui indiciado na segunda. Na terceira eu ia ter que deixar as córneas e o fígado na mão dos home pra livrar a cara.

Rato ou não rato, o recém-chegado motocavaleiro deu uma ré em curva com a máquina, tracionando-a com os pés, até estacionar de perfil bem atrás da gente, a roda traseira escorada na calçada, o descanso puxado com o calcanhar. Era uma BMW imensa, do tamanho de uma Harley, tanque grande o bastante pra cruzar o Saara ida e volta sem reabastecer, motor de quatro cilindros opostos, fudidona, dessas que os tiras apreendem com traficantes e contrabandistas e ficam usando nas operações e nos badalos pessoais.

Calmo, de olho na moto pelo retrovisor, o Miro passou o celular pra mão esquerda e levou a direita pra barriga, por debaixo da fralda da camisa. Não deu pra ver, mas só podia ser o cano, e não o de carne, por supuesto. Caralho, pensei. Se o Miro me queima um tira na frente do meu prédio, comigo dentro do carro, eu já podia ir me preparando pra filmar minhas memórias do cárcere daqui a vinte anos quando conseguir uma condicional por bom comportamento. E não é que o desgraçado continuava a levar seu papinho com a cliente no celular como se nada estivesse acontecendo? Ajustei o retrovisor lateral do meu lado pra sintonizar o motoqueiro de camisa polo preta e capacete vermelho com umas chamas amarelas desenhadas. A viseira refletia as luzes da rua, barrando a visão do rosto do cara.

Era ou não era um tira? Todo mundo dentro do Corsa tinha essa pergunta na cabeça. Por fim, o motoqueiro apeou da moto. O Miro estava a ponto de puxar o niquelado, visível agora, pra fora da cintura. Mas o motoqueiro, na maior calma, tirou o capacete e ficou ajeitando o cabelo com a mão num retrovisor da moto. Cool e vaidoso demais prum tira prestes a enquadrar um magote de elementos dentro de um suspeitíssimo Corsa preto.

Em seguida, puxou um celular do bolso da perna da calça cargo e se pôs a falar com alguém. Não parecia ter nada a ver conosco. Ou só estava despistando, enquanto pedia reforço? Em todo caso, logo desligou o celular.

Minutos depois, abriu os braços pra saudar um tipo que saía do prédio em frente, único de três andares da rua Alagoas, velhusco mas bem conservado. Os dois amigos, que não teriam mais de trinta anos, se atracaram num abraço viril pra logo entabularem um papo animado na calçada, ao lado da moto. A nóia caiu a zero no carro. As miretes voltaram à cochicharia pontuada de risinhos. Paz no Corsa aos malucos de boa vontade. Cogitei se os dois lá, o motoqueiro e o amigo, não estariam armando de pegar um pó pra balada de sexta à noite, sem desconfiar de que uma fonte murmurante da branca estava logo ali ao alcance do nariz deles.

O Miro encerrou o papo com a freguesa ao celular, fechando a lingueta do aparelhinho num flap irritado. "Essas mina é foda," ele disse. "Forgada que só o rabo delas."

As miretes se cagaram de rir. Deviam ter um rabo forgado também. Tornei a ajustar o retrovisor lateral de modo a focar as elementas no banco de trás. A moreninha clara com cara de boneca era um tesão. Sacou meu olhar e sorriu. Desguiei o olhar pensando, filho duma égua, esse Miro. Deve tá comendo as três: a Biondina afrobrasuca, cujo calor da bunda eu tinha sentido ao sentar ali, a baby-face safada do retrovisor, e uma branquelinha mirrada mas toda pose, sentada atrás dele. O que é uma temporada na cadeia de vez em quando, se você pode traçar aquele trio de xotinhas alegres e dedicadas todas as noites quando está aqui fora, livre e solto como um passaralho?

O Miro já tinha tirado a mão da cintura. No colo trazia agora o famoso saco de veludo roxo com um cordão dourado. Era um invólucro da garrafa do Royal Salute, uísque de bacana que alguém lhe dera de presente, talvez uma das vagabas abonadas que ele passa na cara de vez em quando, se não foi mesmo o babaca do Nissim. Desatou o cordão e abriu a boca do saco. Lá dentro se via um ninho de petequinhas de plástico estufadas. Enfiou a mão ali, revolvendo as bichinhas, apalpando uma, largando, apalpando outra, largando essa também, num meticuloso e demorado processo de seleção. Só embromation, pra mais uma vez deixar claro que ele era o senhor absoluto do tempo e dos destinos da humanidade cafungueira.

"Vê uma caprichada, Miro", pedi, como sempre. "Vou ter que varar a madruga trampando, meu."

"Também tô na função, direto", ele disse. Daí, virou pra trás e perguntou pras Miretes: "É ou não é, Brasil?"

"É!!!", as brasileiras responderam em uníssono galhofeiro. Gracinhas, as três. O Miro bem que podia agenciar uma gatinha daquelas pros clientes mais chegados. Tipo promoção: a cada dez petecas, tu ganha uma bimbada grátis com uma mirete bundudinha de cabelo tingido de loiro daquelas. Porra, o cara ia escoar sozinho toda a produção da Bolívia se fizesse uma coisa dessas.

Acabou que ele escolheu uma peteca bem fornida. Tô achando que ele tem mesmo petecas de tamanhos diferentes dentro daquela pacoteira, que é pra agradar os mais chegados com as maiores, ou punir algum pentelho que vem com djô e truta pra cima do ouvido dele com as mais raquíticas. Quando fui apanhar minha petecuda, ele recolheu a mão e jogou o negócio de volta pra dentro, pra vasculhar de novo lá dentro, devagar, até puxar outra muca, idêntica à primeira, se não menor. Foi essa que acabou me passando. Pura encenação, aquilo tudo. Em todo caso, só de pegar na mercadoria já senti uma descarga neuropromissora nos lobos frontais — *dzz*. Eu estava salvo por algumas horas. Só queria chispar dali o mais rápido possível.

"Valeu, Miro", eu disse, abrindo a porta e dispensando o aperto de mão.

"Vai manso, Zeca, que o baguio é fo*r*tinho", ele recomendou, num esforço de marketing pós-venda.

Na fissura que eu tava, e depois daquele aviso sugestionante, se o cara te vender cimento branco com laxante e sal de frutas, você vai demorar de duas a três horas até se dar conta de que não está cheirando o mais puro bright andino nem porra nenhuma. E se você estiver mamando um goró pesado e dando pega num mato brabo é provável que nem perceba o logro até capotar de vez. Mas não era impossível que ele tivesse adicionado alguma meleca anfetamínica pra turbinar o bagulho, o que era sempre melhor que nada.

Caí fora ao mesmo tempo que a "Missão Impossível" tocava de novo no celular dele. Atravessei a rua a paso doble e pisei aliviado na calçada em frente ao meu prédio no mesmo instante em que ouvia um estrondo de corpos plástico-metálicos em colisão atrás de mim, seguido de um baque de aço e lata contra o asfalto: *clac-trunc-crash!* Girei a cabeça o suficiente para ver que o Miro tinha deixado o carro escorregar de ré pela rampa da garagem até dar um esbarrão fulminante na moto estacionada atrás dele. A máquina foi pro chão bem nas fuças do dono. Decidi que eu era o Homem Invisível e continuei andando em direção ao prédio. O Adermilson acionou para mim a cancela eletrônica do portão da calçada, feita das mesmas lanças metálicas que protegem o jardinzinho fronteiriço do prédio, enquanto lá fora os pneus do Corsa cantavam uma fuga prestíssima rumo à Angélica. Avançando rapidinho até a porta de vidro que dava acesso à portaria, vi o motoqueiro e seu amigo disparando a pé atrás do Corsa, aos berros de "Pega!" e "Filho da puta!" O dono da motoca já ia chegando muito perto da janela do motorista fugitivo, com as três miretes olhando apavoradas pelo vidro traseiro, quando o Miro, em vez de seguir reto pela Alagoas, onde havia trânsito, deu uma guinada radical à direita na Itacolomi. O motoqueiro deu passos largos no vazio do asfalto à sua frente, fazendo grande esforço pra não ir de boca no chão.

Nessa altura, o Adermilson já tinha se levantado pra ir olhar a zorra na rua, passando por mim como se não tivesse me visto. Acho que a minha palidez de cagaço tinha me deixado invisível de verdade. Atravessei o saguão da portaria na moral e me fechei aqui na Khmer. Achei que o motoqueiro podia aparecer a qualquer momento pra tirar satisfações do cara que tinha acabado de sair do carro agressor, e com a polícia junto. Mas, como constatei pelas frestas da veneziana corrediça aqui da minha janela, o da moto e seu amigo estavam por demais concentrados em reerguer a máquina, avaliando os danos causados pelo tombo. Ou bem não me viram sair do carro ou não perceberam que eu tinha entrado aqui no edifício Paris, ou as duas coisas. Puta sorte. Eu ia poder cheirar em paz, lavar a língua e a alma no Jack e na cerva, fumar meu béqui, relatar de uma vez por todas os melhores lances da, digamos, experiência mística de ontem, e aí fumar, cheirar e beber mais um pouco pra só então me jogar nos braços dos embutidos da Itaquerambu, matar o roteiro a pau, enviar pro Zuba, e, se não for tarde demais, sair pra refrescar as ideia lá no Bitch.

Minutos depois, ouvi toques breves de sirene. Era só aquele tamos--aí dos home, sem urgência. Espiando de novo lá fora, vi um Vectra da PM estacionado ao lado da BMW outra vez em pé.

Dois PMs, um na direção, o outro fora, com um bloco de ocorrência na mão, ouviam o motoqueiro e seu amigo reconstituírem com farto apoio gestual o incidente e a fuga do Corsa. Ninguém apontava ou sequer olhava pra cá. O motoqueiro mostrou um papelzinho pro meganha que estava fora da viatura, o qual, por sua vez, repassou o papelzinho pro PM que tinha ficado no carro. Só podia ser a placa do Corsa. Se não fosse chapa fria, o verdadeiro dono daquele Corsa ia ter alguma dor de cabeça adicional nos próximos dias, além da que teve quando lhe roubaram o carro, até conseguir explicar que não tinha sido ele o causador daquele salseiro. Nem dez minutos depois, a polícia se mandou, despedindo-se da dupla de amigos com dois gorjeios curtos de sirene. O motoqueiro, por sua vez, também se despediu do amigo, montou na BMW e deu a partida, puxando um pigarro grosso do motor. Mesmo com uns itens supérfluos avariados, a máquina parecia em boa saúde mecânica.

Pensei em ligar pro Miro e avisar sobre a polícia, a placa anotada e tudo mais. Mas aquele lá entende bem mais de treta e crime que eu. Já deve ter substituído as placas do Corsa por outras frias, ou, mais provável, encostado a caranga num desmanche 24 horas lá no cu--do-judas. Uma hora dessas já deve estar no volante de outro cabrito fazendo seu delivery de veneninho em petecas. Botei uma moto de mil cilindradas sobre o assunto e vim me sentar aqui, decidido a matar o frango a pau num só jorro de teclado, antes de mais nada. Depois o Zuba corrigiria o texto pra mim, como ele sempre faz. Numa crise de sensatez adrenalínica, achei melhor deixar pra mais tarde a história do porão mágico.

Comecei por despejar um pouco do pó da peteca sobre um CD roxo do Lou Reed, batendo a pedreira com meu cartão de crédito bloqueado. Pelo menos o plastiquinho continua servindo pra isso. A primeira carreira me abriu as portas do nirvana. A segunda me chutou lá pra dentro. Dei fartos goles no bourbon e na cerveja e suspendi as mãos sobre o notebook. As mãos, meio trêmulas, ficaram pairando ameaçadoras em cima das letras. Quando os dedos pingaram sobre elas, o que acabou me saindo foi isso aqui que você tem lido, o embrião dum possível roteiro. Nem sombra dos embutidos.

Devia avisar a Lia que eu não vou dormir em casa hoje, como também não dormi — nem avisei — ontem. Mas ela também não me ligou até agora, então, foda-se. Quer dizer, ligou sim. Deixou recado na secretária de madrugada, que eu nem ouvi ainda. Foi a outra secretária, a biológica, que ouviu hoje de manhã e me deixou um aviso no painel. Pode ser também que tenha alguma mensagem na caixa postal do celular. Com certeza tem, mas não tô na pilha de detonar meus tímpanos com impropérios a essa hora da noite. Imeio dela não tinha.

Que se foda a Lia, o motoqueiro, o Zuba — e eu também, que já estou mais ou menos acostumado a me foder. O que eu queria, e quero, é pó e buceta, nessa ordem. Pó ainda tem. Buceta não. Ontem nadei em buceta, nos quatro estilos olímpicos. É o que eu ia te contar agora — depois de mais um zás-trás na branquete.

<3>

Acabei ligando pra Lia. Perda de tempo. Ela sacou no ato que eu tava de pó.

"Que fungação é essa? Tá cheirando a essa hora, Zé Carlos?!"

"Tô respirando. Desde pequeno faço isso."

"Muito engraçado."

Eu não achei tão engraçado. Já tive gags melhores.

"Onde você se enfiou ontem? Nem precisa contar. Não quero saber. Não ouviu meus recados?"

"Ouvi", menti. "A Terezinha também."

"Que se dane a Terezinha. E aí? Que cê acha da minha proposta?"

Xiii, que proposta? Chutei:

"Porra, Lia, cê quer discutir isso agora? Tô trabalhando."

"Trabalhando."

"Lógico. Que mais você acha que eu venho fazer aqui na produtora?"

A patroa caiu na gargalhada. Tive que me contorcer pra não fazer a mesma coisa. Quando me senti sob controle, mandei:

"Lia, pode parecer estranho, mas é o que eu mais faço aqui: trabalhar."

Mais risadas. Dessa vez, não me aguentei e ri também. Quando pude sossegar o diafragma continuei:

"Agora, por exemplo, tô mergulhado no roteiro dos embutidos. Vou até a hora que for."

Ficou um silêncio. Daí, ela retomou a nossa suposta conversação:

"Não entregou ainda esse roteiro, Zeca? Porra, Zeca."

"Tá foda, Lia. Dei uma bloqueada."

"Bloqueada."

"É. Acho que é stress puro. Ando muito ocupado", deixei escapar, de besta.

"Muito ocupado? Com quê? Com pó, Nissim, boteco? Que mais? Mulher?"

"Tô sem tempo pra mulher."

"Já percebi isso. Quer dizer, se ainda conto como mulher pra você."

Respondi com meu silêncio número 3, que não quer dizer nada, mas parece dizer tudo.

"Que é que cê fica fazendo quando some de casa, me diz? Aí você não estava de madrugada. Onde você andou, seu filho da puta?"

"Fazendo contatos."

"Fazendo contatos."

"É."

"Onde?"

"Por aí."

"Por aí."

"É."

Ela deu uma bufada no bocal que encheu minha orelha de cuspe virtual. Segui mandando:

"Na minha área, ficou parado vira bosta, minha filha."

"Sua *área*? Na sua área só tem mesa de boteco com um monte de bêbado cheirando pó e falando merda a noite inteira pra ninguém ouvir."

Era uma boa definição da minha "área". Faltou mencionar os eventuais brotinhos e as pêtas que elas às vezes me prodigalizam no banheiro do boteco.

"Não tenho culpa se na minha área tem pouco ph.D. dando palestra na USP", rebati. "O pessoal de cinema tem que rebolar pra viver."

"Zeca, você é... você é... patético. Cê jura que vai passar a vida toda se drogando feito um idiota? Qualquer hora morre aí, meu."

"Qualquer hora todos morreremos, aqui, ali, alhures. Vai ser um problema a menos na minha vida. E na sua também."

"Isso é verdade."

Aproveitei o instante de silêncio e colhi uma crosta de pó grudada na borda duma narina.

"Quando é que você vai parar de cheirar pó, Zeca? Hein? Me diga."

Porra, às vezes acho que me casei com a mulher-maravilha com superpoderes de perdigueira televidente.

"Lia, tô tentando parar. Hoje em dia quase só cheiro pra trabalhar."

"Zeca, a gente precisa ter uma conversa muito séria. Ouve de novo a minha proposta na tua secretária eletrônica. E sóbrio, se isso ainda for possível."

"Eu tô sóbrio. E afogado em trampo."

"Não quer nem saber como tá o Pedrinho? Seu filho, lembra?"

"Quê que tem o Pedrinho?"

"Zeca, me faz um favor, tá? Vai à merda!"

E desligou.

Aquele "Vai à merda!" soou como um acorde terminal de bandoneon nos meus ouvidos. Um alvará pra zoar à vontade por mais 24 horas.

Nem dez segundos depois, toca o telefone. Dona Lia de novo:

"E pode me dar quatro mil reais. Preciso de quatro mil reais até amanhã."

"Não tenho. Nem um."

"Trate de arranjar. Você tem filho, tem casa, tem mil obrigações. Eu é que tenho que arcar com tudo sozinha? Por quê? Faz meses que você não bota um centavo aqui."

"Vou botar, Lia, vou botar ovo amarelinho no seu ninho."

"Tô esperando. Dinheiro! Ovo não."

"Era uma metáfora, benzinho."

"Zeca, você é doido. Sempre foi doido. Mas agora virou um doido varrido."

"Com duas vassouras!"

"Olha aqui, se aparecer um gabiru na minha vida de novo, não reclama. Culpa sua!"

E socou mais uma vez o telefone no gancho.

Culpa minha? Ela abre as pernas, vem um lá, enfia o pau na buceta dela, e a culpa é minha?

Não seria a primeira vez, de fato, como a própria patroa me confessou, noite dessas, depois de duas garrafas de vinho e uma bomba compartilhadas, numa noite sem Pedrinho nem empregada. Fiz o número do corno magoado, mas conformado. É o que a mulherada prefere. Na real me deu foi um puta tesão por ela. Caí matando na véia. Ela ter dado pra outro cara reinstituiu a sacanagem na parada. Bela trepada, amigo, nem parecia conjugal. Chupei o cu dela, procê ter uma ideia. Depois, fumando um beque na cama, pedi mais detalhes da traição, a ver se me animava a dar uma segundinha. Acho que é a tal volúpia do corno que tanto falam por aí. Ela jurou, em todo caso, que o rolo já tinha acabado fazia mais de um ano. O cara era sociólogo como ela, só que do Rio. Tinham se conhecido num fórum esquerdofrênico em Porto Alegre. Deve ser um desses barbudinhos míopes que apoiam as FARC, o Chávez, Fidel, Evo Morales, Heloísa Helena e só ouve samba de raiz nas gafieiras de classe média providas de um número suficiente de negros para parecerem populares. A Lia disse que eu andava tão desatento com ela que não saquei nada, meses a fio. Mas não era verdade. Eu tinha notado que ela estava indo demais pro Rio pra simpósio, grupo de estudos, projeto de pesquisa na Federal, visitas à Clara, irmã mais velha dela que mora lá e com quem ela nunca se deu muito bem. Que porra eu devia ter feito? Proibir as viagens dela, que me deixavam inestimáveis fins de semana e feriados livres pra zoar à vontade por dois, três dias, às vezes uma semana inteira? Comprar gabardine, chapéu diplomata e ray-ban pra seguir a piranha pelo Rio de Janeiro com uma câmera indiscreta na mão? Só fiquei aperreado de saber de tudo post-facto — pós-coito, no caso. Que graça tem ser corno e não saber na hora? Perguntei se o pau do carioca era maior ou menor que o meu. A Lia me mandou catar coquinho e não respondeu. Devia ser menor. Se fosse maior, ela teria dito pra me sacanear ou dado um sorrisinho incontrolável.

    E agora ela vinha com esse papo de "se aparecer alguém na minha vida, não reclama". Vá se fuder — na USP, na UFRJ, na FGV, no CEBRAP, na PQP, onde ela quiser. Vou mandar já um imeio rodrigueano pra Lia: "Perdoa-me por me traíres". Pronto, mandei. Mais uma que eu devo ao Nelsão.

    E vamos ao que interessa: cafunguelê, pega no bamba, trago no Jack, e foda-se a mula manca.

    Sabe que tô achando esse pó do Miro de fato melhorzinho que a média? Soubesse, tinha pegado logo duas petecas. Depois de todo aquele sufoco, valia a pena.

Y así pasan los dias negros y las noches blancas.
Ceci n'est pas un texte. É um filme.
Pausa pra mijar.
Mijei tá mijado. Na verdade, mijei sentado e, veja você, acabei cagando. Às vezes tenho preguiça de mijar de pé, e sento. Se o Nissim souber que eu mijo sentado, muda na mesma hora de prédio e de amigo. E, no entanto, mijar sentado é o que há de bão. Você dá lá o seu mijão e se for o caso libera um barro também. Só precisa tá de pau mole, pra não relar o animal na porcelana da privada, coisa sempre desagradável e anti-higiênica.

Mudando de assunto, mas não de locação, você precisa vir aqui um dia pra conhecer a Khmer VideoFilmes Ltda., instalada no térreo do edifício Paris, construído nos anos 50, um imóvel *vintage*, como adora dizer o Leco desde que aprendeu a falar esse *vêntedj* ridículo. O Leco, não sei se já disse, é meu cunhado e dono do pedaço, um dos vinte imóveis dele. O Leco pode ter uma alma estreita, mas esse apê dele é bem amplo, com um belo hall de entrada, sala dupla e três quartos.

No hall instalei a trincheira da secretária. A segunda metade da sala virou uma espécie de cineminha com um telão pra vídeo, velharia que eu raramente uso. No primeiro quarto do corredor, que chamo de museu, ficam os equipamentos, duas betacams caducas, uma ilha de corte seco, a maleta com a Sony digital, um computador velhusco mas upgradado, com dez gigas de memória RAM e cinco mil gigas disponíveis em cinco HDs conjugados, uma gambiarra que eu instalei pra rodar o D/VISION-PRO não linear, a joia tecnológica da Khmer, piratinha mas da hora. Tenho três monitores plugados na CPU, sendo um de tela plana, 30 polegadas, cinemão. O resto são duas cruzetas, spots, girafas, rebatedores, uma claquete das antigas, de madeira, um gravador/reprodutor digital do tamanho de uma caixa de charutos que já foi superado por esses iPods modernos do tamanho de um minicelular. Eu tinha também um velho Nagra analógico que me quebrava um galhão pra gravar externas, mas roubaram num set do Holisticofrenia, no meio daquela favelinha que tinha, não tem mais, do lado da ponte da Cidade Jardim. O maloqueiro que afanou o Nagra deve ter sido esmagado, junto com o aparelho, pelas toneladas de concreto das duas torres gêmeas de "alto padrão" que aterrissaram ali da noite pro dia.

No quarto do meio, sempre fechado, fica o escritório do Leco. Uma época desconfiei que o cunhadão escondia ali o caixa dois das empresas dele em algum fundo falso de armário. Ouro, euro, dólar. Ele entrava de vez em quando com sua maleta de couro de jacaré, se trancava lá, saía depois de vinte minutos com a mesma maleta, mais leve, eu achava. Noite dessas, sem a Terezinha por perto, dei uma geral na sala do Leco. Vasculhei armários, gavetas, arquivos, caixas, fichários, tudo. Só achei num fundo de gaveta um envelope de camisinha fechado. Mistério e decepção.

No terceiro e mais amplo aposento, no final do corredor, instalei meu escritório de dormir, ou meu dormitório de trabalho, único cômodo que utilizo, fora o banheiro, de onde acabo de voltar meio quilo mais leve. Tem a cozinha também, de onde extraio cerveja, gelo e água, além do bacon & eggs filado da Terezinha, que todo dia sapeca o gordurão proteico na frigideira. O banheiro, antigão, com todos os azulejos verdes no devido lugar, tem um bidê clássico, de borda gorda, confortabilíssimo, a quem dedico este haicai sanitário:

> depois de cagá,
> depois de fudê
> viva o bidê!

Acabou de dar meia-noite no relógio de gongo do vizinho de cima. Logo no primeiro *gooong* já me veio uma revoada de nóias difusas. Conferi a hora no computinha, 1/2 noite, e fiquei contando as badaladas. Cheirei uma carreirona entre a quarta e a sexta badalada, me perguntando, a sério, se chegaria vivo à décima segunda. Já me empatou leituras, sonecas, punhetas e até uma foda anunciada, esse gongo. A mina deu um troço — "Que foi isso?!?!" — e travou geral.

Não sei direito quem mora aí no primeiro andar. Imagino que algum vampiro aposentado a ruminar seu Alzheimer na santa paz de antigas e folgadas aposentadorias, desses que eu cruzo todo dia no saguão, se não for qualquer uma dessas bruxas encarquilhadas de cabelo azul ou cor-de-rosa que vivem aqui desde os tempos do

Amador Aguiar, como aquela véia do bichon frisê que acorda, passa o dia e vai dormir só pensando num jeito de me expulsar do prédio.

Bom, vamos aos embutidos. Ou, então, às endiabradas aventuras do cineasta disponível, da ninfa rabo de foguete e do citarista do dharma no porão dos adoradores do zebu priápico.

A ou B?

Meu coração pede B: flashback. Em cinema é bico voltar ao passado. Um harpejo de harpa, fade-out/fade-in, e pronto: era no tempo do rei. Adoro esse clichê sonoro da harpa anunciando o flashback contra a imagem do presente que se dissolve na consciência antes de adentrar a noite escura da memória. No Holisticofrenia tinha uma anja de topless que tangia uma escala descendente na harpa, empoleirada numa tumba do Araçá, anunciando os flashbacks. Aí, detrás duma lápide, surgia um toureiro-diabo, bichérrimo, de chifres colados na testa, que vinha encobrir a lente com sua capa, dando o fade-out. No fade-in subsequente, ele tirava a capa da lente, sempre com a anja ali ao lado, de harpa escorada entre as tetas nuas tangendo a escala ascendente.

Grande recurso pra contar uma história, o flashback. Se for levar à risca, tudo é flashback em ficção de cinema, teatro ou TV, mesmo que o tempo narrativo seja sempre o presente, ou tempo nenhum de história alguma. Porque os personagens e seus atores vão sempre exibir traços do seu passado nos corpos — sua idade, por exemplo — e nas atitudes. O Nissim, que é uma espécie de nacionalista policarpiano, batizou o flashback de *lampejo retroativo*. Em filme de sacanagem, por exemplo, não rola lampejo retroativo. Pelo menos nunca vi. No pornô, fodas passadas não movem punhetas. É tudo aqui-agora-dentro-e-fora. Só existe o presentão do indicativo rijo e reluzente.

Esse negócio de memória é gozado, se me permite mais uma digressãozinha. A memória não é uma locadora de vídeos à espera das demandas do freguês: "Por favor, mocinha, me veja aí o filme da minha primeira trepada, em 1980, com aquela baixinha meiga, nós dois aos 16 aninhos com o tesão na ponta da língua, do pau e do grelo, no apartamento de veraneio dos pais dela, em Santos. O fundo sonoro era a zoeira da galerinha que tinha viajado com a gente vendo um Corinthians vs. Santos na TV da sala. Posso estar me confundindo, mas acho que ranquei o cabaço dela bem quando o Corinthians marcou um gol e a galera explodiu na vibração, o que, se não for verdade, pelo menos dá uma boa cena".

Ou: "Me veja, por favor, aquela trombada de fusca que eu protagonizei contra um buzão no cruzamento da Lisboa com a Teodoro, às sete da manhã, em 1991, voltando duma balada cuma galerinha, todo mundo pra lá de chapado. Foi foda. Sangue e estilhaço de vidro pra todo lado." (Até hoje não sei de onde surgiu aquele ônibus, caralho. Eu tava olhando pro lado certo da Teodoro ao tentar cruzá-la. Achei que tava, pelo menos. Quebrei o braço em três lugares e levei 18 pontos na cabeça. A menina do meu lado quebrou o nariz, o maxilar e o fêmur. Um outro carinha teve uma perfuração em algum órgão mais ou menos vital. Esse quase morreu.)

Não, a memória não é nada disso. Acho que ela parece mais um oceano agitado por ondas aleatórias de angústia e dor a encobrir imagens perturbadoras em fuga através de fronteiras imprecisas nos substratos mais profundos da mente humana, como no "Império dos sonhos", do Lynch. É isso: a memória é um pesadelo fílmico do David Lynch. Não é à toa que ela vem com um dispositivo autolimpante — o esquecimento.

Eta papo furado do caraio.

O que eu acho que ia dizer, em todo caso, é que tudo começou com o Ingo passando aqui na produtora, ontem, ele e aquela cítara dentro do esquife pescoçudo. Como sempre, passou sem avisar, só porque a produtora estava no meio do caminho dele. Quando aparece, o Ingo se comporta como um beduíno solitário que reencontra um velho amigo no meio do deserto. O mínimo que ele espera é que eu pare com tudo que esteja fazendo pra celebrar a ocasião. A Terezinha, mesmo já sabendo quem é o ilustre visitante pela interfonada do porteiro, não deixa de se assombrar quando abre a porta e dá com o Ingo e sua cara de Goethe viajandão a ouvir Hendrix no iPod, a cabeleira de um castanho aloirado repartida no meio do tampo da cabeça a lhe escorrer em fartas madeixas aneladas, sempre rindo de tudo e nada. O que mais incomoda as pessoas é essa risada sideral que ele dispara a torto e a direito, em qualquer hora e lugar. Você diz "oi" e o alemão já solta uma gargalhada. O Nissim acha aquele risadismo do Ingo coisa de débil mental. Eu acho que é coisa de maluco beleza mesmo, muito bagulho muito cedo na vida e ócio pra dar e vender. O Ingo ainda trazia sucrilhos entalados nos dentes quando mandou o primeiro ácido.

E lá estava o figuraça envergando seu tradicional conjunto indiano branco-encardido de calça larga de algodão cru, bata de linho e uma gabardine negra por cima de tudo, que ele não dispensa nem no auge do verão. Tudo apoiado num par de Conga detonado sem meia e sem cadarço. Nunca vi o Ingo de meia ou com cadarço no tênis. Quando morrer vão encontrar um baú debaixo da cama dele abarrotado de cadarços novinhos tirados dos milhares de Congas que usou na vida. Dizem que o Ingo é um clone perfeito do Alberto Marsicano, poeta, músico, líder místico e mestre-vagabundo, seu ídolo máximo entre os seres vivos de nacionalidade brasileira. Roupas, orientalismos, cítara indiana e até a risada desenfreada do Ingo teriam vindo direto do Marsicano, seu ideal-tipo. Só que o Ingo deve ter pelo menos vinte anos a menos que esse Marsicano. De qualquer forma, entre o original e a cópia, fico com a cópia, de quem já sou amigo há quase uma década.

"Zequinha!", explodiu o Ingo ao adentrar a minha sala. "Tava passando pela rua quando senti uma tremenda força energética *innnn--positiva* me atraindo pra algum lugar. Quando vi, tava eu na frente do seu prédio! Hahahahá!"

Fechei a porta, baixei o basculante da janela, que dá pruma faixa minúscula de jardim em frente ao prédio e daí pra calçada, com uma grade de barras de ferro pontiagudas de permeio. Acendemos uma ponta para iniciar as libações comemorativas do nosso encontro e rachamos a única latinha de cerveja que restava no frigobar debaixo da minha mesa. De repente, ou menos que de repente, o Ingo se vira pra mim com um convite "imperdível". Ele queria que eu fosse com ele a um lugar "incrível", conhecer uma sacerdotisa neobrâmane "fantástica" e participar de um ritual secreto "alucinante". O ritual *bhagadhagadhoga* contaria com a participação de uns poucos escolhidos no centro de esoterismos chiques da Wyrna Samayana.

"Baga o quê?", perguntei, ao ouvir pela primeira vez aquele nome gorgolejante.

"Bhagadhagadhoga! Com agá depois do bê e dos dois dês."

"Prazer, José Carlos Ribeiro. Com jota, cê e erre antes de cada vocábulo."

"Cara, bhagadhagadhoga é o primeiro grande passo em direção à luz divina."

"Melhor levar meu ray-ban, então. Tenho uma puta fotofobia."

"Hahahahá! Boa, Zequinha, boa. Agora, dá um tempo nas piadinhas e repete comigo: *bhaga-dhaga-dhoga*. É bom de falar. Massageia a língua e o palato. Vai: bhaga-dhaga-dhoga. Bhagadhagadhoga."

"Bagdá-cagadag... Cazzo, Ingo. Que me importa o nome da bagaça? Tô sabendo como vai ser: você tocando cítara, uma comedora de arroz integral dando aula de relaxamento, respiração, alongamento, meditação e filosofia védica pruma galera deprimida e semi analfabeta em flor de lótus."

O Ingo deu sua risada benévola e ficou sério de repente:

"Nada a ver, Zequinha. Vai rolar uma autêntica surubrâmane Zebuh-bhagadhagadhoga. Zebuh com agá no final."

Dessa vez fui eu que me escangalhei de rir.

"Porra, Ingo! *Surubrâmane* com zebu é foda! Que merda é essa, meu? Uma seita de pecuaristas tarados de Uberaba?"

O alemão subiu no púlpito:

"Zequinha, considere-se um dos poucos iluminados que o destino escolheu pra participar dum rito reservadíssimo de uma dissidência secreta do bramanismo clássico. Por enquanto, é só pra pouquíssima gente escolhida a dedo."

Espetei o dedo médio no cu da atmosfera:

"Assim?"

"Cara, ouve o chamado do destino, é só isso que eu te peço."

"Avisa o destino que eu agradeço muito o chamado, mas tô às voltas aqui cum roteiro de institucional atrasadíssimo. Vou ter que ralar a noite toda, não vai dar."

"Sobre o quê, esse roteiro?"

"Sobre um tema da maior transcendência espiritual: embutidos de frango."

O Ingo riu de se dobrar.

"Embutidos de frango, Zequinha?! Porra! Você vai trocar uma surubrâmane Zebuh-bhagadhagadhoga por embutidos de frango?"

"Vou."

"Zequinha, relaxa. Deixa os embutidos pruma hora mais propícia. Tudo acontece no seu devido tempo. Não é você quem decide o quê, quando, onde. É o/"

"Destino", atalhei.

"Exatamente."

"Tá, mas quem paga as minhas contas nessa encarnação sou eu, não é o destino. O destino só me apresenta as contas", repliquei, soando vagamente como meu pai — ou como a Lia.

"Não me venha com intranscendências, pelamordideus, Zequinha! O crepúsculo é a hora mais sagrada do dia. As potências ocultas estão em vias de acordar e não querem encontrar ninguém trabalhando."

"Hahá! Essa é boa. Vou ligar pro diretor de marketing endógeno da Granja Itaquerambu e dizer pra ele que não vai ter roteiro amanhã porque as potências ocultas acordaram e eu não posso ser flagrado no eito."

"Além do mais", continuou o Ingo, "quem paga tuas contas é tua mulher e teu cunhado, que eu sei. Vambora, porra!"

Ele tinha razão. As contas de casa é a Lia quem paga. As da produtora é o irmão dela. Eu só banco a gasolina do Monzão, as biritas e as subs. Mas isso não era motivo suficiente preu cair numa *surubrâmane* e abandonar os embutidos de frango.

"Não vai dar, Ingão. Mesmo. Me liga quando você sair lá da suruba do zebu. Se é que alguém já saiu vivo dum troço desses."

Meu comentário foi recebido com gargalhadas, que também me contagiaram. Mas o Ingo não desistia:

"Acontece que tem um lance profissional na jogada", ele acenou. "Um puta lance."

"Ah, não me enche o saco, Ingo. Que lance? Um vídeo institucional sobre incenso? Ou uma pornovela inspirada no Kama-Sutra?"

O Ingo ria e ria. Depois de rir, insistiu:

"Cê tem que ir lá conferir, Zequinha. Tô te falando."

Gozado, senti que ali tinha. Fiz umas perguntas técnicas e entendi que, se fosse admitido no círculo bhagadhagadhoga samayânico — e o meu desempenho na tal "surubrâmane" seria um teste fundamental pra isso —, eu teria altas chances de ser indicado para escrever, produzir e dirigir um vídeo, ou série de vídeos, sobre o lendário Templo do Divino Zebuh-Bhagadhagadhoga, em Jaipur, "a Cidade Rosa", na Índia. O vídeo incluiria também as únicas filiais da dissidência brâmane no mundo, uma em Londres, outra em São Paulo, pra onde ele estava indo agora pra tocar cítara. O desgraçado do alemão parecia muito empenhado em demonstrar a seriedade do lance todo, explicando que a grana da produção dos vídeos seria cacifada por um nobre hindu milionário que vivia em Londres e tinha se apaixonado pela Wyrna quando ela morou lá, um par de anos atrás. Eu teria de viajar pra Índia, onde ficaria hospedado no palácio do ricaço, em Jaipur, e também pra Londres.

"Você só saiu do Brasil até hoje pra ir à Colômbia, Zequinha! Sendo que a Colômbia vem todo dia até você. Hahahahá! Tá na hora de viajar mais, cara, botar o pé no mundo."

"E quanto seria essa grana?"

"Dos vídeos? Ouvi falar em cem mil euros. Fora as despesas com as viagens."

Me fechei num silêncio contábil, escrutinando a cara barbuda e um tanto bochechuda do Ingo, sem achar ali sinais de mofa, chacota, galhofa ou chalaça. Meu amigo podia ser doido mas não era sádico. Ele sabia da minha duranguice crônica, não iria me seduzir com uma isca falsa daquelas. Practical jokes não eram com ele. Pelo menos eu achava que não. Cem mil euros, quase trezentos mil bagos de cacau. Com essa erva toda daria pra comprar um puta equipamento de alta definição, inclusive uma Sony F-23 e um Nagra digital. Isso daria um considerável upgrade tecnológico aqui na Khmer. E surubrâmane, mesmo envolvendo zebus divinos com agá no final, soava bem mais instigante que embutidos de frango.

"Mas, vem cá, Ingo, que história é essa de 'desempenho' na surubrâmane? É sexual, o desempenho?"

O alemão respondeu com um enigma de bolso:

"Quem viver verá."

"Verá? Ou foderá?", apelei.

O Ingo ignorou por completo meu comentário rampeiro e foi explicando que a cerimônia seria só um primeiro mas fundamental contato com a Samayana, uma "troca inicial de vibrações".

"Não sei se eu tô vibrando muito bem hoje", eu disse, descrente, tirando o corpo fora.

O Ingo sorriu e se pôs a conferir uns CDs espalhados pela minha mesa, enquanto eu botava aquela história pra cozinhar em fogo baixo na cabeça. Surubrâmane. Divino Zebuh, com agá. Bhagadhagadhoga. Samayana. Ponderei de novo que essa porra não devia passar de mais um sonolento exercício de levitação do senso de ridículo, com direito a um alongamento dos músculos do sobrecu e das interbreubas xurubibas, e algum rebolado pélvico pra estimular os chacras entorpecidos, tudo isso em cima duns tatames, aos goles de algum chá extra-amargo de carqueja do Nepal, com nuvens de incenso enjoativo poluindo o ar.

Eu tinha que decidir logo se ia pagar aquele mico do tal do zebu místico, ou se continuava me digladiando com os embutidos, que, bem ou mal, era preto no branco, negócio fechado, grana no bolso. A cerimônia ia começar em uma hora mais ou menos numa travessa da Consolação, perto daqui. Quis saber quem mais ia participar da parada. O Ingo garantiu que eu não precisava me preocupar com isso. Nem com nada. Eu só tinha que chegar lá com o espírito leve e livre, pensando em "coisas elevadas" e demonstrando a mais cega confiança na "divina mestra", como a Samayana é conhecida.

"Coisas elevadas", eu disse, num lento balanço de cabeça. "Cem mil euros, por exemplo?"

O Ingo sorriu de novo, olhos fechados agora, encarnando um Buda em êxtase moderado. Porra, um frilão de cem mil euros seria a salvação da minha lavoura. Me desembutiria no ato da miséria dos embutidos. Porque, olha, tá feia a coisa pro meu lado. Não tenho sido mais chamado nem pra dirigir pornô. E o Zuba, meu velho parceiro nos institucionais, esgotou sua paciência comigo. Duvido que ele me chame pra outro institucional, mesmo que eu ganhe um Oscar pelo vídeo da Itaquerambu. Eu tinha que ir lá conferir aquela bagadagaporra do caralho, pensei. O lance da dissidência brâmane devia ser só uma puta duma embromation pra fisgar dondocas e pós-balzacas na menopausa em busca de transcendência pasteurizada e alguma merda diferente pra fazer nas muitas horas vagas das tardes livres de suas vidas inúteis. Mas o trampo, de repente, podia ser pra valer.

"Ok", decidi. "Mas se for um puta mico, eu caio fora no ato, falô?"

"Zequinha, solta o pensamento, abre a consciência às energias cósmicas do universo, esvazia a mente dessa negatividade toda."

"Vou esvaziar a bexiga primeiro", respondi, a caminho da privada. Tentei ler o futuro na espuma do mijo. Tentei também não mijar pra fora do vaso. Não consegui nenhuma das duas coisas. Na volta pra minha sala, encontrei o Ingo desdobrando um microenvelope de papel-alumínio. Quando me viu, foi logo dizendo:

"Tô cuma pedra fantástica, Zequinha. Uma mina aí que eu tô comendo trouxe de Amsterdã."

Mesmo com aquela cara de profeta lobotomizado o Ingo estava sempre comendo uma "mina aí", algumas até bem gostosas. Vivia mandando ácido adoidado também, como o que ele tirou do envelopinho de alumínio, uma microestrela alaranjada de quatro pontas, de papel. Eu tinha decidido não mais tomar ácido nesta encarnação. Não tenho mais saco pra nirvanas prolongados. E, mesmo que eu resolvesse conhecer a Samayana, teria que me trancar aqui na volta e trabalhar nos embutidos. Me apavorava a perspectiva de passar as próximas doze horas a bordo duma trip de ácido encarando ansiedade anfetamínica, delírios teratológicos, o pensamento fluindo pastoso, o coração aos arrancos de elefante atropelado, as vísceras tentando assumir o comando da situação. Nem fudendo, arrazoei.

"Valeu, Ingo, mas não tô podendo mais com ácido, não, véio."

Sem dar a mínima, ele pediu:

"Tem um estilete aí? Gilete, canivete?"

"Pra quê?"

"Preu dividir a estrelinha."

"Ingo, já falei, num tô a fim. Manda você. Na boa. Eu fico na cerva e na erva", eu disse, exalando santidade.

"Cara, cê não vai acreditar como esse ácido é energético. Bate fundo, é luminoso, libertário, expansivo. Te juro."

"Tô a fim de me expandir, não. Tô bem assim. Além do quê, só tomo ácido se tiver buceta na parada."

"Quê que ácido tem a ver com buceta, Zequinha?"

"Tudo. É só eu começar a viajar que já rola sacanagem na minha cabeça."

"E quando é que não rola sacanagem na sua cabeça?"

"É verdade, Ingo, mas deixa quieto. Manda o bagulho você. Eu pego carona na tua trip."

"Jura?", ele exalou, decepcionado.

"Juro e exconjuro."

"Tá bom, simbora pra Samayana então, sem ácido mesmo", encerrou o Ingo.

"Calma aí", brequei, numa súbita reversão dos impulsos e decisões. "Pra falar a verdade, não sei se vou, não. Na semana que vem, ou na outra, quando eu acabar esse vídeo, a gente vai."

"Porra, Zequinha. Larga mão de ser mané, mané. É perigoso dar as costas pro destino, sabia?"

O porra do alemão não consegue admitir que seus amigos se recusem a acatar as demandas do destino, do qual ele se arvora em arauto oficial cá na Terra.

"Só vou se você garantir que vai ter umas zebucetinhas disponíveis", hesitei.

O Ingo não disse nada. Apenas localizou um estilete dentro de uma caneca porta-lápis na minha mesa de trabalho e uma caixinha de CD dos Stones, *Bridges to Babylon*, na qual depositou a estrelinha de papel. Preciso e cirúrgico, seccionou o ácido em quatro pedaços, cada qual contendo uma ponta da estrela.

"Por mim, pode tomar inteiro, Ingo. Já disse que eu tô fora."

Ignorando o que eu dizia, colheu um quarto pontudo da estrela na ponta do estilete e me ofereceu:

"Vai, Zequinha. Isso aqui é melhor que sexo, cê vai ver."

Me senti tentado. Mas fui salvo pela estridência de alarme de submarino que passa por campainha da porta. Logo a Terezinha veio anunciar a chegada de uma dupla de anjinhas que descem à Terra justo na hora do Angelus: a Estelinha, filha do Nissim, meu amigo e vizinho aqui no prédio, e uma amiguinha dela, a Sossô. No caso, as anjas desceram à Terra de elevador, poupando as asinhas.

Corta.

(E guarde esse nome: Sossô.)

# <4>

Conheci uma Sônia, uma Sofia, uma Soraya e uma Solange com esse apelido: Sossô. Mas a Sossô que me apareceu ontem aqui tem outro nome, podre de hippie: Sonora. Vai vendo a peça: branquésima, narizinho finlandês da Björk, cabelo preto-graúna, tingido, de corte assimétrico inspirado na teoria do caos, olhos otchitchórnios um tanto asiáticos e capitulinos. O que a impedia de ter uma carinha artificial de boneca era a pequena coleção de crateras e espinhas nas faces magras, nada excessivo, porém. E piercings, toneladas de piercings na estampa. Que eu me lembre, tinha um alfinete espetado na sobrancelha, uma argolinha atravessando a junção das narinas, um minibrilhante incrustado numa asa do nariz, brinquinhos de argola cravados nas orelhas desde o lóbulo até a aba superior, acho que uns quatro em cada orelha. Vendo aquilo, passei a imaginar-lhe um possível piercing num mamilo e outro na xota. Só duvidava um pouco de que a sorte — ou o *destino* — fosse me dar de bandeja a oportunidade de checar isso. Mas, às vezes, a gente se engana com a sorte, meu caro, e também com o destino. A gente se engana com quase tudo.

A camiseta regata que ela vestia, preta, curtíssima, exibia os tufinhos pilosos de cada suvaco, além de uma faixa de barriga enxuta mas não chapada, dessas de bacalhoa de academia. Nada disso. A dela dispunha de um tênue revestimento de gordura que chegava a formar um pneuzinho lírico quando sentava. A calça, preta como a camiseta, era uma St. Tropez de algum pós-tergal que lhe delineava com generosidade a bundinha petulante. O cós da calcinha-cueca aparecia por cima da cintura da calça com a marca da Hering visível. Sempre achei meio esquisita essa moda de cueca pra mulher. Mas na Sossô até o calção do Maguila cairia bem, como também não lhe ficava mal o par de Kichute que calçava, preto também. O negror da indumentária fazia a pele branca da menina fosforescer na penumbra boatosa do ambiente. Só minha mandarine de mesa iluminava a cena, com sua campânula de vidrilhos coloridos em mosaico fornecendo a costumeira atmosfera de boudoir chinês esfumaçado de ópio.

A Sossô era toda atitude naquele desengonço teen dela, uma loucurinha ambulante. Isso, apesar de ser quase baixinha, uns quatro dedos mais baixa que a Estelinha, que, por sua vez, não seria confundida com nenhuma top model. De tatuagem, que eu me lembre, a Sossô exibia pelo menos duas visíveis por inteiro: um bracelete de espinhos no meio do braço esquerdo e um pedaço de um ser mitológico que lhe vazava da regata pela asa do ombro direito. E não usava sutiã, o que é quase redundante relatar.

A Estelinha vinha pedir meu livro bilíngue, francês-inglês, com as letras e poemas completos do Jim Morrison, e um outro com a biografia dele. Era prum trabalho escolar de história contemporânea sobre a cultura pop dos anos 60. A filha única do Nissim me supunha fã do Morrison porque eu tinha emprestado aqueles livros pro pai dela, fazia um tempo, a ver se o velho mineiro desabotoava aquela má vontade pra com o rockão dos anos 60/70 pelo qual ele tinha passado batido em sua juventude e que eu mesmo só tinha descoberto nos anos 80, de segunda mão. O Nissim nunca abriu nenhum dos livros, e um belo dia catei os dois de volta na casa dele. A Estelinha, no entanto, tinha dado uma sapeada nos búquis e lembrou disso quando o tema do trabalho veio à baila.

O certo é que essa guria é cu de ferro pra caralho, intelectualzinha em acelerada formação, metódica, inteligente, uma cartesiana de bundinha arrebitada e covinha no queixo. Com toda certeza não vai virar artista ou maluquete de nenhuma espécie. Psicóloga, socióloga, politicóloga, ecóloga, antropóloga, arqueóloga, é algo assim que ela vai virar. A mina é uma óloga nata e, comparada com a Sossô, ostenta uma belezura de um feminino mais tradicional, com um rosto oval e harmônico de Tarsila do Amaral, sem os zigomas eslavos da amiga nem tatuagem ou piercing algum além de uma delicada minipérola espetada em cada lóbulo. Seus óculos pra miopia forte ajudam a lhe conferir uma distância analítica ao olhar. Mesmo sendo ela esse piteuzinho todo, não consigo me imaginar trepando com a Estelinha, o que não deixa de ser incrível. Mas acho que deve ser difícil chupar os peitinhos duma criatura pra quem você deu bonecas e doces de presente não muitos anos atrás. Já a Sossô, logo se via que aquilo era da mais radical pá-virada. Difícil uma garota daquelas seguir uma carreira acadêmica. Se conseguir se formar no colegial já vai ser uma puta façanha.

As duas se acomodaram cada qual numa extremidade do meu sofá de três largos assentos, um dos lugares mais acolhedores do universo sentável e também do deitável. Pena que, de calça comprida, as duas não puderam dar nenhum show de coxas. A Estelinha tem umas pernas muito bem torneadas, e não era difícil imaginar que a Sossô também tivesse um belo par delas debaixo daquela calça preta. O Ingo se encaixou na minha cadeira não giratória, tentando fingir que não estava por inteiro absorto na Sossô. Eu fiquei fumando marlboros em cadeia e zanzando minha ansiedade pelo recinto, tentando fingir a mesma coisa.

"Jim Morrison!", expectorou o Ingo, quando as minas falaram nos Doors. "É o cara! O melhor dos sixties, blues-rock da pesada. Vocês não podiam ter escolhido ninguém melhor pra ilustrar os anos 60!"

E seguiu emendando flashes dos rockões dos Doors: *Break on through to the other side! Break on through to the other side! Break on through... You make me real!.... L.A. woman, L.A. woman!...*"

Depois, fez um resumo fulminante de algumas proezas químio--anárquicas do cara, como a noite de 1966 em que os Doors foram expulsos do Whisky a Go Go, em Los Angeles, porque o Morrison, doidão, se pôs a berrar no palco "Mother, I wanna fuck you!", na letra do *The End*, "que, aliás, toca no filme Apocalypse Now, do Coppola, que, aliás, foi colega do Jim Morrison no curso de cinema da Ucla", pontificava aliasmente o Ingo. "Duma outra vez, também completamente chumbado, assistindo um show do Hendrix num teatro, ele subiu no palco, agarrou as pernas do negão e começou a gritar: 'I want to suck your cock! I want to suck your cock!'".

"Caraca!", disse a björkinha, impressionada.

"E tem mais", continuou o Ingo. "A Janis Joplin, que também tava lá mamando numa garrafa de Southern Confort, viu a cena e foi dar umas garrafadas no Morrison! Olha só o nível da balada. Não é genial?!"

Claro que a Sossô achou tudo genial. Daí o filhadaputa do alemão emendou de enfiada uma listagem das principais influências intelectuais e poéticas do Morrison: Blake, Rimbaud, Kafka, Kerouac, Ginsberg, Baudelaire, Sófocles, Ésquilo, Norman Mailer, Poe e mais uns cinco nomes tremendos. Sossô gozava de admiração diante daquele name dropping erudito, sem deixar de me dar umas olhadas acolhedoras. O Ingo não parava de soltar penas de pavão de Krishna pra cima dela, explicando que o Jim Morrison era leitor compulsivo do Nietzsche. "Manja o Nietzsche, aquele alemão vesgo e bigodudo que botou a moral de cabeça pra baixo e acabou uivando pra lua num hospício de Weimar com um cancro de sífilis na cabeça? O Morrison sabia o Nietzsche e os trágicos gregos de cor e salteado, mora. E todo o blues do delta do Mississippi! Um cara desses só podia mesmo ser encontrado morto numa banheira em Paris aos vinte e sete anos encharcado de álcool e heroína, depois de vomitar na água todo sangue que tinha no corpo! *Break on through to the other side...*"

Sossô, pasma diante daqueles contos da carochinha rock'n'roller, parecia estar no papo daquele óvni antropomórfico que ia acumulando cuspe seco nas comissuras da boca enquanto performatizava seu número de esquizoide interplanetário para gáudio das menininhas em flor. Quer dizer, não de todas, já que a Estela, a exemplo de seu pai, não formava entre os maiores fãs do alemão e tentava não se deixar levar no bico por tamanha exibição espalhafatosa de uma cultura que, afinal, não deixava de lhe interessar.

"Milady, é perigoso contemplá-la", o Ingo lascou de chofre pra Sossô, na cara dura, ao fim da discurseira. Ao ver os olhinhos da guria se arregalarem de espanto, completou: "Sabe de quem é isso? Sabe? 'Milady, é perigoso contemplá-la.' Sabe?".

Sossô não sabia.

"É do Cesário Verde!", ele explodiu. "Manja o Cesário Verde? Manja?"

Sossô não manjava. Mas botou uma carinha da mais perversa inocência pra perguntar:

"Por que o Cesário ficou verde? Muito agrião? Muito hemp?"

O Ingo deu sua casquinada perdigótica homenageando o humor da garota e rebateu:

"Muito absinto!"
"E absinto é verde?"
"É verde, absinto é verde."
"Absinto muito. Eu não sabia", lascou a Sossô, gracinha das gracinhas do planeta.

Os dois ficaram naquele pingue-pongue de gracejos, enquanto eu achava e passava pra Estelinha o volume com as letras e poemas do Morrison, mais a grossa biografia do cabeludão que estampava o próprio na capa, de calça de couro, torso nu e olhar de anjo 45, anunciando sua legenda funesta no título: "No one here gets out alive".

Apanhei, daí, meu Cesário Verde, e passei pras mãos da Sossô, que recebeu distraída o volume branco, mais interessada nas estridências que jorravam da boca infatigável do Ingo. A Estelinha aproveitou pra dar um bote e tirar o Cesário das mãos da amiga, deixando os dois livros do e sobre o Morrison no assento do sofá entre elas, e garrou a folhear os poemas do portuga, enquanto o Ingo se encarregava de meter o cassette do "L.A. Woman" no meu toca-fita *vintage*, como diria o Leco. Sossô, por sua vez, apanhou a biografia do poeta-cantor e abriu na seção de fotos do livro. As primeiras páginas mostravam o pseudo rei-lagarto dos primeiros tempos chupando as bochechas pra sair diabólico na foto.

"Olha o cara!", se incendiou Sossô, remexendo a bundinha no sofá. "Quantos anos ele tinha aqui?"

"Aí? Uns 23, 24", calculou o Ingo.

"E hoje? Taria velhinho, né?"

"Teria meia dois. Corpinho de 214."

A Sossô não se aguentava de excitação com as fotos e mostrou pra Estelinha um close perturbador do JM.

"Dá uma olhada nisso, Telinha! Mó desperdício um gato desses morrer tão cedo."

A outra olhou e deu de ombros, voltando a se concentrar nos poemas do portuga. Ingo esclareceu:

"Ele já não era mais esse gato todo quando morreu. O médico achou que ele tinha 57."

A Sossô parecia a ponto de chorar ouvindo aquilo, apaixonada que estava pelo Morrison. Percebendo a migração daquela libido juvenil pras bandas do finado americano, o Ingo resolveu se calar, extravasando sua hipermotricidade numa batera invisível onde marcava o upbeat cativante do L.A. Woman que soava alto e nítido na velha gravação: "Well, I just got into town about an hour ago / Took a look around, see wich way the wind blows..."

Mantendo o número da leitora aplicada alheia à barbárie pop, a Estelinha não deixava, no entanto, de marcar as tônicas do rockão com o pezinho distraído dentro da sandália de tiras finas que lhe exibia os dedinhos nudistas. O pai dela, meu amigo Nissim, é separado faz uma pá de tempo da mãe da menina, sua primeira mulher, uma riponga fabricante de granolas que o trocou por um ambientalista do Greenpeace e vive hoje ambientada com ele no norte do Canadá, entre coníferas soníferas e ursos em pachorrenta extinção. O mineiro se mudou pra cá poucos meses depois de mim, que, aliás, foi quem lhe deu a dica do apê grande e barato à venda no prédio. Grande Nissim. Já teve muito mais cabelo no topo da cabeça. Hoje cultiva um rabo de cavalo grisalho e, vamos e venhamos, ridículo. É arquiteto formado, mas virou designer de móveis e exímio marceneiro. Quase todo dia, ao voltar do seu ateliê-marcenaria na Vila Beatriz, o Nissa dá uma passada aqui na produtora pra fumar um, cheirar umas, si las hay, e me convocar prumas brejas no boteco da esquina. O normal é a gente sair calibradão do búti duas horas depois e muito a fim de cair de boca (e naso e pinto) na night — mas só depois de mais um dope-stop na toca do cineasta maldito. Não é raro também a gente ficar por aqui mesmo travando travados megalopapos cocaínicos até de madrugada. Até disk-putas já chamamos uma vez, no auge da piração. Foi um verdadeiro rodízio de putas, cada qual traçando a sua e a do outro também, uma de cada vez, eu no meu quarto-gabinete, o Nissim na sala-auditório, com um inspirador vídeo de sacanagem passando no telão. Se apurassem bem os ouvidos, a Nina, atual mulher do Nissim, e a Estelinha poderiam ouvir o maridão e o papai fodendo e gargalhando cinco andares abaixo com uma quenga de cem pila a hora, mais o táxi de ida e volta.

Esse negócio de instalar a Khmer num prédio "estritamente residencial" acabou se revelando um belo dum mico. Só não me tocaram ainda pra fora porque o Nissim e o Leco, proprietários com direito a voto, têm impedido que se forme unanimidade contra mim nas reuniões de condomínio, precondição regulamentar pra se expulsar um inquilino. O máximo que o síndico consegue é me proibir de botar uma placa da Khmer VideoFilmes Ltda. na porta do apê. Sou o indesejado oficial do edifício Paris, o gambá condominial que instalou sua toca num prédio "bem" de Higienópolis, quando devia era estar dando expediente na Cracolândia — ou na penitenciária do estado, de preferência.

Meu cunhado Leco já morou nesse apê com a mulher e o primeiro filho. Quando a família e, sobretudo, sua renda começaram a crescer, mudou-se pra Alphaville IV, em Barueri, atrás de "segurança e qualidade de vida". Quase nunca dá as caras na produtora, ocupadíssimo com seus negócios — imobiliária, postos de gasolina e lojas de conveniência na região de Sorocaba. Ele é sócio também de uma pequena rede de motéis, mas não quer que a mulher saiba disso. Nas raras vezes que aparece aqui é só pra me encher o saco com cobranças de toda ordem, a principal delas sendo "Essa merda de Khmer não vai dar lucro nunca, porra?". Ao que eu invariavelmente respondo: "Pois é, Leco, tô até pensando em mudar o nome da produtora pra Khmerda VideoFilmes". Já tivemos esse diálogo umas cinquenta vezes, e tudo fica mais ou menos por isso mesmo.

Na real, passo os dias aqui sozinho. Quer dizer, sozinho na companhia da Terezinha, a secretária da produtora, que deve ter aí entre 35 e 145 anos. Vai morrer em qualquer idade com a mesma cara, a desgraçada. O Leco é quem paga o salário dela, como, aliás, todas as despesas da Khmer. Mas o patrão palpável no dia a dia sou eu. Tá na cara que o Leco botou a Terezinha pra me vigiar e impedir que eu taque fogo no apartamento ou transforme isso aqui num puteiro junky, ou sei lá o quê. Acabei me acostumando com a Terezinha a ponto de esquecer que ela tá na área e cagar de porta aberta.

E já que estou *na* produtora falando *da* produtora, aproveito o ensejo pra reiterar à praça que a Khmer VideoFilmes, além de vídeo institucional, encara também batizado, casamento, flagra de adultério, campanhas e eventos político-partidários, esportivos ou mercadológicos, filme pornô e toda e qualquer bosta de serviço que dependa de uma câmera e de um software de edição. Fazemos até filmes malditos, e aí está o meu Holisticofrenia, um clássico na cinematografia marginal, pra atestar isso. Fiz o Holi quando a Khmer não passava de um registro na Junta Comercial, um pager na minha cintura e um bloco de notas fiscais. Nem conhecia a Lia nessa época.

Mas foram os pornôs, de fato, que seguraram a onda da Khmer no início. O ponto alto dessa produção — ou baixo, dependendo do ângulo que você olhar — foi um pacote de 12 filmetes de sacanagem, em digital, pra esse produtor da boca, o Silas, que eu conheci nem me pergunte como. Depois de dois meses filmando e editando putaria cheguei a enjoar de sexo. Os enredos eram mínimos, nada além de uma situação que dava pretexto pra turma tirar a roupa e sair fodendo adoidado.

Exemplos:

Encanador vai prestar assistência à patroinha recém-casada às voltas com um cano rebelde da Jacuzzi, enquanto o marido dela está no trabalho, e acaba resolvendo a parada com seu próprio cano em riste, que ele usa para desentupir as vias de regra, entre outras, da própria madame, que se mostra assaz agradecida pelos serviços adicionais. E dá-lhe espuma e esperma à vontade na banheira.

Melhor amigo do marido duma gostosa é convidado pra jantar e termina, na sobremesa, por fechar um triângulo erótico com o casal, envolvendo duplas penetrações variadas na rainha do lar, facilitadas pelo chantilly da apfelstrudel, como é lógico e natural.

Um Puma conversível quebrado numa estradinha de terra com a motorista e sua amiguinha ao lado, as duas de minishortinho e decote mamário pedindo carona pruma van com um time de futebol que volta de uma vitoriosa peleja, todo mundo roto, sujo, bêbado e com testosterona esguichando pelas ventas. As duas são convidadas a subir na van e fazem a alegria dos denodados ludopedistas.

E assim por diante, por trás, por baixo, por cima, de lado, do avesso, e vice-versa, até o cubuçaralho fazer bico.

Então.

Voltando ao lampejo retroativo de ontem, ficamos um certo tempo calados, nós quatro, ouvindo os Doors, o Ingo a espancar tambores no ar, enquanto a Estelinha percorria os versos do Cesário num canto do sofá, e a Sossô, noutro canto, com o Morrison no colo, viajava na gatice diabólica do cara. Já eu passeava a minha ansiedade pelos tacos encerados do assoalho, lembrando lá comigo mesmo de alguns detalhes curiosos da vida íntima da Sossô que a guria nem suspeitava que tivessem ido dar de chapa nos meus ouvidos faunescos. Eu sabia, por exemplo, que ela já tinha ficado com meio colégio Plataforma, inclusive vários membros eretos do corpo docente. Conhecia sua atuação como backing vocalista, ao lado de outra guria, num grupo de punk-rock de garagem — o "Garajetsons" — cujo tecladista ela namora, depois de já ter ficado com o baixista e o guitarrista, e não sei se também com a outra vocalista. Talvez uma hora dessas já esteja babando no microfone do crooner.

Sabia também que ela teve um caso sério com um dublê de capoeirista e percussionista dum grupo de afromoneymusic de Trancoso, nas últimas férias. Sabia disso tudo porque a Estelinha conta as proezas da sua melhor amiga Sossô pra Nina, mulher do Nissim, mais velha que ela quinze anos apenas, diferença, aliás, bem menor que a da Nina pro Nissa, que deve orçar pelos vinte. E a Nina não se aguenta nas calças e acaba batendo pro maridão as proezas sexuais da Sossô que ouviu da Estelinha. O Nissa, daí, só espera me encontrar pra rebater tudim pra mim, seu fiel amigo da onça e boquirroto confidente, em meio aos nossos porres regulamentares.

Então, vamo vê aqui mais um tico de Jack, um teco de pó, um tapa na brenfa e um totó no bico da breja. Tico, teco, tapa e totó. Adoro essa língua, última flor do felácio, tão puta e bela, que sonora se desdobra em tanto pau pra quanta obra. Minhas mucosas nasais, sob a metralha dos meteoritos bolivianos mal batidos, acabam de liberar um pouco de sangue, que estanco com papel higiênico. Pena que acabou o Rinosoro. Podia botar a fita dos Doors que ouvimos ontem, mó de entrar mais no clima do lampejo retroativo que estou narrando aqui. *Break on through to the other side...* A merda é que não acho a fita cassete. Foda-se. Confesso que nunca liguei muito pra rock. Nem pra música nenhuma, pra falar a verdade. Ritmos e melodias fáceis me tiranizam o pensamento, exigem do meu cérebro pronta resposta psicomotora, o marca-passo do pé, os dedos estalando no ritmo, o adejar maestrino das mãos, o avanço e recuo galináceo da cabeça. Um saco, isso.

Tô ficando rabujento pra caralho. Boa hora pra cair numa estrada rumo ao mais longínquo horizonte que eu puder alcançar. *Keep your eyes on the road, your hands upon the wheel...*

Uma hora lá, soltei pra galera: "O Jim Morrison é o Godard do rock'n'roll!".

"Só que o Godard é cool e esse Morrison é pilhado pra dedéu", rebateu a Sossô, metidinha que só ela.

Chutei a tampinha de volta, olhando a guria nos olhos e entoando na maior canastrice:

"*Come on, baby, light my fire!*"

O Ingo riu e a Estelinha estrilou, irritada com as cantadas cada vez menos sutis que se multiplicavam em torno da amiguinha dela:

"Para, Zeca!"

"Nem comecei ainda", grasnei, impudico marreco.

A Estelinha deu uma bufada, mas a Sossô abriu um esboço maroto de sorriso, e vi que tinha ganho uns pontinhos ali.

Em verdade vos digo: *ecce girl*. Sou uns noventa e nove anos mais velho que ela, mas caguei. Queria mais era ver aquela cabritinha imitando pra mim a garota possuída pelo demônio no Exorcista, com voz gutural de diabo velho, *Fuck me! Fuck me!*, do jeito que o Caetano fez a patroinha teen dele imitar no Cinema Falado, mais de vinte anos atrás.

O fato fatal, e sabrá Diós se fetal, é que a Sossô é um tesãozinho de garota muito consciente da sua tesudez. Pra vários e suculentos efeitos, já é mulher feita, apesar de não aparentar mais de 17, embora afirme que tem carta de habilitação, do que eu e os 5 milhões de motoristas de São Paulo muito duvidamos. De qualquer jeito, a mina sabe exercer com maestria seus estrógenos poderes. Ainda não contei pro Nissim que conheci a guria ontem, e em profundidade, como poderia acrescentar. Nem sei se vou contar. Ia aniquilar o tio Nissa de inveja. Tadim do mineirim. Me lembro dele no búti da Sabará dia desses tentando esconjurar a sensualidade diabólica da amiguinha da filha: "Cara, essa Sossô é foda. Fico besta quando ela me aparece em casa. Tô quase emplacando 60, bitchô, meu coração num guenta. Pior é quando ela pousa lá. *fffff...*. Que nem outro dia, eu ali no sofá lendo jornal, a Sossô me sai de calcinha e camiseta do quarto da Estela e desfila pela sala até a cozinha pra pegar água. Cê acredita que ela me deu bom-dia coçando a bunda por dentro da calcinha? *Bitchô*?! Quê que é aquilo?! Ela tá pensando o quê, essa menina? Que eu sou eunuco? Eu sô minê*r*o, sô! Minêro não moderniza nessas coisa. Muié é muié, vaca é vaca. E as duas a gente toca ca vara. Essa menina tá facilitando comigo. Que nem outro dia que eu entrei no quarto da Estelinha pra falar num sei quê e tava lá a Sossô de costas pra porta, sem camiseta nem sutiã, cum puta dragão tatuado na lomba, coisa mai doida, sô. Ni qui ela notou minha presença, virou de perfil pra mim. E eu vi, rapá, eu vi: um peitinho da Sossô! Um só, branquim de leite. O mamilo era uma pitanguinha vermelha. Bitchô, esquece tudo que você já viu em matéria de seio, teta, peito ou peitinho. Aquilo era outra coisa. De outro planeta".

"O planeta Teta", eu disse, no automático.

"Pode crê, bitchô. E a filha da mãe nem pra fingir um pudorzinho, nada. Fiquei besta. A forma, Zeca, a forma do peitinho. A cor, a lisura da pele. O biquinho. O brilho! Cara, o peitinho brilhava. Tá brilhando na minha cabeça até agora. Ê mundão do caraio, viu."

<5>

Eram seis horas da tarde na Khmer VideoFilmes, ontem, e aquelas duas marquesas assinaladas não cessavam de adolescer bem ali na minha frente, enquanto o Ingo desatava sua infatigável matraca fazendo a Sossô rir por todos os poros, piercings e tatuagens.

"Eu tava com o Marsicano no Rio", ele dizia, "prum duo de cítaras que a gente ia fazer na pérgula do Copa num evento pra iogues abonados, e uns carinhas foram lá falar com a gente depois do recital. Aí um lá disse que eles eram de Minas, e o Marsicano não se aguentou: 'Jura? Pensei que os mineiros só existissem no passado...' Hahahahá!"

Sossô também riu. Eu já conhecia a história, mas ri também. A Estelinha, filha de mineiros, emburrada, quase arrancou uma página do Cesário ao virá-la como quem bate uma porta. Achei que era meu dever sair em defesa da mineiridade:

"Ó, véio, nada de falar mal aqui de igreja barroca, montanha, pão de queijo, torresminho, JK, Drummond e Milton Nascimento. Senão eu vou começar a dizer que todo alemão é nazista."

"E não é? Rrrrua-há-háháhá!"

Esse Ingo é foda. O cara detona até suas origens familiares pra não perder a piada. O Nissim vive repetindo que não entende como eu aguento um "goiabão desses", que passa a vida com a "mioleira de molho no LSD, tocando cítara pra madames".

Estelinha e Sossô — o par ideal para fantasias libidinais de alto contraste: a moreninha da Gamboa e a islandesa clubber. (Você pode ver que eu, afinal, não deixo de me interessar pela filha do meu amigo. Mas isso é por causa do pó e da solidão noturna em plena sexta-feira à noite, e também por saber que a guria deve estar agora cinco andares acima da minha cabeça, na cama, de pijama, camisola ou calcinha, se é que não saiu pra balada.) O Ingo, conforme eu previa, convidou a dupla pra ir com a gente no centro esotérico da Samayana participar da "reservadíssima cerimônia brâmane Zebuh-bhagadhagadhoga, vertente secreta do bramanismo clássico, proibida oficialmente na Índia desde 1433 antes de Cristo". Não disse nada sobre "surubrâmane". Só que ia tocar cítara na cerimônia, com direito a levar uns poucos e seletos convidados — nós.

"Tchovê a cítara?", pediu a Sossô, sem dizer se aceitava ou não o convite.

Meu amigo abriu o ataúde no chão, diante do sofá. Enquanto a Sossô admirava o instrumento bojudo e fálico de madeira escura envernizada, cheio das cordas e de tarraxas negras que brotavam feito cogumelos de seu braço quilométrico, Ingo foi desfiando outras histórias que eu já conhecia de velho sobre suas aventuras asiáticas e sua iniciação musical em Benares, na Índia, onde estudou com Anoushka Shankar, filha do famoso Ravi. Encantada e reverente, Sossô estendeu os braços pra sentir a madeira da cítara na ponta dos dedinhos.

"Olha só a força da música indiana, Zequinha", o Ingo me dizia apontando as garotas. "Mesmo em silêncio, seu principal instrumento é capaz de fascinar a plateia!"

Sossô ousou roçar as cordas e se deixou maravilhar com a ressonância múltipla que despertou nelas, e que ainda pairava no ar quando o Ingo fechou os olhos e recitou os versos do Blake traduzidos e adaptados por ele mesmo:

"de manhã durmo
à tarde aprumo
à noite enturmo."

Ele faz muito isso, o Ingo. A troco de nada, solta no ambiente uns versos, alguma frase espirituosa, um ditado milenar, como se respondendo a solicitações de uma dimensão mágica por trás dessa prosaica que a gente habita. Mas, se for ver, sempre tem um oportunismo oculto nesses rompantes espirituais do Ingo. Ali, por exemplo, tratava-se de impressionar a Sossô a ver se passava-lhe a vara. There's no free poetry, afinal de contas.

Ao ouvir aquilo, a Sossô teve um genuíno estranhamento.

"Cumé que é?!..."
O Ingo repetiu, "de manhã durmo" etc.
"Massa!", a girlzinha disse.

Mesmo a Estelinha não parecia indiferente à beleza hierática da cítara e dos versos epigramáticos do Blake, transtraduzidos pelo próprio Ingo sob inspiração haroldocampestre. Aproveitando a onda, o alemão perguntou às duas se já tinham assistido a um concerto de cítara indiana. A Estelinha desprezou a isca e ficou na dela. A espiroqueta da Sossô deu um pulinho no sofá e respondeu que não, nunca tinha visto concerto de cítara, mas adoraria ver.

"Bora então. Vou tocar umas ragas hipnóticas, bem sensuais", aliciou outra vez o bardo bastardo, fechando de novo o sarcófago da cítara.

Daí, pra não perder o mando de jogo, gabou-se de ser um dos três grandes — e únicos — citaristas profissionais do Brasil, o que era verdade. Contou como o público se aglomera para ouvir sua cítara em saraus e redutos de meditação, tanto urbanos, como o da Samayana, quanto os naturebas nas Mantiqueiras da vida.

Na sequência, meu amigo desfiou um longo blá-blá-blá subfilosófico sobre a prevalência do nada no mundo sensível, que não passa de um complexo sistema de aparências etc. e tal.

"Nada tem importância na face da Terra!", perorava o doido funcional. "O universo é a morada do nada. Nonada!"

Achei que o "nonada" ia passar em brancas nuvens na cabeça das girls. Por isso, pasmei quando a Estelinha levantou os olhos do Cesário pra comentar:

"Nonada é do Guimarães Rosa, né?"

"Tá no 'Grande Sertão: Veredas'", completou a Sossô.

"Porra, cês tão afiadas pro vestibular", eu disse.

A Estelinha encarou o Ingo.

"Tem nada a ver esse papo de que tudo é nada, viu. E a fome, a doença, o medo? E a miséria? E a morte? É tudo *nada*? E as pessoas? Também não são nada, as pessoas?"

"Não existe fome, doença, medo, miséria, morte. Não existem pessoas. Não existe nada", reiterou o Ingo. "É tudo maya, tudo aparência. Foi só quando Sidarta descobriu isso que se abriu o caminho do nirvana pra ele."

Estelinha espantou um mosquito teórico no ar e replicou, irritada: "Que Sidarta, o quê, sô."

"Concordo com a Estelinha", aderiu Sossô, desafiando o mestre. "Como assim, 'não existe nada'? Você não gosta do Jim Morrison? Ele não era real? A música dele não continua sendo real? E eu? Posso não ser real pra você, mas sou bem real pra mim mesma e prum monte de gente."

Prum monte de gente que teve a alegria de apalpar a realidade daquela gostosura, pensei eu. Sossô deu mais uma tacada:

"Até você é real, sabia?"

"*You make me real. Only you, babe, have that appeal!*", disparou o Ingo, entoando os versos de outra música dos Doors, apesar do L.A. Woman ainda soar no gravador. Corri pra carregar o dedo no forward. Em três segundos tocava *You make me real*, já começada.

"Olhaí", mandou a Sossô, surfando na situação. "O rock não é real pra você, cara?"

"Rock é o que há de mais real no mundo!", estipulou o Ingo, alto o suficiente pra ser ouvido pelo síndico no oitavo andar, que não devia estar ouvindo Doors àquela hora.

"Não é?", ecoou a Sossô.

O alemão maluco e a ninfeta totosa espalmaram-se as mãos no alto. Era óbvio que o Ingo estava nada menos que adorando ser confrontado pela Sossô. Isso de alguma forma os colocava num compartimento reservado, só deles. Salafrário, esse Ingo, matutei.

"*Hail-Hail, rock'n'Roll!*", o doidão continuou. "O rock impera supremo sobre as aparências. Ele é que dá movimento às ilusões modernas. *One for the money, two for the show, three to get ready and four to go!*"

"Carl Perkins!", cravei.

O Ingo engatou:

"É isso aí, Zequinha! Bora com Carl Perkins pra Samayana! Vou apresentar vocês ao bramanismo Zebuh-bhagadhagadhoga. É o canal, cês vão ver! Vão ver, vão sentir, vão... tudo."

Sossô botou uma cara tortinha e mandou, malandra:

"Tudo-tudo?"

"Tudo-tudo!", espicaçou o Ingo, revelando-se um notável manipulador de teenagers espertinhas.

"Oba!", repercutiram em uníssono os piercings da guria.

"Estamos falando de mais de 3 mil anos de sabedoria", o Ingo seguiu explicando. "O símbolo da seita é um touro rampante, que nem o cavalinho da Ferrari. Só que de badah-lingam apontado pro universo", ele completou, erguendo o antebraço e o punho fechado pra deixar claro do que se tratava o tal do badah-lingam.

"Quero ver!", Sossô deixou escapar, enquanto eu me esbodegava de rir por dentro. Eu já tinha ouvido muita zoeira misticoide da boca do Ingo, mas aquela do touro de "badah-lingam" apontado pro universo era muito pra cabeça. Não duvidava nada que ele estivesse inventando tudo aquilo ali na hora.

Estelinha repetiu que não ia a lugar nenhum, pois tinha um trabalho a concluir pra escola, não podia gastar seu tempo com cerimônia brâmane e recitais de cítara. Puxou sem muita delicadeza das mãos da amiga a bio do Morrison, catou o outro volume, o de poemas e letras, me agradeceu pelo empréstimo dos livros e foi se encaminhando pra porta. Entoamos todos um corinho de *Fica! Fica! Fica!*, mas a virtuosa figurinha não quis saber, soltando a lambada:

"Quer dizer que é pra eu fazer o trabalho sozinha, Sô? Numa boa, só preu saber."

"Pô, Telinha, cê acha que eu vou te dá essa beiça, nega? Vou lá na cerimônia com a rapaziada e já volto. Relaxa aí, cara."

"Ela vai voltar iluminada", garantiu o Ingo.

"Imagino", replicou a Estelinha, fria e azeda como um limão no freezer. Já estava no corredor quando completou, em off: "A gente tem que entregar o trabalho depois de amanhã. E não lemos nada ainda. Divirta-se, Sô".

Caraca, pensei. Essa Estelinha tá se encaminhando pra virar uma patroa clássica, versão intelectual: sóbria e consciente até as últimas dobras do cerebelo, ranzinza, superegoica, cheia dos sistemas e cronogramas. Tremendo desperdício, em se tratando da gostosinha que ela é — por enquanto. Meninas bonitas deviam todas seguir o padrão DDD de qualidade: Doidas, Dadeiras, Divertidas — feito a Sossô, uma DDD exemplar.

O fato é que ficamos todos aliviados com a partida da Estelinha. Mesmo porque, se ela tivesse topado ir com a gente, eu tava fudido com o Nissim. Meu velho amigo não ia gostar nada de saber que eu tinha levado sua filhota única, junto com a mais sapeca das amigas dela, a uma "surubrâmane". E a convite do Ingo!

"Bom, gente, se vamo, vamo!", comandou de novo o Ingo, de pé, a ver se nos arrancava de uma vez por todas à inércia crepuscular.

Sossô pulou do sofá, respondendo:

"Bora, que a massa tá no brilho!"

E deu um pega profundo na bagana que eu tinha acabado de reacender. Depois, aceitou na língua o quarto de ácido que o Ingo, sumo sacerdote da piração, ali depositou. De superego desligado e esquecido de qualquer coisa remotamente assemelhada a embutidos de frango, botei a língua pra fora e recebi também minha ração lisérgica.

E lá fomos nós, o trio eclético-lisérgico, no Corsa preto do pai ou da mãe da Sossô, o primeiro carro daquela marca e cor da cronologia dessa história. No meu filme vou ter de mudar um dos carros, seja o do Miro, que derrubou a moto agora há pouco, ou esse de ontem, pilotado pela Sossô, apesar de que o Corsa do Miro tinha aquele absurdo aerofólio a diferenciá-lo do carrinho da guria. Mas isso não resolve a questão, pois o público vai continuar achando que eu filmei um carro só, por economia, apenas colocando e tirando a porra do aerofólio. É a velha história: na arte não dá pra seguir à risca a realidade, que é cheia dessas coincidências impertinentes a gerar inverossimilhanças.

Entrei no banco de trás depois que o Ingo, mais expedito, assegurou seu posto do lado da musa ao volante, acomodando o estojo da cítara entre suas pernas.

Ao sair da minha sala na produtora, a Sossô tinha catado o meu Cesário Verde de empréstimo, e o poeta jazia agora ao meu lado no banco de trás do Corsa, ao lado da bolsinha da motorista, de pano bordado, neoneoneohippie. Foi uma das viagens automobilísticas mais arriscadas da minha vida, e acho que do Cesário também. Embora tenha mencionado em algum momento que tinha acabado de tirar carta de motorista — teria, portanto, 18 anos, o que me pareceu e ainda me parece improvável —, a verdade é que a Sossô dirigia mal pra caralho, mesmo para uma recém-egressa de autoescola que passou sabe-se lá como no exame do Detran. Ela até trocava as marchas direitinho, mas não atribuía a menor importância aos demais veículos que ousavam disputar com ela o leito carroçável, suscitando naipes de buzinas emputecidas por onde passava. E ria sem parar das parlapatices do Ingo. Eu e o Cesário, atrás, morríamos de tesão por ela. Inspirado talvez pela companhia do poetinha portuga, cravei na mente um haicai:

> ai de mim
> coração abduzido
> por uma teen

Ficamos num papinho excitado ali no carro, sentindo o ácido anarquizar num ritmo lento mas constante nossos aparatos psíquicos. A atual backing vocalista dos Garajetsons — "mas faço alguns solos também, tá ligado?" — contou que o nome original da banda era *Nasal Secretions*. A namorada do band-leader, a outra backing vocalista da banda, tinha visto isso escrito na camiseta de alguém e, depois de um Google rápido pra ver se não tinha outra banda com esse nome, Nasal Secretions ficou.

"Quando eu entrei na banda, eu disse 'Puta meu, tá com nada esse nome. Muito adolescente, tá ligado?' Aí o tecladista, que era meu namorado, sugeriu 'Os Garagistas', porque a gente é uma banda de garagem e tal. Mas *garagistas* era muito brega. Eu sugeri 'The Jetson's Killers'. Mas o Duto, que é o cantor e dono do conjunto, juntou os dois e ficou 'Os Garajetsons'. Não é legal?"

"E Garajetsons é menos adolescente que Nasal Secretion?", provoquei.

"Agora que você tá falando, acho que não", ela respondeu. "Mas é muito mais divertido."

"Só é!", reforçou o Ingo, que se segurava de vontade de pegar num peitinho daqueles, que ele não parava de olhar de viés. "Num tem um CD da banda aí pra gente ouvir?"

"Ó que mau: não trouxe."

"Pena", devolveu o Ingo.

Eu e o Cesário disfarçamos nosso suspiro de alívio. Não sei se o que eu mais queria naquela hora era entrar em contato com a perturbadora arte musical dos antigos Secreções Nasais.

A horas tantas, no meio da muvuca do rush, o Ingo deixou por fim escapar que estávamos a caminho de uma "surubrâmane". Sossô vibrou:

"Surubrâmane?! Puta, meu! Quê qui é isso?!"

"Você está a poucos metros da resposta a essa pergunta", mandou o Ingo.

"Vamo lá!", ela vibrou, querendo passar por cima ou por dentro dos outros veículos e seus respectivos condutores.

No caminho, a guria contou, a propósito de surubas, que tinha lido a "Filosofia da Alcova" num exemplar que o pai usara de emulador onanista na adolescência, segundo ouviu dele mesmo numa roda de amigos.

"Mó doidera aquele Dolmancé e a marquesa amiga dele zoando com a guria. O cara lá, pegando a Eugenie por trás e fazendo sermão contra a moral, a religião, a monarquia, a justiça, e tudo mais. Até contra Jesus Cristo! Puta libido tagarela, meu", resumia a nossa chauffeuse, que, pelo jeito, devia ter acabado de ler a "Filosofia", tão fresco aquilo tudo parecia na cabecinha dela, enquanto em volta pneus gritavam no asfalto pra não colidir com a gente.

Com a corda solta pelo ácido, ela disse que o livro, pescado no fundo empoeirado de uma estante, tinha manchas amareladas nas páginas mais calientes.

"Umas tavam grudadas, até. Tive que separar com faca."

"Genial!", urrei no banco de trás. "Sossô, me faz uma caridade! Escaneia pra mim as páginas que tavam grudadas e manda pro meu imeio."

"Pó dexá", aquiesceu mademoiselle.

"Cê achou excitante, o Sade?", atacou o Ingo, voltando-se pro perfil da ninfa cinesífera.

Que perguntinha mais cafajeste. Nota dez pro alemão.

"Lógico!", ela estrugiu.

Eu e o Ingo aplaudimos, estufando o ego da gatinha. Cesário Verde, mais comedido, confirmava em silêncio quanto era perigoso contemplar milady dirigindo com ácido na cabeça em plena Consolação na hora do rush, dedo médio esticado pro motorista duma camionete que ela tinha acabado de fechar e que tinha ousado reagir metendo a mão na buzina.

Do banco de trás, eu olhava a mãozinha dela acariciando a bola do câmbio e sentia meu pau se espreguiçar. Um momento lindo que merece uma pequena homenagem poética:

> eureca! eureca!
> tesão
> na cueca!

Caralho, a vida cotidiana pode ser bem divertida e pornográfica se você tiver olhos atentos.

E, olha, vou te contar, aquele quarto de ácido tava me batendo que era uma beleza, cara. Tudo que eu via era espetáculo. Ali do banco de trás era possível dar um belo plongê dos peitinhos dela. Vi um piercing dourado cravado num mamilo. Era o outro peito que o Nissim não tinha visto, senão teria anotado o detalhe cintilante.

E lá íamos nós, o Corsa se arrastando no trânsito espesso da Consolação. O Ingo disse pra Sossô ficar à direita, que a gente ia virar logo depois do cemitério. Nossa Ayrtona se injetou sem exaustiva negociação na fila exclusiva dos ônibus. Por sorte o buzu de trás reclamou só com um toque de buzina e uma piscada de farol quase amigáveis. Ensanduichada entre dois coletivos, Sossô quase bateu no ônibus da frente várias vezes e foi cacetada pelo de trás outras tantas, mesmo àquela velocidade de molusco gastrópode.

Foi aí que rolou uma coisa muito doida, que você nem imagina. Um porno-arrastão, nada menos. Dois pivetes e uma guria, uns 12 anos, eles, uns 14, ela, já bem taludinha. Descalços e encardidos, cada qual segurava umas folhas de uma velha revista de foda que alguém tinha jogado fora. Eles iam prendendo as folhas com as fotos no para-brisa dos carros parados, por baixo dos limpadores. Em vez de pedir esmola, vender chiclete ou enfiar um cano na cara da gente, eles executavam aquela performance dadaísta bem diante do cemitério.

Cara, foi demais. Nunca tinha visto nada parecido em 42 anos de São Paulo. Eles deviam ter cheirado muita cola e pipado um crack especial pra arrematar, qualquer merda assim. A maioria dos motoristas e passageiros sacudia a cabeça em reprovação ou nem se mexia de espanto e medo. Depois foram tratando de liberar seus para-brisas da putaria que lhes perturbava duplamente a visão. As folhas, com picas, xotas, bundas, peitos e cus em ação, voavam pelos ares até aterrissar no asfalto, pra de novo levantar voo quando outro carro passava por elas. Uma minoria de engarrafados, entre os quais nós três, se cagava de rir, aplaudindo o espetáculo e estendendo moedas que o trio de performers voltou pra apanhar na vula. A foto de página dupla com a qual a guria da gangue tinha nos regalado mostrava, em close fechado, uma longa pica fodendo por trás uma xota raspada.

"Ge-ni-al!", se babava o Ingo, contemplando em êxtase a folha que ele tinha liberado da palheta do limpador de para-brisa.

"Mais pro genital", glosei eu.

"Puuuuta coincidência", urrava o Ingo, brandindo a folha. "Só pode ser coisa do divino zebu!"

A Sossô tinha parado o carro pra contemplar a foto, indiferente à pista agora livre à nossa frente. O coletivo atrás de nós buzinava, acelerava e dava sinais de luz, ameaçando chapuletar nosso para-choque. Voltando de repente ao planeta Terra, a garota engatou uma primeira e arrancou, nos jogando pra trás. Ela já engatava a terceira, sem passar pela segunda, quando o Ingo, levantando os olhos da foto, explodiu:

"Vira aqui!"

Sossô deu uma guinada radical pra direita, quase acertando um carro estacionado na esquina. Mais adiante, de braço pra fora, o Ingo agitou a folha da foda no ar, à guisa de bandeira anárquica, antes de liberá-la ao vento. Do meu lado, o Cesário parecia cada vez mais Verde de enjoo em seu livro de capa branca. Sossô me olhou pelo retrovisor sorrindo e eu devolvi a ela um sorriso pálido.

Até ali, tudo azul.

## <6>

O complexo indiano da Wyrna Samayana fica nos fundos de um casarão com mais de meio século nas costas, reformado, que virou um comedouro por quilo. Pra chegar lá você vai margeando o casarão por um longo corredor delimitado à esquerda de quem entra por uma mureta baixa e comprida com cacos de vidro cimentados no parapeito. Do lado de lá da mureta se ergue outro casarão, esse no maior bagaço, transformado em cortiço. Com a sensação de me locomover fora da nave espacial sob gravidade zero, eu liderava a fila indiana, com a Sossô atrás de mim e o Ingo por último tocando seu pequeno rebanho de neófitos em busca de verdades absolutas importadas da Índia.

Logo tivemos plena vista do quintal cimentado do cortiço vizinho, atulhado de tranqueiras: quadro de bicicleta, sofá eventrado, tico-tico sem roda, madeiras empilhadas, canos, telhas quebradas, latadas de plantas e flores raquíticas. Uma gaiola pendurada na parede, sem passarinho. Um vira-lata lambendo o saco. Um barrigudinho duns 3 anos, pelado, tomando banho de bacia, assessorado na mangueira por uma pirralha com no máximo o dobro da sua idade. Me ocorreu quanto o Pedrinho ia adorar um banho de mangueira e bacia num fim de tarde de verão como aquele.

No fundo do quintal, menor que o do nosso casarão, se alinhavam três lavadeiras diante de três tanques de roupa, todas de costas e bundas pra gente. Os tanques, grudados no muro dos fundos, que separava o cortiço da garagem de um prédio, ficava debaixo de um telhadinho de placas onduladas de amianto, encardidas e rachadas. A trilha sonora da cena era um funk pancadão que estridulava num aparelho de som sobre um caixote, ligado a uma extensão que atravessava o quintal e entrava na casa por um vitrô lateral. O funk rap-hip-hópico tinha um refrão que a cantora esgoelava sem dó, e que, se eu entendi direito, dizia: "Chique nada, ela é cachorra na balada".

A lavadeira mais à direita, e portanto mais perto da mureta, tinha uns 18, 20 anos, e um belíssimo lordo acomodado num vestido tomara que caia. Nuca, ombros, omoplatas, braços, pernas, tudo nu, cor de chocolate ao leite. "Chique nada, ela é cachorra na balada", insistia a cantora. Ralentei ainda mais os passos e dei um zoom fechado naquela bunda swingando no ritmo das esfregadas no tanque. Um penetrabile vivo, é o que sugeria a bunda da lavadeira. Aquilo sem roupa levaria o cosmo ao desvario e à ejaculação precoce.

Da bunda, baixei a câmera pras coxas e panturrilhas enxutas da moça. Cada calcanhar tão liso e carnudo descansando nas havaianas que me deu gana de ir lá morder e lamber um e outro, sem pressa. Se você começa lambendo os pés de uma mulher, quando chegar na xota ela já estará no sétimo orgasmo epilético. (No meu filme, vou realizar essa fantasia do personagem, de se lançar ao solo e cair de boca nos calcanhares da lavadeira, pra depois subir de língua pelas pernas, até se imiscuir por dentro do vestido, afastando a calcinha pra mergulhar de cara na xota, antes de sacar a pila tesa e carcá fundo na "cachorra da balada".

Sossô, atrás de mim, sacando meu enlevo babão, me deu um tranco gentil nas costas.

"Deixa a bunda da menina, tio", ela disse, alto demais talvez, mesmo com o bate-estaca estereofônico a mil. Mas a lavadeira continuava sacudindo a bunda laboriosa, sem dar trela pra gente. Se ouviu o comentário da Sossô, decidiu não se abalar. Claro que ela se sabia dona de uma bunda inspiradora. As outras duas lavadeiras, que não chegavam aos belos calcanhares da colega, nem muito menos à bunda, também não deram a menor pelota pra gente, todas com certeza já acostumadas ao entra e sai de gente esquisita no misterioso reduto nos fundos da casa do vizinho.

Eu já ia emparelhado com a lavadeira tesuda quando ela vira de repente a cabeça e me dá uma solene enquadrada. Não parecia ofendida, nem mesmo curiosa. Era como se estivesse apenas estirando a musculatura do lado esquerdo do pescoço. Não durou meio segundo aquele olhar neutro, logo trazido de volta ao tanque. A carinha da miss Calcanhar não era isso tudo, pra falar a verdade. Cabelo desgrenhado fugindo dos grampos, queixo muito pequeno e recuado, à la Noel Rosa. Aposto que o macho dela prefere chegar por trás naquele carnão. É o que eu faria, e você também, por falar nisso. É o que ela mesma deve gostar que lhe façam. Mas eu não tinha como confirmar isso naquela hora, nem em hora nenhuma.

Acabava de cozinhar essas considerações soltas quando topo, no fim do corredor, com uma espécie de porteira pintada de vermelho-vivo dando acesso a um pátio ajardinado segundo uma geometria esotérica, parecia. Serenidade, harmonia, paz, transcendência espiritual e crença irrestrita na vida após a morte era o que o lugar sem dúvida pretendia inspirar, apesar do refrão mundano que vinha do cortiço — *Chique nada, ela é cachorra na balada* —, tão perto, tão longe.

O jardim tinha o formato dum retângulo imperfeito recoberto por uma pequena hileia de plantas altas e arbustos baixos cortada por umas trilhas estreitas que se cruzavam em trama labiríntica. No centro do retângulo havia um círculo de grama baixa salpicada de tufos de flores variadas. Fomos desembocar nesse círculo central seguindo os passos do Ingo, que se movia com segurança pelo labirinto. Proust haveria de saber o nome de cada uma daquelas flores e plantas. Caio Fernando Abreu também. Eu só conhecia o cipreste, que sempre associei a enterros e telas surrealistas. Uma das vantagens do cinema sobre a literatura é essa, a de desobrigar o autor de nomear as flores nos cenários. Por mim podiam ser armênias silvestres, jambronas do campo, rabos-de-babuíno-da-Tanzânia, lambrequinhas-da-serra e o cu-florido-a-quatro. Em todo caso, eram lindas, e suas cores me deixavam rastros cromáticos nas pupilas lisergizadas a cada chicote do olhar.

Cacete, pensei, bem que o Ingo tinha avisado: puta ácido, meu. Percorrendo mais um pouco o labirinto ajardinado fomos dar noutra clareira com quatro ícones de cimento dispostos em cruz. De acordo com o nosso *personal bodhisattva*, as quatro figuras demarcavam os quatro cantos místicos do universo pra onde os fiéis devem dirigir orações específicas ao longo do dia. Um dos ícones, o maior, que parecia presidir o cenário, representava uma bailarina de peitos nus e quatro braços dando a impressão de movimento. O dedão e o indicador de uma das mãos superiores se fechavam numa rosquinha endereçada aos mortais, enquanto a outra mão espetava o dedo médio para o céu, num fuck-you cósmico. Uma das mãos de baixo apontava com o indicador para a terra. A outra mão inferior armava uma espécie de saudação surfista, dedão e dedinho esticados num hang loose.

O Ingo foi explicando que aquela ou aquele — ambos os sexos numa só entidade — era Shiva Parvati, o mandachuva da cosmogonia védica que zela pelos grandes ciclos de criação e destruição do universo material, sendo que, na versão bhagadhagadhoga, Shiva é encarado como uma das manifestações do touro místico, o grande Zebuh Bhagadhagadhoga, de cujo badah-lingam sempre alerta dimana a energia que anima todas as formas de vida do planeta.

Os braços de cima da divindade, explicou o Ingo, agiam no plano espiritual, bem acima das rotas dos aviões de carreira. Os de baixo atuavam no mundo terreno, tangível, cuspível e cagável. Aquele dedo apontando pra terra, por exemplo, nos lembrava que, mais cedo ou mais tarde, seria ali a derradeira morada de todos nós, cineastas marginais, lavadeiras gostosas, girls despiroquetes, trombadinhas performáticos, citaristas de música indiana, esposas iracundas, síndicos escrotos, diretores de marketing endógeno, traficantes sacanas e suas putinhas portáteis, e tutti quantti. Agradeci o aviso e perguntei:

"E qualé a dos peitinhos da figura, Ingão? O que é que eles significam?"

Sossô riu do tiozinho lubricão. Mas o Ingo rebateu no ato, sério:

"O peito direito dá o leite do bem, o esquerdo o do mal. Os dois juntos são o alimento fundamental da consciência humana."

"Prefiro cerveja e cachaça", tasquei, boçal mas sincero.

O Ingo ria de tudo, complacente. E a Sossô ria junto com ele, por simbiose. Fazer uma mulher rir é fundamental. Mas tem que ter cuidado: se ela ficar rindo demais, o tempo todo, é sinal de que você virou um palhaço. E palhaço não dá tesão em mulher nenhuma. Palhaço só dá medo em criança. E era isso, afinal, que o Ingo estava virando pra Sossô: um clown — o clone clown do Marsicano. Bom pra mim, no caso.

Seguimos, então, por outras trilhas, numa das quais topamos com uma fonte de cimento formada por uma bandeja no topo de uma coluna de metro e meio de altura. Em cima da bandeja se assentava em flor de lótus um pequeno Buda sorridente a verter água pelo umbigo. O cano com a água só podia estar entrando pelo rabo do Buda, vindo de dentro da coluna, o que submetia o gordinho careca a um clister permanente. Pelo sorriso dele, isso não parecia incomodar muito. A água vertida pelo umbigo do Buda transbordava da bandeja, escorria pela coluna e se infiltrava num grande ralo circular em torno da base. O Budinha lá em cima parecia levitar sobre um lago suspenso formado por seu próprio mijo incolor. Olhar praquilo me fez rebentar numa gargalhada patológica. No meu relógio subjetivo, durou dez minutos a gargalhada. Ou quinze. O Ingo, solidário, também soltou seu riso socadinho. Sossô riu por último, mas riu melhor e mais gostoso. Quando pude me controlar, mandei com brio:

"Se esse Buda mija pelo umbigo, nem me atrevo a perguntar por onde ele caga!"

A Sossô emendou uma risada na outra, mãos enfiadas entre as coxas, na certa brecando o próprio mijo na portinha da uretra. Quando parou um pouco de rir, vertendo lágrimas e acho que molhando um pouco a calcinha também, declarou que achava o Buda mijão "muito fofo" e queria ter um igual em casa. Daí, deu-lhe na telha púbere de enfiar o dedo no umbigo mijador, interrompendo o jorro d'água. Caralho, pensei, esse Buda vai explodir. Mas nada aconteceu. Quer dizer, aconteceu foi que, nem bem a Sossô tirou o dedo do cano, a água saiu num jato pelo umbigo do Buda dando de chapa nos peitinhos dela, feito uma esporrada de filme pornô.

A garota soltou um gritinho colegial, e acho que tive um autêntico satori presenciando a camiseta molhada aderente às maminhas da guria a realçar os biquinhos duros do banho frio. Escangalhando-se de rir, o Ingo deitou a caixa da cítara no chão, destravou a tampa e tirou de lá um xale indiano, oferecendo-o de toalha pra Sossô. A ninfa puxou a camiseta por cima da cabeça, exibindo sem pudor aquelas obras de arte gêmeas, e começou a se enxugar na nossa frente, como se eu e o Ingo fôssemos duas estátuas assexuadas do jardim. Vi de novo o piercing dourado num mamilo, agora em take frontal. O ferrinho me serviu de mote prum Erasmo rápido que eu mandei ali, alto e bom som:

"*Eu queria ser... esse teu brinquinho... pra poder ficar... juntinho de você...*"

Sossô sorriu pra mim, torcendo e sacudindo a camiseta no ar, antes de tornar a vesti-la. Sob o impacto daquela visão primordial — as tenras tetas da top girl —, caminhei mais um pouco pelo labirinto atrás do Ingo e da princesinha Teteen até darmos na porta do centro samayânico. Eu viajava cada vez mais forte, e imagino que a Sossô também. Mas pelo menos o banho de mijo frio do Buda tinha lhe dado uma reanimada. Notei que o Ingo, a um passo de entrar no templo, mostrava-se um tanto alheado agora, falando pouco, rindo quase nada. Ou tinha acabado a pilha do maluco, ou ele talvez já estivesse se preparando espiritualmente pro recital de cítara, o que implicava dar um adeus provisório ao mundo das aparências, o que, aliás, achei muito conveniente, pois seria um abutre a menos a disputar a Sossô comigo. Antes de entrar, porém, o alemão voador nos advertiu de que a Wyrna Samayana em pessoa nos passaria os esclarecimentos doutrinários fundamentais sobre o bramanismo Zebuh-Bhagadhagadhoga, uma espécie de catequese intensiva pra gente ter condições mínimas de participar da cerimônia. Era a praxe com os neófitos. A Wyrna, ele explicou, era uma autêntica bhagabodhisattva, ou seja, uma iluminada em rota de ascensão à morada do altíssimo Brahma pela via do badah-lingam do divino Zebuh.

"Falando em Brahma", comecei, previsível como uma gag de sitcom brasileira, "eu bem que encarava uma agora, bem gelada."

A gag era ruinzinha, mas eu falava sério. O dia escaldante tinha esquentado o forno da noite abafada, e tudo que eu mais queria na vida naquele momento — além de chupar os peitinhos úmidos da Sossô — era irrigar a goela com uma breja glacial. Tava mais do que na hora. Pensei em propor à ninfeta uma retirada estratégica rumo ao boteco mais próximo, deixando o templo, a Samayana, o zebu com agá, o recital de cítara do Ingo e a própria surubrâmane, fosse o que fosse aquela porra, pra alguma outra noite mais fresca de um imponderável futuro. Isso implicava chutar pra escanteio a possibilidade do tal vídeo na Índia e na Inglaterra, 100 mil euros de cachê, e o cacete. Mas, naquela hora, por umas brahma suando frio e um interlúdio tête-a-têta com a menina Sossô, eu chutaria qualquer coisa pra escanteio.

Tive uma boa chance de propor isso a ela quando o Ingo e seu esquife negro adentraram o portal do templo, atravessando um cortinado de contas coloridas intercaladas com sinetes dourados que bimbalharam as boas-vindas, enquanto a Sossô estendia o panô molhado em torno de um cipreste, com certeza infringindo algum protocolo sagrado para jardins brâmanes. Mas, antes que eu pudesse formular o convite, dona Sossô me deu uma olhada sorridente e se jogou ela também pelos sinetes adentro, deixando um fervilhante rastro tilintante atrás de si. Eu não podia entregar aqueles peitinhos assim de bandeja nas mãos do destino, e entrei atrás dela, estapeando os ridículos sininhos.

O pequeno lobby que nos acolheu comunicava-se com o salão principal do templo através de uma porta dupla, fechada agora, em madeira talhada com motivos hindubudistas policromáticos. O ambiente era equipado com almofadões orientais pelo chão, um canapé de palhinha e um balcão de informações com pés tubulares finos que deve ter sido um bar de apartamento fashion dos anos 50, atrás do qual uma garota bonitinha mas inexpressiva num sári vermelhoso me saudou com um meneio de cabeça e um sorriso comercial. Ao lado do balcão, uma parede inteira pintada de amarelo-curry com alguma tinta metalizada atraía ímãs que afixavam uma profusão de cartazes e cartões de tamanhos variados anunciando as atividades do centro, quase todos escritos e decorados a mão com as letras do alfabeto estilizadas à maneira hindu. O cartaz de maior destaque anunciava o curso de "bhagadhagadhoga yoga" que prometia a seus participantes o acesso à "levitação mental dos monges santos do vale do Pranshakur". Fiquei interessado. Levitação é sempre boa ideia pra quem padece de crises periódicas de ciático prensado, como eu.

Outro curso regular e importante, pelo tamanho do cartaz, era o de dança indiana clássica, ministrado pelo "professor Eudo da Fonseca". Porra, como é que um sujeito com esse nome foi aprender dança indiana clássica? Eu faria um curso de oratória com o professor Eudo da Fonseca, ou de caligrafia, contabilidade, prestidigitação. Mas dança indiana clássica? Em todo caso, o insigne professor Eudo ministrava também um curso de "*bhagadhagadagger dance*", que, segundo informações do cartaz, constantes também do fôlder que eu trouxe de lá, se inspira nos "movimentos giroscópicos dos chakras meridionais, dentro de uma abordagem coreográfica do Kama Sutra, à luz da doutrina Zebuh Bhagadhagadhoga". Nada mais esclarecedor. Colada ao cartaz, uma foto mostrava uma linda dançarina morena com uma adaga dourada presa entre os dentes. Enquanto eu me perguntava, não sem algum estupor, se a dançarina da adaga seria o professor Eudo da Fonseca, o Ingo apontou a foto e esclareceu:

"A divina mestra."

"A Samayana?!", explodi, sentindo um súbito apelo místico nos baixos chakras.

O Ingo fez que sim num lentíssimo abano de cabeça.

"Bate bola", comentou a Sossô, de olho na foto, encarnando um mano cafa e dando pinta de colar um velcro, na boa.

Lá estava, pois, a nossa papisa bhagadhagadhoga fotografada de corpo inteiro, braços erguidos e entrelaçados feito jiboias sinuosas em cópula, mãos e dedos desmilinguindo-se no ar. Corpão forte, ancas largas realçadas pela calça bufante de algum tecido transparente que não fazia questão de vedar os coxones poderosos da dançarina. Seus peitões estavam acomodados num bustiê cintilante que deixava à mostra uma faixa de barriga macrobiótica com um diamante encravado no umbigo. O olhar intenso da figura focava algo fora de quadro e acima de sua cabeça — a luz divina, com certeza. Na testa larga brilhava um rubi colado entre sobrancelhas muito bem desenhadas por uma esteticista competente.

Outros cartazes apregoavam cursos de música indiana, desde "Teoria e prática do sitar clássico" até um de "Novos horizontes musicais da Índia milenar", todos ministrados pelo "prof. Ingo Hoffner", com uma foto do meu amigo sentado num tapete oriental, a cítara no colo, olhos fechados, imerso num êxtase religioso induzido por algum ácido fudido. É incalculável o número de grã-finas e suas filhas cocotas que o Ingo já passou na cara botando aquela pose mística e tangendo sua cítara nos redutos orientalistas desse vasto Brasilistão crédulo. Até em Buenos Aires o desgraçado já andou hipnotizando à força de ragas e papos místicos unas chicas macanudas sedentas de transcendência e pirokassutras, mira.

Entre as demais atividades do centro anunciadas na parede-painel figurava um curso de ioga pré-natal para gestantes e seus respectivos fetos em gestação. Porra, ioga pra fetos? Mas que puta embromation do caralho, pensei eu, bem na hora em que a atmosfera local se encheu de mágicas vibrações com a entrada em cena de ninguém menos que a veneranda Wyrna Samayana, em carne, osso e seda.

Envolta em forte aura de patchuli, a bela vinha acompanhada de um coroa enxuto, grisalho, de bata indiana, saídos ambos da ala residencial do complexo. O corpão moreno da mestra se deixava modelar com justeza pelo sári dourado que lhe exibia só um braço cheio dos braceletes e pulseiras, e meio ombro liso e algo rechonchudo. O outro braço quedava encoberto pela manga esvoaçante. Cabelo, negro e brilhante de óleo, apanhado atrás num longo rabo em trança cingido de fios dourados. Esse rabo trançado descia até o meio de uma bunda saliente e redondamente gostosa. Rabão, cara. Ali, ao vivo, passada um pouco dos trintinha, mas não muito, a fofa era ainda mais linda e tesuda do que na foto do cartaz. Seus olhos castanho-escuros faziam o grosso do trabalho de sedução naquela cara com covinhas nas bochechas e um narizinho mimoso. Um batom púrpura fosforescia nos lábios bem desenhados. Descalça, com vários anéis nos artelhos, os pés da mestra estavam mais pra cascos de búfala que pra patas de gazela. Eram pés 4x4, desenhados para sustentar com solidez a parte material daquele ser espiritualizado, a que mais me interessava no momento.

Antes de se juntar a nós, la Samayana dispensou seus dois subordinados, a garota do balcão e o coroa, que podia muito bem ser o tal do professor Eudo da Fonseca. A dupla fez reverências de despedida à mestra, mãos unidas em quilha à frente do peito, e sumiu por uma porta atrás do balcão. Só então a divina mestra veio ter com a gente.

"Namastê", cumprimentou, sorridente como num outdoor da Colgate em Nova Delhi.

Eu não sabia o que responder, nem a Sossô. Pensei em "Saravá!", mas achei melhor ficar quieto. O Ingo, mãos também em prece diante do peito, fez várias reverências à mulher, retribuídas por ela com um soberano meneio de cabeça. Sorri de volta pra mestra e fiquei ali feito besta balançando minha cabeça, enquanto a Sossô avançava resoluta para lhe aplicar dois beijinhos ocidentais nas bochechas, os quais a imponente fêmea retribuiu com educação.

De frente pra nós, a divina Samayana rompeu sua postura hierática abrindo os braços, palmas das mãos voltadas pra cima, num gesto magnânimo que deixou ver um tufo aranhiço de pelos no sovaco do braço desnudo, claro indício da basta pentelheira que a fera com toda certeza abrigava debaixo de algum tipo de ceroula brâmane.

"Minha casa é a vossa casa", disse ela.

Vi que o Ingo abaixou a cabeça em sinal de profundo reconhecimento. Eu retribuí com um "Obrigado" idiota e a Sossô com um "Falô" mais cretino ainda. A mestra não perguntou por nossos nomes, dados biográficos, currículos, nada disso. Tudo que ela queria saber era:

"O que vocês conhecem sobre o bramanismo clássico?"

Isso lá é pergunta que se faça a recém-chegados? Eu, por exemplo, nunca pergunto aos estranhos que entram pela primeira vez na produtora: o que você me diz da visão mitopoética, revolucionária e milenarista que Glauber Rocha oferece do terceiro mundo em "O dragão da maldade e o santo guerreiro"? Qual filme do Cassavetes com a Gena Rowlands você acha melhor? "A Woman Under Influence"? Ou "Minnie and Moscowits"? Compare 'Bang-bang' do Andrea Tonacci com "O bandido da luz vermelha" do Sganzerla, da perspectiva desdramatizante e paródica da vanguarda marginal sessentista autorreflexiva e pós-brechtiana.

Eu e a Sossô nos olhamos com cara de quem nunca tinha dedicado dez segundos na puta da vida a meditar sobre o bramanismo clássico. A pergunta da morena gostosa pendia sobre nossas cabeças feito uma adaga de ouro. Alguém tinha que dizer alguma coisa.

"Sei lá", comecei eu. "Só sei o basicão, basicamente. O deus Brahma, as encarnações, e tal..."

Travado de repente, não consegui ir além disso. A Sossô tentou fazer a despachada e, valendo-se das recentes preleções do Ingo sobre a matéria, arriscou:

"Bom, tem o lance do zebu, né? A força vital, e tudo. E o Buda que faz xixi pelo umbigo, lá do jardim. E os quatro pontos de energia cardeal do universo. E a coisa do... do... da..."

A Samayana parecia se divertir com a nossa santa inguinorância. Me apaixonei de cara pela figura, por seu olhar direto e franco, por sua gestualidade suave e segura, e, sobretudo, pela curvatura de suas ancas e nádegas acariciadas pela seda do sári. Mas logo a mestra se pôs séria. Senti que ela ia puxar uma lousa braba.

"Antes de falar, gostaria de estar dizendo duas palavrinhas pra vocês", ela disse.

Me desapaixonei no ato. Pude ver que o nosso possível enlace libidinal não resistiria a gerúndios e àquele excesso de patchuli.

"Primeiro", prosseguiu a mestra em bem mais que duas palavrinhas, "quero expressar o meu desejo de que vocês saiam da casa do Zebuh Bhagadhagadhoga um pouco mais iluminados do que ao entrar aqui."

Ela pronunciava aquele Zebuh prolongando a última sílaba — ze*buuu* —, como se deve falar lá no vale do Pranshakur, imagino.

"Falô!", repetiu a Sossô, empolgadinha.

"Legal", eu disse, sem grande empolgação, mas tentando demonstrar uma jovialidade otimista, digamos assim, de olho no corpitcho da divina mestra e no vídeo de 100 mil euros.

Aí, veinho, não deu outra. Com a gente ali de pé diante dela, ignaros aspirantes a brâmanes zebuínos, veio a prédica causticante. A mulher tinha o verbo solto e se revelou uma teóloga bhagadhagadhoga, nada menos. Ficar parado de pé ouvindo alguém dar uma longa explicação sobre assunto não demasiado interessante pode ser uma provação do caraças para quem se acha em plena viagem de ácido. Eu tentava me distrair esquadrinhando aquele corpão nada esotérico, aproveitando os instantes tântricos em que seu olhar se voltava pra Sossô, onde, aliás, se demorava com mais vagar e empenho didático. Acho que ela julgava a guria bem mais promissora no ramo das transcendências do que eu. Ou era só a libido da mestra dando pala pra nossa Lolita de que ali tinha, se ela quisesse.

O intensivão em doutrina bhagadhagadhoga que ela nos ministrou a seguir se resumia mais ou menos no seguinte, até onde me lembro, e o que eu não lembro está aqui no fôlder do Centro Bhagadhagadhoga à disposição do distinto público. O tal do zebu priápico-rampante surgiu como uma dissidência rebelde do bramanismo tradicional há mais de 3 mil anos. Não falei com o Ingo ainda depois de ontem, mas corto meu saco se não foi ele que escreveu esse textículo do fôlder, num estilo evanescente e protopoético que as alunas dondocas da Samayana devem a-mar.

Os primeiros adoradores do divino Zebuuuu, reunidos em torno da revolucionária — para o ano 1543 a.C. — doutrina bhagadhagadhoga, acreditavam num céu post-mortem hierarquizado, com sete patamares. É para onde vamos todos depois de abotoarmos os 13 paletós que nos cabe vestir aqui na terra, um para cada encarnação. Não quis interromper a mestra pra checar isso, mas imagino que no térreo do edifício nirvana estejam os botecos, padarias e farmácias, com uma eventual putinha em alguma esquina, enquanto lá na cobertura do sublime edifício só mesmo o vento cósmico a soprar do infinito, único suprimento alimentício das almas iluminadas.

Com gestos que tentavam desenhar no ar matizado de incenso os caminhos tortuosos da transcendência espiritual, a bela e divina mestra soprava sua doutrina num tom profundo e paulificante. Com o ácido florindo na cabeça, tive a sensação de dormir em pé e de olhos abertos por incalculáveis minutos. Mas lembro bem da menção que ela fez a Shiva. Repetindo mais ou menos o que o Ingo já tinha nos explicado, ela ensinou que, a exemplo do bramanismo clássico, a doutrina ZB também cultiva a figura de Shiva, só que numa versão própria "que não é mais o Shiva clássico, sem deixar de ser o Shiva em si, *inteinde*?", ela dizia. "Na versão bhagadhagadhoga, a força cósmica do Shiva emana do divino Zebuh, que representa o elo sagrado entre a energia cósmica suprema e a Terra. O divino Zebuh é idêntico ao tudo e ao nada, as duas forças cósmicas antagônicas que terminam por se igualar nos limites do universo, tá?"

Ô se tá — respondi em silêncio. O zebu com agá é idêntico ao cu do nada que é tudo ou limonada enquanto nonada. Saquei tudo. Cristalino. O Ingo, sempre a meia-pálpebra, com um leve jogo de corpo, como quem se equilibra de pé numa canoa, dava a impressão de percorrer remotas sendas astrais, enquanto a Sossô exibia uma cara de quem pensava em merda nenhuma. As palavras iam saindo da boca suculenta da mestra compondo ilhas mais ou menos isoladas de significados no meu prejudicado entendimento.

Lembro dela dizendo que a tal da energia cósmica catalizada pelo gran zebu que anima o universo não se dá o trabalho de desenhar os destinos humanos. Não é como no cristianismo e em outras doutrinas, dizia ela, em que a vida de cada ser vivente se encontra nas mãos de um Deus misterioso e inacessível. Nada disso. A energia sublime é apenas o "combustível paradoxal" que move a carreata das almas de encarnação em encarnação. A cada um de nós é dado, pois, usar sua encarnação do jeito que bem entender ou puder, recebendo recompensas pelos atos meritórios e pagando por seus crimes e erros, dentro do velho sistema da contabilidade cármica entre as encarnações.

Os espíritos "realistas, materialistas, egoístas e oportunistas", dizia a Samayana, são incapazes de enxergar através do véu das aparências, não podendo, pois, contemplar a infinita beleza da "essência absoluta". Não conseguem "ir além do alhures", privilégio reservado aos iluminados. Apenas estes se tornam inquilinos perpétuos da cobertura do edifício nirvana ao cabo do ciclo das encarnações. Os que vão além do alhures são os espíritos "desegotizados", cuja sabedoria advém de seu absoluto desinteresse pelas aparências do mundo, desprezíveis porque ilusórias.

Findo o introito didático, Wyrna Samayana Zharawatiputhi, que é o nome de guerra completo da divina mestra, deu um meio giro coreográfico sobre os calcanhares e nos instou a acompanhá-la ao "pequeno pagode", mergulhando a seguir, braços à frente, numa cortina dupla de gaze roxa com inscrições bordadas em dourado num provável sânscrito milenar, que deviam dizer algo como "Dai adeusinho às aparências, vós que entrais".

O Ingo, com seu esquife musical, seguiu atrás da mestra, não sem antes se livrar dos congas imundos sacudindo os pés no ar. Os congas caíram desfalecidos sobre os outros pares de pisantes que montavam guarda ao lado da porta, como eu agora reparava: tênis cor-de-rosa com estrelinhas prateadas, sandálias de tirinha, Vulcabrás detonado, botas de bico fino e cano alto, calibre 45. Fiquei meio cabreiro ao ver que não íamos, afinal, entrar no templo principal por aquela porta faustosa que prometia se abrir pro nirvana, nada menos. Que história era aquela de "pequeno pagode"? Cheguei a boca na orelha fisgada de piercings da Sossô, enquanto ela tirava seu par de Kichute, e ciciei: "Seja o que Buda quiser".

Ela virou a carinha pra mim e me olhou nos olhos, sem desfazer seu sorriso fixo de ácido. Parecia sempre a ponto de dizer algo, mas não abriu a boca. Dei um close fechado nos dedinhos brancos dos pés dela, com sujeirinhas cinzentas no vão entre o dedão e seu parceiro, nos dois pés. Me deu vontade de lamber aquilo. Mas, ao subir de novo meu olhar pros olhos dela, me pareceu que um beijo seria bem viável naquela hora. Ela me olhava como quem não esperasse outra coisa de mim. Só que mais uma vez demorei muito a me decidir, e ela se atirou feito um beija-flor excitado contra a gaze da cortina, que só faltou se desmanchar à sua passagem. Aquele jeito bailarino de se jogar numa cena desconhecida parecia sinalizar que milady estava disposta a tudo e mais alguma coisa. Achei isso ali e já vou adiantando que eu não estava de todo equivocado.

A contragosto descalcei meu All-Star, revelando o encardido das meias de algodão de onde se expandia um impiedoso chulé maturado ao longo de mais ou menos 48 horas sem banho. Tirei também as meias morféticas, que enfiei no par de tênis, e já ia me meter cortina adentro quando avistei aquele casal de funcionários, o suposto professor Eudo da Fonseca e a recepcionista do balcão, emergindo pela mesma porta por onde tinham sumido. Estavam em roupas civis agora, de jeans e camiseta ele, de vestidinho florido ela. Os dois me deram sorrisos protocolares antes de sair pela porta da frente, que fecharam por fora. Isso queria dizer que dali ninguém sairia sem permissão da chefa, pois não vi chave do lado de dentro, nem pendurada em nenhum lugar visível, e não parecia haver mais ninguém no complexo. Lembrei no ato do "No one here gets out alive", do Morrison.

Do outro lado da cortina não havia mais que o patamar de uma escada de ferro em caracol que descia para um porão do tamanho de uma sala de apartamento de classe média de Higienópolis, como esse aqui da Khmer, retangular, com o teto forrado de panôs indianos que formavam barrigas onde, de pé, eu chegava a roçar o cabelo. A única fonte visível de ar era um pequeno vitrô aberto no alto, rente ao teto.

Toda a decoração ambiente parecia convergir para um praticável recoberto por um enorme tapete ilustrado com cenas de uma tremenda batalha cósmica travada no início dos tempos, com arqueiros montados em zebus dando combate a outros guerreiros armados de espadas e lanças cavalgando dragões de bocarra flamejante. O Ingo e a Wyrna já se achavam acomodados nesse palquinho, ela de pernas dobradas, sentada sobre os calcanhares, antebraços descansando sobre as coxas unidas, ele de bunda no chão, um joelho levantado, a outra perna dobrada, o pé debaixo de uma nádega, a cítara ainda muda no colo. O fundo do palquinho era dominado por um grande banner vermelho que escorria desde o teto, onde esplendia a silhueta negra de um zebu a empinar ao mesmo tempo as patas da frente e o icônico pirocão, prestes a cobrir a primeira vaca no cio que lhe aparecesse pela frente. Esse detalhe agora me parece espantoso, mas na hora achei tudo muito natural. Bem mais divertido que um sujeito pregado numa cruz, por exemplo.

Diante do palco, a plateia: quatro pessoas desconhecidas acomodadas no chão, em meia-roda. Tinha uma gordona e uma gordinha, lado a lado, a maior de vestido decotado com estampas de borboletas enormes, a menor de moletom cor-de-rosa. Do lado da gordinha, um cara negro de careca luzidia e presumíveis 2 metros de altura alcochoados de músculos prepotentes se assentava em lótus sobre o tapete, a espinha ereta. Era um bailarino conhecido na praça, e até lembrei na hora do nome dele: Melquíades. Conforme li em algum lugar, o seu Melquíades vive há anos em Nova York dando piruetas e comendo um coreógrafo americano que dirige uma companhia de dança moderna. Devia estar de férias no Brasil, achei. O time se completava com um magrelo esquisito que o meu olhar preferiu ignorar num primeiro momento. A essa turma se somava a Sossô, já sentada entre a gordinha e o bailarino.

A luz ambiente era fornecida por dois candelabros-abajures de bronze, com pequenos bulbos elétricos de vidro amarelo-fosco no formato de chamas. Os candelabros repousavam sobre banquetas anãs dispostas uma de cada lado do minipalco. A iluminação complementar e climática vinha de círios acesos boiando em óleo perfumado espalhadas pelos cantos.

Coisas & trecos era o que não faltava na decoração do pequeno pagode. Lembro de um enorme baú de madeira talhada, pequenas estatuetas de ídolos hindus, um cântaro gigante de cerâmica negra, a boca estreita, bojudo no meio e de novo estreito na base, que me fez pensar numa cântara grávida prestes a parir uma ninhada de cantarinhos. E mais um samovar fumegante próximo do praticável, ao lado de um narguilé. Pelo menos dois incensos ardiam em suportes de madeira, exalando fragrâncias de sabonete. Tapeçarias e panôs espalhados pelas paredes figuravam paisagens ou apenas padronagens orientais, ao lado de vários espelhos, alguns emoldurados em madeira talhada, cor de ouro velho, outros sem moldura alguma. Pendurados ou apenas encostados nas paredes, os espelhos pareciam de algum jeito instáveis, bêbados, fantasmagóricos. Não liguei muito pra essa primeira impressão, que botei na conta do ácido.

Pelo chão espalhava-se todo um mostruário de presumíveis tapetes voadores de tamanhos diversos, estacionados um ao lado do outro, formando um patchwork de geometria bizarra, além de um bom número de almofadas decoradas com brocados, bordados e apliques de metais e vidrilhos. Não sou muito versado nas artes decorativas brâmanes, mas aquilo me cheirava a clichê espiritualista ao gosto de peruas esotéricas.

Mesmo com aquele coquetel de dietilamina de ácido lisérgico, tartarato de ergotamina e alguma bosta de anfetamina barata a me expandir as volúveis volutas da vã veneta, pra dizer a coisa de forma singela, tive a manha de me perguntar com razoável bom senso: ondé q'cê veio pará, mermão?

Havia uma energia estranha no ar, como diriam Wyrnas, Ingos e assemelhados. A nossa guia espiritual não tinha mencionado surubrâmane nenhuma naquele falatório inaugural lá em cima, no lobby do centro, mas senti que algum lance esquisito, gozado, quiçá maravilhoso, ia rolar naquela noite apenas começada. Pensava nisso, tentando me situar no espaço, quando esbarrei no cântaro, que quase foi pro chão, não fosse escorado pela gordona com seu bração potente. Porra, não ia pegar bem detonar um puta vaso daqueles logo ao adentrar pela primeira vez o espaço místico do "pequeno pagode". Na sequência, dando um passo pra trás, pisei no tubo do pouco indiano narguilé, e por muito pouco não chutei a gol o samovar com uma chama de espiriteira acesa por debaixo. Apoiado numa base de ferro com pezinhos de pantera, o samovar estava a um palmo do praticável, ao alcance da divina Wyrna. Se eu tivesse derrubado aquela trolha a cagada ia ser grande, pois, como logo se verificou, tinha vários litros de chá fervente lá dentro.

O momento pedia uma cabeça aberta, e todos os buracos da minha já estavam escancarados pelo bendito ácido — as narinas em primeiro lugar, às voltas com o ataque dos pungentes aromas que disputavam a primazia no ambiente. Meu chulé passava a ser parte ínfima desse ramalhete de catingas que iam do floral, produzido pelas varetas de incenso e círios perfumados, aos biológicos, liberados pelos fungos sebosos em ação sobretudo nos suvacos e pés daquela gangue de adoradores do Zebuh biduh. A Samayana, do palquinho, gesticulava para que eu me sentasse duma vez por todas.

Era o que eu pretendia fazer. Mas com a meia-roda já formada só me restavam as pontas, ao lado do magrelo ou do negão, longe da Sossô. Sentindo minha indecisão, a gorda-mor e o magriça afastaram as bundas, abrindo espaço entre eles. Vendo que esse arranjo ainda me deixaria apartado da Sossô, dei uma de migué e me encaixei entre a minha nereida e a gordinha que, disfarçando a má vontade, teve de deslocar suas almofadas glúteas pros lados da gordona, que já estava quase grudada nela. A gordona, por sua incomodada vez, se viu compelida a reocupar o espaço do qual tinha acabado de se deslocar para me ceder o lugar. O magriça fez o mesmo voltando ao seu posto anterior, sem esconder o mau humor. A própria Sossô teve de se deslocar um palmo pras bandas do bailarino, que permaneceu impassível, o malandro, com a minha ninfeta bem mais perto dele agora. Sentei e sentadinho fiquei. Eu ocupava agora o melhor lugar da roda, entre a Sossô e a gordinha totosa. Perfeito, diria Shiva Parvati.

Uma bisoiada de esguelha confirmou minha avaliação de que a gordinha à minha direita era sem dúvida do tipo que, às duas da manhã num bar, você bêbado e fissurado por buceta, quebraria um galhão. Carinha de boneca, jovem, pele boa, peitolas bem colocadas por debaixo do moleton. Uma bela reserva técnica, eu diria.

Com todo mundo acomodado, Wyrna Samayana, sem abrir a boca, se pôs a encher uma delicada cumbuquinha de porcela fina com o chá que extraía da torneira do samovar, a qual passou para o magricelo, que a repassou pra gordona, que a repassou pra gordinha, que a repassou pra mim, que a repassei pra Sossô, que a repassou pro bailarino. E assim foi, com todas as demais cumbuquinhas que estavam empilhadas ao lado do samovar, até que no silêncio atapetado do porão só se ouviam as breves sugadas de lábios em bico. O debrum de esmalte dourado da minha cumbuquinha tinha um gosto metálico que julguei de ouro puro, embora não me lembrasse de jamais ter lambido nenhum ouro na vida, lacuna que eu ia, de qualquer modo preencher logo mais, e de um jeito não menos que agradabilíssimo, como se verá.

Aproveitei a cerimônia do chá pra dar uma panorâmica pormenorizada na galera ali presente. Qual era a daqueles dois caras, o negro Melquíades e o magro anônimo, sentados nas duas extremidades da nossa meia roda? Que merda faziam ali? E aquelas fofonas, a G e a XG? Quem eram, donde vinham, pra onde iam, por que tinham engordado tanto? Não sabia, então, seus nomes, como até agora não sei. E eu, com minha pança, e a Sossô com sua lindeza crivada de ferrinhos e tatuagens, que catso de papel a gente tinha vindo desempenhar naquele mafuá esotérico? E por que aquele silêncio todo, cacete, por que ninguém dizia nada? O Melquíades me olhava como se me reconhecesse de algum lugar perdido na memória careca dele, se não era apenas um truquinho gay para estabelecer contato visual comigo.

O silêncio já estava ficando ensurdecedor quando a Wyrna olhou pro Ingo e fez um levíssimo meneio de cabeça, respondido pelo meu amigo com outro meneio sutil. Era a senha pro Orfeu do dharma liberar da cítara os primeiros acordes afinatórios, dando mínimos apertos nas tarraxas do instrumento. Finas firulas sonoras ondearam no ar do porão, mesclando-se aos perfumes e fedores ambientes, e à própria luz de barroco flamengo, criando um clima propício aos negócios do espírito.

A música de cítara ajudava a soltar os últimos parafusos do meu claudicante superego. Eu torcia pra que rolasse algum exercício de ioga bhagadhagadhoga que me aproximasse fisicamente da Sossô, só eu e ela, ela e eu. Precisava ganhar aquela fulaninha de algum jeito, e logo, antes que o ácido perdesse a força na cacholinha dela, ou pior, antes que se armasse um cirquinho de horrores lá dentro, como sói acontecer no fim das trips. O caminho ali, de qualquer forma, parecia bem pavimentado. Já rolava uma certa intimidade entre nós. Afinal, a gente tinha acabado de se conhecer e já tava ali, juntinho, embora não a sós, num porão, no meio de uma cerimônia hindu secreta, sob a égide de um boi de pau duro.

Calculei que nenhum dos presentes seria páreo pra mim na disputa pela gatinha. O Ingo, cosido à cítara, era carta fora do baralho, pelo menos enquanto estivesse ocupado em produzir a trilha musical da cerimôna. Quer dizer, se é que o desgraçado não estava apostando suas fichas justamente nos poderes encantatórios daquele instrumento de sonoridade sinuosa, indutora de ideias safadas. O magriça era uma piada anatômica. O negão, por sua imponente vez, era um deus esculpido em músculos sucurianos, mas tava mais do que na cara e na careca que o negócio dele não era ninfeta nem buceta. As girls rechonchas também não pareciam mais sapas que a mulher do próximo, além de já terem me jogado vários olhares interessados, tanto a gordona quanto a gordinha. E tinha a Samayana, claro. Aí morava o perigo. Apesar de toda a sua gostosidade embrulhada em seda pura, a suprema sacerdotisa dava pinta de brandir uma adaga de dois gumes, o que me deixava com uma pulga atrás da orelha e outra pulando na cueca.

O duro ali era me acostumar com a fedentina que se adensava a cada minuto na ausência de ventiladores ou de um arzinho condicionado. O pequeno pagode era uma grande câmera de gases sobre-humanos, eis a malcheirosa verdade. Notei que a Sossô dava umas osciladinhas de tronco, como se um tanto mareada. Torci pra ela passar mal de verdade, obrigando-me a levá-la pra fora, depois prum bar, e daí pro sofá da produtora, prum fim de noite em grande estilo.

E aquele chá, então? O que antes sabia a ouro tinha virado agora prata azinhavrada debaixo da língua, não muito diferente do que você sente logo que o ácido se dissolve na boca. Que porra era aquela? A julgar pelo estado do membro reprodutor do zebu, me passou pela cabeça que aquela beberagem pudesse conter algum bagulho afrodisíaco vindo lá do vale do Pranshakur, alguma raspa de chifre de iaque com extrato de mandrágora asiática e sêmen desidratado de leopardo-das-neves do Himalaia. Assoprando e sugando meu chazinho metálico, apurei o olhar disposto a decompor a entidade "outros" em personagens mais definidos.

Do lado direito da Sossô, o bailarino, com aquela careca em forma de meia drágea gigante, parecia um nobre Zulu escalado para o papel do marinheiro Querelle, de camiseta listrada e uma calça bufante abotoada nos tornozelos, espécie de bombacha gay. Achei que devia ter seus trinta e muitos anos, o cara, talvez 40, e uns 100 quilos de músculos exercitados dia e noite no balé e nos halteres pelo visto. O homem era todo ele uma potência delicada. Volta e meia me lançava aqueles olhares demorados que eu procurava responder com uma expressão de simpatia neoliberal multiculturalista, conjugada a um claro sinal de comigo-não-violão. Achei que conseguiria isso sorrindo só com um lado da boca e de cenho franzido, não sei bem por quê. Mas acho que ele não entendeu as ambiguidades daquela mensagem subliminar complexa, pois continuou a me olhar como se eu fosse sua próxima refeição sexual.

Assentada sobre sua relaxada flor de lótus, a gordinha ao meu lado me dava sorrisos amistosos quando nossos olhares se cruzavam. Talvez até mais que amistosos. Eu sorria de volta pra ela, pensando lá comigo: porra, pode ser gordinha e tudo, mas bem que eu metia o charuto nesse pudim.

Ao se perceber bem avaliada pelo meu olhar, a gordota deve ter sentido uma onda de calor nas interbreubas, pois tirou a blusa do moletom, deixando à mostra um pedaço da pança branca por debaixo da fralda levantada da camiseta, que logo tratou de abaixar. A camiseta, preta, tinha uma imensa mandala colorida estampada no peito. Pensei, ou antes, a área do meu cérebro responsável pelos trocadilhos infames mandou no ato: vou mandá-la tirar a mandala e mandá la poronga nela.

(Corta! Pausa para providências de ordem fisiológica e dionisíaca, que ninguém aqui é de ferro, porra.)

# <7>

Ok, vamo lá, que agora eu tô que tô. Dei um solene mijão e caprichei nas subs. U-hu! Caraio. Parece até que o pó do Miro tá ficando melhor a cada nova cafungada, contrariando a lei da tolerância neurológica à química dos bagulhos, em especial dos batizados.

Só pra lembrar, ontem, lá no "pequeno pagode" da Samayana, do outro lado da gordinha totosa, assentava-se em toda a pompa pompom a gorda-mor, poderosa loira Wellaton versão Dunkin' Donuts, portando na cara larga e agradável um bem desenhado par de óculos-gatinho freak-demodê de armação vermelha e lentes de miopia forte. Aqueles óculos e a própria miopia davam alguma leveza à sua vasta presença. Da cara dela minhas retinas desceram para dentro dos melocotones que a fofoletona trazia no decote. As megaborboletas multicoloridas estampadas no vestido pareciam em escala com a dimensão do corpanzil da mulher, como se capazes de alçá-la pelos ares.

Via-se que a hipermina era chegada num trêpo. Você logo nota isso numa mulher, de qualquer peso ou idade. Essa inclinação libidinal não tem muito a ver com beleza, juventude ou massa corporal. Tem a ver é com a vontade de foder lá delas, isso sim, que lhes transparece na figura, na postura, na fissura. Agora, a vontade de foder em si não sei com o que tem a ver. Ninguém sabe direito, aliás. O Freud achava que sabia. A Cicciolina também. A Cicciolina talvez tenha aproveitado um pouco melhor a sabedoria dela do que o dr. Freud e seus pacientes. Mas vai saber.

Cada vez que eu olhava pra Big Loira ela também olhava ou já estava olhando pra mim. O olhar dela fazia eu me sentir um presunto de Parma prestes a ser fatiado e degustado ali mesmo em cima dos tapetes. Confesso que me deu certa curiosidade de saber como seria trepar com aquele ser inflado. Nunca tinha comido uma mulher de

100 quilos, e aquela devia ter uns 120, por baixo. Ou por cima, o que pirigava ser mais problemático.

Ao lado da Big Loira, a magreza do magrelo se tornava ainda mais obscena, agravada por uns tiques que só agora eu percebia nele enquanto tais. Sou como o Nelson Rodrigues e o Nissim: invoco com os magros. Como eles conseguem se conservar enxutos de banha no meio desse mar de lipídeos e açúcares em que vivemos? É o que eu perguntaria, esbofeteando a cara esquálida dos canalhas. Quero morrer gordo e barrigudo, pesando de dois a três engradados de cerveja acima do peso ideal. E, quando eu for incinerado, de preferência post-mortem, quero ouvir do além minhas banhas chiando alto na fornalha do crematório e fruir o aliciante aroma porcino que de mim se evolará.

Porra, que sujeito esquisito aquele magriça, com o peito afundado por um coice de mula, parecia, e a ossatura em franca exibição através da palidez encardida da pele. E aqueles tiques, então? Era como se o filhadaputa reagisse a choques elétricos disparados a cada tantos e aleatórios minutos de uma bateria que eu supunha instalada no centro da mioleira dele. O cara dava umas estilingadas com os tendões do pescoço, seguidas de cabeceadas laterais e de surtos de piscadas que podiam durar um minuto inteiro ou mais. Deve ter caído do berço, ou de um terceiro andar, o desgraçado. E era difícil opinar sobre a orientação sexual daquela lagartixa antropomórfica. Se fosse hétero, levava jeito de ser um estuprador serial, ou, no mínimo, um sadomasoquista de fim de semana. Se viado, devia ser algum pedófilo clerical expulso da igreja por excesso de zelo na catequese ativa e passiva dos coroinhas. Se misantropo, devia se masturbar 24 horas por dia assistindo a snuff movies de tortura e morte.

Caralho, pensei lá com meus preconceitos em delírio, se eu amarrar uma bad trip violenta aqui nesse porão há de ser desencadeada pela presença desse Nosferatu de luto fechado da gola rulê — gola rulê, no verão, vê se pode! — às meias de náilon. Essas meias tinham uma crosta de sujeira nas solas e furos na altura dos dedões a revelar dois coscorões encardidos que há anos não viam cortador de unha e hoje em dia só seriam enfrentáveis com um podão de jardineiro. Sem dúvida pertenciam àqueles pés o anacrônico par de Vulcabrás deixado lá em cima. As unhas das mãos, ao contrário das garras vulturinas dos pés, eram quase inexistentes, roídas até o talo. E não é que esse desgraçado ficava jogando olhares pras bandas da Sossô? Tive uns flashes alucinatórios em que me via enchendo de porrada as costelas aparentes naquele tronco seco, a me deleitar com o *crack* das fraturas.

Tranquilizei-me, em todo caso, pensando no quanto era improvável que a Sossô viesse a dar a menor pelota prum ratapulgo daqueles. Se bem que com seus piercings, tatuagens, banda de garagem, Marquês de Sade manchado de porra paterna, e o cacete, a gata levava o mó jeito de encarar todas e qualquer uma. E vai que aquele rojão detonado se revelasse um magnífico poeta e um fodedor satânico, tendo já cruzado a fronteira do crime e de todas as taras e abominações em seus versos e fodas prenhes de hediondez e melancolia. Sim, eu ia adivinhando, não era impossível que depois de seu suicídio por chumbinho com guaraná viéssemos a saber que o miserável, entocaiado em seu quarto de cortiço, debaixo de uma lâmpada nua a pender de um fio recoberto de cocô de mosca, estava nos deixando uma obra poética revolucionária, capaz de instaurar o caos irreversível em toda a arte contemporânea. E o tal cortiço podia até ser aquele do vizinho, e a lavadeira da bunda rebolante e dos calcanhares apetitosos a sua musa maior — por que não?

Delírio à parte, aquele traste sub-humano devia ter alguma ocupação remunerada com que sustentar sua magreza. Ser coveiro do cemitério da Consolação, ali em frente, é o que mais lhe convinha. O tipo do emprego que oferece muitas horas mortas para um poeta tumular conceber versos roídos pelos vermes do desencanto. Porra, bramia meu Brahma particular, quem podia ter tido a ideia macabra de convidar aquele abantesma seboso pruma cerimônia bhagadhagadhoga?

Descobri que o abantesma se chamava Anselmo. Ouvi uma hora lá a gorda menor chamá-lo por esse nome.

"*Anselmo!*", ela cochichou, apontando pras meias do cara — que entendeu o recado e as tirou dos pés de harpia empalhada, guardando o par num bolso da calça preta que pertencera outrora ao terno vagabundo de algum falecido funcionário subalterno de repartição antiga.

A Samayana, que também tinha ouvido a gordinha chamar o Anselmo pelo nome, passou na discípula um suave pito didático, asseverando que cada qual ali deveria se esforçar ao máximo para apagar da consciência o próprio nome e os dos demais participantes da cerimônia. Essa era a regra: sem nomes, sem papo. A mestra nos amestrava, bordando arabescos no ar:

"Perguntem a si mesmos: qual o meu nome? Respondam a si mesmos: não sei. Qual o meu nome? Não sei. Meu nome? Não sei. Não sei meu nome. Não sei. Meu nome, não sei. Nome-não-sei-nome--não-sei-nome-não-sei-nome-não-sei. Repitam isso na cabeça de vocês até as palavras se tornarem vazias de sentido. Dessa forma vocês vão estar parando de fabricar perguntas. E, parando de fabricar perguntas, vão estar parando também de fabricar respostas. Esqueçam as palavras. As palavras não têm poder de transcendência. As palavras são prisões do espírito. As palavras foram inventadas com a intenção de ajudar na comunicação humana, mas acabaram se revelando imprecisas, traiçoeiras como serpentes, esvaziadas de sentido verdadeiro, meros sons que o ar engole e devolve ao nada. O divino Zebuh não pode ser alcançado com palavras, por mais belas e fortes que se apresentem em sua aparência enganadora. Vocês vão estar aprendendo aqui a desmentalizar as palavras."

Para quem pretendia "desmentalizar" as palavras até que a mestra se virava bem com elas, me pareceu, descontados os nefandos gerúndios que tinham conseguido contaminar até uma dissidência secreta e milenar do bramanismo clássico, veja você. Evidenciava-se ali uma das metas da cerimônia, das mais paradoxais: limar a linguagem verbal de dentro do cérebro que havia sido por ela moldado. Mas nada como as religiões para enfrentar toda sorte de paradoxos. Elas vivem deles, aliás. O objetivo final, como a Wyrna disse ontem e o meu fôlder confirma aqui, era "atingir as realidades suprassensíveis dos 21 mundos invisíveis que se interpõem entre nós e o nirvana".

Capice?

Vou recapitular: são sete andares de nirvana, treze encarnações para cada ser vivo no planeta e, agora, vinte e um mundos sensíveis entre nós e o nirvana. Qualquer dia ainda acabo de ler e entender a fundo esse fôlder que tem mais de vinte dobras. Grande fôlder, verdadeira bíblia desdobrável. Toda a essência da doutrina zb cabe nele, sem contar o espaço das fotos, ilustrações e anúncios de cursos e produtos esotérico-naturebas.

Vez por outra, eu voltava a me perguntar que porra de merda frita eu estava fazendo ali naquele porão chulepento. Mas era só olhar pra Sossô, pros peitinhos petulantes dela debaixo da camiseta ainda úmida de mijo do Buda, que a resposta vinha certeira: eu estava ali por causa da Sossô, ponto. E dos 100 mil euros, exclamação.

Veio, então, uma rodada de apresentações sem as famigeradas palavras. A Samayana não dizia o nome de ninguém, apenas apontava para a pessoa com a mão esticada, palma voltada para cima, numa pose de vestal grega de teatro amador, sem seguir a ordem da meia-roda. Ela apenas olhava para algum de nós, esticava o braço e apontava. O apontado ou apontada fazia uma reverência específica pra mestra e, em seguida, uma geral a todos os presentes. Melquíades inaugurou as apresentações inclinando a cabeça até tocar o tapete com sua ampla testa negra diante da Wyrna, repetindo o mesmo gesto pra galera ao redor. Depois do bailarino, foi a vez da Big Blond, que nos deu vista plena de seus über überes ao nos fazer sua volumosa reverência. O suposto coveiro fez tudo breve e seco, feito um bicho-pau, estalando os ossos da cacunda ao se inclinar. A Sossô, gracinha suprema, também deu show de peitinhos. Quem quis pôde ver o piercing dourado luzindo no mamilo vermelho. A gordinha fez a mandala nos reverenciar. Se não pudemos ver seus peitos, pelo menos dei-lhe por trás uma boa filada no cofrinho da bunda que o elástico da calça deixava aparecer.

Fui o último a ser indicado para as mesuras, que fiz de forma parcimoniosa, pois se me inclinasse muito pra frente acabaria peidando feio. Ácido me dá uma aerofagia da porra. Tentei compensar a pífia reverência com o sorriso idiota que eu trazia na cara, e que distribuí a todos, até ao magrelo.

A partir daí, a Samayana desandou a deitar sua discurseira sobre os fundamentos filosóficos do bramanismo Zebuh-Bhagadhagadhoga, ignorando o que ela mesma acabara de dizer sobre as palavras serem armadilhas e prisões do espírito. Doido que eu tava, consegui gravar na memória alguns cacos do bhagablablablah da divina morena. Dizia ela que as próprias ideias do neobramanismo ZB, expressas nas insuficientes palavras humanas, têm, não obstante, estatuto de oração, de apelo cerimonioso ao sagrado. Por isso só deveriam ser lidas ou pronunciadas em locais consagrados ao culto, em atitude de adequada introspecção e reverência. Num tom automático de guia turístico, a grande Samayana pregou que a iniciação ao ZB tinha início com "a descoberta do divino Zebuh que há em você". Esse era o primeiro passo que precisávamos dar ali.

Porra, onde estaria o meu divino zebu? — indaguei-me curioso. E foi só formular a pergunta a mim mesmo que logo os mil olhos da mente vislumbraram meu Zebuh particular pastando e ruminando na minha relva íntima. Sim, eu vi o meu zebu com agá. Tava lá, o safado, de olho numa vaca louca do outro lado da cerca, com seu badah-lingam a postos para lhe saltar sobre os quartos traseiros.

O segundo passo era aprender "a expressar o *Zebuuuuh* em nossa vida sensorial". Rapaz, fiquei ligadão ao ouvir isso. "Expressar o Zebuh na vida sensorial" me cheirava a sacanagem pura. O meu Zebuh tava doidão pra se expressar dentro da bhagabucinha da Sossô, por exemplo. Claro que ali no porão coletivo não ia rolar nada de muito sexual, calculei. No máximo algum tipo de massagem mais atrevida, um pouco de nudez, essas coisas que ajudam a criar um vínculo erótico com a pessoa ao lado — a pesSossoa, no caso. Aproveitei pra colar os olhos nela. A ninfa acolheu meu olhar sem tirar da cara o sorriso fixo e um tanto broxante de golfinho. Um beijo bem aplicado na boca talvez lhe dissolvesse aquela expressão abestalhada.

"Em outras palavras", dizia a Samayana lá no palquinho, completando algum raciocínio começado 5 mil anos atrás, "Zebuh-Bhagadhagadhoga significa 'o caminho da potência iluminada do touro divino'. E o badah-lingam do Zebuh-Bhagadhagadhoga é o instrumento viril dessa potência. É o badah-lingam que ressurge treze vezes em cada corpo de cada ser deste planeta".

Naturalmente, naturalmente. Quem ousaria afirmar o contrário diante daquela belezura iluminada, ainda mais com a silhueta cintilante do zebu da pica têsa montando guarda no banner, acima dela?

Logo entendi, e a minha cartilha ZB aqui só faz confirmar, que o badah-lingam outra coisa não é senão um "órgão de fecundação cósmica" que confere vida e potência aos corpos e aos espíritos. Ele foi programado pela energia suprema para encarnar e reencarnar treze vezes em todos os seres vivos, masculinos e femininos, do universo. Ou seja, as mulheres também têm seu badah-lingam, menos visível porém mais poderoso que esse pingolim exibicionista pendurado nos machos. Não por outra razão os templos bhagadhagadhoga são sempre regidos por mulheres.

"Oba", deixei escapar.

Meu *oba* deve ter soado como um borborigma gástrico, ou coisa assim, pois a Samayana sequer me olhou, prosseguindo com a história da reencarnação do badah-lingam.

O negócio, se te interessar, é o seguinte: a pessoa incorpora o primeiro caralho taurino — o badah-lingam — na primeira das treze vidas que lhe cabem no ciclo kármico. Quando ela morre, o badah-lingam migra até reencarnar num corpo zero-km. É o velho passaralho em versão hindu viajando no astral de encarnação em encarnação. Acho que é mais ou menos isso. Só sei que no final da vida útil do badah-lingam você faz o check-in no lobby do nirvana e é encaminhado ao patamar que lhe compete, de acordo com os pontos acumulados nas suas treze existências pregressas.

Enquanto ouvia essa cascata que ia me afundando num estado de pré-catalepsia, dei de achar que o ácido me batia agora de um jeito bizarro para os padrões lisérgicos convencionais. As coisas e pessoas se destacavam com nitidez brutal umas das outras, feito pop-ups agressivos que não paravam de pipocar no meu campo visual, cada qual aspirando a assumir o primeiro plano. Pior é que tudo, um pé, um tigre no tapete, o zebu no banner, as ancas da Wyrma debaixo do sári, os peitinhos da Sossô sob a camiseta úmida, a careca peniana do Melquíades, tudo chegava até mim carregado de pesadas e confusas simbologias, como se em outras encarnações eu tivesse de algum modo interagido na mais carnal intensidade com as pessoas e coisas ali presentes. Embora os detalhes dessa interação tivessem se apagado da memória, isso tinha deixado sequelas profundas que afloravam agora na crosta líquida da minha consciência sob a forma de demandas e cobranças, acusações e mágoas, remorsos e ânsias, culpas e vergonhas que me assediavam num redemoinho de emoções vertiginosas. Eu vivia o aqui-agora como um angustiante ali-outrora, numa cadeia ininterrupta de déjà-vus. Todos os momentos já nasciam pretéritos. Me deu medo de voltar ao passado e por lá ficar pra sempre, como os mineiros do Marsicano.

Porra, cara, a nhaca não me dava trégua, bagunçando meu aparato perceptivo. A cada lambada do olhar animava-se o inanimado, as paredes rebolavam, os arabescos nos panôs e tapetes viravam vermes de delirium tremens, as moléculas do ar, visíveis e sensíveis aos meus olhos, se chocavam feito bolas de bilhar.

Pra completar a zoeira esquizoparanoide, dei de achar que eu podia me ver através do olhar curioso, ávido, ácido, tarado, zombeteiro, esnobe ou indiferente daqueles estranhos que me cercavam feito perdigueiros do mal, até mesmo a Sossô. Me sentia perdido no núcleo mole do caroço duro do âmago amargo do meu ser volátil, pra resumir a coisa de maneira didática. Toda sorte de fobias arcaicas dormentes no almoxarifado de arquétipos do meu inconsciente profundíssimo se reencenava até o desespero naquele peep-show demencial. Eu via meu pai, sempre rancoroso com a vida, minha mãe pragmática e triste, meu irmão suicidado dentro do quarto, sangue no lençol branco, gritos nos confins da noite, a vizinha de camisola vindo ajudar, mil sombras de vultos inexplicáveis, uma boca de fogão acesa ardendo no ponto de fuga de um longo corredor vazio, a ambulância de porta traseira aberta na frente de casa...

Cara, você vai achar que estou exagerando e o cacete, mas foi um custo me arrancar dessa puta zoeira e empreender a volta ao que me restava de consciência, a qual, aliás, me esperava de mangas arregaçadas pra me fustigar, pois logo me vi alvo de uma saraivada de insights holisticofrênicos, velozes demais para serem capturados pela teia verbal ou por qualquer outra linguagem mais ou menos inteligível. Era um excesso de lucidez que me levava à beira da loucura. E não havia o que fazer, nem por mim mesmo, nem por ninguém mais. Eu nem conseguiria explicar a outra pessoa o que se passava pela minha cabeça destrambelhada. Vi a minha vida me acenando de longe. Ela me esperava, a minha vida, sem esconder sua impaciência. Eu seguia rápido ao seu encontro, temendo que ela fosse pegar o primeiro táxi e se mandar pra longe. O jeito era desejar-me um foda-se solidário e segurar aquela onda quietinho no meu canto, confiando que a piração teria um fim antes do derretimento total do meu psiquismo.

Foquei de novo a Sossô em busca de alguma forma intuitiva de socorro. A pequena parecia singrar serena os mares interiores de sua própria viagem. Agarrei-me à sua presença levíssima tentando me manter à tona dos eventos. Sossô me parecia a cura de todos os males, a solução de todos os enigmas, menos de um único: ela própria. Foi quando comecei a sentir um plasma de sensualidade física a me subir da ponta dos dedos dos pés para as panturrilhas e coxas, e daí direto pros bagos e pra piroca, de onde se espalhava costas, barriga e peito acima, passando pela nuca até atingir a cabeça toda, por dentro e por fora, donde se derramava feito vapor de cálice de feiticeira corpo abaixo. A visão da Sossô me trazia o sexo, e o sexo vinha me salvar — eis o mistério decifrado! Meu pau pulsava, meu coração trepidava, minhas têmporas latejavam, meus bofes se esbaforiam.

Rapá, eu louco daquele jeito e a Wyrna ali não parava de falar. O corpaço dela dizia muito mais que suas palavras ensaiadas: a pele estrógena, os pés firmes que comecei a chupar dedo a dedo na imaginação, inclusive os anéis que vários deles portavam, o pescoço estrangulado por múltiplos colares, a cabeça altiva de vestal-no-pedestal.

"Caralho...", deixei escapar. Dessa vez ninguém confundiu aquilo com soluço ou borborigma nenhum.

Wyrna Samayana Zharawatiputhi interrompeu seu discurso e virou-se pra mim:

"Disse alguma coisa?"

"E-eu?!..."

A mestra me deu um sorriso gélido. Retribuí com o sorriso compulsório do ácido. Ela retomou sua preleção e eu percebi de repente que tinha consumido minhas treze encarnações naqueles poucos minutos de profunda demência. Eu tinha 2.145 anos agora. Era um ancião bíblico e não parava um segundo de envelhecer, feito vampiro de cinema depois de estaqueado no peito, a cabelama jorrando branca do crânio, a pele se enrugando e ressecando e descascando em fast-motion, até ficar só a caveira que, ela mesma, numa fração de segundo, já vira pó que o vento das findas eras sopra em direção ao nada. E o meu tesão, onde tinha ido parar o meu tesão, porra? Cadê meu pau que tava aqui até agora a me indicar os caminhos na vida? Eu me crivava de perguntas como essas, açoitando-me na carne viva da ansiedade.

Mais ou menos nesse ponto me dei conta de que el peido aquel que eu lograra bloquear na cerimônia de apresentação anunciava-se agora com força total. Impossível resistir. Senti que se ele escapasse ao arrepio da minha vontade, eu poderia ser propelido com violência para o teto, correndo o sério risco de quebrar o pescoço ou esfacelar os miolos. A providência que tomei foi levantar a bunda de ladinho, repuxando uma nádega pra liberar a bufa sem o obstáculo das pregas travadas. Deu certo. Não fez barulho, pelo menos. Só um *frufff* rápido. Mas fedeu pra caralho. Nem o incenso nem a chulepância ambiente davam conta de atenuar o intenso aroma sulfídrico que invadiu o lugar.

Sossô se remexeu ao meu lado. A gordinha fez o mesmo do outro lado. Melquíades, vizinho da Sossô, retesou a espinha e o pescoço, erguendo o nariz em busca de um patamar atmosférico mais respirável. Feijão, torresmo, linguiça, ovo, paçoquinha, doce de leite, cerveja, cachaça, cannabis, ácido lisérgico, tudo isso e mais alguma coisa pairava no ar lacrado do porão. Fazer o quê?, me perguntei, conformado. Balbuciar um *sculpe* era impensável. Podia, talvez, argumentar que eu nem era o primeiro a ter peidado ali, pra começo de conversa. Só tinha ganhado dos colegas em pungência química. Não contente em soltar o traque, soltei também uma gargalhada involuntária. Sofri mais flechadas oculares que um são Sebastião atado ao tronco. Então, parei de rir, sentindo que se continuasse daquele jeito ia acabar peidando de novo.

Quão estranhos e surpreendentes são os caminhos da transcendência, diria Sidarta surfando no nirvana, onde os peidos não devem feder tanto.

# <8>

Acabou a cerveja no frigobar da minha sala. Problemão. No fundo da geladeira da cozinha achei uma milagrosa latinha. Eu já tinha olhado antes e não tinha visto a latinha. Aí fui checar de novo e vi que lá tinha uma latinha. (Pelo menos um dos caras que inventaram essa língua devia tá de porre, não é possível.) Pra comemorar, fiz um charo do tamanho de um megafone. Voltei a sentar aqui na frente do notebook, como você pode perceber, pra continuar o relato da surubrâmane no pirão, digo, porão da Samayana. Se for ver era um pirão mesmo, de gente pirada no porão. (Essa língua...) Mas em vez disso, dei de pensar na Lia. Pensar em como eu já devia ter puxado o carro desse casório faz tempo — depois da primeira trepada com ela, pra ser mais exato. É incrível, mas parece que não sei me valer de nada que aprendi em quatro décadas, dois anos e vários meses de vida.

A Lia veio outro dia com o papo de que eu só continuo casado com ela por motivos materiais: boa cama, boa comida, roupa bem lavada e passada, boa ducha, tudo do bom e do melhor — menos as boas fodas que já não rolam mais — no espaçoso apê familiar da rua João Ramalho, Perdizes, que ela ganhou do pai, 220 m², com piscina, a uma quadra da PUC. Está quase certa, a Lia. Só esqueceu de outro laço de igual importância que nos une: o irmão dela, que sairia na mesma hora da sociedade na produtora e me expulsaria daqui, para gáudio dos vampiros e bruxas que habitam essas catacumbas empilhadas, e me chutaria pro olho da rua, em dose dupla, aliás, pois onde é que as minhas pessoas física e jurídica iriam se estabelecer? No quartinho de despejo do Bitch, por caridade da Gaúcha? Numa mesa do Joy Story, fazendo das putas minhas secretárias executivas? Ou num albergue pra mendigos, com direito a banho de sabão de coco e creolina uma vez por semana? (Apostaria minha última ficha nessa última hipótese.)

Tô envelhecendo, cara, de verdade. Não foi só ontem durante a viagem de ácido, não. Um velho sem um pingo de sabedoria na cabeça, é no que vou me transformando com espantosa velocidade. Já a Lia continua lucidérrima e ainda assaz apetecível do alto dos seus quarenta anos. A bunda cresceu um pouco, os peitos ficaram mais caidinhos, mas nada grave. Se ela não me enchesse tanto o saco com cobranças e recriminações de ordem prática, além de outras sentimentais, a gente treparia bem mais e melhor. Mas você conhece alguma mulher capaz de fazer um simples cálculo de custo-benefício desses? "Não vou mais encher o saco do Zeca com cobranças e recriminações. Em compensação, vamos trepar muito mais e melhor." Magina. Nunca existiu semelhante ser na face da Terra. Algumas patroas acabam descobrindo isso tarde demais, quando o maridão já caiu fora de casa atraído por uma xota 25 anos mais jovem. O mundo é cruel, meu chapa. Mas vende todo tipo de anestesia a quem puder pagar por isso.

Falando em mulher, que saudade — falta! — da Sossô me bateu agora, cacete.

>d'aprés Sossô
>já não sô
>quem sô

Sossô: figura, figurinha, figuraça. Me imagino casado com ela e apresentando a peça aos meus pais, abstraída a circunstância de que quando os velhos ainda eram vivos ela não passava de um bebê, se é que era nascida. Me diverte pensar na devastação que sua presença piercing-tatuada causaria nos mores domésticos. Meu pai ia simplesmente virar as costas, subir pro quarto dele resmungando alto que "Isso aqui é casa de família!", e nunca mais falaria comigo. Minha mãe correria pra cozinha e romperia num choro interminável. O Rubens se recolheria à sua inibição patológica trancado no quarto, onde cometeria sofridas masturbações em série antes de se matar mais cedo do que se matou — e de paixão torturada pela cunhadinha com toda certeza. E como reagiria a Sossô diante daquele casal de velhos que passava gumex ou laquê no cabelo e Nugget nos sapatos pra ir à missa aos domingos na igreja de Santo Inácio de Loiola, na rua França

Pinto? Sei lá, não importa, nada disso nunca vai acontecer. Acho que me deu na veneta de falar da minha extinta família e a Sossô entrou aqui de contraponto aberrante.

O velho, quando eu nasci, tinha a mesma idade que eu tenho hoje: 42. Casou tarde, aos 39, mas só uma vez, pra vida toda. Seu primeiro emprego foi no Banco do Brasil, onde entrou por concurso aos 18 anos e de onde nunca mais saiu até se aposentar. Uma só mulher, um só emprego. A vida toda. Largava o banco no fim da tarde e ia direto para casa. Casa-trânsito-banco-trânsito-casa. Era a vida dele — a vida toda. Nas manhãs de sábado, gostava de bater perna com minha mãe no recém-inaugurado shopping Iguatemi, na Faria Lima, o primeiro da cidade. Um domingo ou outro saíam os dois pra visitar algum parente. Morreu de câncer no intestino uns três anos depois de se aposentar, sem ter realizado o sonho de morar na praia. Minha mãe foi atrás dele menos de dois anos depois: derrame fulminante.

Era um homem de poucos prazeres e muitos desgostos, meu pai. Não que fosse um asceta, nem nada. Só não acreditava que valesse a pena buscar prazeres na vida. Não dava a mínima pra qualquer forma de arte, nem mesmo cinema. Quando comecei a dizer que queria fazer cinema, o tempo fechou em casa. "Cinema, é?", ele disse. "Por que não vai fazer balé duma vez?" Comer também não era programa. Mandava o trivial caseiro da mulher e se dava por satisfeito. Deve ter comido muito mais chuchu cozido que pizza e feijoada em toda a sua carreira gastronômica. Seu grande luxo sensorial era tomar duas doses de uísque sentado na cozinha de papo com a velha ao voltar do trabalho à noite. No que começava a bocejar minha mãe punha um prato de sopa na frente dele. O velho comia reclamando que o meu irmão não saía do quarto nunca, nem pra jantar com a família.

"Isso não é normal, Edinha. O que tanto esse menino fica fazendo naquele quarto, me diga?"

Passei a adolescência toda ouvindo isso. Minha mãe, Edwiges de batismo, respondia que achava normal um jovem ter um temperamento mais retraído, que cada um é de um jeito, ninguém é obrigado a sair por aí atrás de farra e encrenca, "feito o Zeca. É com esse que você deve se preocupar, Carlos José. Deixa o coitado do Rubinho em paz".

Daí, meu pai terminava a sopa, punha uma tampa de silêncio sobre o assunto e ia ver o noticiário na tevê, afundado numa cadeira do papai reclinável. Ali ficava ruminando em voz alta seu desgosto pelo "estado desse país" e pelos dois filhos "anormais" que ele tinha, um o avesso piorado do outro: o Rubens afundado em Fernando Pessoa e Sartre, eu na balada noite adentro.

O velho vivia em litígio permanente com o mundo. Tava tudo errado, a começar pelo banco, onde nunca achou espaço para uma promoção digna desse nome. Quando surgia uma boa oportunidade, a bola sempre batia na trave e era outro que subia. São Paulo, então, tinha virado "uma tristeza" nas mãos de tanto bandido, vagabundo e "dessa baianada" que não parava de chegar na cidade "com uma mão na frente e uma peixeira atrás, disposta a tudo. Longe de mim qualquer preconceito", ele frisava. "Mas por que não ficam lá na terra deles trabalhando pra melhorar de vida? Veja os israelenses. Transformaram aquele deserto da Palestina num oásis!"

Meu pai se achava "um democrata" e não escondia sua admiração pelo general Geisel, "um homem íntegro", único milico que valia alguma coisa no Exército. "Dessem mais um mandato pra esse homem, e o Brasil ia ver só. Ele punha ordem nisso aqui. Mas não, escolheram aquele cavalariano bronco no lugar dele. Antes tivessem colocado o cavalo do homem na presidência. Francamente, o Brasil tá pedindo pra não dar certo."

Aí vinha a novela, da qual minha mãe só reclamava — "é um nhe-nhe-nhem que não acaba mais" — sem jamais perder um capítulo. E não tinha noite em que não vertesse ao menos uma lágrima, sob o alto patrocínio da margarina Doriana e das Lojas Arapuã. No meio do primeiro bloco da novela o bancário Carlos José Ribeiro Filho entrava em "apneia estridulosa", como ele chamava sua "doença respiratória" que o fazia roncar feito um mamute bronquítico. Minha mãe estava acostumada. Só aumentava um pouco o volume da tevê pra não perder as mesmas frases imortais, com pouquíssimas variações, que o Tarcísio Meira tinha a dizer todas as noites pra Regina Duarte.

Finda a novela, a véia sacudia o véio, que acordava rosnando de mau humor, punha-se de pé com enorme esforço e ia arrastando os chinelos até o banheiro de baixo, seu preferido, onde mijava e peidava estridulosamente, antes de escalar os degraus da escada de dois lances que levava aos quartos no sobrado da Vila Mariana onde a gente morava. Às vezes se lembrava de dizer boa-noite à velha, em geral quando já estava no segundo lance da escada e, portanto, de cabeça e tronco não mais visíveis. Eram suas pernas que davam boa-noite.

No seu último dia de trabalho no banco fizeram uma festa-surpresa pra ele depois do expediente. Meu pai saiu de casa nesse dia com seu melhor terno. Queria se apresentar nos conformes na festa-surpresa com a qual ele contava desde o dia em que requereu a aposentaria. Consta que até o subdiretor administrativo da regional sul do BB apareceu para abraçar meu pai e lhe dar em mãos a lembrancinha de despedida em nome do Banco do Brasil: uma caneta-tinteiro Shaffer's folheada a ouro, tampa e corpo, gravada com o nome dele, só que escrito errado: *José Carlos Ribeiro*, que é o meu nome, em vez de Carlos José, o nome dele. Cagada de alguma secretária encarregada de comprar e mandar gravar o nome na caneta. A Shaffer's ficou mofando dentro do estojo no fundo de uma gaveta. Ele nunca usou aquilo no pouco tempo que desfrutou da vida de aposentado. Muito menos pensou em dar a caneta pra mim, que, afinal de contas, tinha meu nome inscrito nela. Só quando minha mãe morreu é que a caneta veio parar na minha mão. Dei a Shaffer's de presente prum traficante num acesso de generosidade cocaínica e nunca mais vi nem caneta nem traficante. O sobrado familiar numa vilinha que saía da rua Pelotas já veio abaixo faz tempo também, cedendo terreno a um edifício de consultórios médicos.

Não sei o que me deu de desatar essas histórias empoeiradas, assim, de repente. No filme que pretendo tirar da história da surubrâmane não pretendo puxar esse lampejo retroativo familiar, como é óbvio. Nada a ver. Mas, só pra completar minha rica biografia, acrescento que entrei na escola de cinema da USP em 83. Meu irmão também entrou na USP, em filosofia, dois anos antes de mim. Nenhum de nós se formou, por motivos diversos. Eu, porque logo arranjei um trampo de cameraman numa pequena produtora de um amigo, saí de casa, caí na vida, parei de ir na faculdade, virei sócio do amigo, brigamos, falimos, brigamos mais um pouco, fui trabalhar em outro lugar, e tal. Meu irmão resolveu sair da vida por conta própria logo no primeiro semestre da filosofia. Até hoje não sei direito por que o Rubens se matou. Alguma coisa que ele leu naqueles filósofos e poetas pessimistas não lhe desceu bem no espírito, conforme meu pai se cansara de advertir anos antes. Pelo menos meu irmão acabou saindo duma vez por todas daquele quarto onde vivia trancado. Quando ele morreu, entrei lá e me obriguei a ler todos aqueles livros, num desafio à morte que tinha levado meu irmão, coisa que só consigo sacar hoje. Já tinha filado alguns daqueles "buqãs", como ele dizia e escrevia, vários deles sob o estímulo do próprio Rubens: "Lê isso aí que é a sua cara", ele dizia, sem olhar pra minha cara. Trópico de Câncer, On the road, Paraísos artificiais, Junky e o caralho. Bom, se não li tudo, li um monte. Poetas, romancistas massudos, poetas contorcionistas, contistas minimalistas (um tal de Raymond Carver era ótimo), cronistas (Rubem Braga será sempre o maior), historiadores, biógrafos, ensaístas disso e daquilo e o diabo. Aprendi francês com uma bolsa da Alliance Française (não me pergunte como a ganhei, senão vou ter que te contar sobre a professora Sévèrine e seu método Tavistock de *sentir o aluno*) pra ler Baudelaire, Rimbaud, Cioran (esse ele venerava, "o pessimista lúdico", Rubens dizia), e inglês com uma canadense que tocava flauta na extinta Filarmônica, pra encarar o Miller, que ele adorava tanto, justo ele, o tímido, venerando um fodão. Tadinho do Rubens. Senti muita falta da estimulante ausência dele. Te juro, não é jogo de palavra. O Rubinho tinha um jeito todo especial de nunca estar ali na sua frente. Só que, no dia seguinte, você se lembrava de cada palavra que ele tinha dito, tudo de uma inteligência, tudo importante. O Rubinho nunca esteve em nenhum lugar onde viver não lhe doesse — como deve ter dito mais de mil vezes o Fernando Pessoa, seu ídolo máximo em matéria de desencanto poético com o mundo. Seja lá como for, a morte do meu irmão me jogou no mundo dos livros. Um sofá e um livro na mão: o grande pretexto pra não se fazer picas. Quando entrei em cinema na ECA, botei fácil banca de intelecta pra cima de muita girlzinha xixilenta filha d'algo. Comi muitas delas, além de genuínas cabeçonas (duas professoras, inclusive, da fac), e mesmo várias coitadas gostosas e totalmente acéfalas, apenas jogando pra cima delas os leros fundamentais sugados da biblioteca do Rubens. Frases de efeito, conceitos impressionantes. Uso isso até hoje. Devo tudo a ele, meu irmão, o Rubens, e não é pouco. Descanse em paz, mano.

De resto, se você quiser saber, nasci em 1964, no dia 31 de março. Quer dizer, vim ao mundo no marco zero da ditadura. Lembro muito bem que em todos os meus aniversários o céu era cruzado a toda hora por jatos militares em formação, que nem no dia 7 de setembro. Alguns desses aviões deixavam um rastro de vapor no espaço que eu lia como um "parabéns pra você" em forma linear. Eu vibrava com aquilo. Meu irmão me mandava calar a boca e deixar de ser idiota, que aqueles aviões pertenciam "à ditadura". Não sei quanto consegui deixar de ser idiota, mas continuo adorando ver aviões de guerra em formação no céu, embora não tenha visto mais nenhum no meu aniversário.

# <9>

Confesso que usei esse último break pra dar um rolê na Augusta antes de continuar a narrativa das minhas incríveis peripécias na Índia milenar encapsulada no porão da Samayana. O caso é que o pó do Miro tava no fim e não tinha mais uma gota de cerveja e uisção pro nenê aqui mamar. Me veio o impulso previsível de acionar outra vez o Miro, mas, pra minha sorte, eu ainda estava em condições de me aconselhar a não fazer isso, considerando a cagada com a moto que o puto derrubou aí na frente, horas atrás. Achei melhor ir à luta alhures e esticar um pouco as pernas, sempre com cuidado pra não esticar também as canelas. O Monzão, coitado, também precisava rodar um pouco. Ele é muito sensível. Se fico mais de 24 horas sem solicitar seus préstimos, o fofão fica magoado e faz um tremendo cu-doce pra pegar depois.

O bar da tia Xênia, lá na Augusta, piscou na tela do meu radar noturno. É o melhor lugar pra se conseguir alguma coisa melhorzinha e mais bem servida uma hora dessas da noite. Ou uma enquadrada da polícia, se for a noite errada. O Nissim, por exemplo, já entrou numa puta roubada lá na tia, ano passado, com nada menos que 5g em cima, a serem divididos com a galera do Bitch. Ni qui a mulher tinha acabado de lhe passar o bagulho – pá! Dois ratos chegaram nele, berro na cabeça, voz de prisão, algemas, o número todo. Pelo menos a delegacia fica só a duas quadras do bar, e a besta do Nissim não precisou ficar rodando muito de viatura.

Na delegacia, ninguém parecia interessado em saber a origem do petecão. Queriam só a bagatela de 50 mil reais pra relaxar o flagra. A pacoteira de pó era mais que suficiente pra enquadrá-lo como traficante internacional equiparável ao Fernandinho Beira-Mar, segundo a legislação vigente. Nissim mineiramente regateou com o escrivão e conseguiu baixar pra cincão — 10% do lance inicial dos caras. Um gênio negocial, o Nissim, isso ninguém pode negar, nem os ratos. Foi autuado só por porte de uma bituca de maconha que trazia dentro de uma caixa de fósforos. O Peugeot 307 dele, junto com os documentos, ficou em garantia na mão dos home até o cheque que ele deu ser descontado na boca do caixa. Quando lhe devolveram o carro, cadê o CD-player com MP3? Tinha sido transferido pra caranga de algum investigador, junto com todos os CDs de MPB do mineiro, inclusive os do Milton Nascimento, seus preferidos.

 De modo que pegar pó no bar da tia Xênia comporta esse tipo de risco. Nego tem que ficar esperto, escanear bem as redondezas pra ver quem possa estar de butuca, antes de fazer a transação. Se tiver algum cara de boné sozinho no pedaço, por exemplo, pode crer que é ganso. Todo ganso circula sozinho e de boné, é atávico isso. Eu não me arrisco. Sou fiel às minhas paranoias, caio fora na mesma hora. Uma vez, ni qui a tia me passou o petecão, o do boné apareceu. Nunca tinha visto o cara, mas o boné dizia tudo sobre ele. A nóia bateu com tudo. Fui pro banheiro, mocozei o bagulho no parapeito externo do vitrô, acabei minha cerveja no balcão, na santa calma, e me mandei do bar. Achei que ia tomar uma geral na porta, como o Nissim, mas não rolou nada. Toquei pra outro bar, duas quadras acima, e liguei pra Melina. Ela estava no Bitch, bêbada pra variar, mas quando ouviu falar em pó chamou um táxi e foi correndo me encontrar. Instruí a ruiva a descer até o bar da tia, comprar um maço de cigarros, pedir pra usar o banheiro unissex e resgatar o ouro branco. Foi o que ela fez. Na saída, não deu outra: tomou uma geral dos home. Quer dizer, os caras tavam revistando a meia dúzia de gatos-pingados no boteco, e ela, ao sair do cagote, entrou na dança. Revistaram a bolsa, os bolsos todos da calça jeans e de um paletozinho que ela usava. Não ousaram revistar a calcinha.

 Quando a Melina voltou com a peteca entranhada na xota e o relato da quase cagada policialesca, dei uma cheirada profunda no plástico embucetado e convidei a fofa no ato pra comemorarmos a nossa boa estrela num hoteleco da Frei Caneca, onde ficamos cheirando, bebendo e fudendo durante uma alegre horinha antes de seguir pro Bitch.

Lembrei disso tudo sentado no balcão da tia tomando uma cerveja, enquanto esperava a Xênia chegar sei lá de onde. Um cara de boné entrou no bar, trocou soquinhos de mão e umas palavras com o garoto que atendia no balcão. Não gostei daquilo. Senti o mó cheiro de cana no ar. Eu hein? Matei a long-neck aos golões, arrotei com relativa discrição e me mandei. Eu tinha ainda um restículo de farinha no bolsinho da algibeira, fora um provável caixa 2 que trago escondido de mim mesmo na carteira e do qual procuro me esquecer.

Decidi dar umas bandolas pela Augusta e, quem sabe, passar mais tarde na tia. Não era nem uma da manhã ainda. Pra aliviar um pouco a consciência profissional culpada, eu tinha decidido que na volta iria esquecer Sossôs e Samayanas e meter os peitos no roteiro dos embutidos. Subi a Augusta de Monzão, sacando o movimento. O açougue sexual parecia farto e sortido, como sempre. Uma putinha na esquina da rua Costa me falou ao pau. Encostei no meio-fio, ela veio até a janela do passageiro. Tinha uma carinha agradável, acaboclada. Pediu cem, mas deixou pela metade: um galo pra ela, vintão pro hotel. Setentinha, piço e cama, era um bom negócio.

"Meia hora só, tá, gato?"

"Claro."

No que ela entrou no carro já lhe passei o cinquentinha do michê, que ela enfiou rápido no decote. Sempre faço isso, de pagar a puta antes. Cria um clima de confiança, esquenta a relação, melhora a qualidade da foda. Viver numa sociedade regida pelo dinheiro pode ser uma merda e tudo, mas, porra, um pedacinho de papel pintado que pode ser trocado tanto por um prato de espaguete com vinho numa cantina do Bexiga quanto por uma peteca de cocaína ou uma bela buceta semidepilada à meia-noite e pico na rua é de tirar o chapéu, fala a verdade. A questão é ter o pedacinho de papel pintado no bolso, como eu tinha, aliás. Alguém poderia objetar lembrando que essa grana não é bem minha, ao que eu responderia mandando o objetor cuidar da vida dele ou dela, ou até mesmo tomar no cu, caso preferisse.

Fato é que a puta era mesmo uma gracinha. Loira mais falsa que jura de amor feita de pau duro, contrastando com a pele azeitona-foncê, tinha uns peitos de tamanho médio, sem silicone e em razoável estado de conservação. Antes da fodelança propriamente dita, demos uns pegas no resto oficial do meu pó. Pelada como eu mandei, ela cheirava com a nota enrolada do michê, enquanto eu roçava com o pau jonjo o rego dela, manipulando seus peitos por trás. A garota retribuía dando umas reboladinhas e uma gemidinhas boas de ouvir. Me deu tesão. As putas cafungueiras são as mais loucas pra foder, as mais divertidas, as mais putas que vos quero putas.

Matamos o pó. A mina — ela disse seu nome uma única vez, na rua ainda, mas esqueci no mesmo instante — lambeu o sacolé de plástico, fissuradona. Tinha uma cicatriz horizontal de cesárea pouco acima da pentelheira aparadinha, além de outra cicatriz na coxa, pontual e funda, recuerdo de tiro ou facada, parecia. Tinha também um certo número de manchas e hematomas espalhados pelas pernas, principalmente abaixo do joelho, de tonalidades variadas, que deviam corresponder a uma datação: os hematomas antigos eram mais escuros, as bicancas mais recentes, roxas e violáceas. Aquilo só podia ser lembrança de barraco com outras putas, castigo de cafetão e polícia, tombos e encontrões ao sair no pinote pela rua com sirene na cola, desavenças com vizinhos de cortiço.

No pique do pó, minha nova amiguinha virou-se de frente pra mim e tomou a iniciativa de chupar meu pau já empinado.

"Esguicha na minha cara", liberou.

Esguichar porra na cara da mulher é o que há. Na boca, no nariz, nos olhos, nas bochechas, na testa, no cabelo — é lindo. E fica mais lindo ainda quando elas lambem e sorvem a porra, que é pra você se sentir o governador-geral da putaria. As boas fêmeas gostam disso. Algumas das más também. E não é só em filme pornô, não. Bom, você deve saber disso tanto quanto eu.

A minha puta sabia tomar uma pica por via oral. Começou com um bem realizado tour de língua em torno da chapeleta, pra depois alojar o negócio sobre o leito da língua dentro da boca. Meu pau ficou descansando um pouco naquele berço esplêndido como um pequeno deus na manjedoura, antes que ela iniciasse o trabalho de sucção. Quer dizer, a mulher se esmerava em prolegômenos refinados até no boquete. De tirar o chapéu — ou a chapeleta. Como a vida pode ser simples e divertida num pulgueiro de uma transversal da Augusta, você de pau duro com uma puta de estampa razoável decidida a te chupar até você explodir em jatos de gosma na cara dela. Mas não foi isso que eu fiz. De camiseta e calça arriada até os tornozelos — eu tava sem cueca —, pedi pra ela ficar de quatro na cama, bunda empinada pra mim, o que ela obedeceu logo depois de me emborrachar o pau com auxílio da boca, very profiça. De pé mesmo, comecei a foder a xota dela por trás. A mina perguntou se eu não ia tirar a roupa, "pra ficar mais à vontade".

"Eu tô à vontade. E cuma puta vontade."

"Tô vendo!"

A verdade é que eu não gosto de ficar pelado em puteiro. Se eu tiver de sartá de banda no sufoco, no meio duma blitz, duma treta, dum assalto, é melhor já estar dentro das roupas. É só puxar a calça pra cima, zipar a braguilha e um abraço. Também não acho dermatologicamente correto ficar roçando a pele nesses lençóis engomados de porra, bosta de cu comido, catarro, ranho, pus, sarna e o caralho. De modo que fiquei de roupa mesmo metendo e amassando aquelas tetas sugadas por incontáveis clientes, dezenas de cafiolos e dois ou três filhos, que deviam estar agora com parentes ou vizinhas em alguma quebrada da perifa.

Em seguida, larguei os peitos e passei a trabalhar com as duas mãos a bunda da puta, mais pra pequena, redondinha, um melão rachado. Era uma bunda que já tinha enfrentado alguns atritos com os ângulos mais agudos da realidade, como bico de sapato e brasa de cigarro, por exemplo. Muita pica já tinha transitado por ali também, indo e vindo por aquele roscofe engrouvinhado. Putas de rua são isso mesmo, vai querer o quê? Não são a garota-símbolo dos cremes antirrugas da Lancôme. Se eu fosse mulher, mais ou menos gostosa, pobre e ignorante, seria uma bela putana de rua também, e teria a essa altura ainda mais cicatrizes e hematomas a ostentar que aquela fulana, se é que ainda estaria vivo, digo, viva, do que muito duvido. Não me inspiram pena as putas da Augusta. Só tesão, quando estão peladas na minha frente numa cama rançosa de uma espelunca de vinte mangos, e eu torto e tarado comendo elas pela frente ou por trás, fazendo o possível pra achar que a vida é engraçada, meu caralho, quando não bela.

Pode anotar aí: se no meu leito de morte me for concedido um último desejo, não hesitarei. Quero uma puta da Augusta, dessas de um galo, pra me oferecer seus préstimos no leito hospitalar, e ainda dou a ela os vintão que seriam do hotel. Se eu estiver tão detonado a ponto do meu pau não reagir, paciência. Mesmo de pau mole, um homem tem direito a uma puta em seu leito de morte, diria Henry Miller — em seu leito de morte.

Falando em escritor, você, com toda certeza, já leu aquela cena do "On the Road", do Kerouac, com a puta venezuelana que ele come no México, maluco de um fumo extrafuerte e tesão emocionado. Du cacete, né? Só com puta é que rola uma parada daquelas, só com puta, só com puta. O curioso é que aprendi um pouco tarde essa lição. Ao contrário da geração do Nissim, de putanheiros crônicos nascidos nos anos 40/50, tive meu début sexual com namoradinhas parvas e inexperientes recrutadas no colégio ou nas turminhas baladeiras de classe média. Não comi nenhuma puta na primeira juventude. Quase ninguém da minha idade comeu. Putaria entrou mais tarde na minha vida, quando caí com tudo no pó, droga que te empurra pra zoeira com facilidade. Pegar puta, pra mim, acabou virando um gesto artístico, além de terapia ansiolítica. Muito do que sou hoje, e sobretudo do que deixei de ser, eu devo às putas, a quem dedico de coração este poema:

> Sexo, só por amor,
> faça frio ou calor
> — assim era no início.
> Mas era um desperdício.
> Se amor fala mais alto
> no topo do planalto,
> ao descer à planície
> afunda na mesmice.
> Bom do sexo é o vício,
> sacanagem, meretrício,
> orgia, despautério —
> deus salve o adultério!

Rapaz, não liga não, mas não tô conseguindo segurar mais um poemelho em louvor às putas que acabou de brotar na minha cabeça. Repare na diagramação em vai e vem que mimetiza os movimentos da fornicação. Ó só se não é de arrancar aplausos de concretistas e assemelhados nos asilos para poetas de vanguarda:

*putaria*

    Noite feliz,
  fofas marafonas,
  fodonas, cafonas,
fuque-fuque e felácio
    foder é tão fácil
  na xana e na rosca
      da louca, da linda, da tosca
  meretriz que se diz
modelo e atriz.
    Cocaína a granel,
tô pra lá de pinel,
  xarope, maluco, pascácio.
  Puteiro pra mim é palácio.

Essa puta que acabei de catar na Augusta era de fato bem razoavelzinha. Peguei o celular dela, depois te passo, se eu achar onde anotei. Deve ser um desses telefones garranchados aqui no meu talão de cheque, sem o nome da pessoa. Vou checar isso e te mando por imeio. Daí você vai lá, traça a vagaba, e passaremos a ter isso em comum: a buceta de uma puta. Por ora, vai ouvindo. Acho que fiquei um tempo naquilo, a puta de quatro na cama, eu de pé pegando ela por trás, farejando as emanações daquele cu popular, discerníveis da catinga suave da buceta, sendo que as do cu ainda sobressaíam mais quando eu arreganhava aquele rabo sovado repuxando as nádegas pra fora com os polegares. O olho cego da puta, assim exposto pelo duplo fórceps, me olhava indiferente, depilado nas bordas, um ânus profissional que, sabendo-se olhado, se atrevia a me dar umas piscadinhas. Ela tinha essa manha, a puta: fazer o cu piscar pro freguês.

Eu futucava o olho cego e enrugado com a ponta do dedão molhado de cuspe, e a puta gemia, tentando fazer o incômodo passar por lascívia, enquanto meu dedão avançava pra dentro do cu dela. Não tenho nojo de cu de puta. Volta e meia até chupo um cu de puta, e posso garantir que é bem mais higiênico e fotogênico que o da média das amadoras. Ele tá lá pra fazer bonito, o cu da puta.

A Lia, por exemplo, muitíssimo cá entre nós, nunca apresentou um cu tão chupável quanto o daquela puta da Augusta. O cu da patroa sai pra trabalhar de manhã cedo, passa o dia sentado ou sendo massageado pelas nádegas na cadência do andar, e caga sem apelação nos banheiros da faculdade, onde é limpo a seco com o papel higiênico de segunda que o governo oferece nos toaletes de suas instituições de ensino, desenvolvendo, por conseguinte, toda sorte de grumelos e badalhocas aderentes à pilosidade local, de resto jamais desbastada na depilação pelas mulheres ditas honestas, pois está na Bíblia, no Alcorão, nos Upanishades: "Se quereis pastar com o rebanho das eleitas, não depileis vosso rabicó".

Engraçado como eu posso evocar à perfeição o cheiro da puta, que ainda sinto grudado em mim, no cabelo, roupas, narinas, mas não o nome que ela me deu. Mulher gosta de ouvir seu nome evocado pelo macho fodedor, mesmo que seja só um freguês repetindo o nome de guerra com que ela se apresentou. Mas, quando se trata de gandaia, prefiro meter numa mulher sem nome, numa buceta sem história, carne penetrável, gozável, e ponto-final. Isso me faz sentir vazio de nome, identidade, livre do peso de ser o velho e gasto eu mesmo, como o rio que perde forma, essência e nome quando se entrega às águas do mar. Pra que nomes quando se está dentro de uma buceta? Tanto que só dão nome às pessoas quando elas saem de lá.

Enfim, dei uma gozada até que rápida pra quem já tava meio travado. Pó me retarda o gozo. Às vezes, não sempre, me retarda a ereção também. Aí é desencanar, sem perder a liga da sacanagem, que o negócio cedo ou tarde acaba arrebatando. Uma vez que o sangue entrou, a ação vasoconstritora do cloridrato de cocaína impede seu refluxo, garantindo pau a toda prova, até de rejeição amorosa.

E dá-lhe mais um poeminha putanheiro:

> *benhê*
> 
> tinha nome de guerra
> mas era da paz
> me dizia:
> faço o que tu quiser
> que eu faça,
> meu gato.
> Rapaz!
> ela fazia o que sabia
> e um pouco mais.
> Amar nunca é de graça
> Mas na rua sai barato.

Ela mesma me livrou da camisinha esporrada, que jogou debaixo da cama, enquanto eu puxava a calça pra cintura, mantendo a braguilha aberta, o pau ainda bacanudo pra fora, com um fio ralo de porra pendendo do bico. Sentei na cama, costas contra a cabeceira, tênis no lençol, ao lado da camarada prostituta, e ficamos os dois naquele papinho pós-piço-com-puta, repartindo um beque que eu tinha trazido e um Marlboro.

"Num gosto de beque pra fazer a rua", ela disse, rindo e tossindo a fumaça. "Me atrapalha."

Ni qui ela fumava o bamba eu tragava o careta, e vício-versa. Daí, passei o braço pelo ombro dela e deixei a mão flanar por um peito e pelo outro, conferindo os mamilos arrepiados pelos quais eu tinha pago cinquentão por meia hora de desfrute. Era acabar o beque e o cigarro e cair fora.

Mas, aí, a fulana me confessou que seu sonho era ser modelo. Como não tinha altura pra ser "tópi", ela se contentava em ser atriz.

"Atriz?"

"Já fui rainha do anal num filme", se gabou. "'Pregas ardentes', I e II. Cê viu?"

"Ouvi falar do Pregas I", menti. "Parece que é um clássico."

"É crasse mesmo. Parece fácil de fazê anal no cinema, mas né não."

"Imagino que sim. Quer dizer, que não."

"A gente tem que fazer pra câmera que tá gostando, ái, ui, mas na real dói pa caramba. Ator de pornô é tudo pirocudo. Afe. Mas tem que ser, né?"

"Tem que. Pau pequeno não rende em pornô. Tem uns domésticos na internet com caras de pinto pequeno. Ridículo. Já vi mulher com o grelo maior que o pau desses caras."

A puta riu.

"Ô lôco! Ou os cara é capado, ou a mulher que é uma jumenta greluda", comentou, divertida.

Pontifiquei:

"Pau de pornô tem que ter o dobro do tamanho dum pau normal. Dobro do meu, por exemplo."

"Nããoo", ela se insurgiu, apertando com delicadeza meu pau ainda pra fora da braguilha. "Seu pau né normal não. É bão!"

"Ó-bregado", respondi, imitando um amigo meu que adora imitar o Maluf. Tava na cara que "bão" pra ela era normal, como normal devia ser pequeno. "E dupla penetração? Você fez no Pregas?"

"Mai nem! Com dois cacetudo, meu filho. Aí é que você vê quem é do ramo, quem não é."

"E todo pornô tem agora: um na frente, outro atrás. No mínimo", acrescentei, demonstrando conhecimento na matéria.

"Na frente e atrás inda é moleza. Pobrema é encarar dois pirocudo no mesmo buraco."

"Putz, é verdade. Já vi isso. Os caras arregaçam a xota da mina."

"Se for só na xota inda é lucro. Dois atrás é que é dureza. Com relaxante muscular e tudo."

"Haja cu. Com todo respeito."

"E dá-lhe clister antes pra não passar cheque. Clister é uó. Mas se tu passar cheque pro parceiro, cabô a cena. O diretor corta no ato. Tem que começar tudo de novo, do zero. E ninguém te paga um tostão a mais por isso."

"É ruim."

"Péssimo."

Meu pau tinha empinado de novo, ao sabor da punheta distraída que ela me batia enquanto narrava suas façanhas anais. Quando viu aquilo, foi de boca na rola, chupando direto, sem preâmbulos. Mas logo desemboquetou, num *schlop*, prum derradeiro desabafo:

"E tem gente que acha que vida de artista pornô é moleza. Vá ver se é!"

"Pode crer... *fff...*"

Ela alisava agora a pele molhada de cuspe do meu pinto, como se o desgraçado fosse um bichinho mimoso.

"Adoro pele de pinto. A do seu é uma seda, gato."

Faz parte do trabalho da mulherada elogiar detalhes do corpo do freguês. A puta sabe que o cara não quer só esvaziar as gônadas. Ele almeja também se sentir um exemplar privilegiado da espécie. Se um jacaré-açu a pegasse na Augusta, ela com certeza elogiaria a fina cútis do aligatorídeo.

"Cê já viu muito filme pornô?", ela perguntou.

"Não só vi, como já dirigi um monte", contei, exagerando meu currículo, que não passava de pouco mais de duas dúzias de filmetes de 25 minutos rodados à razão de dois por dia, em média, pro Silas.

A puta pulou sentada na cama quando eu disse aquilo.

"Brincou!"

Embalei:

"Tenho uma produtora."

Pra quê eu fui dizer isso?

"Ó o cara!", a mina espoucou, me enlaçando num abraço, cara a cara comigo, e apertando ainda mais meu pau. "Mi chama pra trabalhar com você, me chama? *Mi chama! Mi chama! Mi chã-maaa*", ela entoou, ecoando a antiga Marina antes de me reboquetear o peru.

Estrelar pornôs, pra puta de rua, é o canal prum michê mais alto, que elas passam a chamar de cachê. Se a bagaça faz sucesso a mulher é escalada para novos trabalhos e seu cachê pode pular de 200 ou 300 paus, pra 800, e até milão, se for muito gostosa, por umas cinco horas de cinefodas, em geral diurnas, deixando a noite livre para atender a distinta clientela das esquinas, boates, anúncios de jornal e internet. É bem verdade que ela tem de güentar uma tora lasseando seu esfíncter, e, não raro, duas. São os ossos duros, grossos e compridos do ofício.

"*Mi chama, mi chama, mi chamaaaa...*", ela continuava a entoar na cama-palco do hotel Lindomar, entre uma chupada e outra.

"Claro que eu te chamo, gata", eu disse. "Vamo emplacá um 'Pregas III', numa linha, digamos assim, mais romântica. Não esquece de me dar seu telefone."

"Falô, gato!", ela disse, me dando um beijinho na bochecha. Feito o quê, retomou o trabalho de sopro. Mas se via que a cabeça dela estava cheia de ideias. No meio da função, ergueu os olhos pra mim e mandou, de boca cheia:

"Cauô o uó?"

"Não sei. Piriga de ter um caixa dois", respondi, instilando esperança naquela fissura crônica.

Sem tirar seus olhos dos meus nem a boca do meu pau ela começou com uns movimentos de circunvolução de língua pela chapeleta que me deixaram maluco. A fiadaputa da puta caprichava. Afinal a sorte tinha despejado na cama dela uma fonte de pó e emprego artístico num mesmo lance.

Porra, fico doidão quando a puta tá na pilha da sacanagem comigo, demoro pra gozar, é o mó tesão. Isso de demorar pra acabar elas não gostam muito, lógico, barbarelas faturelas que todas são. Não era o caso dessa puta de hoje, porém, a talentosa estrela de Pregas Ardentes I e II, que apreciava uma boa farinha com farinha. Puxei minha carteira do bolso de trás. A fulana parou de lamber meu pau e ficou só na punhetinha, fazendo a pele da pica subir e descer, pistão em marcha-lenta, enquanto aguardava o que ia sair dali — da carteira e do pau.

Eu não tinha muita certeza de ter um caixa dois, além da raspa do pó que a gente tinha matado. Se eu não tivesse nada ia ser mau. Ducha fria na fissura da puta. Ela me olhava, dava umas chupadas e me masturbava numa doce cadência mecânica, de olho nos meus menores gestos. Dei sorte: foi só enfiar o dedo num dos compartimentos internos da carteira, que já toquei o pacauzinho.

"Saideira", proclamei, fisgando a micropeteca. A devassa soltou um gritinho agudo de alegria. Daí, subiu seus beiços pros meus, da pica à boca, sem escalas. Coisa rara, beijo de puta. Acho que senti um gosto peniano naqueles lábios chupinteiros, uma síntese de esmegmas e porras de variada procedência, que a noite não era nenhuma criança e ela já devia ter feito vários programas antes de mim. Mas beijo é beijo, de qualquer boca, e aquela bicoca era um deferência toda especial que ela me fazia.

Nem meio segundo depois, a puta já pegava o plastiquinho da minha mão, de joelhos na cama, despejando o conteúdo sobre a fórmica marrom do console-cabeceira, onde ficavam os controles de luz e som. De bunda pra mim, esticou dois carreirões com a unha do mindinho improvisada em lâmina. Uma puta pelada esticando umas linhas com sua unha roxo-help, eis aí meu conceito de *momento lindo*, que, aliás, tocava na FM, na voz do Roberto. Beijei uma nádega da parceira. Me segurei pra não beijar-lhe o cu. Empunhando de novo seu canudinho de 50 merréis, ela aspirou uma das carreiras em duas etapas, um tequinho pra cada narina. Apertou depois uma e outra asa da napa, dando inspiradinhas curtas, *snuf-snuf*, pra fazer o pó entrar mais fundo. Peguei o canudo da mão dela e, enquanto mandava a outra linha numa série de aspiradas curtas, ela fez saber à nação:

"Faço lesbianismo também. Com uma, duas, três minina, o que for. De boa."

"Muié com muié é açúcar no mé. Melhor não há", comentei.

"Bem melhor que levar surra de rola."

"Só se for da minha, né?"

"É, só se for da sua, bem", ela disse, de novo na cama comigo, acariciando a dita rola minha. E prosseguiu, desfiando reminiscências: "Tru dia fui filmar uma homenage atroá com duas minina. O diretor chegou pro maquiador e mandou ele me deixar bem bocuda boqueteira. Aí eu falei assim pra ele: 'Ô, Bóbi, é xana que eu vou chupá, né rola não, fio'. Sabe o que ele falou? 'Tudo a mesma coisa.' Hahahá".

Eu ri junto. Muito engraçado. Rola e xana, tudo a mesma coisa. Hahahá. Humor de puta. Comovente. Me lembro de uma cena de gang bang que gravei com uma crioula megatetuda às voltas com seis pirocas ao mesmo tempo. Uma hora lá, com duas delas entaladas nos buracos de baixo, ela tirou o terceiro da boca pra implorar num fortíssimo sotaque nordestino: "Ó xente, alguém aí me conte uma piada, pélamorrr di Deus!". Ela começava a se desesperar e precisava de uma cota mínima de humor pra continuar suportando aquilo. O Silas, que acompanhava a gravação, contou uma piada curtinha pra ela, o cara que fazia a luz contou outra, todas velhas, curtas e grossas.

Ela ria de chorar, a puta. Mais chorava que ria, no final. Os pirocudos não gostaram daquilo. Vários começaram a broxar. Putaria e humor não combinam. Lágrimas e putaria muito menos. Só sexo combina com sexo num set de pornô. Aponta-me um pornô engraçado e eu te indicarei um mau filme de sacanagem.

Mas essa puta de hoje era bem-humorada. Porra, como é que eu fui esquecer o nome dela? No meu filme vai ter um nome especial. Klídya Klistell, Shanna Pyntto, algo assim. Vou divulgar a infeliz como sendo uma puta atriz sem que possam me acusar de propaganda enganosa.

Quando achei que tava na hora de cair fora, disse um "Bom...", mas a girl abocanhou de novo meu pau pra fora da braguilha e se pôs a devorar o embutido com mais volúpia ainda. Problema é que, mesmo paudurão daquele jeito, eu nem passava perto de gozar outra vez. Tinha socado uma à tarde e comido a própria puta não fazia nem quinze minutos, sem falar na surubrâmane de ontem. Tava meio que exaurido de combustível seminal. Depois de algum tempo, meu pau foi ficando insensível dentro daquela boca cocainada. Eu mal me sentia chupado. Cansada, minha mais recente concubina interrompeu o boquete pra respirar. Veio-lhe uma ideia:

"Qué dá uma no meu cu, bem? Num costumo fazer bumbum com cliente da rua, mas procê eu libero", ela declarou, justapondo a crueza da fórmula "dá uma no cu" ao eufemístico "fazer bumbum" que só puta usa. Uma fofolete.

Depois de me vestir com uma nova camisinha, ela já foi se prostrando de quatro na cama, apoiando antebraços e cotovelos no console-cabeceira. Agarrei aquela bunda esforçada, repuxei-lhe de novo as nádegas com os dedões, aproximei a napa do local do crime e dei uma inspirada na flor recôndita. Honestíssimo perfume anal. Mas me deu preguiça de encarar um cu depois de ter acabado de gozar numa xota confortável. Pegar estrada de terra depois de rodar numa de asfalto? Pra quê? Em todo caso, tava lá o cuzão da puta na minha frente, a me exigir uma providência, que, no caso, seria cuspir na rosca e carcar-lhe a rola sem dó. Foi o que tentei fazer. Só que o meu cuspe mal tinha viscosidade suficiente pra me descer da boca até o pau, desidratado que estava pela maconha. Parava no meio do caminho. Aquilo não ia lubrificar cu nenhum em parte alguma do planeta, nem mesmo um cu lasseado de puta. Ainda assim, catei o cuspe algodoento na ponta dos dedos e espalhei na rosquinha de carne escura, procedendo às primeiras pinceladas de chapeleta naquelas pregas bambas de tão refodidas por duplos mangalhos.

Tudo o que eu tinha a fazer era entrar ali, dar umas bombadas, gozar o mais rápido possível e cair fora. Um plano simples. No entanto, não parecia nada fácil enfiar o pinto naquele puíto, pra começo de conversa. Com as mãos de unhas roxo-crime, a puta tentava me ajudar a arregaçar suas interbreubas. A íris anal se abriu afinal num singelo furinho que outro não era senão o famoso olho "obscuro e franzido como um cravo roxo", como disse o Rimbaud, se não foi o Verlaine. O que, afinal, de tão interessante havia ali? Estava dentro ou fora o mistério do cu? Por que essa mitologia toda envolvendo aquela extremidade rugosa do tubo digestivo? Fechei um olho e aproximei o outro da olhota aberta, como se fosse o viewfinder de uma câmera. Não havia luz no fim do túnel. A mulher quebrou o pescoço pra trás, tentando conferir o que tanto eu aprontava à sua ré.

"Perdeu alguma coisa, bem?"

"Tava só admirando."

"Ah...", ela disse, soltando uma risadinha compreensiva pra com as melancólicas parafilias da humanidade.

Desisti do voyeurismo anal e procurei me concentrar na tarefa sodomizadora, dedicando-me a futucar o courinho com o dedo médio de forma mais ou menos delicada, o que fez de pronto o orifício lassear um pouco mais. Minha falangeta sumiu lá dentro até o primeiro nó. A puta gemeu. Forcei um pouco mais o dedo, e ela gemeu mais alto. Meu cuspe seco era o pior lubrificante do mundo. Forcei um pouco mais, pouca coisa, e o dedo entrou inteiro. Senti que o canal ali não estava exatamente liberado e logo tratei de puxar o dedo, nem tão depressa que indicasse nojo, nem tão devagar que provocasse uma caganeira na moça. Sem ver direito em que estado saiu o indigitado dígito, enrolei-o numa dobra de lençol e puxei. O que quer que estivesse grudado ali ficou no lençol do hotel Lindomar, deixando só um leve aroma no ar. Acheguei, então, a chapeleta bicuda de látex de um pau já não tão rijo na rosca cegueta. Dei uma primeira forçada, de leve, só pra sondar. Nem chegava perto de querer entrar, mesmo eu apertando a base pra deixar o negócio mais teso. Mas ele só ficava mais rombudo na ponta, o que não facilitava muito a intrusão. Ia ser uma luta aquilo. Minha companheira não demorou a deduzir a mesma coisa e mergulhou na cama, tirando o cu da reta.

"Péra aí", ela disse.

Pulou da cama e foi fuçar na bolsa pendurada na única cadeira do quarto. Voltou com um tubo de KY enroladinho desde a base até a boca. Olhei praquilo e me pus a calcular quantos bumbuns ela já não teria feito só com o gel espremido daquele único tubo. Uns vinte, no mínimo. Com grande esforço muscular ela conseguiu espremer uma meleca transparente que saiu do bico do tubo direto pra cabeça emborrachada de um pau que se desobrigava a olhos vistos de penetrar o que quer que fosse nessa noite.

"Ah...", ela exalou, me vendo broxar a céu aberto.

Apertei os lábios, ergui as sobrancelhas, encolhi os ombros.

"Acho que o neném tá cansado", justifiquei.

Amável, ela assumiu a culpa:

"Eu devia ter chupado ele até o fim naquela hora, né?"

"Desencana."

Ela deu um suspiro de resignação.

"Pior que agora me deu vontade..."

"Te devo essa", eu disse, tirando a nova camisinha lambrecada de gel do pau mole.

Num minuto ela estava vestida, se retocando — batom, pó de arroz, pincel — no espelho da pia do banheiro, de porta aberta.

Sentado na cama, prestes a me levantar, flagrei o canudo de cinquenta, do michê dela, esquecido no console-cabeceira. Peguei a grana enrolada e enfiei no bolso. Daí, pulei pra porta do quarto, que abri diante de madame, perfeito cavalheiro. Na rua, a garota se despediu de mim com um selinho singelo, me fazendo jurar que eu ia chamá-la prum filme. Eu disse que ia, ô se ia, e talvez estivesse falando a verdade naquela hora. Ela não quis carona, alegando que ia dar uma passadinha num bar da esquina da Matias Aires com a Bela Cintra onde funcionava outro ninho de bucetas comerciais. Me perguntei quanto tempo ia demorar até ela perceber que tinha largado pra trás aquele galo do michê, o qual voltava a cantar no meu bolso. Não comi as famosas "Pregas Ardentes", mas saí no lucro, assim mesmo.

Nem tudo é entropia, afinal de contas, neste universo desregrado, ponderei contente comigo mesmo a bordo do Monzão, descendo a Augusta, por onde rodei nem dois minutos até chegar de novo ao bar da tia, passando por uma legião de putas à espera das pirocas turbinadas de cocaína e sildenafil da distinta freguesia. Estacionei em frente à tia, na calçada oposta, e atravessei a rua bem diante de uma barca da Rota que subia vagarosa, quatro meganhas descansando os braços nas janelas da Blazer cinza-escura, os canos empinados de suas carabinas e metrancas em ostensiva exibição. Debaixo das boinas pretas eles lançavam olhares de exterminadores do presente a todos os seres mais ou menos humanos à vista, eu incluído.

Entrei na Xênia sem titubear e sentei numa banqueta junto ao balcão, meu perfil esquerdo voltado pra rua. A tia continuava ausente, mas não ia demorar, garantiu o garoto que veio me servir, o mesmo moleque de uma hora atrás, que não devia nem ter os 18 anos requeridos por lei pra estar ali, e trabalhando ainda por cima. Devia ser um dos muitos filhos, sobrinhos ou afilhados da Xênia.

Sentado a duas banquetas de onde eu estava, à minha direita, um traveco dava um tempo diante de um café fumegante num copo americano, dentro do qual jogou uma furtiva dose de uísque ou conhaque de uma garrafinha pescada na bolsa. Minissaia curta, roxa, bustiê dourado, barriga e coxões à mostra, reconheci o filhadamãe. É o único traveco que você vê naquele trecho hétero da Augusta, da Paulista até a praça Roosevelt. Antigamente se encontrava muito travesti batendo a rua de cima a baixo, mas isso acabou de uns anos pra cá. Minha impressão é que as putas chamaram a polícia à ordem e exigiram a retomada de um território que sempre foi exclusivo delas. Ali é só buceta agora. Mulher com penca só lá embaixo na Vila Buarque.

Mas o negócio do traveco, quando em ação naquele trecho da Augusta, não era sexo, e sim pó da pior qualidade imaginável que ele vendia no vapt-vupt da calçada depois da meia-noite. Como ainda era melhor que nada, ele tinha lá sua clientela de putanheiros fissurados. Nunca tinha encontrado a figura que não fosse na rua, eu comprando, ele vendendo a porcaria do pó malhado. Achei melhor ignorar a bicha, mesmo porque o pó da tia Xênia era melhor e mais bem servido, e ela logo estaria de volta. Só que o cara resolveu se apresentar, abanando seus imensos cílios postiços na minha direção e me estendendo o braço e a mão mole por cima das banquetas vazias entre nós, num gesto espichado de diva de chanchada:

"Prazer. Lolla Bertoludzy. Lolla com dois eles, Bertolu-dzy com ipicilone no final."

Não parecia ter me reconhecido, apesar de eu já ter comprado pó umas tantas vezes com ele/ela. Vai ver era míope, e com a visão prejudicada por aquelas óbvias lentes de contato azuis sem grau. Toquei a pata cheia de garras vermelhas que a harpia andrógina me estendia. Ele me olhou como se estivesse afinal me reconhecendo, sem lembrar direito de onde, se da putaria ou do tráfico.

Lolla com dois eles pulou algumas etapas do protocolo urbano e foi direto ao business:

"Tafim de farinha, né, gato?" Sem me dar tempo de responder, já emendou: "Ou duma pêta? Minha casa é bem pertinha daqui."

"Hoje não, baby. Valeu."

Porra, *pertinha* é a puta que o pariu, rosnei em silêncio.

O traveco deu uma segunda avaliada na minha estampa e soltou, toda coquete-boca-de-boquete:

"Você, atendo de graça, gato."

"Da próxima, baby", devolvi, o mais cool possível, sem tirar os cotovelos do balcão de zinco, virando no bico a long-neck que o garoto tinha me trazido.

"Desculpa o mau jeito. Não queria incomodar o *senhor*", ela rebateu, bem Cruella despeitada.

Acabei achando graça. Não dela, mas da minha situação ali na madrugada, numa boca de pó, das mais manjadas da cidade, assediado por um traveco e com um roteiro de institucional hiper-super-mega--urgente e sequer esboçado a me esperar na produtora. Dame Lolla riu também.

"Tá rin'de quê, gato?"

"De bobo."

"De bobo é que você não tem cara, meu lindo. Vamo lá, vamo?"

"Sá o que é?", comecei, educado. "Cabei de dá um gás numa mina aí. Esvaziei o tanque."

"E não sobrou nem uma gotinha pra mim?", mandou Lolla Bertoludzy, num adejar de cílios-espanadores.

Fiz meu mais suave gesto de "infelizmente..." e desviei o olhar pro outro lado, o da rua, onde a muvuca escoava espessa em mão dupla. Táxis, viaturas, carangas turbinadas de garotões, som a mil, só pagode, bate-estaca clubber e hip-hop de mano. E um cortejo de pedestres onde se destacavam universitários descolados de classe média e uma garotada estilosa, neopunks, neo-hippies, neoemos, neo-qualquer--merda, uma caterva nova que deu de frequentar a Augusta duns tempos pra cá. Sei lá. Não acho que essa gente combine muito com a putaria, que, para eles, é só um cenário urbano "radical", ou merda assim. Duvido que alguém ali trace as putas. De qualquer jeito, ainda tinha muita puta desfilando pernas e peitos, bundas e caras pelas calçadas, entrando e saindo dos bútis e inferninhos, confabulando em grupinhos de três ou quatro, ou sozinhas esperando seus clientes nas calçadas, a velha e boa putaria do caralho.

Ouvi uma vez um diálogo ali mesmo no bar da tia Xênia entre duas putas que tomavam cafezinho dividindo uma coca-cola. Uma delas, macambúzia, contava pra outra de um sonho seu recorrente com um disco voador que a abduzia e levava pra outro planeta, bem longe da Augusta. Lembro que a colega, mexendo com lentidão seu cafezinho, comentou:

"Mas e aí? Cê ia bater calçada onde no outro planeta? Vai que o movimento lá é pior que aqui, a polícia mais escrota, os pleiba e os cafiolo mais filho da puta. Melhor ficar onde cê já conhece, minha filha."

Voltei a ouvir a voz do meu lado direito:

"Cê tá mais bonito, gato. Agora tô lembrando de você."

Era a porra do traveco de novo. Pelo menos tinha zigomas normais no rosto fino, só realçados pela maquiagem. Nada dos monstruosos enchimentos faciais de silicone que fazem os travecos parecerem a noiva do Chucky com caxumba. Um pouco de imaginação e muita cachaça na cabeça te fariam ver La Bertoludzy como uma perua meio esquisita mas gostosa. Ela insistia:

"Ai, você é tudo, minino! Esses olho azul, afe!"

"Não tão azuis quanto os teus", chutei de volta, elogiando-lhe as lentes coloridas.

"Ai, gato! Num fala assim que eu si arrepio toda."

Lolla Bertoludzy sacudiu sua cabelama negra postiça, com luzes púrpuras e azuladas, e deu uma risada meia-boca de quem se divertia com a cena que ela tinha instaurado.

Dei um segundo look analítico no shape siliconado do perobão. Minha percepção absurda e intoxicada avaliou: bonit*A*, gostos*A*. Senti um suave frisson peniano que chegou a me preocupar. Me acudiram ideias confusas. Muito confusas. Eu já tinha visto muito traveco pelado em foto de revista, çaite da internet, show de boate bagaceira ou exibindo a rola nas calçadas. Sempre achei aquilo, mulher com penca, freak demais pro meu gosto neoclássico. Uma vez, doidaço na madrugada, deixei um traveco chupar meu pau no carro, enquanto ele se masturbava fora do meu âmbito de visão. Num momento de absoluta viagem achei aquilo excitante e acabei gozando na boca do cidadão-fêmea. Não reparei se o cara gozou ou o quê.

Falei pra Bertoludzy, de pura molecagem, e já me arrependendo no meio da fala:

"Cê também é muito gata, gata."

"A gente faz o que poder, amor", rebateu o transformer, dando um novo balancê na peruca.

Tinha sua atitude a criatura. Atrevida, a fofa se animou e deu um pulo de gato sobre as duas banquetas que nos separavam, aboletando-se sem cerimônia ao meu lado. Ficou analisando com atenção meu rosto. Daí, tocou a ponta do meu nariz.

"Inda vou ter um narizinho meigo que nem o seu. Tô juntando dindim pruma plástica."

"Magina. Legal teu nariz do jeito que ele é", retribuí, quase com sinceridade àquela hora extraviada (ôps) da noite.

"Minha napa é uó", ela foi em frente. "Nariz de dun-dun: chato, gordo. Quero afinar. Que nem o Maico Jécso."

"A Angelina Jolie tem um nariz parecido com o seu, e é linda."

Ela riu, desvanecida.

"Mas o dela é menor!"

Lolla tinha acendido o facho de uma vez por todas. Caralho, pensei. Onde é que eu tô me metendo? *Ela* tocou em frente:

"Minha sorte é ser beiçuda que nem o Mick Jéguir. Nasci pra falá num microfone."

Passou a mão no meu cabelo.

"Vamo lá pra casa, vamo?"

"Não mesmo, princesa. Tô esperando a tia chegar. E tenho uma pá de coisa pra fazer depois."

"Se é pela farinha, eu tenho lá. Da boa, não essa raspa de parede da tia."

"Quebra um galho", respondi.

Ela-ele se pôs confidencial no meu ouvido pro menino atrás do balcão não ouvir. Senti um bafo de miojo ao molho de esperma maturado.

"O padê da Xênia é uó. Quê qui é aquilo? Sabe com que ela batiza?"

"Prefiro não saber", respondi. "Sério."

Eu lá quero saber que merda eu tô cheirando? Isso estragaria metade do prazer. Só precisava dum stuff razoável pra me segurar por mais umas quatro/cinco horas de trampo cá na produtora, e ponto-final.

O traveco continuou:

"Eu posso tá te arrumando coisa boa, gato. Nada a ver com esse pó que eu sou obrigada a passar na rua pra viver."

Me animei:

"Cadê o bagulho? Deixa eu dá um teco."

"Já falei, tá lá em casa. Aqui do lado."

Eu não tava a fim de visitar os domínios do traveco a uma hora daquelas. Nem em qualquer outra hora. Propus:

"Vai lá pegar, então. Eu espero. Tô com grana em cima."

"Aqui? Nem morta. Tá lôca? Só no meu fléti."

Pegou de novo no meu cabelo, agora testando a qualidade dos pelos na ponta dos dedos.

"Afe, gato. Passa um condicionador nesse picumã. Tá seco, rachado. Acá: tem um condicionador da Revlon que é tudo pra cabelo seco e grisalho como o teu."

"Eu não tô tão grisalho, vai."

"Tá começando. Bom se cuidar, senão amarela, fica horrível. Cabelo grisalho é doido pra pegar fumaça de cigarro. E você é do tipo que acende um cigarro no outro, que eu já vi."

"Legal. Anotado: xampu pra Matusalém-chaminé da Ávlon. Mas cadê o pó?"

"Pshshsh! Fala baixo!", fez o traveco. "Não é Ávlon, é Revlon. Vamo lá em casa, cê pega o padê e eu dou um trato nessa tua cabeleira, que tu vai ficar a cara do Roberto Justus." E se gabou: "Tenho secador profissional".

Deixei escapar outra risada. *Roberto Justus*? Tá doido.

"Não posso lavar o cabelo de madrugada. Minha religião não permite", argumentei.

Ela me passou os dedos pela nuca. Tive um arrepio. Mas isso não queria dizer nada. Tenho arrepio no barbeiro também, ou quando o Pedrinho resolve brincar de bagunçar a minha cabeleira. Se bem que não era o mesmo arrepio.

"Tá, então deixa teu picu em paz. Cê é bio de qualquer jeito, gato."

"São teus olhos, baby."

"Aquende! De bofe eu entendo, faz favor." Daí sacou um tom mais incisivo pra insistir no convite: "Vamo lá em casa, cê dá uns teco e volta. É fêrsti cléssi", arrematou, mordendo em seguida o beiço inferior e me esfacelando com um olhar-aríete.

Farra, maluquice, sacanagem, sedução. Tudo de que eu não precisava naquela hora estava embutido no convite do traveco. Matei a cerveja do copo e do fundo da garrafa. A verdade é que eu tava com sede de tudo, com medo de nada e topando todas. O traveco devia intuir isso em mim e já saboreava na sua bocarra chupintosa o meu esperma fácil de gozador compulsivo.

"E aí, gato?"

"Bora", cedi.

"Olé!", comemorou la travestita castanholando os dedos no ar.

Puxei a carteira, pincei três paus, que deixei no zinco do balcão, e me pus de pé. O garoto pegou a grana, olhou desconfiado pra Bertoludzy, farejando a concorrência, e me disse:

"Não vai esperá a tia? Ela deve tá estourando."

"Pode istorá à vontade", atacou Lolla, me rebocando pra fora do boteco, seu braço enganchado no meu.

O prédio de lady Lolla ficava na Antônia de Queiroz, a uma quadra abaixo do bar da tia. Seria mais rápido e simples ir a pé, mas fomos de carro, porque eu não queria deixar o Monzão na frente daquele boteco sujêra, nem ser visto na rua atracado com um traveco. Já pensou se eu cruzo com o síndico aqui do prédio, com o meu dentista, com a tia Renée, irmã caçula do meu pai e única parenta próxima que ainda me resta viva?

Parei na Augusta mesmo, um pouco abaixo da Antônia de Queiroz, bem diante dum inferninho, o "Les Tropical Girls", do outro lado da rua, com duas putas quase peladas na porta de papo com o leonino armário-de-chácara que atuava também de hostess e porteiro. As putas me viram, acenaram, assobiaram, aliciaram. Pareciam inconformadas em ver um freguês em potencial abiscoitado por uma traveca fuleira. Espicaçado pelo meu putatropismo atávico, fiz menção de cruzar a rua. Me veio o impulso de arrebanhar as duas pruma tribal no apê do traveco, regada a pó. Dinheiro pra isso eu tinha no bolso. Seria um *grand finale* pra minha incursão aos confins da night. Só que a traveca não estava disposta a me dividir com puta nenhuma, e me fez dar a volta e meia pro lado oposto, sempre me rebocando pela mão, enérgico e decidido. Les tropical girls chiaram:

"Sai, barroca!", vociferou uma. "Lacra a rosca, biba fulêra! Libera o bofe!"

"Bicha lesa, michetêra!", completou a outra.

"Ramêra remelenta! Zoiúda!", contravociferou Lolla, feroz. "Seus pinico de peão!"

"Iiih, cu-bichado. Vai dá ré num quibe, dragão!", rebateu a primeira puta, provocando a gargalhada da outra.

"Pshshsh!", fez o leão de chácara pras putas, braços abertos, mãozonas varrendo as duas pra dentro do galinheiro, enquanto Lolla se despedia delas com o dedo médio futucando o ar.

"Bagacêra de porta de buate é a coisa mais uó que tem. Pode?! Querê dá uma elza no meu bofe?! Kuein!"

Tive uma crise de riso que me fez cambalear. Lolla parou.

"Que foi? É comigo?"

"Não, é com a lua."

"Que lua, gato?!"

Me livrei da mão dela. E dei-lhe um agarrão numa nádega fornida. Bundão báo. Não levava jeito de ser de silicone. Podia muito bem pertencer a uma mulher de verdade, se é que existe semelhante criatura fora daquele samba caquético do Ataulfo.

"Uiê! Assim que eu gosto, gato!", ela vibrou.

Pensei lá comigo: vou acabar comendo o rabo desse viado, caralho.

# <10>

O prédio da Bertoludzy era de longe o mais detonado da rua, sendo que a vizinhança também não parecia esplender no fausto e na riqueza. A fachada não via tinta desde que pincelaram o prédio pela primeira vez nos anos 50, parecia. Verdadeiro monumento à inadimplência crônica de seus condôminos, o prédio tinha seu nome afixado com letras de metal dourado no frontispício do portão de entrada: *difício M rina*. O E e o A tinham ido pras picas, e com certeza não estavam entre os itens de que os senhores condôminos mais careciam. A própria *M rina* não devia sentir falta de seu *A* original, morta e enterrada que já devia estar há muito tempo.

O lustre de pingentes no saguão lúgubre de pé-direito alto parecia prestes a despencar do teto, o que me fez acelerar o passo ao passar debaixo dele. O porteiro, entrincheirado atrás de uma mesinha de madeira ao lado do elevador, assistia a um filme numa tevê portátil em alto volume e mal olhou pra gente. De paletó surrado e gorro enterrado até as sobrancelhas, apesar da noite abafada, ele tinha destravado o fecho elétrico da porta de ferro rente à calçada assim que Lolla e eu pisamos na soleira do *difício M rina*. Me puxando pela mão, ela disse um "Oi, Valcir", que o porteiro respondeu erguendo com preguiça um dedão de ok, atento à telinha que exibia um close do Dustin Hoffman jovem dizendo: "Senhora Robinson, a senhora não está tentando me seduzir, está?".

Caralho, pensei. Era "A primeira noite de um homem". Achei inquietante ouvir isso bem na hora em que eu, pela primeira vez na vida, subia com um traveco — a senhora Robinson? — pro apê dele. Se você botar uma coincidência dessas num filme, te fode com a narrativa, caso teu nome não seja Godard ou Buñuel. Mas aquilo não era um filme. Era só eu entrando com Lolla Bertoludzy no elevador antigão, revestido de madeira bem conservada e lustrosa cheirando a óleo de peroba, com vários elementos de metal dourado reluzente, a começar do painel de botões, verdadeiro espelho polido. Era como se o pessoal do velho edifício Marina tivesse decidido negligenciar o prédio em si em favor de um elevador classudo. Capricho de pobre: melhor gastar a grana disponível num item luxuoso de grande valor simbólico — um veículo de ascensão, afinal de contas —, do que numa dispendiosa reforma estrutural do prédio e suas unidades decrépitas. Notei também a tranquilizadora ausência da câmera de circuito interno, que só serve pra inibir futucagem de nariz e o correspondente depósito da meleca em algum canto, além de eventuais rompantes eróticos por parte de passageiros mais libidinosos e do consumo eventual de drogas, aquele teco estratégico antes de entrar numa festa, por exemplo. Conduzidos pelo elegante ascensor, fomos penetrando numa neblina invisível de incenso de macumba. Alguém por ali tentava defumar sua má sorte, cansado de carregar seus problemas pra cima e pra baixo todos os dias num elevador *vintage* — como não deixaria de notar meu cunhado Leco.

Destarte, e revogadas as disposições em contrário, achei por bem pegar num peito da entidade Bertoludzy por baixo do bustiê hiperdecotado que sustentava suas globulosas mamas. O silicone reagia bem às minhas carícias, deslocando-se com suavidade pra direita, pra esquerda, pra cima, pra baixo, feito água-viva aprisionada numa bolsa de borracha. Com a outra mão alisei um coxão depilado da criatura. Carne dura, lisa. Podia ser a perna da Cid Charrise, por exemplo. Lolla quis me beijar na boca, mas o elevador chegou antes ao andar, a porta se abriu e eu escapuli pro corredor deixando as beiçolas do traveco penduradas no ar saturado de incenso de descarrego.

A merda é que a minha pequena aventura estava me causando certo alvoroço que eu desconfiava — temia — ser de fundo sexual. Eu estava mais ou menos lúcido, apesar dos drinks, tapas e tecos absorvidos ao longo dessa interminável noite de vigília cívica. Confrontado com a esqualidez daquele corredor, me pus a calcular as probabilidades daquilo tudo dar numa grande merda fedida do caralho, como um assalto seguido do esfaqueamento da minha imprudente e impudente pessoa. Foda-se, decidi. Era tarde pra invocar prudências ou pudores. Ecos dessas minhas ruminações deviam estar vazando da minha cachola sob a forma de sinais subliminares, pois o traveco me olhava como quem já me tivesse por favas fodidas. Porra, era o que me faltava, formulei pra mim mesmo com todas as letras: sentir tesão por um ser ginecoforme esculpido sobre uma base masculina com o auxílio de hormônios femininos e polímeros de silício, um blade runner hermafrodita com uma cloaca fazendo de ânus e vagina. Onde tudo aquilo ia parar eu não me arriscava a imaginar, embora tivesse uma ou duas ideias a respeito.

Lolla fez girar duas chaves sextavadas em duas fechaduras de uma das portas daquele corredor funéreo mais obscurecido que iluminado por uma lâmpada hepática atarraxada no teto alto, cenário perfeito pra filme brasileiro de bas-fond, com tráfico, tiras corruptos e violentos, putas, crime, diálogos ásperos, tiroteios, esfaqueamentos e muitos litros de sangue cênico sob luz neon. A porta se abriu e um cheiro forte de pobreza mal remediada bateu de chapa nas minhas fuças vindo de dentro do apê do traveco: desinfetante, bifes pretéritos e xixi de gato, embora eu não visse nenhum felino no ambiente penumbroso, além da gata Lolla louquinha por uma rola. Depois de fechar a porta atrás de nós e girar as duas chaves na fechadura, duas vezes cada, Lolla proclamou:

"Bem-vindo à mezon Bertoludzy!"

Me senti encerrado numa masmorra à mercê de um Mugwamp sugador de esperma e enrabador implacável em versão chacrete. Lolla clicou um abajur de pé com a luz dirigida pro teto. Antes que eu pudesse inventariar o ambiente, ela (àquela altura eu tinha decidido que era *ela* mesmo, e foda-se) virou-se de costas pra mim e arrepanhou o perucão num rabo de cavalo, exibindo a nuca tatuada com uma serpente a se devorar a si mesma pelo rabo.

"Abre", ela ordenou.

"Abre o quê?"

"O zíper do meu bustiê, gato. Ai, home é um inferno. Única coisa que cês sabe abrir é braguilha."

Vi que o bustiê dourado tinha um longo zíper que lhe descia pela linha da espinha. Depois de alguma pesquisa para achar a alça minúscula do fecho, puxei o trocinho pra baixo. O bustiê se afrouxou e Lolla deixou que a peça deslizasse pelos seus braços esticados à frente, vestindo com ele o encosto de uma cadeira. Depois, virou-se pra mim de chofre, seu par de bags de silicone flutuando na minha cara, um deles com uma tatuagem de borboleta logo acima de um mamilo. Eram peitos grandes e, praquela hora e lugar, femininos o bastante, achei. Belisquei de leve o mamilo da borboleta, o esquerdo, acho. La Bertoludzy soltou um "*Áhiiin!...*", num espasminho de minhoca arrancada da terra. Depois, fez sua minissaia escorregar pelas pernas até os tornozelos, um deles com correntinha dourada. Ela envergava uma calcinha-tanga preta, 100% putana, sob cujo tecido brilhante mal se disfarçava o dote da lady, dobrado para trás e entalado entre as bolas do saco e o vão do rêgo, calculei, a cabeça a bater-lhe no cu arrombado, como sugeria aquela tatuagem que ela trazia na nuca: Oroboro — a bicha que entuba seu próprio orobó.

Achei melhor não demorar muito o olhar naquela região complexa, procurando focar de novo o tórax da minha hospedeira, paisagem bem mais familiar pra mim. Sentei num sofazinho de dois lugares, coberto por uma colcha cor-de-rosa clara. Eu me sentia mais seguro sentado do que em pé. Pelo menos o roscofe estava protegido. Foi quando reparei em duas cicatrizes em forma de *smile* debaixo dos peitos de Lolla, lembranças do implante de silicone. Vi outro dia, de madrugada, um documentário sobre cirurgia plástica na tevê, verdadeiro snuff movie, com um narrador explicando que as próteses de silicone funcionam como uma espécie de sutiã expansor interno. Lembrei dos detalhes intracarnais da cirurgia, bisturi talhando a pele e sucessivas camadas de tecidos, com pinças e afastadores mantendo aberta a vala na carne viva e sangrenta da teta em reconstrução.

"Gostou?", Lolla me perguntou, empertigando o tórax pra realçar seus melões artificiais. "Fiz no hospital, com médico, anestesista, tudo direitinho. Botei silicone cirúrgico, não desses industrial que as biba rampeira se injeta por aí. Aqui foi tudo de prima. Torrei um dindim retado."

"Ficou bom mesmo", murmurei. Mas lembrar daquele maldito documentário fez desandar o rudimento de tesão que eu começava a experimentar pela criatura à minha frente. Acho que você desfruta melhor de peitos artificiais e embutidos de carne em geral se não souber como são feitos, como já mais ou menos disse alguém.

O traveco me deu as costas e tocou pro quarto — era um quarto e sala — rebolando o bundão com a traseira da calcinha-tanga sumida dentro do rêgo. Numa das nádegas, uma tatuagem de rosa vermelha dava impressão de um hematoma recente. No entanto, qualquer sujeito que não fosse um troglodita homófobo saberia admirar tão bela bunda num doce balanço a caminho do boudoir. Adivinhando que eu tava de olho no rabo dela, Lolla esclareceu:

"O bumbum é meu mesmo. Foi papai do céu quem deu, com a ajuda duns hormônio aí."

"Papai do céu gosta de você!"

"Fofo", ela disse, no umbral da porta do quarto, voltando o rosto de perfil pra me jogar uma piscada superciliosa por cima do ombro nu.

Observado por aquela überfrau, que tinha agora cruzado os braços por baixo da peitaria e apoiado o ombro no batente da porta do quarto, à minha espera, dei enfim uma conferida geral no mocó. Num dos cantos da sala avultava uma Nossa Senhora em gesso, não muito distante de um pôster da Vera Fischer pelada. Sentada de ladinho num pufe de veludo, la Fischer escondia um peito com uma aba do casaco de pele no qual se aninhava, deixando o outro à vista. Segurando uma taça de champanhe, ela parecia recém-saída do primeiro round de uma bela foda, apenas tomando fôlego para o próximo. Até seu cabelo estava um pouco revolto. Devia ter uns vinte e poucos anos na foto. Gostosa pra caralho.

Já a estátua da mãe de Cristo tinha um metro de altura, com a base assentada no chão e uma vela votiva acesa a seus pés. Era toda branca, a santa senhora, só com o manto e o capuz pintados de azul. Tinha uma coroa de folha de flandres dourada na cabeça e parecia ainda mais jovem que a Vera Fischer. Uma adolescente, na verdade.

"Essa é minha mãezinha protetora", disse Lolla, ao me ver contemplando a NS. "E de todo mundo que merece a proteção dela."

"E a Vera Fischer? É sua irmãzinha auxiliadora?"

"A Vera é tudo de bom que tem no mundo."

"Pra ela eu bem que ajoelhava e rezava."

"E pra Nossa Senhora, não?"

"Não me amarro muito em gesso."

"Cala essa boca, minino."

Meio aperreada, a biba descruzou os braços e foi até a santa pra repetir o mesmo gesto de podolatria mariólatra que eu vi inúmeras vezes minha mãe e minha avó executarem na igreja: passar a mão nos pés da Virgem, traçar o sinal da cruz da testa ao plexo e a cada ombro, com um beijo na ponta dos dedos no final. Pronto: tá abençoada a putaria e o silicone, foi o que por muito pouco eu não disse.

A decoração ali incluía uma estante de aço que sustentava um aparelho de CD, um vaso com rosas artificiais desabrochadas, e outros badulaques, não muitos, além de um único livro, "Brida", do Paulo Coelho, de pé, encostado numa caixinha de som.

"Leu?", perguntei, apontando o livro.

"Ler, não li. Mas acho a capa linda. O título também: *Brida*. Se eu não me chamasse Lolla, queria me chamar Brida."

Daí, me guindando do sofazinho pela mão, Lolla-Brida me introduziu ao mais íntimo aposento de seu reduto. Ao contrário do estilo eclético-suburbano da sala, o quarto era um verdadeiro showroom de movelaria gay. A cama de casal, king-size, ocupava dois terços do aposento, com cabeceira de tubulação rococó esmaltada em branco e ponteiras douradas, tudo no melhor estilo qué-dá-o-cu-fala. Tinha um abajur lilás — juro! — em cima do criado-mudo único e uma penteadeira atulhada de cosméticos bem defronte da cama. Por ora, tudo que o espelho da penteadeira tinha para refletir era minha nova amiga que, só de calcinha-tanga, já se achava sentada na beira da cama a esticar fileirinhas de pó sobre uma Contigo com a Ana Paula Arósio na capa.

Pelas minhas narinas de asas fibrilantes escorria a baba da fissura. Eu não trocaria um pó bom naquela hora nem pelo elixir da eterna meia-idade. Sentei na cama ao lado da cumadre e cheirei a primeira carreira que ela me oferecia de bandeja na Contigo. Fantástica, a farinácea. Meu nariz virou um iceberg no ato. Logo experimentei uma agradável cintilação nos axônios e um leve formigamento nas extremidades do corpo, sobretudo no couro cabeludo e nos dedos do pé. Se não era um derrame se anunciando, devia ser a desejada felicidade química que se irradiava pelo meu sistema nervoso central. Aquele era um pó dez vezes mais puro que a merda de poeira batizada que o traveco passava na rua. Há anos eu não cheirava nada igual. Senti no peito a heróica pancada. Nossa Senhora dos Travecos, velai por mim, pedi em silêncio contrito à estátua da sala.

Logo notei um detalhe anatômico na minha companheira de cafungação: a cabeça de uma pica despontava por cima da calcinha de puta. Em algum momento Lolla tinha desentalado o pau da bunda e ajeitado o bicho em posição de sentido. Deixei escapar a pérola da Mae West:

"Você tem um revólver na calcinha ou só está feliz de me ver?"

Madame soltou uma gargalhada, achando decerto que a gag era minha, e abaixou a calcinha de lycra preta até as canelas, livrando-se do coldre da arma. O bicho tava solto agora. E era circuncidado.

"Meu buceto", apresentou la Bertoludzy, brandindo orgulhosa sua mal intencionada piroca.

"Tô vendo", respondi, seco.

"Operei da fimose. É a neca mais limpa de São Paulo."

"Aposto que sim", concordei, sem a menor intenção de averiguar in loco a veracidade daquela afirmação. Estava cada vez mais claro para mim que eu não ia trepar com uma dama que tinha operado da fimose e possuía um *buceto*. Me senti protagonizando uma opereta bufa escrita por um surrealista tardio com graves distúrbios de personalidade e muito ácido na cabeça.

"Txa vê a sua", ele me disse.

"A sua o quê?", perguntei de besta.

"Sua neca, bem."

"Neca de neca."

Mas Lolla fez que não ouviu e, com espantosa habilidade, me abriu o zíper da calça e meteu a pata braguilha adentro. Em menos de um segundo tava eu lá com a *neca* jonja na mão da minha pressurosa hostess, que o apalpava com interesse quase técnico, aferindo textura e consistência do material. O filhadaputa do traveco chegou a esticar meu pinguelo pra estimar seu tamanho virtual. Soltou um "Hummm", que entendi como sendo de mediana aprovação. Depois de um silêncio emoldurado apenas por uma gargalhada de pai de santo possuído pelo Preto Véio que alguém soltava na vizinhança — talvez a mesma pessoa que tinha acendido aquele defumador fedorento —, Lolla disse, dengosa:

"Fala alguma coisa, bem. Por exemplo: 'Quero te comer'. Fala?"

"Tem cerveja?"

"Não. Tem Tang de acerola na geladeira. Quer?"

"Nem fudendo, brigado."

"Bela bonga", ela elogiou, alisando minha rola desfalecida. "Mesmo chochinha assim. Macia, classuda. E o biquinho da chaleira é um amor."

Cortei no ato:

"E o meu pó, Lolla? Tenho que raspar, menina, tô cheio de trabalho me esperando. Me faz uma peteca de um galo no capricho, faz? Tenho que*eee*..."

Você já teve uma frase que desandou no meio porque um traveco chupinteiro caiu de boca no seu pau mole? É esquisito, te juro. Eu não sabia o que fazer. Puxar a cabeça do cara pela peruca não parecia boa ideia. A peruca ia sair na minha mão revelando uma possível careca e a boca continuaria chupando meu pau, e tudo ficaria mais constrangedor do que já estava.

Foi ele mesmo quem desembocou da minha piça mole pra, afinal, retrucar:

"Primeiro o amor, depois o pó."

"Lindo", mandei, com inútil ironia.

Madame retomou o trabalho de sopro, tentando me inspirar tesão com sôfregas mamadas. Afastar aquele suga-pica de cima de mim ia ser foda, avaliei. Não podia usar de brutalidade sob o risco de ter a chapeleta arrancada numa mordida canibal.

"Pe-pe-peraí, Lolla. Calminha. Ô-ô, Lolla!..."

Depois de uns dois estranhíssimos minutos, em que tentei esquecer que ela era ele e vice-versa, aquela bocarra faminta liberou por fim meu pinto, que eu não tinha conseguido impedir de crescer um bocado durante a chupada, nem de adquirir um alarmante tom violáceo do batom da biba.

"Que pau gostoso! Afe!", desabafou Lolla, antes de cair de novo na chupança, lambança e engulança do meu cacete.

Você vai achar estranho eu dizer isso, mas qual homem não gosta de ouvir loas a seu ícone viril, mesmo da parte dum traveco trafica de merda que sai na night pra caçar grana e piroca de nego fissurado?

Pra me chupar, Lolla debruçava os bags peitorais de silicone sobre a Contigo pousada na cama entre nós.

"Pô, Lolla, cê tá varrendo o pó cos peito", alertei.

Lolla se ergueu e viu que um de seus peitos tinha o mamilo branco de pó. Ofereceu:

"Qué mamar, neném?"

Hesitei por um décimo de segundo e caí de língua no leite em pó daquela mama louca. É isso aí: mamei pó na teta siliconada dum travesti. Tia Renée não ia ficar muito orgulhosa do sobrinho se me visse fazendo aquilo. Minha língua ficou anestesiada na mesma hora, com um gosto de acetona descendo pela garganta — bom sinal, em matéria de cocaína. Lolla vibrava de tesão:

"Quero beber você todinho, gato!"

Mas, antes que a vampira desse novo bote na minha cobra desperta, catei a mesma nota de um real enrolada com a qual eu já tinha cheirado a primeira linha, ergui a Contigo, me esforçando pra não entortar demais a porra da revista, alinhei o pó disperso na capa com a ponta do dedo mindinho, mais ou menos do mesmo jeito que eu tinha visto a puta fazer menos de uma hora antes, e mandei um carreirão, usando a minha técnica de apertar uma narina e segurar o canudinho entubado na outra com os dedos de uma só mão. Senti outra vez o ataque frio e cortante das escamas do pó mal piladas dentro das mucosas. Passei a nota pra Lolla e bandejei-lhe a revista. Ainda tinha muita coca espalhada sobre a carinha de boneca da Arósio. A napa da trava, com uma narina entubada, percorreu às tontas a superfície da Contigo, aspirando quase todo o pó disperso na capa. Em seguida, peguei outra vez a revista e passei meu dedo umedecido de cuspe sobre os resíduos, com os quais massageei as gengivas, hábito nefando que um dia vou ter de abandonar, antes que meus dentes caiam todos no primeiro espirro mais forte que eu der.

Olha, vou contar o que rolou na sequência, mas te rogo não ficar aí saltando para dentro de conclusões. *Do not jump into conclusions*. Adoro essa expressão. É como se as conclusões fossem piscinas cheias de falsas certezas onde a razão afoita anseia por mergulhar. As conclusões, no caso, se referem aos atos e fatos que se produziram em seguida naquele quarto sodomítico, com Lolla (note como agora estou tentando ao máximo evitar o artigo definido) agarrando minha mão e a depositando sobre sua pistola dura.

Acá, juro pela mesma Nossa Senhora dos travecos como eu nunca tinha pego num pau que não fosse o meu ou do meu filho Pedrinho, ao ajudá-lo a mijar em algumas poucas — pouquíssimas — ocasiões. Era inacreditável, mas eu estava pegando no pau dum cara com peitos maiores que os da Marilyn Monroe. Como que pra me certificar da realidade insana daquele gesto, apertei um pouco a peixeira do cabra e fiz subir e abaixar seu invólucro de pele fina, do mesmo jeito que Lolla fazia comigo. Logo percebi que os movimentos que eu fazia com a minha mão careciam de contrapartida rítmica nos movimentos que o traveco executava no meu pau com outra mão que não a minha, dotada de outra textura de pele, outra temperatura e umidade, outro tamanho e, sobretudo, outras impossíveis unhas. Em suma, não era a minha mão que estava no comando do meu pau. E não era o meu pau que se achava sob o controle da minha mão. Aquela dessintonia manupeniana me provocou um profundo desconforto cognitivo. Eu mexia, apalpava, chacoalhava o pau da bicha, e nada disso se refletia no meu cacete, o qual, de sua já não tão rija parte, sofria as manipulações frenéticas do traveco. Ora, porra, se não é minha própria mão que controla o meu próprio pinto, então, quem sou eu afinal? Fulminado por uma crise de identidade aguda, comecei a broxar sem apelação. Larguei o buceto da companheira, justo quando o artefato se mostrava teso ao máximo. E mais: sem aviso prévio, me pus de pé, guardei o pau — o meu — dentro da calça sem cueca, e puxei o zíper da braguilha, num gesto tão másculo quão ridículo, diante das circunstâncias.

"Ah, não!", fez a Bertoludzy.

"Me vê o pó, vai. Rápido, que eu tenho que trabalhar", comandei, tentando um tom peremptório mas não grosseiro. Não queria rolo com Lolla. Nem rola.

Com a dita dura, Lolla se levantou também, apontando a arma tesa pra mim.

"Qualé, meu nego? Vai me deixar aqui beliscando azulejo, vai?"

"Só queria mesmo o pó, gata. Outra hora a gente quebra um barraco legal", menti, numa gíria mais postiça que os peitos e cabelos da minha preterida noiva.

"Mas tava tão bom, gato, a gente aqui, batendo bolinho um pro outro..."

"Não sou muito chegado em bolo", repliquei, com o máximo de candura e humildade que consegui afetar.

"E eu crente que tava abafando!"

Temi alguma reação mais contundente do cara, que parecia bastante desapontado. Precisava dizer algo simpático, urgente:

"Te ligo amanhã. Prometo."

Lolla esvaziou os pulmões num longo peido bucal que lhe fez vibrar os beiços boqueteiros, tentando aliviar um pouco a pressão de seus instintos homicidas. Tive um rápido flash de uma cena possível: o traveco puxando uma lâmina de algum lugar, eu correndo pra sala, catando a Nossa Senhora pra jogar na cabeça dele, tendo que lidar com duas fechaduras trancadas, saindo na vula pelo corredor, voando escada abaixo, e o caralho. Mas uma relativa paz voltou ao semblante do transformer, que disse, me olhando meigo e fazendo biquinho:

"Promete?"

Cravei o azul natural dos meus olhos oportunistas, herança recessiva da minha avó espanhola, no azul artificial das retinas daquele indivíduo genuinamente postiço da peruca às unhas dos pés:

"Prometo que meto-meto."

Lolla soltou uma risadinha. Vendo que a situação parecia mais ou menos sob controle, fisguei um galo na carteira e joguei na cama, suplicando:

"Me vê uma petequinha, vai. No capricho. I love you, baby."

Em menos de cinco minutos eu estava de novo na rua com o pó do traveco embrulhado numa trouxinha feita com uma outra nota de 50 novinha em folha que a Terezinha tinha me trazido do banco à tarde. A bicha tinha regulado na quantidade mas caprichado no preço, oitenta mangos, trinta a mais que o pó do Miro. Eu tinha me despedido de uma Lolla Bertoludzy pelada e de pau semirrijo com dois beijinhos faciais, numa das cenas mais esquisitas que já protagonizei na vida. Mas consegui entrar são e salvo e com as pregas intactas no elevador bacanudo, apertando o térreo com um sorriso na cara, que desfiz assim que a porta se fechou. Puta alívio.

Depois da viagem vertical, atravessando mais uma vez a nuvem de incenso afrobrasuca que vinha de algum dos andares logo abaixo, topei de novo com o porteiro de olho grudado na tevê. Não disse nada pra ele, nem ele pra mim. Rumei direto pra porta da rua, que logo destravou quando botei a mão na maçaneta. Atrás de mim ouvi de novo o dublador do Dustin Hoffman mencionar a "senhora Robinson" na televisão. Foda-se a senhora Robinson, rosnei em silêncio, saindo a passos largos do *difício Marina* para entrar em seguida no búti da esquina da Augusta, onde comprei dois maços de Marlboro e uma garrafa de Old Eight por exorbitantes quarenta pilas. Puta merda. Mais dez paus daria pra comprar um Red legítimo num supermercado. Quarenta mangos é roubalheira por uma falsificação de uma marca de uísque nacional já de si fuleira. Senti isso ao pegar a garrafa e chacoalhar o líquido lá dentro, bem mais escuro que o normal. Dei um gole no carro e constatei: puro vitríolo temperado com melado. Nothing is real, John Lennon já disse, não sei se depois de ter apertado umas mamas de silicone, pegado num *buceto* e tomado um Old Eight fajuto de boteco da Augusta.

Antes de dar partida no Monzão, dei mais um teco no braite do traveco na ponta da chave. Fuerte. Mil vezes melhor que o pó do Miro. Mas o Miro pelo menos não pega no meu pau, nem jamais insinuou que eu pegasse no dele.

No embalo daquele pó fantástico, subi a Augusta, virei na Matias Aires pra cruzar mais adiante a Consolação, enfiando, no entanto, o pé no breque na esquina da Haddock Lobo, atraído por duas putas ali plantadas junto a uma árvore. Uma delas, a mais gostosa, era outra tostex mignon, num tomara que caia apertadíssimo que lhe delineava uns peitinhos interessantes. Sua colega, uma gorduchinha aloirada com a pança pra fora do bustiê e uma calça cor-de-rosa agarrada no bundão chapado, era um tremendo bagulho. Tive o impulso de dar uma assuntada na moreninha, quando um Audi preto com vidro fumê indevassável parou na minha frente. A putinha gostosa rumou direto pro pleiba do Audi, enquanto a barangaça veio botar os peitão na janela do Monza.

"Fala, bem. Bora fazê um pograminha?"

"Vamo", respondi. "Amanhã."

E dei no pé. Tive sorte. Fosse a morena, eu era capaz de ter arrastado a desgraçada pra cá. De manhã ela ia na certa encontrar a véia do cabelo azul e do bichon frisé no qual o Ingo vomitou uma vez ao sair viradaço daqui depois duma noite de cafunguelê, ácido e goró brabo. O merda do cachorrinho começou a latir pro Ingo no saguão da portaria e o puto do alemão não achou nada melhor a fazer que vomitar em cima dele. Precisei pagar um banho & tosa pro bichon vomitê e aturar a filha da puta da velha me ameaçando com a ira santa de todos os poderes constituídos da nação.

Não, chega de treta com a vizinhança medieval do edifício Paris, que não possui a mesma estatura civilizatória que a galera do *difício M rina*, campeoníssima em matéria de laissez-faire, laisser-passer, laisser-vivre, laisser-defumá, laisser-fudê. De fato, muita sorte minha aquele Audi ter papado a moreninha gostosa da esquina e a colega dela ser um tremendo bagulhão. Muita sorte mesmo. Deus escreve certo por putas tortas.

# <11>

Par ou ímpar? Surubrâmane ou embutidos de frango? A razão recomenda com ênfase castelhana: ¡¡¡¡Embutidos de frango!!!! Mas é que eu não tô conseguindo botar o aparelho volitivo em modo profissional, e não é de agora, como você já percebeu. É porque tá faltando a putideia viável. Como vou escrever um roteiro, qualquer roteiro, sem uma putideia viável? Sem contar a vontade mais premente de acabar a história que rolou ontem no porão da Samayana. Devo isso a mim e também a você, que, afinal, taí pagando de escada pro meu narrador tagarela.

Ficamos assim, então: volto ao porão da Samayana e acabo de contar a coisa toda até o final, o que nem vai tomar tanto tempo assim. Qualquer extensão de tempo, aliás, cabe num punhado de palavras: *Ivo viu a uva*. Ou numa só: *Eternidade*. No cinema é mais complicado. Você seria obrigado a criar alguma metáfora visual forte pra denotar o significado de uma palavra densa como eternidade. Um anjo de cemitério contra um céu estrelado, por exemplo. Se funcionar, a imagem ganha da palavra. Se não — putz, chega. Tô começando a ficar *inteligente* demais com esse pó classe A do traveco. C'mon, baby, vida prática: acaba logo com a história do porão, cai matando nos embutidos, envia a porra pro Zuba e toca pra tua casa, onde com toda certeza quebrarás um puta pau com a Lia, que estará acordando ou tomando o café da manhã mais tarde, porque hoje é sábado. Se calhar, nem será assim tão sanguinário esse pau, se ela se convencer de que tu, mesmo cheirando montanhas de pó, passaste a noite trabalhando, o que há de ser verdade, descontada a buceta da puta da Augusta e o buceto do traveco. Daí, depois do bate-boca, farás umas festas pro Pedroca, tomarás uma ducha e quatro tylenóis, pegarás uma garrafa d'água gelada, te meterás na cama, lacrarás os ouvidos com borrachinhas e darás um belo apagão até de noite, com breves e semiconscientes intervalos pra mijar e beber água. Sete, oito horas depois, levantarás, brigarás mais um pouco com a Lia, botarás alguma coisa no estômago — umas duas disk-pizzas inteiras de pepperoni, quem sabe — e ficarás um tempinho com o Pedroca, contando histórias ou desenhando cavalos com ele. O moleque só pensa em cavalos, deve estar em algum tipo de fase equestre do desenvolvimento libidinal, ou merda galopante que o valha. Ainda mais agora que o Leco prometeu pra ele um cavalo de presente de Natal, que ficará guardado no sítio do titio em Sorocaba. Aí, sim, que eu vou ser apeado de vez da condição paterna. Como competir pelo afeto do meu próprio filho com um cavalo de verdade? Vou virar só um coroa engraçado que aparece em casa de vez em quando trazendo pra ele chicletes com formatos esquisitos e uns brinquedinhos made in China de camelô.

O Pedrinho vai fazer quatro anos no ano que vem. Uma joia de menino. Nunca dei uma única mamadeira pra ele, nem troquei uma reles fralda cagada, que eu me lembre — ou que a Lia se lembre, o que é pior. De qualquer jeito, criou-se o consenso lá em casa de que o guri viverá mais e melhor sem os meus préstimos físicos. Também nunca levei o carinha ao pediatra, nem compareci a nenhuma reunião de pais na escolinha. O que eu faço de vez em quando é ir com ele ao shopping da Água Branca, que não é longe de casa. O Pedrinho adora escada rolante. Fica subindo e descendo até o segurança pedir pra gente parar com aquilo. Espero que ele se lembre disso quando for adulto e estiver deitado num divã de psicanalista. "Papai pode ter sido omisso comigo em muitas coisas, mas pelo menos passamos tardes memoráveis andando de escada rolante no shopping."

A Lia, como é lógico e natural, acha que ir com filho passear de escada rolante em shopping não conta como convívio paterno. Eu tento argumentar que amo o meu filho de amor verdadeiro entranhado na carne, e é isso que importa, escada rolante acima, escada rolante abaixo. Mas de que adianta? Ela sempre vem com o papo de que "pai é quem ama e ao mesmo tempo se dá o trabalho de conviver com o filho, sustentar o filho, educar o filho, impor limites ao filho".

Principalmente isso: "Impor limites".

Porra, essa mulher fez doutorado em sociologia na USP só pra vir me falar sobre impor limites ao meu filho? A Lia venera essa palavra:

limites. Pra ela é sinônimo de civilização. Vive reclamando que só ela impõe limites ao guri. "Daí, eu acabo virando uma bruxa regulona pro menino, e você o paizão legal que leva ele pra se arriscar a perder um dedo ou um pé numa escada rolante de shopping."

Ô relaçã malsã que eu entretenho com essa outrora louçã cidadã. Que merda. Pater familias non sunt. Mas deixa a Lia pra lá. E o meu cunhado Leco também. Filho da puta, esse Leco. Quê que ele tinha de inventar esse cavalo pro Pedrinho? Só pra me humilhar mesmo. Deixa pra lá, deixa pra lá.

Deixa pra lá, o caralho. Invoquei agora. Não vou mais escrever porra de roteiro de embutido nenhum. Não hoje, pelo menos. Amanhã, quando acordar, eu vejo isso. Vou de surubrâmane, que tá aqui esgoelando na cachola. Puta filme que essa história vai dar. Puta filme. Se calhar, convenço a Samayana a fazer o papel de si mesma, ainda que eu tenha de usar uma dublê nos takes mais, digamos, gráficos. Aquela puta da Augusta daria uma boa dublê na cena final, que eu ainda não contei. Era uma chance de lhe devolver com juros aqueles cinquenta paus.

A Samayana. Quê qui é aquilo. Gostosa pa caraio, mano. Se ela estivesse aqui-agora, a perra mística da transcendente trança, a me olhar desde o nirvana profundo com aquele rubi vermelho entre as sobrancelhas, sua terceira visão — ou quarta, na verdade, contando o olho cego que tanto viu naquela noite —, se ela estivesse aqui, *aqui* seria o nirvana, amice.

Mas ela *está* aqui, agora, projetada na minha frente como aquele holograma em 3D da princesa Léia no "Guerra nas estrelas". Sim, é ela, a Samayana em pessoíssima, naquela flor de lótus para iogues avançados que ela tinha composto em cima do praticável do porão, ao lado do Ingo, que não cessava de desenhar transcendências na megarrabeca indiana dele. A caprichosa posição da divina mestra fazia com que um calcanhar se enterrasse fundo entre suas nádegas encapadas na seda do sári. Ali na hora não foi difícil imaginar a Samayana peladinha com aquele calcanhar entochado no rêgo nu. O que eu não daria pra cheirar e chupar aquele calcanhar moreno e liso sabendo a cu almiscarado de lady iogue. Já imaginou o manjar dos deuses podólatras que não daria um troço desses?

Se fecho os olhos, ouço ecos nítidos da voz da morena loquaz, uma catadupa de palavralavralavralavras, as mesmas que ela tinha acabado de espinafrar e até proibir na cerimônia. Não gravei cada palavra que ela disse, lógico, mas, até onde me lembro, na visão Zebuh-Bhagadhagadhoga de mundo, o corpo individual, junto com seu respectivo ego, deve ser conduzido à dissolução absoluta através do êxtase erótico proporcionado pelo milenar ritual da *bhagadhaga-maithuna*, ou "união intersexual coletiva de máxima transcendência" (ave folder!), para que possamos renascer em seguida no coletivo, que é um ser uno em sua multiplicidade, e vivenciar a *bhagadhagananda*, ou plenitude cósmica. Mais ou menos isso. Capisce?

A bhagadhaghamaithuna, de acordo com a Samayana, requeria a nossa mais completa e irrestrita nudez — "de corpo e alma". Sempre a eterna dupla sertaneja de todas as religiões: Body & Soul. Teríamos, pois, de nos despojar "imediatamente" de toda roupa, outro cerceamento dos sentidos imposto pela civilização, a exemplo das palavras, visando impedir a epiderme de entrar em contato direto com "a força cósmica do Zebuh iluminado, tal como acontece no momento em que nascemos".

Todos nos olhamos de fianco, cada qual imaginando a nudez dos outros, não no momento do nascimento, mas no ali-agora, mora. Me pus a conjecturar também sobre quantos de nós teriam saído peladões pela vagina da mãe, quantos pelo talho cirúrgico da cesárea. O nosso gigante de ébano, por exemplo, se saiu pela xota-mater deve ter arregaçado a coitada. A Big Blond também deve ter sido um osso duro de parir. Mesmo o parto do Ingo não deve ter sido moleza para a provável teutona ancuda que o deu à luz.

E por falar no alemão maluco, sua cítara continuava reverberando escalas metálicas, mansas, flutuantes, que ajudavam a esfumaçar os limites entre as nossas individualidades e preparavam a eclosão do — tchan-tchan! — *coletivo*. Ninguém, tirando o Ingo, fazia ou dizia nada. Olhei de novo pra Sossô, e ali parei. E ali babei. Ma que gatinha, Dío mío.

Foi aí que a Samayana decidiu nos despertar da inércia coletiva com duas palmas vigorosas e o comando imperial:

"Vocês podem estar tirando a roupa agora."

Porra, eu me disse. Quer dizer que o negócio ia estar sendo pra valer? Holy shit. Era mesmo pro povo arejar a pentelheira?! E agora, Zezé? Negócio, pois, era estar relaxando e estar partindo com tudo pra zen-vergonhice pós-budista. Sossô, ainda em flor de lótus, puxava a camiseta úmida por cima da cabeça, exibindo de novo aqueles peitinhos formidandos, como diria Carlos Zéffiro encarnando um Coelho Neto. Lá estava o mamilo fisgado pelo piercing, que tinha a forma de um miniestribo, como eu reparava agora. Ato contínuo, se livrou da calça. Pouco acima do tornozelo um colar de chamas amarelas tatuadas ameaçava calcinar sua perna.

Sossô de cuequinha unissex era um fenômeno de tesudez. De fato, nela, a cueca só fazia realçar a feminilidade. Mas não durou muito: logo ela tratou de tirar a peça revelando, para minha relativa surpresa, uma tanguinha de algodão por debaixo. Ou seja, ela tinha uma tanguinha ultrafeminina debaixo da cueca de mano hip-hop. Um discreto perfume de arenque — *hering* — fisgou meu olfato, vindo das brenhas abafadas da guria, quando ela tirou também a calcinha, que tinha a função de manter no devido lugar um absorvente tisnado de sangue no centro. Peladinha agora, Sossô embolou cueca, tanguinha com absorvente, calça e camiseta, e jogou tudo num canto rente à parede, atrás dela.

Sossô pelada ao meu lado! Fiquei besta. Quer dizer, um pouco mais besta que o normal. Porra, quando eu ia imaginar isso meras duas horas antes, ao vê-la entrar aqui na produtora junto com a Estelinha perguntando pelo Jim Morrison?! Filhadaputa do Ingo. Bem que ele disse que quem vivesse veria. Eu estava vendo — e me refestelando com o que meus olhos viam.

As gordas nuas eram um show à parte. A Big Loira tinha uns 75% da massa corporal concentrada da rotunda cintura pra baixo. Os cotchones eram repletos de pneuzinhos, empilhados uns sobre os outros, feito o boneco da Michelin. Não era muito bonito de ver. Os peitões eram grandes também, mas não tão grandes pruma mulher do tamanho dela, e pareciam inflados com hélio para resistir à força da gravidade. Se você conseguisse esquecer as pernas, aqueles peitos davam conta de distrair um olhar vagabundo. A gordinha, por sua roliça vez, era toda estufadinha por igual, sendo que suas pernas até poderiam pertencer a uma não gordinha, ou quase. Boas pernas. E as peitolas batiam bola, como diria a Sossô. Eram duas esferas consistentes com os bicos gorduchos apontados pro futuro. A exemplo das pernas, podiam também pertencer a uma mulher mais magra.

A xota da gordona mal se via debaixo da manta de gordura abdominal. A pentelheira da gordinha, bem mais visível, tinha sido tosada de modo a merecer o epíteto de bucetinha. Eram mulheres, as duas, de todo jeito, e sempre poderiam emagrecer um dia. Perto delas, a Sossô parecia uma alienígena vinda de um planeta anos-luz mais avançado em matéria de design feminino. E que pentelhama desgrenhada tinha a guria. Aquilo jamais tinha sofrido uma poda. (Já *foda* tinha sofrido bem mais de algumas dúzias, com certeza.) Eu pagaria ali, no ato, qualquer soma ou qualquer mico pra ver meu Zebuh particular pastando naquela relva.

Inspirado pela musa teen, me livrei da camiseta e encolhi a barriga o quanto pude. Daí, ranquei fora calça e cueca — ontem eu ainda tinha uma cueca pra chamar de minha —, me perguntando o que fazer com aqueles estágios iniciais de uma inelutável ereção-in-
-progress que me acometia. Dentro da calça você ainda pode mais ou menos disfarçar. Mas de biroldo ao léu é impossível. Notei num flash panorâmico que os outros machos presentes, o Maciste bailarino e o magricelo esquipático, já estavam em pelo também. Fiz o possível pra não reparar no estado de suas vergonhas. Porra, eu não tinha saído de casa pra ver pinto de negão olímpico nem de branquelo raquítico escrofuloso, faça-me o favor.

Pausa pra cafungation.

Tô quase sem mucosa disponível pra absorver mais pó. O Keith Richards veio outro dia com esse papo de que cheirou as cinzas do pai dele misturadas com cocaína. Porra, amice, pensa um pouco, os restos mortais do teu pai escorrendo do teu nariz junto com a meleca da rinite cocaínica, e as pessoas apontando:

"Cara, tem um ranho esquisito escorrendo do seu nariz."

E você:

"É papai."

Encoxar a mãe no tanque perde — de longe.

Ok, vamo lá, vamo lá, mais uminha aqui, com direito a onomatopeia: *zzznifff!*

Pois então. Tava todo mundo nu agora, sentadinhos em semicírculo de novo diante do praticável. Meu olhar não resistia ao magnetismo pentelhudo da menina Sossô. Nem meu pau, se me permite a insistência nesse detalhe fálico. Mas, pra não passar vexame no meio dum ritual místico, acabei me forçando a espalhar a atenção pelo entorno, mesmo porque, se você está fechado num porão com outros peludos pelados, é melhor ficar esperto. Achei injusto e até mesmo indesculpável que a fomentadora do nosso nudismo ainda estivesse de roupa naquele palquinho. O Ingo também estava, mas esse eu dispensava 100% de ver pelado. Agora, não poder desfrutar da carnalidade plena da vestal máxima do templo bhagadhagadhoga era uma puta incongruência, me parecia. Por que só nós é que tinhamos de nos expor de pele e alma à "força cósmica do Zebuh iluminado", e ela não? Isso não estava certo, pensei.

Em todo caso, Wyrna Zharawatiputhi Samayana, a lenda, ressaltava agora a importância de aprendermos a ignorar o mundo externo. O olhar que dirigimos à realidade e a nós mesmos porta preconceitos e distorções inerentes ao sistema de aparências a que estamos confinados durante todo o ciclo das 13 encarnações. Nossa apreensão imperfeita do ilusório mundo visível — *maya* —, aliada às sombras de memórias evanescentes e sentimentos obtusos, e também aos conceitos e valores que ancoram a consciência e impedem o espírito de transcender, tudo isso nos empurra para destinos medíocres e infelizes. Entre o tédio e a tragédia oscilamos, sem outra alternativa que a de repetir os mesmos erros, nossos e de toda a humanidade, até a morte, se não encontrarmos antes o caminho luminoso do divino Zebuh, cujo marco zero, ela relembrava, é o aniquilamento do eu pela via da dissolução gozosa — a bhagadhagananda, via bhagadhagamaithuna. (Ou será o contrário? Depois vejo direito aqui no fôlder.)

A Wyrna ficou ainda um bom tempo descendo o cacete na pobre maya que nos impede de chegar "à verdade absoluta da alma pelas sendas do *infinito-em-si*". E tentava provar isso — seja lá o que for *isso* — com silogismos meio ilógicos mas até que bem enunciados. Dizia, por exemplo, que se o universo é uno, como de fato era, por ter surgido da florescência cósmica de um só elemento original, então, a diversidade aparentemente ilimitada do mundo visível só pode ser mera ilusão. O que, aliás, me leva agora a um parzinho de haicais de ocasião:

> maya, ó maya,
> que tua máscara caia
> no meio da gandaia

---

> o gozo é uma graça
> eu tiro as carça
> ocê tira a saia
> (ó maya!)

Ao fim da preleção antimaya, a morena nos mandou levantar para contemplarmos nossos próprios corpos naqueles espelhos à nossa volta, revezando-nos em cada um deles.

"Este vai estar sendo um primeiro exercício de descondicionamento visual", ela esclareceu, sem se livrar do sari nem do maldito gerúndio.

A essa altura, minha ereção tinha entrado em compasso bossanovístico e jonjo-bertiano, o clássico demi-bombê ainda bandeiroso mas já não tão gráfico quanto uma durindana vibrando no ar. Sendo assim, me levantei com os demais para a ronda dos espelhos. As gordas içaram suas lépidas banhas — a gordona ainda mais lépida que a gordinha. Melquíades guindou suas toneladas de músculos bailarinos destrançando as pernas num rodopio ascendente que nos exibiu seus protúberos glúteos e uma jeba — agora não tinha como não reparar — que, apesar de ainda em relativo repouso, não deixava dúvidas quanto ao seu potencial apocalíptico. O magro Anselmo se pôs de pé num desengonço nervoso de marionete animada por um manipulador impaciente, escancarando a hediondez de um esqueleto encardido no qual se encaixava uma piroca 90% oclusa na capoeira pubiana. O pentelhal do magrelo era apenas um prolongamento da pelagem de hominídeo cavernoso que lhe recobria peito, barriga e pernas. E a bunda era uma anedota macabra, chupada pra dentro do rêgo, como se o cu, faminto, estivesse tentando engolir suas nádegas e a ele por inteiro. Era até atraente a figura, de tão repulsiva. Se eu me meter um dia a refilmar o "Nosferatu" do Murnau, como já passou pela minha cabeça (e do Herzog também, um pouco antes), vou propor ao Anselmo o papel do vampiro maledetto.

O Ingo dedilhava agora uma raga de filme de terror hindu, sombria e pessimista. De pálpebras a meio pau, deixando ver só o branco dos olhos, nosso citarista climático seguia alheio ao peladismo ambiente, viajando em órbita particular, como sempre fazia, aliás. Notei que uma fresta descosturada no cavalo da sua calça de algodão cru deixava à mostra a pele penugenta de um saco livre do constrangimento de cuecas e afins. De vez em quando, a depender das oscilações de seu corpo, uma bola do saco defenestrava-se pelo rasgão, solidária — ao menos ela — com a nudez coletiva.

Ao confrontar o primeiro espelho, bateu-me em cheio o coice de uma revelação desconcertante. Naquele, como nos outros espelhos que fui encarando, eu me via deformado em várias e antitéticas versões do monstruoso: anão e obeso num espelho, varapau quixotesco em outro, corrugado feito tábua de lavar roupa num terceiro. Em outro ainda eu me desmembrava todo em manchas oleosas que flutuavam a esmo pela superfície reflexiva. Nesse espelho em particular vi meu pau livre e solto numa das manchas desgarradas. A experiência visual de ver o desgraçado pairando solto no ar como um zepelim me causou um tipo de abalo emocional, eu diria, em meio a um labirinto de sensações conflitantes. E se o meu pau fosse prum lado, eu pro outro, e nunca mais que a gente se reencontrasse? Que seria do homem sem o pau, do pau sem o homem? Seríamos mais felizes assim, eu e o meu pau, cada um seguindo seu próprio caminho pela vida afora?

Uma hora lá, tive um insight de arrepiar. Encanei que aqueles reflexos disformes não eram distorções das formas do real, como naquela casa de espelhos do parque de diversões no final de "A dama de Xangai", do Orson Welles, mas meras correções da ilusão de normalidade do ego. Aquele monstro mutante refletido nos espelhos pirados, ondulando, estufando, se afilando achatando desmembrando, aquilo espelhava a minha verdadeira natureza — minha e de todos ali. Eu era, sempre fui, uma ameba multiforme e só agora me dava conta disso. Meu medo era de que aquelas imagens torturadas do meu verdadeiro eu saltassem fora dos espelhos pra assumir a realidade — a *minha* realidade. Cara, cê acredita que eu fiquei gelado de pavor? A turma em volta ria às pelancas despregadas das ondulações, inchaços, esquartejamentos e sanfonadas que seus corpos performatizavam nos espelhos, mas eu me espojava no pânico de um pesadelo que ia se tornando cada vez mais real para mim.

Depois de alguns minutos desse exercício de autodesconstrução identitária ao som da cítara do Ingo, cujas distorções melódicas pareciam agora traduzir as especulares, la Samayana esclareceu:

"Esses espelhos, como vocês podem ver, mostram quanto a realidade pode ser ilusória, inclusive a realidade física do nosso próprio corpo. Qual dessas imagens reflete quem eu sou de verdade? A resposta só pode ser uma: todas. Portanto, *nenhuma*. Porque não existe o *eu*, que não passa de uma ficção presunçosa. Eu não sou, nós não somos — nada."

Reconheci logo o velho papo do niilismo cósmico do Ingo, só que na boca osculabilíssima da mestra, que tornava o texto banal muito mais apetecível. Não sei bem por quê, ouvir aquilo me tranquilizou de imediato, como um shot de morfina na jugular. Era melhor não ser nada do que virar uma daquelas figuras escalafobéticas dos espelhos.

Na sequência, estalando duas palmas vigorosas, a Samayana deu o exercício por findo. Deveríamos agora sentar em roda perfeita, disse ela, e — isso era fundamental — fechar bem os olhos, empreendendo um concentrado esforço mental para apagar da mente as ilusões formais do mundo visível e permitir que se acendessem em nós as "primeiras cintilações do sagrado". A partir daquele momento, de olhos selados, não mais nos deixaríamos guiar por nossa enganosa visão ou por nossa ainda mais torva razão, e sim pelo tato, único sentido autorizado a nos conduzir pela "floresta de enganos", que é o mundo sensível, em direção ao "vislumbre luminoso do nirvana".

Enquanto todo mundo ali procurava se acostumar com a cegueira compulsória, a mestra guiava nossas consciências, determinando que a partir daquele instante, substituída a visão pelo tato, as únicas referências sensoriais ao nosso alcance seriam o macio, o sólido, o cediço, o rugoso, o liso, o áspero, o pelado, o peludo, o melado, o úmido, o mole, o duro, o fofo, o ossudo, o seco, o molhado, o quente, o morno, o frio. Sem sair do lugar, deveríamos começar tateando o espaço à nossa volta. Salientava a mestra que em hipótese alguma deveríamos abrir os olhos durante o ritual. A cegueira era a alma daquele exercício. Por uma fresta d'olhos, que supus indiscernível na penumbra, vi a mestra sublinhando suas palavras com gestos peremptórios, como se intuísse estar sendo vista pelos menos confiáveis entre os ceguetas presentes — eu à frente de todos.

E foi aí que alguém desligou a luz dos candelabros elétricos, a própria Samayana, talvez, num interruptor discreto ao seu alcance, ou por intermédio de ondas mentais, método mais adequado para uma bodhisattva. Só os círios à nossa volta continuaram a flamejar sua luminosidade gótica e perfumada. Eu me sentia naquela câmara secreta do solar dos Usher — na versão pro cinema mudo, de 1928, do Jean Epstein, assessorado pelo Buñuel —, prestes a transpor os portais de inconcebíveis dimensões transumanas. Os contornos dos corpos apenas se divisavam na obscuridade. Difícil dizer quem ali tinha se entregado de alma e pálpebras à iluminadora cegueira, e quem, como eu, filava solerte os arredores através da gelosia dos cílios, flagrando os formatos, volumes e as cores do famigerado mundo visível, tão enganador quão desprezível, segundo a Wyrna, mas ao qual eu tinha me afeiçoado tanto ao longo desta encarnação, a única que me lembro de ter vivido até agora. A mestra, como meu olhar sorrateiro registrava, mantinha bem abertos aqueles olhos negros dela, bundinha sempre assentada sobre o divino calcanhar.

Ingo, ao lado da mestra, continuava a tanger na cítara fiapos esparsos de ressonâncias dissonantes. Desconfio que ele nada mais fazia que deixar o instrumento sair sozinho à procura da música. De fato foi bom mesmo ele não ter ficado nu. Amigo é sempre uma pessoa vestida. E eu não sei se estava preparado para conviver com as intimidades anatômicas de um citarista do Dharma. Já bastava aquela fresta na calça por onde escapulia seu bago peludo.

Deixei meu olhar clandestino pousar na pátina luminosa de cupidez que envolvia o corpo da Sossô. Isso de "pátina luminosa" não é nenhuma metáfora empolada de merda, te juro que não, embora pareça uma, e das piores. É que eu via mesmo um halo sexual fosforescendo em torno daquele corpinho branquelo com evanescentes marcas de biquíni, enxuto no geral, mas bem fornido nos lugares certos, como nos peitos e na bunda, receita infalível da gostosidade moderna. Notei que o meu badah-lingam pulou na hora dos ainda disfarçáveis 45% de paudurice para cerca de 102% de rigidez absoluta, despontando feito um pistilo atrevido da minha flor de lótus. Queria que a menina Sossô visse e tocasse meu óbvio latejante. Eu tinha absoluta certeza de que, pelo menos de vez em quando, ela também dava umas espiadas no ilusório mundo visível, embora parecesse muito concentrada no exercício tátil. Por ora, a lolitinha se contentava em apalpar o tapete, como todo mundo, pois é o que havia em volta de cada um pra tatear. Todavia, seu braço esticado pras bandas da parede logo alcançou uma arca de madeira entalhada sobre a qual repousavam um círio e um bastonete de incenso aceso — não fosse queimar um dedinho!, me alarmei, paternal —, além de uma cabeça de Buda em madeira polida, de cabelo crespo, que ela alisou com vagar antes de conferir os traços faciais do ídolo. A certa altura, ela desfez a flor de lótus e se virou de ladinho, rabo meio voltado pra mim, a perna de cima dobrada, joelho pra cima, a de baixo esticada, posição bizarra que me deixou ver a bucetinha em carne vivíssima, onde ardiam umas tonalidades de roast-beef e até umas cintilações douradas. Isso me fez ir a 135% de ereção mórbida.

 Depois de bolinar a cabeça do Buda, Sossô recompôs uma virtuosa flor de lótus que voltava a lhe ocultar a genitália. Mas lá estavam à mostra os peitinhos e os bicos vermelho-pitanga no centro de róseas aréolas, um deles fisgado pelo piercing. Com aqueles meus olhos fajutamente fechados que os vermes do mundo sensível não hão de poupar, me pus a contemplar no maior descaro a nudez da princesinha serelepe. Mais do que a vontade de fodê-la, fulminou-me a necessidade de *entender* a nudez daquela menina. Eu intuía que aquele corpo era o endiabrado continente da essência volátil que vivo procurando às tontas na urbe, na orbe e nos úberes das donzelas, e que, se calhar, consiste no tesão em si mesmo, nada mais. Fui tendo, no elástico tempo da piração, uma série de experiências iluminadoras, a saber: um satori budista, uma epifania cristã, um insight gestáltico, uma visão fugaz do zeitgeist hegeliano, uma regressão freudiana aos confins do útero materno, um tchans hippie mutcho lôco, bitchô, e um súbito atravessamento lacaniano do fantasma. Saquei de chofre a verdade, a insofismável e macluhaniana verdade: na Sossô, o continente era o conteúdo, a forma era o significado, a aparência era a própria essência que a minha vã filosofia não vencia encontrar no mundo das ideias e das sensações. Sossô era meio, mensagem e massagem. Ela era o próprio livro da vida, e eu almejava degustar cada letra daquele texto sagrado.

Só parei de pirosofar quando percebi que o meu pinto tinha amolecido junto com aquela conversa mole que eu entabulava comigo mesmo. Mas aí a Sossô desmanchou de novo a flor de lótus e levantou um joelho, deixando ver mais uns takes do coração da matéria, à luz bruxuleante de um círio amigo. De repente, a xotinha cintilou. Uma, duas vezes. Achei que eu podia estar tendo uma chuva de escotomas coruscantes, prenúncio de algum tipo de implosão neural. Mas não: lá estava, na borda de um grande lábio, a argolinha dourada.

Resolvi que era hora de me achegar pras bandas da ninfeta e grudar nela de alguma maneira, mas a danada deslocou sua bundinha para o lado oposto, o do bailarino negro, que, de mãos espalmadas, procurava formas delicadas no ar, sensível que só ele, a bichorra. Me lembrei de já ter visto o Melquíades dançando um solo na tevê, só de sunguinha cintilante, onde mal se acomodava sua pacoteira genital, e tutu de bailarina. Ele dava uns pulos e tinha uns espasmos de lombriga sofredora em busca de transcendência lírica. Não dava pra ser mais viado que aquilo.

Em todo caso, eu não via o que a Sossô poderia oferecer de sexualmente interessante ao bailarino, a menos que ele fosse chegado em gregos e troianas. Aí era foda, disse-me eu, concordando de imediato comigo mesmo. Disputar uma girl no mano a mano com um marmanjo daquele porte não estava nos meus planos. Lembrei do caso que a Sossô tinha tido com o capoeirista negro no sul da Bahia — pelo qual, aliás, tinha dado um pé na bunda do namorado branquelo, o infeliz guitarrista que até hoje gently weeps em cima da guitarra. Ou seja, era chegada num ébano em riste, a guria.

Cara, tenho que fazer outra pausa, falô? Tô travando aqui, tá me faltando ar, tô ficando racista por falta de oxigenação cerebral. O ar aqui de Higienópolis tá fedendo a peido de defunto. Já cheirou peido de defunto? É o que eu tô sentindo aqui. Se a realidade não existe, como diz a Samayana, por que diabos fede tanto? É um terror, esse térreo, no qual me enterrei. De dia, ainda posso abrir a veneziana basculante pro ar e a luz natural circularem, quando não tô queimando unzinho ou tirando uma soneca ou socando uma ou lendo no sofá. Mas à noite minha paisagem é uma cortina de lâminas de aço horizontais. E o ar estagnado aqui da sala do diretor executivo da Khmer VideoFilmes é puro verão em Auschwitz. Sobretudo agora que o caminhão de lixo acabou de passar lento e fedegoso aí fora, deixando atrás de si um rastro pestífero de lixão de Carapicuíba. Só falta urubu voando em volta do abajur. Puta inferno. Dá pra ir levando, mas é um puta inferno do caralho.

E não é que de repente, do nada, me bateu uma saudade fudida do Pedrinho? Vontade de beijar as bochechas rosadas do moleque. (Até da Lia me deu um rápido sopro de saudade, cê acredita? Não espalha.) Noite dessas, não faz muito tempo, durante uma trégua conjugal, eu e a Lia posando de casal unido pro álbum de família, fui botar o Pedrinho pra dormir e contei a ele uma história que me veio à cabeça na hora. Era sobre um herói que se rebela contra um tirano, e acaba prisioneiro numa cela no alto de uma torre de pedra. O tempo passa e a barba do herói encarcerado cresce tanto que um dia o cara confecciona com ela uma longa corda com a qual foge pela janela. O Pedrinho amou isso do sujeito extrair dele mesmo o instrumento da sua libertação. Pra mim bastava como trama. O cara foge da torre com a barba-corda, e pronto, tá livre, fim da história. Mas o moleque queria saber pra onde tinha ido o herói depois de fugir da torre, se ele tinha ido até o palácio matar o tirano, se tinha casado com alguma princesa, ou que catso ele tinha feito. Eu disse que contaria o final da história no dia seguinte, mas já se passaram algumas semanas e ainda não calhou deu voltar a pôr o filhote pra dormir. Preciso inventar um fim decente pra essa história do herói barbudo. Sim, pra onde ele foi, afinal? Fazer o quê? (Tenho pra mim que, se ele não foi pegar um pó, foi pegar uma puta. Ou ambas as coisas. Mas vou esperar o Pedrinho crescer mais um pouco pra lhe contar isso.)

<12>

Voltando à vaca fria, ou antes, ao bafo quente da surubrâmane, enquanto Sossô e todo mundo seguia tateando em volta, lembro que a hiperestesia olfativa desencadeada pelo ácido me tornava capaz de discernir qual cheiro pertencia a quem ali. Entrei nessa durante alguns minutos. Lá estavam, por exemplo, o perfume black-patchuli do Melquíades, pungente e dominante, lado a lado com o azedo-white do Anselmo e o meu próprio suor velho, tudo matizado pelos impiedosos chulés de cada um. As emanações do sexo menstruado da Sossô, à minha esquerda, se distinguiam com nitidez lisérgica do curioso odor de leite em pó recém-batido que se desprendia da gordinha ainda ao meu lado e da perfumaria químio-biológica que se evolava da Big Loira ao lado dela. Do palquinho me chegava sobretudo o chulé-Conga dos pés encardidos do Ingo, sendo que apurando bem a napa eu chegava a detectar o verniz indiano da cítara. A Samayana, mais afastada de mim, continuava emitindo ondas de seda almiscarada e óleos florais, sendo que seus poros exalavam também uma dezena de chás fitoterápicos, como aquela beberagem quente que ela tinha feito a galera ingerir.

Cheiros à parte, constatei que, de mulher, afinal, não tava tão mal o negócio ali. E a conta mano-mina também batia: quatro manos, incluindo o citarista, pra quatro minas, incluída a dona do pedaço. 4 x 4. Quando me dei conta disso, senti que me aproximava de alguma dimensão mágico-numérica da realidade. Quatro parelhas, como os quatro cantos místicos do universo. Quatro pirocas e quatro bucetas. E também quatro-mais-quatro cus e quatro-mais-quatro bocas, como não deixaria de notar um cineasta pornô, Além de nada menos que 160 dedos de pés e mãos. Queria só ver como aquilo tudo ia se combinar ali. Meus dedos, por exemplo, só queriam se combinar com os da Sossô, isso era claro e assente. Só faltava combinar isso com ela. Tinha a própria mestra também, mas, pelo jeito, com ela toda enrolada em seda daquele jeito, não ia rolar picas ali. Nem xerecas. Quanto às gordas, bom, a gordinha era bastante encarável a qualquer momento, como já disse. A própria gordona, por sua obesa vez, não me parecia carta fora do baralho, se eu conseguisse abstrair aqueles pernis hipergordurosos da sua esfuziante figura. Confesso que até me deu curiosidade de saber o que havia ali por dentro daquelas banhas assanhadas.

Essa coincidência das quatro parelhas não significava que, por força de lei, aquilo fosse virar uma quadrilha caipira de casaizinhos heterossexuais em suruba monogâmica, cada cavalheiro metendo respeitosamente o nabo na sua piranha, apenas trocando vez por outra de piranha. O magrão, por exemplo, com aquela cara de caroço de ameixa engolido e defecado no mato, continuava uma incógnita pra mim. Tava mais pra necrófilo bissexual, o desgraçado, embora não me lembre muito bem do último necrófilo bissexual que vi na vida. O cara me lançava uns olhares que podiam ser de rancor, inveja, desconfiança ou pura vontade de dar o rabo sujo de bosta seca dele, vai saber. Sentado num xis de tíbias que tentava passar por flor de lótus, não dava pra ver a nequinha do infeliz. Melhor assim. Problema ali era o Melquíades, como falei. Problemão. Eu tinha certeza que o negão olhava tudo por debaixo das grandes pálpebras dele, como eu e acho que também a Sossô. Sem contar que a jeba do cara já demonstrava considerável animação, coisa que ele não fazia questão de esconder.

Cara, me desculpe insistir nesse assunto, mas a pemba do homem era uma borduna bororô, uma autêntica encarnação antropomórfica do divino Zebuh da piroca máster, nada menos. O resto é pinto, bilau, neca, piupiu, pilinha, pirulito. E, pelo visto, a cobra preta ia fumar. Não fumando no meu derrière nem nos tenros orifícios da Sossô, beleza, pensei. Por mim, ele podia ficar à vontade pra desbastar as badalhocas merdosas do magrão, as adiposidades frementes das gordas, o carnão fardado em seda que passava por nossa divina mestra, e até aquele furo no cavalo da calça do Ingo, se a gônada peluda saísse da frente.

Mas, e se o filhadaputa se animasse pra riba da minha banda e bunda? Me deu um certo cagaço, essa hipótese. Agora soa ridículo isso, mas na hora deu. Porra, e não era pra dar? Tava eu lá, no meio dum thriller bhagadhagadhoga, à luz de círios, encerrado num sufocante pagode subterrâneo sob a mira de um gigante boiola e sua jeba-de-jegue livre para amar. Chame isso como quiser, de viadagem enrustida, homofobia, racismo explícito, não me importa. O fato é que eu não queria nenhum comércio com aquela criatura, naquela hora e lugar. Tá lôco.

Por via das dúvidas, vesti a carapuça do tabu e arranquei meu olhar do totem do cara pra me concentrar na divina púbere, Sossô, a sílfide do porão, toda pele, piercings, pentelhos, tatuagens e aquele sorriso bestoide na carinha escandinava. Uma hora lá, eu e Sossô, Sossô e eu, cruzamos nossa cegueira fajuta. Cara a cara, era impossível um não sacar que o outro estava de olho no lance. Não sei quem riu primeiro, mas acho que foi ela. Abafar as gargalhadas com a mão não adiantou muito pra nenhum dos dois. Alguém fez um "shshsh!", acho que a própria Samayana. Ri mais um pouco e fiquei na minha. Quer dizer, na dela, me perguntando onde aquela guria teria arranjado uns pêssegos tão perfeitos pra pendurar no tórax. Se alguma coisa do mundo das aparências merecia resistir à voragem do tempo eram as maminhas primordiais da Sossô, uma delas condecorada com o piercing dourado. Ouro no peitinho, ouro na xoxota. Que menina despudourada, trocadilhei em silêncio. Fiz um cálculo rápido da nossa diferença de idades e constatei o óbvio: eu podia ser pai da tipinha. Aos vinte anos, por exemplo, paguei meu primeiro aborto com namorada. Meu filho ou filha hoje teria 22, quatro a mais que a Sossô, se ela tiver mesmo 18, o que me parece cada vez menos provável.

Mas eu não era e continuo não sendo o pai da Sossô. Podia, portanto, desfrutar à vontade daqueles peitos, daquela xota menstruada, daquela bundinha que fazia justiça ao próprio conceito de justiça — e de bundinha. O Nissim é que não ia acreditar se me visse ali naquela hora: eu e Sossô, Sossô e eu, pelados na mesma alcova, embora coletiva. Nem vou contar pro mineirinho. O bicho ia ter uma apoplexia e espumar de inveja até morrer. Ele sabe que ninguém convidaria um cara de quase sessenta anos pruma surubrâmane, e na presença da melhor amiga da filha adolescente, ainda por cima.

Contas feitas, eu não sabia bem como lidar com a Sossô, nem com ninguém ali. Sair daquele porão rapidinho, com a Sossô debaixo do braço, carregadinha de amor, era o que mais me apetecia fazer, mesmo porque aquele fedorzão humano bafejado de incenso começava a me dar engulhos cada vez mais profundos. Minha cabeça e meu estômago giravam num pas-des-deux nauseante, os tapetes ondulavam debaixo da minha bunda nua, as paredes se deformavam como num décor de filme expressionista alemão. Deixei combinado comigo mesmo que se eu sentisse vir o vomitão que se anunciava, enfiaria a cara na boca daquele cântaro elegante e mandaria ver. Achei que a Samayana não se importaria, sobretudo diante da alternativa, que seria vomitar nos tapetes aladinescos dela. A menos que o cântaro contivesse, por um desgraçado acaso, as cinzas de seus antepassados. Aí seria uma megabhagacagadhoga. Você não quer ver ninguém vomitando nos seus pais ou avós, mesmo que eles já tenham virado cinza cafungável, como o pai do Keith Richards.

Aliás, um parêntese: tô começando a achar esse papo de bhaga e dhaga e dhoga uma empulhação do cacete. Como pode um reduzidíssimo conjunto de morfemas expressar uma gama quase infinita de ideias e coisas e fenômenos, como se fossem alephs verbais de significação universal? Tá na cara que não pode. O módulo *bhaga*, por exemplo, dependendo do contexto, pode significar chuva de verão, anseio pela vida eterna ou bursite crônica. Também não me parece crível uma seita de adoradores de um boi de pau duro que aspira sair da clandestinidade milenar para conquistar o mundo, assim, de uma hora pra outra, depois de séculos e mais séculos de silêncio. Agora há pouco dei uma busca no Google e garimpei, além do çaite oficial da Samayana, não mais que umas 300 referências encontradas pelo buscador, tudo blog-iogue ou salas de bate-papo aqui do Brasil, do United Kingdom e da Índia, mantidos por gente de alguma forma ligada ao lance do zebu com agá. Pelo visto, o tal milionário hindu divulga a bagadogagem lá em Londres e em Jaipur, cabendo à divina mestra fazer o mesmo em São Paulo, os três polos mundiais da, desconfio eu, recém-fundada doutrina milenar Zebuh-Bhagadhagadhoga.

Já tô vendo como a história toda começou. Uma professora brasileira de ioga, morena e gostosérrima, que costuma viajar pra Índia pelo menos uma vez ao ano, de onde traz produtos e modas orientalistas pra vender em seu entreposto misticomercial em São

Paulo, tem a ideia de fundar uma seita sexy, misturando brahmanismo e Kama Sutra, com direito a reencarnações e suaves sacanagens ao som de cítara indiana. Vai daí, conhece uma espécie de príncipe indiano cheio da nota com um pé em Londres e outro em Jaipur, a Cidade Rosa. O do turbante pira na brasuca orientalizada que lhe deixa o badah-lingam latejando de tesão místico e os dois passam uma semana praticando sexo tântrico na suíte presidencial do Claridge's, embalados por aquele chá xonado que vira e mexe ainda me dá umas irrigadinhas gratuitas na piroca cada vez que eu cruzo ou descruzo a perna. A brazuca, então, tem a ideia da doutrina secreta, que ela talvez já estivesse ruminando há um certo tempo lá no centrinho de ioga da Consolação, e convence o indiano a financiar a parada. Ela garante, transbordante de razão, que o solo espiritual da mãe gentil é fértil para o florescimento de todo tipo de seita monetarista. De volta ao Brasil, a Wyrna arregimenta o Ingo, seu citarista preferido, que entra de cabeça no lance. O Ingo, que é poeta, tradutor e escreve bem, fica encarregado de redigir o fôlder bíblico, misturando budismo com bramanismo, xamanismo turístico, kamassutragem explícita e charlatanismo clássico. E a coisa começa a andar.

Puta merda, corto meu saco se não tiver rolado uma grossa maracutaia desse naipe. Eles só vão ter de rebatizar o negócio, porque *Bhagadhagadhoga* vai enrolar a boca do povo. "Igreja Nirvânica do Divino Zebuh da Sagrada Pecúnia" seria uma boa aposta. Vou dar essa dica pro Ingo. O mundo se encherá de templos zebuínos e eles vão encher de grana viva seus cuzinhos perfumados de patchuli, com direito a redes de televisão, uma produtora de videocinema — administrada por mim, que logo me juntarei ao bando —, shopping centers, academias de ginástica, spas e mais uma porrada de outros negócios, inclusive imobiliárias, redes de postos de gasolina, lojas de conveniência e motéis, áreas em que o meu cunhado Leco poderá assessorá-los.

Fecha parêntese.

De volta ao bodum litúrgico do petit pagode, a Samayana anunciava agora o segundo passo do ritual tátil: a *dhedubhagadhoga*, ou "titilação aleatória mútua".

Titilação aleatória mútua! Isso tinha a cara do Ingo, pensei na hora. Outra coisa que pensei foi: o bicho agora vai pegar — e titilar.

"A dhedubhagadhoga consiste em titilar com as pontas dos dedos o primeiro corpo humano ao alcance da sua mão, sem jamais, em hipótese alguma, abrir os olhos", detalhava a mestra. "É como um jogo de cabra-cega. Vocês podem estar titilando à vontade até evoluir para outros modos de relacionamento táctil, *inteinderam*? Deixa a energia fluir, deixa o badah-lingam se expressar."

Que história era aquela de "evoluir para outros modos de relacionamento tátil"? — perguntei aos tapetes, que permaneceram deitados e mudos. Porra, um magote de caras e minas pelados se titilando, vai virar o que isso? Foi o que conjecturei com meus pentelhos eriçados.

As mulheres já deviam ter registrado que havia ali duas picas disponíveis para pronta entrega, a minha e a do Melquíades, black or white, XG ou M, a gosto do freguês, sendo que a XG se enchia de GGGGs a uma velocidade alarmante. E o pior é que a Sossô também tava ligadona no fenômeno. Idem as gordas e o magrão. O Ingo, não. O Ingo era todo cítara e música das esferas, imerso numa viagem personalíssima por suas Pérsias interiores.

E a Samayana? Eu não via mais a mestra, que tinha abandonado seu posto no palquinho depois de dar as instruções sobre a sacanagem titilatória. No porão ela não estava. Levitando no teto também não. Concluí que ela tinha sumido por uma fresta secreta no tempo-espaço ou mesmo por um alçapão debaixo dos tapetes.

Não tinha jeito: a Sossô estava encantada pelo mr. Jheba de Zebuh. Me ocorreu que, duzentos anos atrás, por muito menos que isso — exibir um picanço negro e enfezado pra senhorinhas brancas —, Melquíades seria atado ao pelourinho prumas 50 chibatadas seguidas de salmoura nas feridas. Talvez lhe cortassem também um pedaço daquela rola imperial que tão grande humilhação trazia para o comum dos mortais portadores de pirocas médias, meu caso, e ridículas, caso do magro Anselmo. De qualquer forma, e sem embargo do meu breve surto de escravagismo sexista e homofóbico, eu queria a Sossô só pra mim, pelo menos por aquela noite, sem precisar disputar nem muito menos dividir a prenda com núbios dúbios, gordas ávidas, magros sinistros, citaristas viajandões de saco de fora e vestais gerundinas.

Ai, ai, ai — raciocinei o melhor que pude. Que vida.

Bom, daí então, depois de um breve instante de hesitação, saiu todo mundo titilando adoidado pelo "espaço bioespiritual" (*apud* fôlder ZB) do porão místico, ao som de uma raga puladinha que o Ingo mandava agora, espécie de baião bhagadhagadhoga, um claro convite à rosetagem, prova de que o citarista não estava tão por fora assim da realidade nua e crua à sua frente. As gordas se atracaram às titilações desbragadas, entre elas primeiro, e logo depois com o magrão ratapulgo, assim que conseguiram encurralar o desgraçado num canto do porão, tentando matá-lo de cócegas, ao que parecia.

    Sossô se ajeitou da forma mais casual possível de frente pro bailarino, fingindo que não o via, e de costas tatuadas pra mim. Fiquei apreciando por um momento o dragãozinho chinês estampado naquele suave território lombar, além da coroa de espinhos no braço, a cruz de malta na bunda e aquelas chamas que lhe subiam do tornozelo. As tatuagens, animadas pelos movimentos do suporte humano que tinham parasitado, ameaçavam ganhar vida própria, num inquietante efeito cinelisérgico. Eu já tinha padecido de muito *delirium in Tremembé*, como o Ingo chama as bad trips de ácido, e temia que se repetisse o fenômeno ali. Mas os calcanhares sobre os quais se assentava a bundinha da girl lhe arregaçavam o rêgo a ponto de exibir um cuzinho róseo aclarado pela luz de um círio próximo, e isso bastou para esconjurar a ameaça de patologias alucinatórias mais sérias. Meter um dedo naquele furito era o meu desejo imediato, mas julguei que ainda não havia clima pra nada tão direto e contundente. Observei as vértebras ressaltadas da menina escalando suas costas desde o cóccix até a nuca, em fila indiana, como, aliás, pedia o momento hindu. Quando vi, meus dedos titilavam por aquela escada de ossinhos até chegar no cabelo curto que não dava pro gasto de lhe encobrir a nuca. Fiz um cafuné ali provocando uma reação promissora: a figurinha retesou a coluna, ergueu a bunda do assento de calcanhares e soltou um gemido tão lânguido que me deu uma tremenda gana de cair de língua naquele rabicó — o que tive de me esforçar deveras para não fazer. Por enquanto, urgia marcar presença junto à girl, sem no entanto me arriscar a molestá-la, ponderei com surpreendente lucidez.

    Logo vi que a Sossô tinha seus planos pessossoais ali. Esticando os braços à frente, numa pífia pantomima de ceguinha, ela se pôs a titilar o espaço na direção do bailarino, logo encontrando o carão e a careca dele, itens que seus dedinhos conferiram com meticulosa delicadeza, como tinham acabado de fazer com o Buda: testa, nariz achatado, zigomas salientes e os grossos lábios, dos quais ganharam um beijinho. Um beijinho! Começou, pensei, preocupado.

Por último, a Sossô acariciou as pálpebras fechadas sobre os olhos daquela até então impassível máscara africana esculpida a golpes de machadinha num tarugo de ébano. Primeiro tocou uma pálpebra, depois a outra, sem errar o alvo, o que só confirmou o quão bem a bela cegueta enxergava. A carícia ocular provocou no bailarino um sorriso sacana. Ocorreu-me, a troco de nada, que a pele das pálpebras tem a mesma finura e maciez que a do pau, e é soltinha também, reflexão essa que me acrescentou mais alguns litros de sangue nas galerias internas da libido — e do cacete.

Vi por cima do ombro da ninfeta como ela orientava agora seu passeio titilante pelo pescoço troncudo do Melquíades até espalhar as mãos por aqueles ombros poderosos de quarterback, de onde fez descer seus dedinhos curiosos por um farto peitoril de gladiador que caberia apertado no sutiã da Big Blonde. Depois de rodear um pouco os mamilos, sem deixar de apertá-los na ponta dos dedos, provocando um estremecimento no corpanzil do negão, despencou pela falésia abdominal encrespada de ondulações musculares até arar com endemoniada gentileza o tufo espesso de pentelhos do púbis oferecido, logo alcançando a base do obelisco. Dali, os dedubadadedinhos foram subindo num titilar milimétrico pelas paredes enervadas daquele tronco de sucupira que, apesar do porte totêmico, não era uma reta perfeita, apresentando ligeira torção lateral, não me pergunte agora se pra esquerda ou pra direita, por favor. Era a torre inclinada de Piça, trocadilhei em silêncio. Apesar de cretino e silencioso, o trocadilho espontâneo despoletou-me mais uma crise idiota de riso. Fechei os olhos de verdade pra não testemunhar as reações dos demais devotos do divino Zebuh. Foi com surpresa que vi meu surto de hilaridade boçal contaminar outros diafragmas em volta evocando risos, risotas, quiquiquis e quaquaquás. Até o Melquíades dava suas golfadas risofônicas. Só o magrão não ria. Magros riem pouco. No máximo arreganham os lábios num esgar sardônico, como fez o Anselmo, aliás.

Eis que, de forma tão espontânea como tinha começado, cessou a risaria. As longas ressonâncias da cítara em zigue-zague errático em torno da nota dominante voltaram a imperar no áudio da cena, fundindo-se aos discretos resfolegares, fungações e gemidos da malta titilante. Quando abri os olhos, vi o Melquíades de braços esticados pra trás, mãos espalmadas no tapete, a sustentar-lhe o tronco em descanso, numa acintosa malemolência. Suas quilométricas pernas abertas encompassavam a nossa musa e a mim também, que me achava acocorado atrás dela. Era como se o gigante delimitasse um território triangular para o nosso ménage privê. E respirava pesado, o sacana, cabeça pensa para trás, emitindo gemidos sopraninos enquanto se deixava titilar no cacete em riste. Que puta viado, comentei comigo mesmo. Como é que um gay notório daqueles ousava se deixar bagadabronhar assim pela *minha* Sossô? Tudo bem que a iniciativa tinha sido toda dela, mas a pica era dele, porra.

A ninfeta perseverava em sua postura de gueixa diligente, apalpando com as duas mãos o mastro à sua frente. Da base à cabeça, a piroca do bailarino dava fácil uns dois palmos abertos daquelas mãozinhas afainosas. Ela fazia subir e descer com lentidão libertina a tal *páupebra* fina e solta que recobria o poste torto e debruado de veias inchadas por onde fervilhava o sangue das Áfricas profundas. O filhadaputa do bailarino se desmilinguia de prazer, entortando a cabeça prum lado e pro outro, bichézimo. A Wyrna que se cuide, pois a Sossô vai longe em matéria de transcendência erótica, e, com toda certeza, há de ocupar um cargo de relevo na hierarquia da seita ZB, sobretudo depois que aquele indiano milionário vier a conhecer em carne, osso e piercings a deliciosa figurinha. E quando ela enfim aportar em Jaipur para a cerimônia da sua sagrada investidura como vestal bhagadhagadhoga, os elefantes erguerão as trombas, os zebus empinarão seus badah-lingans, as najas se porão de pé, e euzinho aqui assestarei minha Sony pra filmar isso tudo, por Shiva Parvati!

Aí, rapaz, fiz uma coisa. A seguinte coisa: puxei o braço esquerdo da bichinha pra trás, como quem vai lhe aplicar uma chave de judô, roubando uma de suas mãos às carícias que ofertava ao pistolão do bailarino. Ato contínuo, encaixei a mãozinha dela no meu cacete. Sossô entendeu no ato a proposta e se dispôs a dedubagadogar dois caralhos tesos ao mesmo tempo, um na frente, negro, colossal, com a destra, e outro atrás, branquelo e mediano, com a sinistra.

Me espantei com a alegre desenvoltura com que ela realizava aquela complexa operação. Não deve ser fácil bater duas punhetas ao mesmo tempo, uma à frente, outra à ré. Da parte que me tocou, posso afirmar que a guria revelou-se exímia bronheira de retaguarda, por assim dizer. E com a canhota, o que é mais notável. A doida me obsequiava do mesmo jeito que fazia com o bailarino, só que em tempos diferentes, feito um baterista que tocasse o chimbal numa levada de bossa mansa e a caixa num maracatu frenético. Ou seja, pra cada subida e descida de pele que ela executava no bananão-da-terra do bailarino, sua outra mão pistoneava de três a quatro vezes a minha banana-prata. Era *tchoc* pro Melquíades e *tchoc-tchoc-tchoc* pra mim. Meu rival e involuntário colega de sacanagem mordia as beiçorras de tesão. Da minha parte, eu contraía toda a musculatura abaixo do umbigo tentando brecar as ânsias de gozo que me deixavam à beira de transbordar em porra viva. Sossô me virava às vezes seu perfil por cima do ombro, dando um rápido take na minha pica em sua mão e me abrindo um sorrisinho matador. Numa dessas vezes até me deu uma piscadinha. Porra, essa mina sabe tudo, mermão. Vai ser a estrela máxima do meu próximo filme, pro qual já tenho um título provisório: *FURDUNÇO NO PORÃO DO ZEBUH BIDUH*.

Não dava pra negar: ia se estabelecendo um evidente consórcio lúbrico entre nós três. Eu filava o que ela fazia com a pica do outro, e o outro filava o que ela fazia com a minha. Aquilo era puro teatro erótico amador, em que se atua ao mesmo tempo que se vê os outros atuarem. Ou muito me enganava, ou aquela rosetagem no porão do Zebuh tarado estava a caminho de virar um surubão, impressão que só fez se aguçar quando vi, num outro canto do petit pagode, as duas gordas em cima do magro Anselmo, tentando extrair algo de sexual daquela carne seca e descomovida. Cheguei a ter uma miniepifania geômetra ao constatar que havia agora dois trios invertidos em ação na cena: duas mina e um cara, dois cara e uma mina. Mas logo desencanei do mundo em volta pra me concentrar na minha púbere. Passei a manipular-lhe um peitinho, vindo com a mão por debaixo do suvaco dela. Calhou de ser a teta do piercing, o que achei meio esquisito, pra falar a verdade. Já pensava em acionar a outra mão pra capturar a pitanguinha livre de ferragens, quando o puto do bailarino oportunista se apoderou do peito livre. Tive que me contentar com o mamilo ferrado, sintonizando com delicadeza de ourives a carne perfurada pelo estribinho dourado, que eu mal podia ver por cima do ombro dela. O sacana do Melquíades trabalhava o outro peito com aquela manopla tão capaz de levantar sozinha uma bola de basquete do chão quanto a minha de catar uma caixa de fósforo. Sossô gemia, intensificando o ritmo das duas punhetas e abanando de leve o rabicó, a sinalizar o quanto estava gostando da função. Danada. Na minha cabeça se armou espontâneo este primor de haicai lusófilo, dotado de um pequeno apêndice, que a alta sensibilidade poética do amigo não deixará de admirar:

Ó Sossô sacana
larga o negro mangalho
e cai de boca n'alva cana!
(Caralho!)

A falta que faz uma câmera pra mostrar essas manobras. Um story board já quebrava um galho. Descrever com palavras é foda, mesmo que sejam só rubricas num roteiro, nada que aspire à imortalidade literária. Não faz sentido *escrever* um filme. O cinema tem que nascer das imagens. Por isso torço o nariz pra adaptações de livros, se o adaptador não se chamar Hitchcock. Aliás, o Hitch só se valia de noveletas populares de segunda ou mesmo de quinta categoria, de onde tirava somente o plot básico e os personagens principais. No "Psicose", por exemplo, ele mandou o estúdio comprar todas as cópias do livro do tal de Robert Bloch, autor da história, para que ninguém soubesse o final. Acho meio ridículo isso. Se o cara não tem a manha de criar uma história original evocada por imagens, vai caçá sapo, malandro. Cinema é "Zéro de Conduite", "Cidadão Kane", "Acossado", "Todas as mulheres do mundo", "Terra em transe" — histórias que só existem dentro dos filmes que o Vigo, o Welles, o Godard, o Domingos de Oliveira e o Glauber rodaram com roteiros originais saídos da cabeça e dos olhos deles. Quer saber o que eu acho? Adaptação — leia-se avacalhação — de obras literárias é pirataria oportunista de subcineasta com palavrório na cabeça e uma câmera na mão. E fodam-se as centenas de filmes brilhantes extraídas de textos literários que alguém poderia me jogar na cara — Hitchcock incluso. Aquela manipulação nos peitos da Sossô, por exemplo, mão branca minha, mão preta do Melquíades, aquilo é que é cinema. E ponto-final.

Enfim, passei a usar minha mão livre pra fazer uns carinhos fortes numa nádega da menina, massageando com gosto a polpa daquele popó enxuto, e buscando, alisando, acarinhando também o sorvedouro do rego. Melquíades sacou a manobra e resolveu meter sua outra mão à obra, estendendo um braço nodoso de músculos pelo flanco direito dela para apalpar a nádega sobressalente. Sossô, tomou um sustinho vendo-se de tal forma gadunhada, mas bem que gostou. Agora, eu e o afropirocudo cidadão não só repartíamos os peitos como também as nádegas da garota, além de termos nossos cacetes masturbados por ela num confuso entrelaçamento trissexual. Os safadedos extralongos do Melquíades logo se puseram a dedubagadogar também a outra nádega da novilha zebuína, disputando palmo a palmo comigo o suave território circunrabal. Tive que tirar minha mão de campo pra não ficar relando na do usurpador, claro objetivo do canalha. Se não soasse tão literal eu diria que a situação ganhou em profundidade quando a falangeta do cara, da mesma grossura que muitos gostariam de ter a glande, passou a xuxar a flor rugosa no centro do rego da menina. Tenho que confessar: ver aquele cuzinho rosáceo futucado por um dedo negro me deixou à beira do gozo. O que não diria o meu cumpádi Nissim? — pensei ali. Que eu virei viado seria só o primeiro e mais previsível dos seus comentários. Viado assumido o Melquíades já era, pois era notório na praça seu casamento com o tal coreógrafo americano. Até aí, tudo bem — um rival a menos na arena atapetada. Em teoria, pelo menos. Na prática bhagadhagadhoga, o que o negão estava me saindo ali era um desgraçado dum heterossexual enrustido a competir comigo pela posse dos orifícios recreativos da jovem iniciante nas artes surubrâmanes. E só pra me provocar, disso eu tinha certeza.

O cuzinho futucado, a dois palmos do meu nariz, trescalava um suave aroma de — de cuzinho futucado, ora. Meu lagartão límbico corcoveou-se-me todo nos cafundós lúbricos do Id. Daí, comigo na mira de seus mal fechadíssimos olhos, Melquíades foi forçando a entrada da falangeta lá pra dentro, num evidente convite à sodomia, sempre dirigido a mim, claro — claríssimo, apesar do negror do dedo entuchado no rosé do cu da mina e da baixa luminosidade ambiente. A coisa foi indo até que, uma hora lá, a Sossô travou o roscofe num gemido de protesto. Melquíades não pareceu se melindrar com a refugada da potrinha. Tirou o dedo com delicadeza e trouxe o intrusor até o nariz, dando nele uma aspirada de enólogo. O aroma que sentiu ali lhe desenhou um largo sorriso na máscara de safadeza que passava por sua cara.

Perigoso, aquilo, conjecturei. Pra começar, já tinha cu no meio — o da Sossô, por enquanto. Além disso, a Sossô já dava os primeiros sinais de fadiga masturbatória, em especial na mão que me assistia por trás dela. De minha parte, eu malemale controlava as crises pré-orgásticas que se repetiam a intervalos cada vez mais curtos, a me exigir um cruel trabalho de contenção. Já estava até vertendo um pouco de colostro de pica que fazia a mãozinha da Sossô escorregar no meu pau lubrificado.

Eu tinha que tomar uma atitude. Não podia ficar só a reboque das iniciativas do Melquíades. Cheguei, então, um dedo na xotinha dela por trás. Fui recebido por pétalas úmidas unidas e pelo anelzinho de ouro, perto do clitóris, se é que esse legendário calombo existe mesmo. Esfreguei, xuxei, colhi o material melado e cheirei também. Abri meu próprio sorriso de connaisseur satisfeito. Era um aroma intenso e sazonado de sexo com xixi e sangue menstrual que me fez recuar outra vez ao estado canibalesco da evolução da espécie. Aquele era o cheiro mais primitivo do amor humano. E não era impossível que a composição química do cheiro mais primitivo do amor humano incluísse também a porra de algum coleguinha (ou professor, vai saber) com quem Sossô podia muito bem ter dado um pega rápido num canto do colégio à tarde, ou no carro, ou sei lá onde, e sem camisinha, como voltou a ser a praxe entre os maluquetes mais jovens.

Com seu tato hiperpotencializado pelo ácido, Sossô percebeu o latejamento extra do meu lingão ligadão e deu-lhe uma apertadinha toda especial.

"*FFF!..*", eu fiz, quase entregando a geleia na mão dela.

Antes que isso acabasse acontecendo, Sossô largou meu pau pra voltar a agarrar o do bailarino com as duas mãos. Não encarei aquele masturbatio interruptus como rejeição à minha pessoa. A punhetação ambidestra, frente e verso, tinha exigido da garota a contração de grupos musculares nunca dantes solicitados daquela forma. Além disso, achei que ela tava era muito a fim de cair de boca no mangueirão preto que a seduzia feito uma king-cobra empinada, de capelo eriçado e torta prum lado. Julguei bem, pois foi o que a fofolete fez na sequência, e com grande apetite, acolhendo na jovem boquinha vermelha a chapeleta batatuda e marrom-claro daquela trolha já bem rodada nas rodelas internacionais do balé moderno. Só aquele cabeção já lhe preenchia toda a cavidade bucal, como diria um odontologista atento aos fatos.

Aí, meu chapa, o felizardo fechou os olhos pra valer e partiu pras cabeça, mora. A dissolução final parecia inevitável. Gay ou não gay, aquela sucção teenager era irresistível, mesmo vindo da boca de uma garota. Em questão de segundos o parceiro que eu não pedi a Deus se dissolveria em porra quente. A sossôfrega figurinha chupava, sugava, lambia, fungava, de bundinha empinada pra mim, ao som da cítara que seguia tecendo seus finos fios de enleio musical, enquanto eu desenhava meus planos para o futuro imediato:

a) Cair de língua naquela tundra perfumada de lolita louca.

b) Meter em seguida a rola bem fundo lá dentro.

Eu tinha que agir rápido, antes que o meu antípoda negro liberasse sua carga genética pra dentro dela. Imaginei que a Sossô ia adorar a sensação de estar sendo comida na xota quando o bailarino acabasse em sua boca. Essas manobras sexuais conjuntas pedem uma perfeita sincronia de maneira a não se desperdiçar o precioso momentum orgástico. Só que, em vez de agir logo, metendo a ripa na chulipa, perdi um tempão contemplando o rabo da Sossô. Adoro essa parafernália que as mulheres trazem no meio e abaixo da bunda: pelos, peles com texturas e cores variadas, dobras, frestas, pregas, furos, cheiros, líquidos. Fico ligadão quando me aproximo desse complexo de atrações. O software reprodutivo da natureza roda bem na minha libido, e melhor ainda se estou traçando a fêmea por trás. Todos os mamíferos cobrem suas fêmeas dessa maneira, tirando aquele macaco sacana da África, tal do bonobo, que trepa de cara pra peludinha dele. O desgraçado deve ter aprendido isso observando do alto das árvores os missionários e colonos europeus carcando de frente nas nativas no mato sem cachorro, mas com buceta. E quem há de negar que é ao mesmo tempo mais ergonômico e divertido capturar o complexo xota-cu-bunda no mesmo take, manobra viável apenas quando você chega a chincha na vadia por detrás. Verdade que fica mais difícil de beijar na boca no meio duma foda cachorrinho. Chupar um peito, então, torna-se quase impossível. (Se o peito puder ser puxado pra trás a fim de ser chupado, melhor desistir, por razões óbvias.)

Vai daí, me posicionei pra dar umas lambidas na xota da Sossô antes de proceder à meteção propriamente dita. Problema ali era que, agachado na posição preconizada por Maomé a seus discípulos, de modo a rebaixar minha boca até o rabo da Sossô, eu expunha meu próprio lordo ao deus-dará. Entretanto, com o asqueroso Anselmo assediado pelas gordas em algum canto do porão, o Ingo em cópula profunda com sua cítara e o Melquíades, maior ameaça à integridade anal de todos ali, boqueteado à minha frente pela Sossô, considerei-me em território seguro. Comecei escorregando a língua por aquela vulva que os deuses unidos do Parnaso grego, do Paraíso cristão e do nirvana bhagadhagadhoga tinham colocado ao alcance da minha boca. Caminhei de língua em riste em busca do grelo perdido, dando de passagem uma lustradinha no brinco dourado, uma joia incrustada na outra.

A guria deu uns tremeliques e voltou a arrebitar a bundinha facilitando meus trabalhos linguais. O gosto de sangue prevalecia no coquetel, e eu entendi mais uma vez, como sempre acontece quando me ponho a chupar uma buça regrada, qualé a grande onda dos vampiros. De fato, nada como o *liebfräublut* colhido na fonte. A transilvânica e canibalesca iguaria me dá uma turbinada fudida no tesão. Sem contar que, ao praticar o cunnilingus pelo derrière de milady, você vai incorrer fatalmente no *narigânus*, que outra coisa não é senão o contato direto da ponta da sua napa com o orobó da fêmea que você está a cunilinguar, ora pois.

Sei lá, viu. A vida humana ainda é muito primitiva em vários aspectos. Quem tivesse vivido ou apenas visto aquelas evoluções no porão não duvidaria dessa minha alta constatação antropológica.

Enquanto devorava a buceta da Sossô, eu ia me proporcionando uma punhetinha maneira pra manter o nível paudurístico. A certa altura, dando uns tiros de olho ao redor, flagrei-me num dos espelhos mágicos com a cara lambuzada de rouge-xoxotte. Boca, nariz, queixo, parte das bochechas, tudo vermelho, feito lobisomem de filme B depois de jantar um figurante distraído. E a Sossô, só ali, lustrando o cabeçote do balarino. De vez em quando, liberava a mão direita e dava umas apalpadas nas volumosas almôndegas dentro do saco preto do cara, coisa que pude constatar por debaixo da xotinha dela, ao recuar minha cara pra tomar fôlego e decidir se metia duma vez por todas o bruto na racha ou se continuava chupando mais um pouco. Até agora não entendo como foi que o Melquíades conseguiu brecar por tanto tempo a ejaculação, na certa esperando que eu me resolvesse a enfiar logo a piça na frangota. Daria um artista pornô de primeira, o filhadaputa. No lugar dele eu já teria gozado umas oito vezes sem tirar das amígdalas da sinhá-moça.

Uma hora lá me bateu uma puta inveja do Melquíades. Não ciúme, inveja mesmo. Queria eu ter um pingolim daquele tamanho e homenageado daquele jeito, com anima & cuore, pela petite diablesse du petit pagode. Ocorreu-me, então, uma joia de reflexão psicanalítica: quem tem inveja do pênis alheio é o homem, não a mulher, que, afinal de contas, se não for uma baranga desgraçada, nem uma véia coroca, pode ter quantos deles quiser. Eu começava também a entrar no espírito da surubrâmane, curtindo o abandono do ego ao fliperama dos instantes, a comunhão das carnes e dos cheiros e secreções do sexo em delírio.

Urgia meter. E eu ia meter. A Sossô sabia que eu ia meter nela. O Melquíades também esperava eu meter de uma vez na mina que chupava o pau dele. Era só o que faltava pra ele gozar duma vez. Antes, porém, dei uma panorâmica pelo claustro esfumaçado. O Anselmo continuava às voltas com as gordas, que riam muito de suas ridículas tentativas de fuga debaixo delas. As opíparas bacantes achegavam lábios, peitos, bundas e bucetas na cara dele, que tentava se esquivar sem descerrar a boca avara para beijos ou chupanças de nenhum tipo. Ô magro filho da puta, aquele. No meio da selva de pentelhos vislumbrei-lhe um pinto que mais parecia um rigatone, nada além de um caninho curto e achatado em estado borrachoso.

Continuei sem ver a Samayana em parte alguma. Estranho, uma vestal que sai de cena no meio da cerimônia. Quem sabe ela foi ao pote dar baixa nas fibras integrais do almoço, pensei. Mas, porra, haja fibra integral pra dar baixa! Ou quem sabe as fibras tinham se emaranhado no intestino dela e não queriam sair.

Procurei mais uma vez desencanar da sumida Samayana e de qualquer outro enigma pretérito, presente ou futuro. O que de fato carecia decifrar estava ali na minha frente: a xotinha de milady, que tinha acabado de largar o saco do sujeito para se aplicar nela mesma uma siririca. Tava na cara que ela queria gozar ao mesmo tempo que o Melquíades. Entretanto, entretudo e entretetas, a ninfeteteia não descuidava um instante da chupança no caralho que tinha nas mãos, o que interrompia apenas para esfregá-lo nas suas tetas brancas. O bailarino se contorcia na tentativa de adiar o esporrão que se anunciava apoteótico, em vista da magnitude das gônadas do mancebo. Sossô não avaliava o risco que corria. Não sei se alguma mulher já morreu afogada em esperma, mas aquela podia muito bem vir a ser a primeira vez na história do felatio universal. E tava na cara — na boca, mais exatamente — que a maluquinha morreria feliz.

Em meio à sarabanda de ideias e emoções extremas que me invadiam o ser-ali, voltei a ser fulminado pelo senso de absoluta urgência da situação. Eu tinha que carcá logo na Sossô, antes que o caldo do bailarino entornasse pra dentro do organismo dela, com imprevisíveis e talvez funestas consequências. Dei, pois, por terminado o meu papel de faxineiro de fundilhos naquela trama pornô. Molhei de cuspe o dedo do fuck-you, cheguei na portinha da buceta, ali por baixo, bolinei um pouco a região e enfiei devagarinho, sentindo a agitação da siririca que ela se aplicava no grelo. Aquilo era uma piscina de fluidos facilitadores de mistura com o sangue viscoso do mênstruo, e sem sombra de aids pelo que pude avaliar a dedo nu, segundo o método FTP (Fuck The Pope) de análise clínica.

Melquíades, de tronco ereto, estava agora com as mãos em telhado sobre a cabeça da Sossô, mas sem botar pressão. Delicado, ele apenas relava os cabelos da guria, cuja boca trabalhava sem descanso seu pistão estacionário. De repente, o cara me deu uma olhada pirata, abrindo pela metade a pálpebra de um olho só e fez suas mãos deslizarem em perfeita simetria da cabeça para as costas tatuadas da guria, até alcançar-lhe as nadegotas, que arreganhou pra mim, de par em par, expondo ao relento a plêiade de preguinhas frescas e róseas como os dedos da Aurora. Dispensei, porém, a sugestão anal — não de todo despicienda, como diria o grande libertino seiscentista, Don Tenório de Olivera y Thormes de Lima —, afastando sem brutalidade as patas do intruso. Ajeitei, então, a pica no vestíbulo da buceta e dei entrada sem delongas naquele canal gozoso. Foi muito fácil. Era como meter a rola num pote de chantilly: tinha consistência mas não oferecia nenhuma resistência.

Catando a bichinha pelos flancos, já na primeira estocada encaixei-lhe metade da verga. Sossô emitiu um mugido grave, denso, abafado pelo rocambole de carne que trazia na boca. Em seguida, meti de enfiada até o cabo — crau. Tenho que dizer de novo: era impressionante a maciez e a suculência daquela vagina. Tava tudo bom demais. Eu fodia e refodia aquele território úmido e quente, deliciado de ver meu pau tinto de sangue cada vez que puxava o instrumento pra fora até a chapeleta. Adoro ver meu pau menstruado. Isso deve aumentar em mil vezes a chance de se pegar uma bela duma aids se milady estiver bichada. Mas fazer o quê? São os ossos do orifício. Continuei a curtir meu pau sanguinário em contraste com a bundalva a emoldurá-lo. E tudo era poesia, tudo sacanagem, tudo alegria.

De vez em quando, mandava umas estocadas bestiais que arrancavam estertores agônicos daquela gargantinha empalada pela verga negra. Dei vivas ao mundo das aparências. E caprichei. Fui descrevendo lentos círculos com a ponta do dedão na íris meladinha de um cu que não parava de piscar pra mim. Daí, colhi o que ainda me restava de cuspe na boca e tasquei-lhe o dedão rosca adentro, causando imediata comoção naquele corpinho brioso, além de evocar o gemido mais canoro que ela ou qualquer outra pessoa já tinha emitido até então no pequeno pagode.

O sossô-cu não me rejeitou, como tinha feito com o dedo do Melquíades. Pelo contrário, tava gostando, a mardita. Fiquei chuchando, dedão e pau, num esquema invertido, ideia assaz criativa que me ocorreu na hora. Enquanto atochava o dedão no cu, puxava o pau da vagina. E ao puxar o dedão do cu, achegava-lhe o pau na xola.

Dor-êxtase, delícia-incômodo, esforço-alívio — nem me arriscava a imaginar as sensações contraditórias que essa dupla manobra estariam provocando no aparato sensorial da criaturinha. Sossô arqueava a espinha, empinava a bunda, gemia, rosnava, rugia, sempre de boca no palmito do gigante. Acho que bem poucos libertinos antigos ou modernos tiveram essa minha iniciativa dialética, pelo menos que a baixa literatura e o mais crasso cinema pornô tenham registrado.

Quanto a mim, o que eu podia fazer senão exultar, exultar e ainda e sempre exultar nas catacumbas suntuosas do meu íntimo avacalhado? Da posição em que eu tinha instalado a minha câmera ocular podia assistir à Sossô sorveteando o negro pinoco do Melquíades com uma gula infinita, como se daquele boquete ela derivasse toda a razão oral da sua existência, sendo que da proctogenital me ocupava eu por trás dela. O pau do cara ia explodir em porra a qualquer momento ao som da raga-reggae que o Ingo tirava na cítara. Encontrei espaço mental para pensar, futucando xota e olhota da gata, que o Ingo afinal não estava brincando quando falou em surubrâmane. A parte de suruba da cerimônia era aquilo mesmo, sem tirar nem pôr. Ou pondo e tirando o tempo todo. Difícil era controlar o fuzuê na mioleira, ao sabor das estrepolias das enzimas lisérgicas. A certa altura, encanei que tudo ali virava outra coisa o tempo todo, como naquele desenho da Betty Boop em que gente que vira árvore que vira trem, avião, prédio, peixe, nuvem, estrela, canhão. Eu tava muito louco. E sabia disso. É o lance do ácido: você pira e se vê pirar, incapaz de controlar a piração. É assim mesmo que funciona.

Não tive, porém, muito tempo para análises mais profundas sobre a minha autoconsciente loucura, pois logo minha atenção se viu capturada pela estranhíssima — estranhérrima — sensação imposta ao meu sistema nervoso central por algo que me pareceu um molusco ágil que desfilava pelo meu rêgo, pra cima e pra baixo. Na subida, o molusco trazia em seu rastro uma lixa espinhenta que raspava impiedosa o visgo deixado na minha pele. Na descida, era a lixa que ia na frente arruinando a epiderme íntima do meu velho rabo e abrindo caminho pro lesmão e seu visgo morno. Se você não tá entendendo nada dessa descrição, relaxa, amigo. Também fui acometido por um estupor cognitivo que não demorou a evoluir para os estágios iniciais do pânico. No puro reflexo, desendedei o cuzinho da Sossô. Junto com meu dedão saiu das entranhas da baby como que um desabafo intestinal que eu resistiria à vulgaridade de chamar de peido, mas que na realidade soou e cheirou como tal.

Deixei, por via das dúvidas, meu pau alojado na bainha da guria. Tive de vencer um medo paralisante até me decidir a girar o pescoço e vislumbrar por cima do ombro que tipo de entidade do mundo sensível se comprazia tanto e de forma tão visgosa e abrasiva em me frequentar a bunda. Babuínos me fodam se não era o esquelético e patético Anselmo de cachorrinho atrás de mim, sua língua de galgo ocupadíssima em higienizar meu suado rêgo, secundada por aquele maldito queixo eriçado de uma barba de uns quatro dias. Por essa e por outras é que eu e a realidade não costumamos nos dar muito bem. A desgraçada parece se divertir à larga me aprontando essas falsetas. Até agora não sei como o magriça conseguiu se safar de suas algozes. Deve ter aproveitado algum momento de distração lésbica das gordas e se contorcido pra fora daquela avalanche de banhas assanhadas antes de vir ter com o meu rabo desguarnecido. Essa era a sublime tarefa do magro Anselmo nesta encarnação: lamber cu peludo de macho. Bom, eu mesmo já chupei uma boa meia dúzia e meia de cus nessa vida, todos femininos, inclusive de putas de rua, conforme já devo ter dito. Minha filosofia de vida é a seguinte: cada qual chupe o cu que quiser ou puder chupar, desde que não seja o meu, e isso vale pra homens e mulheres. Não gosto de mulher me bolinando o rabo. Não aprendi a liberar o derrière pras parceiras, como ouço alguns caras dizerem que gostam de fazer. De toda maneira, eu começava a perceber naquele momento os solertes desdobramentos do ritual surubrâmane.

Recuperado da escandalosa surpresa, abanei vários *sai! sai! sai!* atrás da minha bunda, produzindo uma leve aragem que me resfriou o rego umedecido pelo cuspe do Anselmo. Era uma sensação esquisita, pra dizer o mínimo. Em todo caso, o mastim chupa-rabos tinha dado uma recuada, mas ainda estava lá, de tocaia atrás de mim, pronto para um novo ataque assim que eu parasse de me abanar. E as gordas?, eu me perguntava, tentando localizar a dupla hipercalórica na penumbra esfumaçada. Onde estavam as gordas que não vinham me salvar? Não conseguia ver as gordas, e isso se traduzia em mais pavor. Teriam sumido também, sugadas pelo mesmo maëlstron bhagadhagadhoga que havia engolfado a Samayana? O caso é que eu não conseguia mais relaxar pra foder em paz a xota da Sossô, embora meu pau continuasse de prontidão dentro dela. Ó divino Zebuh das candongas, clamava eu naquele porão atroz, livrai-me deste animal badalhocacófago dos infernos!

Foi aí que a gorda-mor ressurgiu em cena saída de algum ponto cego do meu âmbito de visão pra me socorrer, engolfando o tétrico Anselmo em sua magnífica massa corporal. Lépida em sua gorditude, minha salvadora logo se escanchou num meia-nove por cima do ratapulgo, que jazia outra vez aplastado debaixo dela, e bem ao meu lado. Apoiada nos cotovelos e joelhos, a megafêmea mais uma vez regulava com perícia a carga depositada sobre o magriça, cuidando pra não esmagá-lo. As boas gordas sabem flutuar quando preciso, e aquela parecia uma pluma. O Anselmo tinha agora um cubucetão colado na cara. Do outro cotê do meia-nove a Big Loira se afainava em boquetear o rigatone do magriça, no que logo foi secundada pela gorda menor, que não parecia disposta a segurar vela pra ninguém. O rigatone parecia bem mais desenvolto agora, deixando-se ver com maior clareza em meio ao pentelhal hirsuto. O trocinho deve ter atingido aquele estado peniano enquanto lambia o meu buzanfã de la patrie, ao som da raga que o Ingo extraía da cítara — a raga do cu lambido.

Aliviado — ou melhor, alimachão —, voltei a me concentrar na bucetinha da Sossô e me reaqueço aqui desses calafrios cíclicos de saturação cocaínica só de recordar a cena. Meu pau continuava feliz em seu habitat preferido, e a Sossô, indiferente às minhas desventuras anais, não parava um segundo sequer de sugar o Melquíades que, a ponto de explodir, não gozava nunca, certamente deleitando-se, o safardana, com a fantasia de estar trepando comigo por intermédio da ninfeta-em-chefe do pedaço.

A certa altura, no entanto, o queixo quadrado do cara começou a tremer. As mãozorras dele, agoniadas de tesão, agarraram fartos punhados de tapete de cada lado do corpo. Íncubos de Angola, súcubos do Daomé, djins da Etiópia profunda o açulavam em espasmos violentos por dentro da armadura muscular. Sua cabeça descambava devagar para um lado até que um repuxão de pescoço a lançava com violência para o lado oposto. As crispações agônicas naquela carantonha torturada de prazer anunciavam o desenlace terminal. Viado ou não, o cara ia gozar na boca da Sossô. Me programei pra gozar junto à ré da mina, se possível primeiro que o Melquíades, ou seja, antes que a ninfetinha viesse a se afogar naquele mar de porra que em breve a inundaria.

Percebendo o aumento da tensão sexual em seus dois polos recheados de pica em estado bruto, Sossô entrou a dar uns chiliques de filha de santo que logo viraram um tremor arrítmico. Notei como ela crispava os dedinhos dos pés em espasmos cada vez mais curtos. Sentindo que todo mundo ali ia gozar em questão de segundos, agarrei de novo os peitinhos da menina. O par estava liberado agora. Ordenhei, sintonizei, amassei sem dó os mamilos duros — o do piercing também —, ao mesmo tempo que enterrava fundo a piça naquela manteiga. Foi a conta. Me descontrolei e desaguei-me todo na mina. Se eu tinha uma alma, ela vazou inteira pra dentro da Sossô naquela hora. Puta gozão, meu, verdadeira mijada sexual. Eu relinchava, garanhando a potrinha, o coração alucinado, a pica doida a se espojar en su porra dentro da MacXota feliz. Colado nas costas da garota, feito o esprit de lourdeur do Zaratustra, eu me achava a um passo de um óbito por orgasmo agudo.

Falando em óbito, não é improvável que eu venha a ter de pagar um aborto daqui a dois ou três meses, o décimo, acho, da minha longa carreira de fodedor descamisado. Penso nisso agora, como pensei ali na hora. Mas nem por isso cogitei em deter aquele batalhão de espermatozoides em marcha acelerada pra dentro de seu novo habitat. Xuxava cada vez mais fundo, carente que eu tava dum colinho do útero. O Melquíades entrou a soltar dós-de-peito de soprano asmática a intervalos cada vez mais curtos.

Sossô deu um corcoveio forte de repente. Eparrê, zin-fia! Alguma enormidade acontecia dentro dela. O ruído de deglutição difícil que lhe vinha da garganta e do esôfago não deixava margem a dúvidas. Era como se a garota se forçasse a ingurgitar duma só talagada uma jarra de dois litros de vitamina de abacate, banana, manga, mamão e creme de leite com aveia integral. *Glorgsh-glonfsglugh-glashblurg*. Foda, meu. Confesso que não saberia o que fazer se ela começasse a se afogar de verdade. Mas ela acabou desboqueteando o sorvetão pra liberar uma tosse convulsa que espalhou perdigoto-de-escroto pra todo lado. Até em mim, que estava atrás dela, voaram uns africaninhos abortados. Devia ter entrado porra à beça na tenra laringe da coitadinha, como era previsível. Eu sentia aquelas tossidas da Sossô no meu pau, numa sequência de duplas contrações, *cof-cof, cof-cof, cof-cof*. Nenhuma pompoarista profissional faria melhor. Só que ali, na maré vazante do tesão, aquelas compressões tornavam-se desnecessárias, e até um tanto incômodas. Resolvi tirar de uma só vez o negócio, o que provocou um longo flato de buceta molhada: *fblufrblufrbluf*.

Lá na frente, o vulcaralhão negro continuava projetando jorros intermináveis de lava espermática no ar e na própria Sossô ainda mal refeita do engasgo. Cara, peitos, barriga, coxas da mina se banhavam de seiva perolizada. Nem os maiores ejaculadores de cinema pornô que eu já vi em ação exibiram jamais tamanha exuberância espermática. Aquele filhadaputa devia ter uma terceira gônada escondida em algum lugar de sua vasta anatomia. Sossô, por sua vez, não largava o ejaculante troféu. Ela devia achar que o brinquedinho lhe pertencia agora por jus boqueteandi.

Depois de liberar alguns baldes de porra fresca, o bailarino sexual acabou se deixando reclinar vértebra a vértebra no tapete, ao som de uma escala descendente de cítara. Debruçada sobre o púbis do cara, Sossô tentava reanimar-lhe o pirocão lambrecado e jonjo com novas chupetadas. Um cavanhaque de esperma tinha se formado em seu queixinho mimoso. Eu assistia ao espetáculo ainda plantado de quatro no chão, pagando de bovino abestalhado no pasto a ruminar o pós-coito. Então me deitei. Então fechei os olhos. Então abri de novo os olhos. Então espiei de lado e vi o Anselmo se debatendo sob o 69 que a gordzilla continuava a lhe infligir. Do ângulo em que eu presenciava a cena, pareceu-me que a maluca tentava arrancar-lhe o rigatone às chupetadas antropófagas, ao mesmo tempo que sufocava o desgraçado com seu cubucetão. O infeliz forcejava por respirar, mas em vez de ar puro o que lhe vinha era buceta pentelhuda na boca e cu suado no nariz. Não tive pena do magrelo. Ele merecia aquele triste fim: sufocado até a morte por um rabão gordo no meio duma surubrâmane psicodélica.

Então, fechei os olhos. Quando abri de novo, vi que tinha uma buceta na minha cara. Uma senhora buceta. De quem é essa buceta?, foi o que me perguntei, em voz-pensamento. Por exclusão, vi que só podia ser da gordinha, que na outra ponta tentava reeguer meu pau mole.

Tão tá, me conformei. Dois meia-noves rolavam na tapetama agora, protagonizados por duas rotundas e succionantes amazonas a cavaleiro de seus relutantes garanhões, eu e o magrela.

Ipia-ê, ipia-ô.

Surubrâmane: um dia você vai se ver numa. Isso não é praga, é profecia.

Êta língua batalhadora, a da gordinha. Não me dava um segundo de trégua ao peru, saboreando em êxtase a langonha al sugo menstruale que o recobria. Senti uma fina torrente de saliva a me escorrer pelo pau até o saco, e daí até o cu. Era impressionante a quantidade de cuspe que minava daquela boca. Talvez as gordas salivem mais que as magras, pelo menos quando estão com tesão.

Bom, monami, devo dizer que o meu pau não se fez de rogado e tesou mais uma vez, por conta própria. Só que era aquele tipo de ereção automática que se instala no cacete por prazo indeterminado. Dava pra rebater bola de beisebol com aquele pau, ou hastear o pavilhão nacional nele, cantando o Virundu até o último verso. Havia muito mais sangue que desejo no bruto, o que o tornava menos sensível a flutuações emocionais. E tinha aquela buceta na minha cara. O cu da gordinha não dava pra ver, entocado nas profundezas insondáveis daquele bundão. Mas a xota tava ali, fididinha na medida certa. Procurei fazer por merecê-la, com umas chupadas e lambidas genéricas. Daí, já me sentindo à vontade naquele território felpudo por fora e musgoso por dentro, saí em demanda do santo grelo, ao mesmo tempo em que futucava o cu da gordinha com a ponta da napa, como é de praxe, tendo as narinas tamponadas pelo rego da parceirinha. Aquelas novíssimas reinações de narizinho me deixavam longos segundos sem ar, do mesmíssimo jeito que acontecia com o magrão ao meu lado. E era a muito custo que eu conseguia emergir daquele rabo pra respirar, como de um mergulho por apnéia. Com meu fôlego ridículo de fumante e junky sedentário, cheguei às portas da asfixia em vários momentos. Pior é que a minha implacável boqueteira confundia meu alvoroço apneico com excitação sexual e se esmerava na deglutição caralhal e nas cubucetadas contra a minha fisionomia, achando que eu ia gozar a qualquer momento, ou algo assim.

Num dos raros momentos de trégua naquela rotina sufocante, vislumbrei a Sossô montada sobre o bailarino ainda prostrado no chão, tentando empalar-se na buceta com a pica borrachuda do cara. Reclinada sobre o vasto tronco negro, Sossô espremia na boca do parceiro um beijo galado, fazendo o desgraçado provar de seu próprio veneno. Eu não podia ter melhor ângulo para apreciar a cena, já que a ninfa estava de rabo voltado pro meu lado direito, a exibir a natural elasticidade daquela vagina apertadinha de onde eu mal tinha acabado de sair, e já tão dedicada a acolher até a metade o magno mangalho torto, cada vez mais intumescido, aliás, e mais não acolhia por mais não caber dentro dela. A metade que coube, porém, não teve dificuldade em levar a cabo duro e reluzente a sua missão.

Que diabo de homossexual é esse que se deixa boquetear por mulher e condescende em foder-lhe a buceta logo em seguida? — pensei vendo aquilo. Já não se fazem viados como outrora, dona Aurora. Achei, em todo caso, certa beleza plástica na cena: um mastruço negro entrando fogoso pelas alvas interbreubas da sinhazinha europeia. Era bonito de ver. Sossô parecia um cavalinho de carrossel subindo e descendo na barra vertical. De minha parte, achei melhor deitar — eu já estava deitado — e rolar, o que era impossível no momento, com aquelas arrobas femininas por cima de mim. Enfim, in suruba veritas, já diziam os antigos romanos, dentro e fora de suas túnicas.

Mas eu tinha pouco tempo para apreciar aquela maravilha da natureza, pois era logo embucetado de novo pela gordinha. Chupando meu pau sem descanso, ela tinha a manha simultânea de caçar minha boca e meu nariz com a buça e o rêgo, encaixando tudo no devido lugar, exímia bilboqueteira. Não fosse a falta de ar, seria um belo banquete sexual, aquele. Acabei desistindo de procurar seu clitóris lá nos refolhos da nédia flor. (Ah, maldita metáfora floral, pegaste--me!) Mas devo ter passado perto várias vezes, pois a gordola não economizava nos gemidos a cada linguada que eu lhe proporcionava na vulva e arredores.

Uma hora lá, foi inevitável: senti a clássica correição de microprazeres feito formiguinhas a me subir da terra-de-ninguém, entre o saco e o cu, pra ponta do cacete, em marcha acelerada. Era outra gozada que se avizinhava. Minha impressão é de que a gente nasce com um estoque fixo de gozadas pra gastar ao longo da vida, do mesmo jeito que as mulheres trazem de berço um número contado de óvulos nos ovários. A maior parte dos homens morre sem ter gasto nem metade da munição gozosa a que tem direito. Bem ou mal, esse não vai ser o meu caso, posso te garantir. Vou gozar até o último item em estoque. Meu organismo demanda o gozo 24 horas por dia, e até falando, lendo, trabalhando ou mesmo dormindo eu quero gozar de algum jeito. De modo que nem me passou pela cabeça segurar o orgasmão que já borbulhava nas internas do meu ventre livre. Esguichei logo o que ainda me restava de esperma na língua batalhadora da gordinha, que engoliu tudo direitinho. Nem devia ser muito àquela altura, o que acaba de me inspirar mais um haicai vagabundérrimo, mas irrefreável:

> vô te contá, rapaz,
> do que é capaz
> uma gorda voraz

A gordinha, que eu não sabia se tinha ou não gozado junto comigo, acabou me liberando pra ir se dedicar a sei lá que outra bisonha empreitada, pois não vi pra onde ela foi. Talvez quisesse digerir meu esperma sentada quietinha num canto recuado do petit pagode. Quanto a mim, fiquei ali mesmo onde estava, de costas no tapete, esperando os ponteiros do meu metabolismo saírem do vermelho, olhos fechados de verdade agora, boca e napa saturadas de feromônios à putanhesca. No meu pau molhado de cuspe um suave latejamento era a única sequela sensível daquele longo ciclo de bagadagadogagem explícita. Senti com a mão que o maledeto não tinha arrefecido por completo. Não havia a menor dúvida de que o chá da Samayana continha algum afrodisíaco brabo. Não fosse a outra gorda vir se animar pro meu lado, temi. Nem conseguia mais abrir os olhos pra ver a Sossô sovertendo o sorvetão do bailarino pela xaninha adentro. Só ouvia, além dos gemidos em dueto erótico dos dois, a cítara persistente do

Ingo. Do meia-nove da Big Loira com o Anselmo não me chegava mais ruído algum. Torci pro magriça ter morrido por asfixia debaixo da big bacante. Fui me deixando afundar numa paz física seguida de um sono plano ao qual me entreguei sem resistência, alheio aos eventos do porão das mil e uma fodas zebuínas.

# <13>

Não tenho ideia de quanto tempo permaneci afundado naquela soneca pós-surúbica, dando um merecido sossego pro biscoitão e pras rimas e trocadalhos atrozes. Sei que, a certa altura, uma sensação remota no baixo-ventre me arrancou à losna profunda. Que merda é essa?! Foi mais ou menos o que eu devo ter-me perguntado, temendo pela resposta. Abri os olhos e vi o teto de panôs abaulados. Não estava acontecendo nada ali. Quando ergui a cabeça constatei que o meu pau tinindo de duro estava sendo degustado pelas línguas e lábios das duas gordas apoiadas nos cotovelos, uma de cada lado dos meus quadris, de bruços as duas. (Esse take, num plongê radical, vai ficar fudidão no meu filme: o cara deitado, nu, de pau duro, as duas línguas em frenética atividade, as massas nuas e brancas das gordas, cada qual prum lado, na perpendicular do corpo do herói prostrado, seus bundões arredondando a penumbra.) As meninonas se esbaldavam com o meu boneco, brincavam de joão-bobo com ele, lambiam e chupavam à vontade, sem evitar colisões beijoqueiras entre suas bocas no topo da minha glande. Nada disso era em si estranho numa suruba — inda mais numa surubrâmane —, exceto que eu mal sentia o contato daquelas línguas chupinteiras no meu pau, que parecia anestesiado ou encapado (capado?) por uma película de resina plástica.

Há quanto tempo a coisa estava daquele jeito, é o que eu queria saber. Uma hora, talvez. Meia. Difícil dizer. Ter um pau duro e insensível era uma experiência única na minha vida. Esquisita também. Inquietante, eu diria. Alguma merda tinha acontecido com o meu pau, ou com as gordas, que vai saber se não tinham desenvolvido uma saliva com propriedades anestesiantes, devido ao chá xonado da Samayana ou alguma doideira do gênero. Encanei que a minha visão adquiria superpoderes radiográficos me permitindo assistir a uma necrose em andamento nos canais cavernosos do pinto, recheado agora de sangue coagulado. Um chouriço, é o que tinha virado o meu pau, um torpe torpedo entorpecido por causa do longo período de uma ereção estimulada por aquele chá ayurvédico de viagrão silvestre do Vale do Pranshakur. Eu tinha lido em algum lugar sobre esse tipo de acidente urológico-vascular, e encanei que corria o sério risco de ter o nobre chouriço decepado logo mais por um urologista de convênio. As gordas estavam só preparando meu pau para a pintoctomia que logo se seguiria àquela chupança.

Nóia nóia nóia! Isso é nóia pura — eu tentava me convencer. Meu pau não estava, não podia estar necrosado porra nenhuma. Tudo que eu precisava era me arrancar daquela alucinação barata de bad trip. As gordas pelo menos se excediam em realidade. Eram duas vezes mais reais que qualquer um de nós ali.

Caralho, conjecturei com meu caralho delambido. Era chegada a hora de encerrar o expediente. Eu tava bem de sexo e sacanagem por um bom tempo. Aquela ereção não tinha nenhum sentido. Era um paudurismo assexuado, tesão a frio, independente da minha vontade e mais ainda do meu desejo, nulo agora sob a luminosidade baixíssima fornecida apenas pelas chamas dos círios minguantes. Uma voz na minha cabeça dizia: "Os círios estão à míngua de óleo". Deixei a cabeça tombar pra trás de novo, fechei os olhos outra vez, e fiquei observando minha cabeça ruminar essa mesma frase: *Os círios estão à míngua de óleo*. Achei a frase de uma beleza poética e de uma profundidade quase religiosa, principalmente a parte que dizia *à míngua de óleo*, fórmula que foi se desdobrando em *à mingua de olho... a língua do olho... a olhíngua da minólea... a lingólea do minolho...* e assim por diante, desdobrando-se numa sequência de combinações que expandiam ao infinito o sentido transcendente da frase, em contraponto com a música da cítara que entrava agora em modo aleatório radical, ou assim me parecia, com absoluta ausência de ritmo e harmonia, como uma fumaça sonora soprada por brisas contraditórias. Ao mesmo tempo, tive a impressão de que alguém trepava ou passava mal atrás de mim, gemendo e arfando de um jeito que me soou pouco saudável. Minha língua desidratada sonhava com cervejas quiméricas. Constelações de estrelas nasciam e morriam através dos milênios que passavam em fast-motion nos panôs pendurados no teto, enquanto o biboquete das gordas prosseguia voluptuoso e cusparento no meu chourição necrosado.

Tentei erguer o tronco usando o cotovelo de macaco hidráulico. Consegui divisar na semiobscuridade uma cena inédita a um braço de distância do meu ponto de observação: a Samayana — yes!, a vestal esvanecida — tinha retornado ao teatro de operações nuinha da silva pra se atracar com — adivinha com quem? Sossô, claro, quem mais? As duas se entrelaçavam com todos os membros e apêndices disponíveis, pernas, braços, línguas, fundidas uma na outra, as xanas se roçando em aflitiva delícia. Isso à minha direita, e um pouco atrás de mim. À minha esquerda um vulto negro do tamanho de uma cordilheira noturna se alongava inerte de bruços no tapete, seus glúteos protuberando na paisagem. Era o Melquíades, exaurido. A doidinha da Sossô, leitora de Sade e Guimarães Rosa, aspirante a tiete de Jim Morrison e Cesário Verde e backing-vocalista dos revolucionários Garajetsons tinha dado cabo do cabo dele, antes de atacar aos aranhaços a nossa divina mestra. Vai ser eclética assim na casa do caralho, pensei. Ou da buceta.

E o lazarento do magrelo? No meu campo de visão não estava mais. Cheguei a considerar a hipótese do infeliz ter sido canibalizado pelas duas gordas enquanto eu dormia. Elas podiam muito bem ter escondido os ossos, cabelos e unhas do cara dentro da ânfora, sendo que os tapetes bordôs e vermelhos eram o perfeito mata-borrão pro sangue dele. Vi, aliás, marcas de sangue fresco na boca da máxi e da minigorda, ou pelo menos achei que podia ser sangue aquilo. Quer dizer, se não era só batom borrado na boca daquelas ursas peladas eu tava fudido, conjecturei, pois isso significava que seria o próximo da fila antropofágica.

Voltei a enquadrar a Wyrna embolada com a Sossô do outro lado. Ambilívebou, pensei, semipasmo, na língua do bardo de Stratford-upon-Avon. Te juro que até dei uma cartunesca sacudida de cabeça tentando realinhar os neurônios pra entender a mais nova gestalt surubrâmane que se desenhava no petit pagode: a mestra e a discípula colando um velcro retado.

"Puta que me pariu", deixei escapar.

A gordona, se não foi a gordinha, tirou o meu pau da boca pra me perguntar:

"Quê?"

Não me dei o trabalho de responder, mesmerizado pela visão das beldades máximas da surubrâmane se engalfinhando a poucos palmos de distância da minha rechupada piroca. Sossô revelava um talento nato pra coisa, pra qualquer coisa, na verdade, enquanto a Samayana se valia de braços e pernas sobressalentes emprestados a Shiva para polvoar a guria por todos os lados. Tudo muito lindo e excitante, excetuando um pequeno mas gritante detalhe. É que, mesmo naquela obscuridade, eu podia ver uma nítida marca de biquíni na bunda da papisa bhagadhagadhoga — belíssima bunda, aliás, dois queijos esféricos descascados grudadinhos um no outro. Pode ser conservadorismo da minha parte, mas achei estranho uma guia espiritual ter marcas de biquíni no corpo. Mesmo uma guia espiritual de seita secreta que incluía nudismo coletivo, Zebuh de pau duro, chá-pante e suruba ritual. Eu podia imaginar aquela mulher pelada ao relento num dia de sol no meio da natureza selvagem, num rio, numa praia deserta, no alto de uma montanha. Mas não de biquíni, óculos escuros de grife, corpo reluzindo de bronzeador, panamá de aba mole com lenço chique amarrado na copa do chapéu, fazendo uma social na praia ou piscina. Aos meus olhos, isso reduzia bastante a divindade da diva morena.

Daí, bitchô, seguindo a escrita do que parecia ser um rito recorrente e compulsório da surubrâmane, aquele roça-xana logo evoluiu para um meia-nove giroscópico-acrobático, com as posições de cada uma mudando o tempo todo, sempre em torno do tema oral-genital. A certa altura, dei foco em outro detalhe anatômico da boddhisatva--em-ação que roubou por completo minha atenção: seu ânus, voltado para mim, exibia uma dilatação do tamanho de uma moeda de um real. *Caralho...* — sussurrei. E completei em silêncio: *Que puta cu arregaçado!* Imaginei que só os iogues graduados nas mais altas kamassutragens é que logram tal proeza esfincteriana, bem como algumas atrizes pornô sob efeito de um relaxante muscular depois de passar uma tarde inteira sendo sodomizadas por cacetudos diante de uma pornocâmera. Se esticasse bem o braço e o dedo, conseguiria futucar aquele cu. Tive o impulso de fazer isso mesmo, mas me controlei. Toda suruba tem seu protocolo particular, e eu não sabia se o roscofe samayânico estava liberado para futucâncias em geral por parte do baixo clero, nem o quanto aquela exibição era deliberada ou só um acidente de percurso no meia-nove in progress das mina. Não dava para avaliar as exatas intenções da divina mestra, já que eu não podia ver a cara dela, só a trança jorrando de sua cabeça.

Tive na hora um insight trocadilhesco: aquele devia ser o ponto *cuminante* do meu teste para o cargo de videasta oficial da seita ZB. Era o que me sinalizava o destino, como diria o Ingo, sob a forma de um cu dadivoso. Eu intuía ali a missão encomendada pelo gran Zebuh papa-cuh. O chamado contranatura da natureza. Era pra esse fim, e não outro, que as gordas tinham feito o trabalho reanimatório preliminar na minha piroca, deixando-a mais uma vez em estado operacional. Quase no mesmo instante alumbrador desse insight, senti que meu pau readquiria a sensibilidade ao toque.

Gotta dance!, exultaria Gene Kelly no meu lugar. "Vai trabalhá, hein, vagabundo?", galhofaria Hugo Carvana falando com seu próprio pau dentro da calça às vésperas de comer a empregada gostosa naquele puta filme dele, de 74.

Só que as boqueteiras se excediam em abnegação bucal e não queriam saber de liberar o instrumento do destino, me expondo ao sério risco, agora que me voltava o tesão, de acabar na boca das gordas. Tentei erguer mais meu tronco e levar a mão ao pau, pra defender o garoto do afã de suas fãs, mas a Big Loira esticou o seu longo e potente bração, o mesmo que tinha impedido a ânfora de cair quando entrei ali, e desferiu uma violenta espalmada no meu peito, dando comigo de costas no tapetão.

Mas que porra tava acontecendo ali? Aquelas gordas não tinham lido o script, caralho, não sabiam que era o momento de sartá fora me liberando pra eu ir ter com o bhagadhaghacuh da mestra? Conversar sobre isso com elas estava fora de questão, já que eu teria de me valer de outro sistema de signos que não o verbal. Eu tinha era que agir. Um cu não permanece oferecido e lasseado daquele jeito por muito tempo. A hora era agora. Tentei mais uma vez erguer o tronco. De novo fui subjugado pela gordona.

Enquanto pensava no que fazer, e já me espremendo pra não gozar, vi, do meu outro lado, o Anselmo se acercar rastejante e reptilianio da bunda do Melquíades que ainda jazia de bruços. Já chegou de língua nas internas dos rotundos glúteos negros. O bailarino soltou um "*Ohh...!*" em falsete, expressando surpresa e aprovação. Sabe-se lá se não terá expressado também uma bufa na cara do magrelo. A coisa ali ia longe. Nenhum dos dois viria em meu socorro pra me livrar daquele duplo felassédio de que eu era a vítima indefesa.

Pra piorar tudo, o divino cu já não estava mais à vista, engolfado pelas geometrias sexuais refratárias a descrições euclidianas que sua dona, em parceria com o versátil brotinho, ia compondo ao sabor dos sabores que uma frufruía no corpo da outra. Era a bundinha da Sossô que assumia o procênio agora, tendo a bucetinha sorvida pela mestra linguaruda. O fiofó da guria também se oferecia ao meu olhar atento, embora róseo e fechadinho como veio ao mundo.

De qualquer maneira, a questão ali era: e o ânus da mestra? Onde estava, que não respondia? Em que canto se escondia?

Atendendo aos meus apelos telepáticos, e depois de nova circunvolução aleatória daquele ser bicéfalo, bixotal e autofornicante, lá estava ele de novo sorrindo em sua exuberante redondez pra mim. Até que, pronto, sumiu de novo, pra reaparecer menos de um minuto depois. Essa rotina do cu sumir e ressurgir se repetiu algumas vezes, na levada dinâmica do meia-nove. Abaixo do cu, ou acima, dependendo da posição da Samayana, uma buceta guedelhuda dava um trabalho danado à língua multiuso da Sossô. Eu preferia mil vezes comparecer naquela racha molhada a encarar um reto em sabe-se lá que condições interiores. Mas, cara, o alargamento anormal daquele cu era uma intimação à enrabada. Eu tinha que ir lá e tirar aquilo a limpo. Ou botar a limpo e tirar a sujo, como era provável.

Quando no meio daquele contorcionismo todo a Samayana se aprumou por cima da Sossô, de joelhos fincados no tapete e um cu mais aberto que nunca virado pra mim, meu paudurismo esbarrou no teto, pelo menos do meu ponto de vista, fato que não passou despercebido às gordas. Alvoroçadas, elas aumentaram o ritmo das paletadas linguais, julgando-se as causadoras e naturais beneficiárias do fenômeno. Não demorou muito, a Big Loira, oportunista que só ela, afastou a colega e montou sobre mim, encaixando o negócio debaixo dela. Vi em desespero meu pau sendo assimilado pela munificência daquelas carnes pentelhudas. Voltei-me aflito pro toió da mestra, como a pedir-lhe inspiração naquele transe. Meu futuro estava lá dentro daquele orifício mágico. Eu precisava ir ter com ele o mais rápido — e o mais duro — possível. E era patente o quanto o orifício mágico também ansiava pela minha presença dentro dele.

Mas o que fazer com aqueles presumíveis 140 quilos de mulher que me pesavam sobre o ventre a deglutir minha sonda intrafodal. (Putz, *sonda intrafodal* é dessas pérolas que a gente devia levar em silêncio pra tumba, mas agora já foi.) Completando o quadro da minha desgraça, a gordinha também resolveu montar em mim, de bunda na minha cara outra vez e de frente pra Big Loira. Tentei resistir, sem nenhum sucesso. Feito gangorra sexual, me vi duplamente embucetado nas duas extremidades, pau e boca. E eis que as duas se engalfinharam aos beijos e peitadas. A gordinha empinava a bundona, insinuando que eu, já íntimo do terreno, caprichasse mais uma vez nas devoções linguais aos seus países baixos. A batalha parecia perdida. Em vez do ânus promissor da Samayana, que me renderia frutos profissionais e dionisíacos desfrutes sexuais, cabia-me estocar e lamber os bucetões duma gordona e duma gordinha. Ô destino filho da puta, reclamei pros céus.

Foi aí que divisei, em meio à desesperança, uma repentina possibilidade de libertação. Agarrei a bunda empinada da gordinha, arregacei-lhe as nádegas, como se pretendesse cair de língua ali e, ao senti-la relaxada e receptiva, empurrei-a pra frente. Ela se desequilibrou e foi com tudo pra cima da gordona, que, pega de surpresa, também perdeu sustentação e tombou de costas, abraçada à parceira. Pronto: meu pau tava solto e livre como um sabiá fora da gaiola. As duas rolaram pelo chão, aos gritinhos e gargalhadas, enquanto, de joelhos, contrito penitente, fui sem delongas ter com o cu da divina mestra.

Já cheguei agarrando com firmeza as nádegas morenas recortadas pelo triângulo branco do biquíni. Foi quando me deparei com uma questão de ordem técnica: minha boca seca continuava sem cuspe suficiente pra lambrecar aquela rosca arregalada. Só me saía da boca o maldito algodão peguento, mais pra cola-tudo que pra gel lubrificante. Eu tinha que trabalhar rápido ali. Não dá pra hesitar muito nesses misteres sodômicos. É chegá e carcá logo, pra não perder o momento cu.

Eis que ninguém menos que a intrépida Big Loira, reconhecendo meu drama e superando qualquer possível ressentimento pela minha fuga sexual de seus vastos domínios, acorreu em meu auxílio, alternando-se entre chupadas ricas de saliva no meu pau e uma tremenda cusparada hidratante no anel de couro da nossa mentora, a qual seguia se fartando no sexo abundante de porras variadas da Sossô, no outro hemisfério do 69 particular delas. Parte da saliva da gorda depositada no rabo da Samayana escorreu-lhe pelo períneo e pingou sobre um olho da ninfeta, que ali embaixo fazia sua parte na mútua rechupança. Sossô piscava, aflita com aquele colírio visgoso que lhe banhava a córnea.

Aí, pau e cu no ponto, resolvi dispensar a dedada preambular com que todo cavalheiro deve regalar o ânus que está prestes a expugnar, e emboquei direto o cabeção na arruela. Nem precisei forçar muito. O troço entrou fácil demais, até pouco mais da metade. Sorri maravilhado. Nunca meu pau tinha sido acolhido com tanta facilidade por um cu. Com mais uma carcadinha, eu já entalava até o cabo dentro dele. Aquilo não era normal. Mesmo com todo o cusparéu da santa gorda de misericórdia, aquele cu tava lubrificado demais da conta. Não era possível uma coisa daquelas. A Samayana devia ter atochado no rabo algum tipo de gel ou creme no tempo em que esteve fora do ar, foi o que deduzi. O fato é que o hiperlubrificado cu me oferecia suavíssimo trânsito. De brinde, ganhei umas lambidas no saco prodigalizadas pela Sossô que tinha agora as minhas bolas roçando a sua carinha molhada do cuspe da Big Loira.

Tudo teria se passado na maior maciota pra mim se a gordona não tivesse tido a infeliz ideia de espetar-me o cu — sim, o meu desprotegido fiofó — com um dedo, que supus fosse o médio, embora de médio não tivesse nada. Era um puta dedo grosso e comprido, pelo que puderam avaliar com supremo desconforto meus mais atilados sensores anais. O que eu podia fazer ali? Desentubar a Samayana pra tentar me desvencilhar do dedo que me enrabava sem dó nem piedade? Isso é que não, de jeito nenhum. Tive que ir suportando, me adaptando, relaxando, e até, no limite, tentando curtir aquela intromissão, fazer o quê?

O complicado da coisa toda é que, ao dar as primeiras bombadinhas no rabo samayânico, num suave vai e vem, eu tinha que fazer a minha bunda ir e vir também, autofutucando-me no dedo da gorda. Vi com o rabo do olho — porra, até olho tem rabo, caralho — que a gordona se masturbava enquanto me fustigava o botão. Ao nosso lado, sentada sobre os calcanhares, a gordinha a tudo assistia se aplicando ela também uma caprichada siririca. Não contente, ainda teve a ideia de ir se postar à ré da colega pra cair-lhe de língua no megarrabo, o que pude apenas vislumbrar de relance.

Decididamente, aquele dedo no meu cu não estava no roteiro. Mas suruba é isso mesmo. Não há como evitar tais acidentes de percurso. Só mesmo o cabra vindo com uma rolha de champanhe enfiada na toba pra evitar que se lhe atochem algo lá dentro — além da rolha, claro.

Foda é que aquela porra de dedo no cu começou a me dar uma puta duma caganeira, como, suponho, não diria Madame de Sévigné. Mas, desconfiando que merda fresca não ia combinar muito com a intensa espiritualidade sensorial que praticávamos à larga e à solta naquele pornoclaustro, fiz o impossível pra me segurar.

A horas tantas, com a vontade de cagar já sob relativo controle, senti mais um gozo se aproximando. Tomei, pois, a liberdade e gozei bem no fundo daquele buzanfã amigo, deixando lá quanta porra eu ainda tinha de reserva. E sabe que na hora da gozada até que não é tão ruim assim ter um dedo enfiado no cu? Ajuda a relaxar o esfíncter, a próstata e toda a musculatura lisa envolvida na fisiologia do orgasmo, como diria o saudoso dr. Reich.

Gozo gozado, ansiei por ter meu cuzinho livre de intrusões digitais. Pensei até em virar uma gentil cotovelada na cara da gorda pra ela se tocar disso, mas a fofa se antecipou e foi puxando o dedo pra fora, o que me provocou outra vez um perigosíssimo peristaltismo. Tive de empreender outro esforço hercúleo — e bota cúleo nisso — pra travar a rosca e não liberar o almirante barroso que ansiava por vir à luz, mesmo sem ter muita luminosidade disponível naquele porão.

Eu já estava pensando também em desentubar o rabo da Samayana quando ouço em algum lugar atrás de mim o som de uma intensa chupação. Quem estava sugando o quê por ali, e com tanto gosto? É o que meus ouvidos se perguntavam, com o súbito pressentimento de obter uma resposta desagradável. A Sossô ainda tinha a sua genitália mamada pela Samayana, e vice-versa, mas não provinha daquelas cabritas engalfinhadas o resfolegante chupa-chupa. Melquíades, por sua vez, de barriga pra cima agora, deixava-se lamber na coluna peniana pelo infatigável Anselmo, a língua mais rápida do oeste, pelo visto já saciada de chupar rabos. Mas era um boquete silencioso, aquele, ao qual seu beneficiário reagia apenas com uma respiração mais acelerada. Só mesmo ao torcer ao máximo dos máximos a cabeça para trás, tentando imitar a garota possuída pelo demônio do "Exorcista", é que pude flagrar a Big Loira sorvendo com insana volúpia o próprio dedo — o mesmo que tinha acabado de explorar o segmento final do meu intestino!

Porra, amice, quase dei um vomitão no tapete, mora. A gorda coprófaga riu na minha cara. Que puta mulher absurda! Não viesse depois me pedir beijos com aquela boca de latrina.

Controlado o mal-estar, me pus a conjecturar se a mestra já tinha tido seu divino clímax ou se estava em estado de gozo permanente naquele meia-nove suástico dela com a Sossô. Não ousei lhe perguntar nada, claro, até porque um urro falou mais alto naquela câmara de suplícios gozosos. Olhei na direção do som apavorante e vi que o Melquíades se dedicava agora a enterrar sua legendária tora no cu do magrelo, que acatava a doação de quatro no tapete. Depois do urro inicial, o magriça seguiu ganindo feito uma perra atropelada. Se quiser não acredite, mas uma hora lá julguei ter ouvido um estalar de ossos. Devia ser sobre-humana a pressão lá por dentro do frágil esqueleto do cara. Aquele cu jamais seria o mesmo, garanto. Talvez nem conseguisse mais reter o barro, obrigando o infeliz a andar de fraldão geriátrico pelo resto da vida.

Melquíades não queria nem saber, oscilando entre enfiar um pouquinho mais o êmbolo implacável e tirar outro pouquinho, sempre com um saldo positivo pra enfiança. A chapeleta intrusora já devia estar cutucando o esôfago do Anselmo. Eu só estava vendo a hora que a coisa ia lhe sair pela boca. De fato, não sei como não saiu.

Noutra coisa reparei: quadrúpede e atrolhado como estava, o cara trazia agora o rigatone rijo e visível como nunca dantes. Via-se que não era, afinal, tão mínimo o negocinho dele, quando estimulado da maneira correta, ou seja, à ré e por dentro. Mas, de que lhe servia um pau duro, ali, de quatro, tomando ferro na rabeta?

Aquende! — como diria a inolvidável Lolla Bertoludzy.

Aos poucos a gemeção do enrabado foi mudando de tom até expressar o que me soou como um prazer selvagem, um êxtase animal. E eis que o bostinha se pôs a esporrar com abundância no tapete, num longo *A-A-A-AHRHRHRH!!!* de bocarra escancarada.

Isso tudo vai ficar do grande caralho no meu filme. Porra, se não vai. As plateias dos cinemas de shopping sairão encantadas da sala, e não terão outro assunto durante o chope, a pizza ou o sushi pós--cinematográfico.

Quando por fim desentoquei meu pau já flácido do bozó da mestra, ela me jogou um olhar sobre o ombro e sorriu, e eu sorri pra ela, e nem sinal de bosta no meu pau.

Melquíades soltava agora seus guinchos sopraninos metendo até o talo o chuço no cu do magrelo. Tava gozando largado lá dentro, ele também, inundando o cólon de sua presa com alguns litros de porra dançarina. As gordas assistiam à cena sentadas no chão, a inha no colo da ona, compondo uma tocante Pietá lésbica. Que não viessem de novo com ideias pra cima de mim, aquelas malucas, foi o que implorei ao Zebuh cósmico. Aquela surubrâmane tinha acabado comigo. Tinha sobrado até pro meu roscofe, veja você. Me larguei outra vez de costas no chão, de modo a não deixar a bunda exposta às sanhas inomináveis que pululavam no ambiente. A partir daí, no embalo coleante das notas trêmulas da cítara, fui caindo em mais um transe hipnótico que não se confundia com o apagão de um sono reparador. Era mais um estado semialucinatório com seu teatro de vísceras, vermes e víboras em visgosa agonia, mais toda a galeria de terrores arquetípicos que costumam povoar a última perna de uma viagem de ácido.

Ainda consigo me lembrar de alguns desses esquetes mentais pesadelescos. Num deles, a Wyrna Samayana, ainda nua, me aparecia portando uma adaga dourada entre os dentes, como no cartaz do lobby. Aproximando-se de mim num lento rebolado, ela sacava de repente a adaga da boca pra decepar-me a mandioca dura num golpe certeiro — *slosh*. Meu púbis vazio virava um sprinkler de jardim esguichando sangue pra todo lado. Aquilo era puro Zé do Caixão e George Romero em seus melhores momentos. E o mais estranho é que nada me parecia estranho. Sentia já ter passado por semelhante provação num passado profundo do qual só me haviam ficado latejamentos de antigas cerimônias de castração.

Ao abrir de novo os olhos, levei a mão ao pau e constatei que o artefato ainda estava no devido lugar, só um pouco ralado das façanhas recentes. Porra, amice, aquele chá da Wyrna era um perigo. E o ácido do Ingo não menos. E a combinação dos dois, puta merda, sai de baixo. As alucinações não me davam trégua. O Ingo, por exemplo, levitava junto com a cítara. Aquela bola do saco dele vazando pelo descosturado da calça parecia um badalo de sino pairando sobre as nossas cabeças. Todo mundo erguia olhares de sereno deslumbre pro Ingo e seu testículo pingente, como se o nosso citarista fosse a encarnação de algum antiquíssimo deus sacroescrotal. Outras imagens que me ficaram na cabeça talvez nem fossem alucinações. Tenho, por exemplo, uns flashes do Anselmo enrabando o Melquíades — o galgo anoréxico dando o troco no fila negro. Acho que rolou mesmo a vingança do rigatone. Que se fodam, em todo caso, aqueles dois. A partir de certo ponto, porém, minha memória começa a derrapar numas poças de confusão visual e sentimentos desencontrados.

Dando um fast forward na narrativa, confesso que não sei direito como foi que saí daquele porão e vim parar aqui na produtora. Tudo o que vejo é um borrão de imagens estilhaçadas e superpostas: eu lavando a cara num banheiro desconhecido e vendo minhas feições se derreterem no espelho sobre a pia, por exemplo. Vislumbro também garrafas de cervejas sobre uma mesa de metal sem toalha num boteco furreco, talvez nas imediações do cemitério, pois me lembro de jogar a cabeça pra trás, ao matar um último gole de cerveja num copo americano, e topar, ao fundo, atrás de uma intricada fiação aérea, com a cabeça de um reluzente anjo de bronze recortado contra um céu neon-noturno. Tenho pra mim que o Ingo e a Sossô estavam comigo nessa mesa, mas não retenho deles nada além de fiapos de vozes contrapondo-se ao som de uma tevê, buzinas e motores ao longe, clangor de vidros e metais, uma cantoria indistinta no rádio, restos de ecos de rumores distantes.

Na sequência, dou por mim peladão no sofá do meu bureau-dormitório. Em alguns desses lampejos retroativos, Sossô está comigo, minha língua passeando pelas lisas escamas coloridas do dragão tatuado em suas costas. Em outro, damos o beijo que não tínhamos trocado durante toda a surubrâmane. Onírico ou real, o beijo da Sossô me ficou impresso na boca da memória.

Beijo é foda. Uma vez, mandei um casal de fornicadores profissionais se beijar numa cena pornô que eu rodava pro Silas. Tava tudo muito pau, cu, buceta o tempo todo, achei legal dar uma variada. O cara e a mina foram contra o beijo, argumentando que aquilo não tinha nada a ver com sacanagem, e que nunca tinham beijado ninguém num pornô, e o caralho. Mas bati o pé e eles tiveram que se beijar. Ficou uma merda de beijo. Tão merda que eu cortei na edição. Deixei só mesmo o sexo intumecido e arreganhado de praxe. De fato, ninguém pega vídeo pornô na locadora a fim de ver sacanagem explícita sendo sublimada pelo signo máximo do amor romântico. E mais: beijo está sempre associado a algum tipo de história. E no pornô não rola enredo, lógica narrativa, diálogos, nada disso — não em pornô brasileiro, pelo menos. Primeiro, que os ilustres fornicadores são tão atores e atrizes quanto eu acrobata olímpico. E nem adianta mandar os caras dizerem um simples "Oi" que fode tudo. O distinto público dos pornôs não suporta nem quinze segundos de ação sem um pau entrando em algum orifício humano com uma profusão de gemidos no áudio. A boca só entra na dança se colada a um órgão genital ou paragenital.

Enfim, entrego a questão às musas do Parnaso: trepei ou não trepei com a Sossô aqui, ontem à noite? Eis a questão. E o curioso — ou o aterrorizante, se quiser — é que essa dúvida se liga a outra, de caráter alucinatório: fui ou não fui castrado pela Wyrna Samayana lá no templo bhagadhagadhoga? Ok, meu pau está onde sempre esteve, mas me refiro a essa outra dimensão mítica onde posso muito bem ter tido meu pau decepado pela adaga ritual da mestra e, apesar disso, ter vindo pra cá e trepado com a Sossô. Faço-me entender? Imagino que não. Em todo caso, quase posso ouvir meu diálogo com a Sossô nessa segunda realidade em que me vejo e me sinto castrado:

"Sossô, não posso estar aqui trepando com você."

"Claro que pode. Vai, meu, faz mais forte. Faz, faz, faz..."

"Não dá, Sossô. Meu pau ficou lá no templo do divino Zebuh! Foi decepado pela divina mestra do cu arregalado! Você não viu?"

Sossô resfolega, potranquinha no cio, me aperta com suas coxas de clubber fervedora e se entrega a um pau que julgo ausente — um ex-pau que, no entanto, está ali dentro dela, duro e atuante.

"Calma aí", tenta me tranquilizar a divina Lolita. "Eu peguei o seu pau pra você."

"Pegou?! Cadê?"

"Aqui, dentro de mim."

"Mas como é possível, se eu fui castrado pela divina mestra?!"

"Fala menos e fode mais, tio", exorta a Sossô, ignorando minha aflição.

Faço o que ela manda, como um eunuco paradoxal, fodendo aquela jovem xota com um velho pau que não é mais meu — é delas agora, da Sossô, da Wyrna, das gordas, de qualquer buceta que me aparecer pela frente.

# <14>

Porra, depois de inaugurar um charo 0 km que acabo de enrolar, de aspirar uma carreirinha que me subiu primorosa pra cumeeira e de afogar a cara na pia pra reanimar o defunto, começo a achar que, com pau ou sem pau, eu trepei de fato com a Sossô na volta da surubrâmane. Pode ser encanação minha, mas ainda sinto uns ferofodomônios sossonianos no ar, em meio à fumaça do Marlboro, do beque e aos miasmas da Zona Norte que pegam carona no vento noroeste e sobem aqui pra Higienópolis, nobre reduto das velhotas de cabelo azul e cachorrinho enfezado saído do banho & tosa. Em todo caso, tendo ou não comido a Sossô aqui na noite de ontem, tenho agora que dar conta de um monte de salsicha, salame e linguiça de frango à minha espera no computador. Vamo lá, baby, é só tirar dessa cabeça zoada uma ideia *criativa e matadora*, como diz o Zuba. Que custa? Nada, não custa nada. Mas também não ajuda muito lembrar que essa é a melhor hora pra dar uma chegadinha lá no Bitch, mó de espairecê a moringa, refrescá o saco, destravá a língua, e, com um pouco de sorte, dá um picote numa daquelas amáveis vulgívagas que por lá vulgivagueiam, acima do bem e do mal, doidinhas por pó e pau — au-au!

Você precisa conhecer o Bitch, cara. Se a gente se encontrar um dia, te levo lá. Faço parte da diretoria, por assim dizer. Você vai ser muito bem tratado, garanto, até porque tens lá uma pequena legião de fãs, a Gaúcha e o Alê à frente. Mas já vou avisando: se você se enturmar com aquela corja festiva, da qual faço honrosa parte, abre o olho, véio, senão tás fudido. O casamento, se você for casado, tende a ir pras picas com impressionante rapidez depois que você passa a frequentar o Bitch. E trabalhar no dia seguinte, nem pensar. Vida intelectual, relações sociais e afetivas estáveis, atividades político-partidárias, fés e crenças em geral, também vai tudo pro brejo das almas, porque você vai varar as madrugadas enfurnado lá dentro, se espojando em pó, papo, cerveja, uísque e buceta, sem contar as chupetinhas da Melina no banheiro em troca de duas linhas de cocaína esticadas em cima da tua carteira.

Enfim, voltando àquele outro assunto, é o seguinte: se rolou de fato uma trepada saideira com a Sossô aqui na produtora de madrugada, isso quer dizer que rolou também aquele beijo do qual eu quase consigo me lembrar: duelo de línguas, blend de salivas e bafos, paixão provisória. Caralho, meu reino falido por um fugaz lampejo retroativo da cena desse beijo hipotético! Mas não, nada, nicas: só essa sensação confusa deixada na alma por um sonho lisérgico de uma noite abafada de verão.

Que importa? Amores, reais ou sonhados, não passam de abantesmas emocionais, criações ilusórias da mente ociosa que levam um incauto a se deixar cativar pelas aparências e acabar ralando o cu nas ostras reais — como deve explicar aqui, em alguma dessas muitas dobras, o fôlder Zebuh-bhagadhagadhoga, por supuesto. Pra fechar a questão, já constatei, depois de minuciosa averiguação, que a baby não largou aqui nenhum grampo, batom, calcinha, brinco, meia, pulseira, lenço, isqueiro, caixa de OB, essas coisas que mulher adora deixar na cena do crime sexual quando pretende voltar lá. O que ela de fato deixou foi inspiração pra mais este haicai em forma de púbis feminino, como sua perspicácia visual não deixará de notar:

Sem Sossô sou
e estou
só

O que é líquido e certo nessa história toda é que na sequência do real ou sonhado picirico com a Sossô acordei na sexta peladão aqui no meu glorioso sofá, no meio da tarde, com uma puta mijaneira — era a parte líqüida da certeza — e aquela sensação de ter um coco oco no lugar da cabeça, envolvido por uma leve cefaleia, das mais benignas dos últimos tempos, aliás. Dando-me por vivo, tratei de me convencer de que em alguma hora eu teria que me pôr de pé e tomar providências práticas, algumas delas inadiáveis. Além do mijo que me saía pelas orelhas, eu ressecava numa sede saariana. Ingerir água e verter água eram, pois, minhas duas prioridades. Mitiguei as duas ânsias matando o resto de uma garrafa de água mineral e me posicionando de ladinho pra mijar dentro dela. É uma operação bastante delicada essa de mijar numa garrafa de boca estreita, mas com o pau bem mole fica mais fácil, se você já tem alguma prática. A garrafa, de um litro, logo se encheu de um líquido escuro e quente, cor de gasolina e talvez tão inflamável quanto, que subia rápido em direção ao gargalo. Esperei até o último instante pra brecar o jato. Acabou transbordando na minha mão e formando uma pequena poça no chão de tacos. Depositei a garrafa no chão, enxuguei a mão numa beira do edredon e fiz um certo esforço pra lançar as pernas pra fora do sofá e me aprumar sentado, sem pisar no mijo.

Já de pé e em terreno seco, procurei estabelecer uma agenda mínima pro dia que corria solto lá fora. O roteiro dos embutidos de frango, sim, sempre o desgraçado do roteiro dos embutidos de frango. Este seria o próximo alvo a atacar. Ia ser uma sexta-feira sacal, isso era certo. De qualquer forma, nada se poderia comparar à balada surubrâmane da qual eu acabava de emergir. Essa óbvia constatação me encheu de um profundo desânimo. De bexiga mais vazia, quase me rendi de novo ao sofá, e que se fodesse o mijo no chão, que uma hora evaporaria, como os próprios oceanos um dia haverão de se evaporar neste planeta perecível como laranja esquecida na fruteira do universo. A salvação pro desânimo me veio pelo ar, sob a forma de um cheiro intenso de bacon frito, nítido e palatável demais pra ser mera alucinação de esfomeado. Resolvi que era hora de sair da minha toca mijada.

De passagem pra porta acabei tropicando na garrafa de mijo, que tombou regurgitando urina pelos territórios circunvizinhos à poça anterior, antes que eu conseguisse recolocá-la de pé, molhando outra vez minha mão. Ou seja, boa parte do espaço operacional em torno da minha cama-sofá ficou alagada de mijo, que ia se infiltrando pelas junções carcomidas dos tacos. Estiquei então o braço pra pegar a cueca pendurada no encosto desta mesma cadeira giratória em que me acho abundado agora. Botei a cueca, aproveitando pra enxugar nela a mão mijada. Minha calça não estava à vista. Devia ter ficado no banheiro, calculei. Sem problemas. Quem quer que estivesse fritando aquele bacon na cozinha da produtora — e só podia ser uma pessoa — já tinha me visto algumas vezes emergindo de cueca da minha catacumba nas mais variadas horas do dia. Era a mesma pessoa a quem eu ia pedir pra dar um jeito no mijo entornado aqui na minha sala de diretor executivo da Khmer VideoFilmes, em cuja porta eu tinha afixado, do lado externo, um pôster com a foto de uma pilha de crânios de cambojanos chacinados pelo Khmer Rouge em meados da década de 70. No pé do poster, a inscrição: KHMER VIDEOFILMES — UMA PRODUTORA, MUITAS CABEÇAS. O Ingo vibrou com essa ideia: "Grande Zequinha! Humor, terror!".

Já o Nissim, apesar da nossa grande amizade, considera aquele pôster de uma estupidez sem par, sem contar o anticomunismo intrínseco da coisa. Gosto desse esquerdismo nostálgico do Nissim, que ainda o faz chorar pelas perdidas ilusões igualitotalitárias.

A Terezinha também não gosta nada dos crânios, que acha de mau gosto, além de atrair más vibrações. O Leco nunca se pronunciou sobre o pôster e acho que tá pouco se cagando. O que ele queria mesmo era poder tirar alguma grana de algum daqueles crânios. Já o Zuba, achando aquilo um exemplo clássico de marketing negativo, chegou a me oferecer 100 reais preu tirar esse negócio da porta. Respondi que por milão eu tirava, mas ele me mandou à merda. Os crânios dos cambojanos ficaram lá onde estão, celebrando o fim das utopias, ou grande merda que o valha.

Bom, daí, tentando me habituar de novo à desconfortável e oscilante postura bípede, saí para o corredor, depois de dar bom-dia às caveiras na porta, e fui até o hall de entrada, amplo como todas as peças desse apezão da velha classe média higienopolitana com fumos aristocratizantes dos anos 50/60. Lá estava a mesa da secretária, sem a secretária. Com a mão ainda úmida de mijo, apanhei o mouse do computador e cliquei no ícone do arquivo *phone calls*. De chamadas profissionais, só duas ligações, do Zuba, cobrando o roteiro dos embutidos para submetê-lo duma vez por todas ao pessoal da Itaquerambu. Caralho, se liga, malandro, eu disse a mim mesmo. A grana é merreca mas é grana. E, bem ou mal, me bota de novo em circulação. Senão vou passar meu tempo filmando trepada de mosca aqui na produtora.

Onde isso vai parar, não sei. Aliás, sei: vou acabar fechando a Khmerda e arrumando outra coisa pra fazer na vida.

De chamadas pessoais, vi que a Terezinha tinha anotado duas ligações da Lia, uma recente, das 10:40 a.m. — "Ligar para dona Lia" —, e outra, anterior, das 3 a.m.: "Ouvir secret. eletr.".

Lógico que só podia ser a Lia me esculhambando de fio a pavio. Nem valia a pena voltar a fita pra ouvir. Às três da madruga eu já devia estar aqui, só que em transe lisérgico pós-surubramânico, comendo ou sonhando que tinha comido a Sossô. Não ouvi tocar telefone nenhum.

Não era difícil imaginar o quanto a Lia devia estar puta comigo. A gente vem de uma enfiada de dias difíceis, precedida de tempos não muito melhores. É um tal de bate-boca, ameaças a granel, choro, acusações, cobranças, o inferno conjugal completo. Tentando pela milionésima vez pôr fim nisso, jurei a ela e a mim mesmo que ia dar uma puxada radical no breque de mão — nobre propósito que teve umas 12 horas de vigência, se tanto.

O que mais fode a Lia, segundo ela, é a falta de um telefonema avisando que pretendo cair na gandaia braba e, portanto, não pretendo dormir em casa. Ela reclama que o meu silêncio a deixa pendurada na expectativa e na ansiedade a noite inteira, sem saber se eu tô vivo ou morto. Seria, pois, boa providência dar esse telefonema prévio, mesmo que resulte numa briga encardida, como acontece cerca de 123% das vezes. Mas ligar pra dizer o quê? "Olha, amor, pelo jeito vou cair no pó e na putaria braba até de manhã, falô? *Ba-ai!*" Não dá, né? Então, não telefono. E fode tudo ca patroa. É um saco.

A Terezinha tinha anotado também uma chamada da besta do meu cunhado. "Ligar urgente p/ sr. Leco." Pentelhação pura, na certa. O cunhadão acha que eu ando enfiando no meu bolso parte da grana que ele deposita todo mês na conta da Khmer pras despesas gerais. Ando mesmo, mas é uma medida provisória e se destina a respaldar certas despesas corporativas aqui do diretor executivo, quais sejam, pó, puta, bar e gasolina. Quando entra algum job, como esse do institucional da Itaquerambu, eu tento repor a grana, ou parte dela, pelo menos. E assim vamos levando a puta da vida. A Terezinha, por exemplo, meio que já se acostumou a receber com atraso. Quer dizer, a japa reclama, esperneia, fecha a cara por uns dias — tudo daquele jeito neutrox dela —, mas continua firme no posto. Também, onde aquela anta iria arranjar outro emprego como esse? A secretária eletrônica, velha de uns quinze anos, e japonesa também (hoje seria chinesa), é muito mais inteligente e qualificada que a Terezinha. Mas até prefiro uma secretária mocoronga que passa os dias lendo a Caras ou os textos religiosos do Seicho-no-ie a uma espertalhona cônscia de seus direitos, brandindo na minha cara as leis trabalhistas do dr. Getúlio Vargas, por exemplo.

 Isso tudo posto e reposto, fui dar uma espiada na cozinha, onde topei com a Terezinha de costas pra mim fritando bacon no velho fogão desconjuntado que herdei do Leco. A minha japa adora bacon frito, que traça todo santo dia, ou quase. Mas só aqui na produtora, pois na casa dela, seus pais, japas legítimos, jamais admitiriam uma única fatia de bacon frigindo no uoki familiar. Foi ela mesma quem me confessou isso. E o que diria o velho japa se visse a filha na cozinha fritando um monte de bacon sob as vistas de um cineasta de cueca? Seria açoitada na bundinha chapada com uma vara de bambu, no mínimo.

 Sob o chiado do gordurão de porco na frigideira, saí dali sem ser notado e fui tomar banho. Depois da ducha, cabelos pingando, metido em jeans e camiseta limpos do guarda-roupa alternativo que mantenho aqui na produtora, fiz minha reentrada triunfal na cozinha. Bom dia, eu disse. Boa tarde, ela respondeu, ignorando que estava falando com um homem sem cueca por baixo da calça. É que não tinha cueca nova no armário.

 "Trabalhou até tarde ontem, né?", me lançou a japa, no seu tom plano e seco de sempre, tornando mais aguda a ironia da observação. Nunca ouvi a Terezinha subindo ou baixando a voz. Aquele é o único tom de locução programado em seu aparelho fonador: plano e seco. Se ela enunciasse o subtexto da pergunta, ou seja: "Caiu nas drogas e na putaria ontem à noite, né, filhadaputa", nem assim o tom de sua voz sofreria qualquer alteração. Você tem de conhecer a fundo a alma da Terezinha pra distinguir se ela está arrancando os pentelhos de raiva ou cagando e andando pras coisas. E nem sempre isso fica muito claro. Não pra mim, pelo menos.

 Em todo caso, ela bem que notou meu olhar de gula pra cima das tiras de toucinho a se retorcer em gozo térmico na frigideira. Há uma boa coifa sobre o fogão, mas o exaustor já não funcionava quando vim pra cá, e eu, claro, nunca mandei arrumar. A fumaça liberada pelas frituras entra na boca da coifa, dá uns volteios lá por dentro e sai pelas bordas.

Ni qui as tiras de bacon atingiram o ponto de crocância ideal, a Terezinha as transferiu com a escumadeira para uma travessa de porcelana forrada de papel de cozinha. Na sequência, catou o primeiro dos quatro ovos já reservados num canto da pia, e, com uma só mão, quebrou a casca na beira da própria frigideira, mantendo a outra mão no cabo. Clara e gema tombaram sobre a gordura de porco pipocando de quente. O ovo chiou de felicidade. Seus três outros irmãos tiveram o mesmo destino. Onde será que essa mulher aprendeu a abrir ovo com uma só mão? Cozinheiro de botequim é que faz isso. Vi como ela mexia os ovos com uma colher de pau velha e desbeiçada, agitando apenas a mão e o braço. Ombros e quadris permaneciam estáticos. Nem os peitos dela se mexiam dentro de um sutiã que só podia ser de aço — se é que os próprios peitos não o eram também. Antes que os grumos amarelos dos ovos mexidos secassem demais, a Terezinha pinchou por cima deles as tiras crocantes de bacon, dando mais umas poucas mexidas antes de desligar o fogo.

Cara, eu babava de fome. Abancado à mesa de fórmica da cozinha, de frente pra japa, caí de boca e dentes afiados naquela gororoba dos deuses. A boa japa tinha providenciado também pão fresco e passado um café que sorvi em estado de graça como quem recorre a uma transfusão de sangue depois de forte hemorragia. Outra providência da santa Terezinha, tomada antes que eu acordasse, foi encarar uma fila do Bradesco e sacar em grana viva o depósito que o Leco tinha feito na conta da produtora pra cobrir as despesas, mil e novecentos bagos, dos quais novecentos são pro salário dela, a ser pago, em princípio, no dia cinco de cada mês. Eu sempre mando a Terê fazer isso. Boto a grana viva no bolso e vou soltando cheques ao longo do mês à medida que as despesas vão pingando, sempre com rigoroso atraso. Volta e meia cortam alguma coisa por aqui, a banda larga, o telefone, o gás. Até a luz já cortaram.

A japa, é lógico, odeia esse esquema por saber que dinheiro vivo na minha mão fica exposto às mais devastadoras forças entrópicas do universo. De todo modo, tava lá o dindim empilhadinho em cima da geladeira, no lugar do pinguim que migrou para a Antártida ou morreu intoxicado pela fumaça do bacon frito. A japa reclama pra caralho, mas não ousa contestar minhas altas diretrizes administrativas. Respeitadora inata de hierarquias, a Terezinha jamais avançaria em um tostão sem ser autorizada. Hay!

Enquanto eu raspava com pão a borra amarela de ovo com gordura de porco no meu prato, a Terê se lembrou de algo que foi buscar na geladeira. Num segundo vi surgir à minha frente mais uma prenda celestial: uma lata de coca light geladinha. Ingurgitei o líquido borbulhante com um prazer que nem o melhor champanhe francês seria capaz de me proporcionar naquela hora. Grande Terezinha. É uma pentelha, mas uma pentelha insubstituível, eis toda a verdade. Me pus a imaginar que magníficos escarros de ódio e repúdio à minha pessoa ela não devia ter ouvido no recado da Lia. Mas nada transparecia em sua máscara de neutralidade budista que a tornava tão pouco diferenciável dos azulejos branco-encardidos da cozinha. Vou falar com o meu cunhado, aquele mão de vaca do caralho, pra ver se damos um pequeno aumento pra Terezinha. Se rolar, não importa qual seja o percentual desse aumento, se 0,1% ou 100%, ela agradecerá com o mesmo *brigada* desenfático e a mesma cara de saleiro vazio ou de tainha morta na bancada do peixeiro.

"E o meu salário?", ela me perguntou, de repente, com a língua amarela de ovo.

"Não é dia cinco ainda, que eu saiba."

"Não, mas seu cunhado já depositou o dinheiro, né", ela retrucou, sem olhar pra grana na geladeira. "Dia cinco é na terça que vem. Dinheiro não vai durar até lá, que eu sei. Inda mais com fim de semana no meio, né?"

"Não esquenta, Terezinha. Na terça a grana tá na sua mão."

"Você sempre fala isso. E minha mão sempre fica vazia no dia cinco."

"Mão vazia, coração cheio."

"Não tem graça, Zeca."

"Não tem mesmo. A vida não é uma sitcom, já reparou?"

"Qual a diferença entre me pagar hoje ou na terça, me diga?"

Ela mesma se encarregou de responder:

"A única diferença é que hoje o dinheiro tá aqui. Na terça não vai estar mais."

Julguei ouvir nessa observação um ligeiro acento de impaciência, além de uma nota de descrédito em relação à minha, ponhamos, probidade.

"Meu anjo, esse teu bacon com ovo tá bão di-mais. O melhor que você já fez", desguiei, pra ver se uma puxadinha de saco lhe desarmava o espírito reivindicativo.

"Melhor pagar hoje, né, antes do fim de semana."

"Terezinha, relaxa, filha. Tá tudo dominado."

Terezinha contemplou a mentira estampada em neon na minha testa, mas engoliu sua contrariedade junto com o bacon. Tentei tranquilizar minha melhor e única subordinada:

"Além disso, na segunda, no máximo na terça, deve entrar a primeira parcela da Itaquerambu. Não tem erro."

Minha secretária voltou a fazer aquele silêncio estridente dela. Mas não se aguentou e voltou à carga:

"Só que você ainda não fez o roteiro, né, Zé Carlos. O Zuba tá louco atrás de você. Já viu os recados?"

O que eu odeio nas secretárias é esse caráter prático e antipoético que elas fazem questão de alardear. Prefiro as gueixas medievais, que passavam os dias pintando paisagens bucólicas em telas de seda, antes de chupar a rola dos samurais bêbados de saquê à noite. Tentei encerrar o assunto com chave de ouro, cobre ou latão mesmo:

"Tá na minha cabeça, o roteiro. Txa cumigo."

"É. Só que não dá pra mandar pro cliente sua cabeça com roteiro dentro, né. Melhor escrever e mandar pela internet."

"Terezinha, o artista aqui sou eu", respondi, depois de extrair com a unha do dedinho um fragmento de bacon alojado entre dois dentes.

"Se você atrasar meu salário esse mês, vai me complicar demais a vida, Zé Carlos. Tenho muita conta pra pagar, né. Aí tenho que arcar com as multas. Melhor você dar meu dinheiro agora, enquanto ele ainda existe."

Soltei um arroto patronal, seguido de um quase inaudível *sculpe*. Raspei a garganta, descansei os talheres alinhados no prato vazio e mandei, no tom mais cool desse mundo:

"Querida, esse negócio de contas a pagar é o seguinte: até os caras que mandam as contas pra você têm suas próprias contas a pagar, compreende? Acompanhe o meu raciocínio: se o devedor atrasa, o credor, que também é devedor de outros credores, vai ter que atrasar o pagamento das contas dele, certo? E assim a coisa vai indo até o último devededor e o último credor da cadeia financeira. É um sistema muito antigo, esse, e tem funcionado bem até hoje. Se todo mundo atrasa os pagamentos, ninguém sai prejudicado, pois todo mundo vai repassando os atrasos pros seus próprios credores, entende?"

"Entendo que pessoa que não paga conta no prazo ganha multa. E cortam o serviço. E processam a pessoa. E/"

"Terezinha..."

"Você já tentou explicar a sua tese pro gerente do banco, Zé Carlos? Pra pessoa que você deu cheque sem fundo? Pra Eletropaulo? Pra Telefônica? Pro dentista?"

"Já, Terezinha, já. E constatei que é assim mesmo que funciona o negócio. O tempo financeiro é diferente do tempo cronológico. O tempo financeiro é mais elástico, entende? E todo mundo estica ele ao máximo. Você não é a única neste mundo de Deus que não paga suas contas em dia. Só nessa cozinha já somos dois. Até países dão calote na praça de vez em quando. O que importa é que a vida continua. É ou não é?"

Minha interlocutora suspirou fundo, cansada de saber que é mero pingue-pongue verbal discutir comigo. Daí, se levantou, pegou nossos pratos vazios e foi socá-los na cuba da pia, com ira comedida.

"Você sempre levou a vida nessa flauta, Zé Carlos?"

"Na flauta, no cavaquinho e no pandeiro. Vida de artista, Terezinha, vida de artista. Baudelaire vivia assim. Você não sabe quem é Baudelaire, mas era assim mesmo que ele vivia em Paris, e se deu bem, fora a sífilis, a miséria e a facada que levou da amante."

Novo silêncio. Daí, pra minha aliviada surpresa, ela perguntou:

"Quer mais bacon, Zeca?"

Fiz que sim com a cabeça. Era um sinal de paz, aquela pergunta. Ela começou por pegar pratos novos no armário e talheres no gavetão da bancada da pia. Depois, catou mais ovo e toicinho na geladeira, pinçando as linguetas de banha de porco da embalagem plástica com as pontas dos dedos de unhas pintadas num bordô descascado. Frita a nova remessa de bacon, assisti mais uma vez à suíte quebra-ovos executada com uma só mão. A Terezinha também é uma artista à sua maneira, devo reconhecer. Duvido que Baudelaire soubesse quebrar ovos assim, com a mesma mão com que tomava da pena pra desenhar flores do mal. No Holisticofrenia tem um ator bêbado que faz o papel do Baudelaire. Fiz o cara dar uns tirinhos, queimar um fumo e ingerir meia garrafa de Old Eight antes de gravar a cena. Ele circulava de fraque e gravata plastron em torno de uma cama redonda onde duas gatas peladas, uma mulata e uma branca (profiças, comi as duas), se pegavam forte. Num plano-sequência circular gravei meu Baudelaire declamando em francês, numa pronúncia quase incompreensível, aquele soneto das irmãs que ficam tirando casquinha uma da outra numa noite de verão: "La Débauche et la Morte sont deux aimables filles...".

Enquanto operava o fogão, minha oriental sacudia de um jeito quase impossível a cabeça numa desaprovação automática que transcendia a minha pessoa e se estendia à humanidade inteira, ela própria incluída. Pra Terê, nada está certo no mundo e ninguém presta, no que ela muito me faz lembrar do meu pai. No entanto, em vez de revolta, a Terezinha exala um conformismo basal diante do curso inexorável das coisas erradas do mundo, entre as quais ela decerto me inclui em posição de destaque.

E por falar nisso, ou melhor, mudando de assunto, mas não de lugar, enquanto esperava pela nova leva de bacon com ovos, a Terezinha tirou não sei de onde e colocou no meio da mesa um lindo caqui recém-lavado que repousava sua vermelhidão berrante em cima dum pires branco. Umas gotas d'água decoravam a pele luzidia do caqui, atribuindo-lhe um frescor publicitário. Era a sobremesa dela, uma fruta pra contrabalançar o porcão frito. Se o Rembrandt tivesse pintado aquele caqui sob a luz acobreada do barroco flamengo, a fruta deixaria de ser comestível para valer uns 60 milhões de euros num leilão da Sotheby's, o que resolveria a minha vida, a da japa, e a da Lia, do Pedrinho, da Gaúcha, do Nissim, do Miro, da Sossô, da Samayana, do zebu de pau duro, da Lolla Bertoludzy, das putas da Augusta e de mais uma porrada de gente que poderia comer caquis como aquele todos os dias em qualquer parte do mundo, a bordo de iates e hotéis cinco-estrelas sem pensar em nada além de caquis maduros.

Um caqui pode não ser apenas um caqui. Rembrandt sabia disso, embora não tenha pintado caquis, que eu saiba. A presença daquele caqui, por exemplo, que parecia vivo e muito consciente, e si diante dos meus olhos ainda um tanto lisergizados, bastou pra me despoletar o animus gastrophilosoficus. Encanei que o caqui, alardeando sua existência com aquela ênfase cromática, colocava em xeque a minha existência objetiva por ele ignorada. Foi esse o ponto de partida especulativo daquele denso momento bacon-metafísico. Encarando aquele metacaqui, perguntei-me numa voz-pensamento cava e reflexiva: em que pé ficaria meu estatuto ontológico se eu, de fato, não existisse objetivamente para o caqui, a tudo indiferente em sua suculência túrgida de gomos visgosos e caroços oblongos e escorregadios dentro da pele vermelha esticada. Problemão. Dessa perspectiva diospirada, o fato de eu não existir para o caqui parecia relativizar a objetividade da minha existência de um modo que me pareceu deveras inquietante. Sim, pois eu podia existir aos olhos da Terezinha, mas não aos olhos do caqui, que nem os tinha, era um caqui de pele impoluta, sem marcas ou manchas. Maldito caqui, praguejei lá comigo, que me impedia de desfrutar de uma existência objetiva, universal e absoluta naquela cozinha. Sem contar que a Terezinha, puta com os atrasos no salário dela, se acumpliciaria de bom grado com o caqui para anular de vez a minha existência com uma facada no pescoço ou uma frigideirada na mioleira, não fosse pelo Seicho-no-ie e o código penal.

Muito bem, tentei me defender, admitamos que eu seja mesmo um ser relativo, que pode aspirar a fumaça do bacon frito, e mesmo comê-lo com ovos mexidos e pão fresco aos goles de café e coca light, mas não pode ser pensado e reconhecido pelo caqui. Agora, o que aconteceria se eu pegasse e comesse o caqui, com a devida vênia da Terezinha? O caqui passaria a fazer parte orgânica do meu ser relativo. Assimilado e humanizado por mim, o caqui adquiriria de imediato a capacidade de pensar o mundo e a si mesmo, valendo-se para tanto da estrutura neurobiológica complexa que o assimilou. Ou seja, o caqui estava a um passo de conquistar a faculdade de perceber e atestar a minha existência absoluta caso eu o comesse. Em outras palavras ainda: o caqui transitaria de objeto a sujeito, nada menos.

Foi então que a Terezinha fez soar sua voz de taquara rachada:

"Tá tentando hipnotizar o caqui, Zé Carlos?"

"Ahn?", eu disse, me arrancando aturdido daquele abismo filosófico.

"Quer metade?", ela ofereceu.

"Não, brigado. Metade do caqui não resolveria meu problema."

"Quê?"

"A outra metade continuaria a pôr em dúvida a minha existência objetiva, universal e absoluta"

"Zé Carlos, você tá passando bem?"

"Vem cá, Terezinha...", eu disse, encerrando o ciclo especulativo.

"Sim?", pontuou a minha nipomática secretônica, de pé ao meu lado, com solicitude de aeromoça da Japan AirLines, escorregando mais bacon com ovos da frigideira pro meu prato e pro dela. O amarelo do ovo me parecia agora aceso por dentro, de tão luminescente. Não tinha dúvida: aquilo, mais a filosofia do caqui, eram sintomas típicos de um rebote lisérgico. Nada de mais, portanto. Perguntei:

"Você por acaso viu alguém saindo da minha sala hoje de manhã?"

"Que tipo de alguém?"

"Mulher. Jovem. Bem jovem. Bonita. Bem bonita."

"Mulher? Não. Nem jovem, nem velha. Nem bonita, nem feia."

"Não?"

"Não. Por quê?"

"Por causa dum sonho que eu tive, deixa pra lá", respondi, de boca cheia de bacon & eggs.

"Ah."

"Isso aqui tá uma delícia, Terezinha. Nunca comi um bacon com ovos tão bom na minha vida."

"Brigada", ela disse, em sua encantadora nulidade.

Da minha parte, tirei o miolo de uma metade de pão francês e enchi o oco com o resto do bacon & eggs. Ouvindo por dentro a minha mastigação, e, por fora, a da Terezinha, cravei as retinas nos dois jornais que a produtora assina, assentados numa cadeira, a Folha sobre o Estadão, à minha espera. Não consigo inaugurar o dia útil antes de emporcalhar meu humor com aqueles calhamaços de papel sujo contendo os cartões-postais da barbárie contemporânea, mais uma caralhada de opiniões prêt-à-oublier e uma fofocaiada cretina sobre as mais irrelevantes celebridades do momento. O lixo do mundo é o meu café da manhã.

Puxei o Caderno Rural de dentro do Estadão. Achei melhor começar por aí. Tinha uma matéria sobre um cara que criava cobra coral pra vender o veneno e o couro. Um bucólico pastor de víboras. Outro cara, no Paraná, colheu uma melancia de 40 quilos. Me demorei na reportagem de capa sobre uma novíssima colheitadeira de cana. Vai ferrar com a vida de milhares de boias-frias, como a própria matéria assinalava. Mas era uma bela colheitadeira. Parecia um módulo espacial com longos braços estendidos a partir de seus flancos e uma carlinga futurista em forma de bolha transparente. Não deixaria nenhum pé de cana em pé depois de passear por um canavial, com o operador ouvindo música new-sertaneja no iPod. Se eu fosse um pé de cana ou um boia-fria não ia gostar de ver aquilo vindo na minha direção. Joguei o Caderno Rural no chão, ao lado da minha cadeira, sentindo o coração oscilar entre a indiferença ranzinza e um medo no fundo do peito, medo difuso, impreciso, reacionário, covarde, medo do avanço voraz das colheitadeiras gigantes. É uma merda ler jornal. Vício, puro vício, bem pior que Marlboro, birita, beque, ácido e pó juntos.

Daí, peguei os primeiros cadernos dos dois jornais. Na Folha, o BC baixava algum tipo de juro com nome de banda de rock (Spread) ou de cineasta servo-croata (Selic), enquanto no Estadão a *nossa* top Anelise Becker era vista na balada em Nova York com outro ator de Hollywood que não aquele um lá pra quem ela tava dando até outro dia. Nos dois jornais o Corínthians corria o sério risco de cair pra zona de rebaixamento caso não vencesse o Palmeiras à noite no Pacaembu, mas só a Folha tinha um calhau na metade de baixo da capa anunciando que um cientista inglês tinha acabado de estabelecer em bases científicas a eficácia da masturbação na profilaxia do câncer de próstata. Não lembro o nome do cientista. Dr. Penislaw Bronhoff, digamos. Em todo caso, ótima notícia, que teve o condão de acionar a tecla sexo na minha mente sporca. Matei meu pão com colesterol, catei os jornais e me levantei, decidido a fazer uma profilaxia anticancerígena na minha sala, espichado no sofá — mas só depois de esvaziar os intestinos e, se possível, a alma na privada. Tive a gentileza de brecar um peidão que tava na agulha fazia tempo, em respeito à insigne oriental.

Pensei, te juro que pensei em pedir à Terezinha uma ajuda profissional na minha punheta profilática. Primeiro, iria lá pra minha sala, deixaria a piroca em ponto de bala e gritaria:

"Terezinhaaa!!!"

Dois toques na porta, e ela entraria, pressurosa:

"Sim?"

E daria de cara com o meu salame em riste. Antes que ela pudesse pensar em alguma coisa pra dizer ou fazer, o que em geral demora longos segundos, eu perguntaria:

"Ô, Terezinha, tu tá com a mão limpa?"

"Eu? Tô, ué."

"Então, vem cá socar uma pra mim, vem?"

Prestativa, em seu estilo tradicional de servilismo anterior à Restauração Meiji, não duvido nada que ela acudisse de pronto ao meu pedido e, sentando-se toda composta ao meu lado no sofá, executasse o serviço com a mesma habilidade indiferente com que tinha mexido os ovos e o bacon na frigideira.

Te confesso que já passei algumas tardes bêbadas e cheiradas aqui na produtora fantasiando sacanagens com a Terezinha. Mas até hoje consegui manter a linha. Até um dia em que um porre mais caprichado que o habitual me fará dar esse passo em falso, pode escrever aí. Quer dizer, nem precisa, já escrevi aqui.

Me vendo ali parado, jornais debaixo do sovaco, a olhar fixo pra ela, a Terezinha perguntou:

"Que foi, Zeca?"

"Escuta aqui, Terezinha, fala sério: você acredita em Deus e no sistema de cotas raciais para a universidade?"

"Eu?! Em Deus, acredito, né. Claro. Agora, negócio de cota aí, não entendo nada, né", ela respondeu. "Por quê?"

"Por nada." Aí lembrei: "Terezinha?"

"Sim?"

"Me faz um favor?"

"Sim?"

"Entornou um líquido lá na minha sala..."

"Líquido?", ela perguntou, pondo uma cara de nojo preventivo. "Cerveja?"

"Pós-cerveja, na verdade. Leva um balde d'água, pano e desinfetante", aconselhei.

Minha fiel colaboradora abanou a cabeça num forçado assentimento. Vi como ela passou a mastigar bem mais devagar, com certeza maldizendo em silêncio as vicissitudes de sua vida profissional que a levaram a dar com seus tristes costados aqui na Khmer VideoFilmes.

"Bom, dá licença", eu disse, os dois jornais debaixo do braço, a caminho da porta da cozinha, por onde saí, virando à direita, em direção ao banheiro. No corredor, liberei por fim a bufa represada, com um estrondo que deve ter ecoado até no Vale do Pranshakur.

E foi no banheiro, de bunda na almofada plástica da tampa da privada, que a recaída alucinatória, leve até então, começou a pegar pesado. Dei de ver a Sossô inserida em várias das fotos dos jornais. Eu batia o olho na foto, prestava um pouco de atenção, e lá estava ela. No Estadão, comparecia a um encontro entre Chávez e Lula, em Caracas. No primeiro plano da foto, os dois baixinhos atarracados se davam as mãos pras câmeras. Ao fundo, a bela assessora de tailleurzinho e óculos abraçando uma pasta preta outra não era senão a Sossô. Tesãozinho de tecnoburocrata, de cabelito Chanel, charmosa e discreta. Dentro da privada, meu pau deu uma encostadinha na louça fria.

Na capa da Folha, a ubíqua ninfeta integrava um pequeno grupo de belas iranianas de vestidos em cores claras e pelos joelhos, a caminhar confiantes pela rua sem lenço nos cabelos esvoaçantes, desafiando a shariah. Em volta, muçulmanas tradicionais emburcadas em negro compunham o pano de fundo da tradição. Eram as fiéis barangas de Alá, voltando as cabeças pras modernas iranianas com um esgar de censura que nem a burca conseguia esconder. Esse papo do Maomé de que Deus o incumbiu de ordenar à mulherada que se cobrisse da cabeça aos pés foi mal interpretado na época. Na realidade, esse interdito só se aplicava às mocreias. Só que o baranguil, que é sempre maioria em qualquer civilização, não se aguentou de inveja e pressionou os aiatolás a obrigar as gostosas a se cobrirem também.

Apesar da Sossô burocrata do Estadão e da Sossô iraniana da Folha não usarem piercings nem aquele cabelo surtado que a Sossô real ostenta, era nítido que se tratavam ambas da minha ninfetinha do barulho. Inda por cima, as fotos inventaram de se animar, feito holografias de longo curso. As iranianas caminhavam alegres pela calçada, enquanto a Sossô burocrata inclinava um pouco a cabeça e abria um sorriso pra alguém fora de quadro na foto.

No Caderno 2 do Estadão, última página, Sossô me surgia numa passarela em Paris desfilando um chapéu com longas penas inspirado num ninho de águias espaventadas. Além do chapéu e das sandálias-plataforma que a alçavam a uma altura top, ela não trazia mais nada sobre o corpo. Peladinha da silva, dava passadas maquinais e elegantes de potrinha esnobe. A cabeça do meu pau encostou de novo na porcelana fria da privada. A pentelheira escura da Sossô maneca se destacava num triângulo perfeito contra o branco nórdico de seu corpo.

Pensei em praticar ali mesmo na privada o exercício anticancerígeno solitário sugerido pelo cientista do jornal. Mas voltei aos meus planos originais e deixei pra fazer isso no sofá, onde eu pretendia também acabar de ler os dois jornais com todas aquelas Sossôs pululando nas fotos. Era escolher uma e mandar fumo. Calculei que alguma porra já devia ter sido reposta no meu tanque escrotal durante as sei lá quantas horas de sono transcorridas depois da última ejaculada lá na surubrâmane, se não foi aqui mesmo na produtora com a Sossô, vai saber.

Depois de encaminhar o moreno pra rede de esgotos, voltei pra minha sala que recendia a Pinho Sol, recém-sanitizada pela antisséptica Terezinha. Antes de me jogar no sofá, liguei o computador pra puxar meus imeios pessoais, que dos endereçados à produtora a Terezinha se ocupava lá no computador do hall. Com a setinha em cima do ícone do Outlook, desisti de clicar. Que o mundo esperasse lá fora, sentado de preferência. Entrei foi no www.fodelança.com.br pra filar umas sacanagens. O de sempre: pau na xola, na rabeta, na boca, com muita porra esguichando na cara e peitos das peladas, além das rotineiras gang-bangs homo, hétero e pansexuais, com gente se enfiando todo tipo de coisa em todo tipo de lugar. Numa das fotos, uma loirosa de peitões entupidos de silicone se abria em frango assado pra câmera a enfiar-se ao mesmo tempo um bananão com casca amarela na buça raspada e um pepinaço verde-reluzente no cu, cada mão se ocupando de um vegetal. Quem aquela horti-fruti-putana pensava que era? A deusa da fertilidade? A incrível mulher-quitanda? Devia virar musa do suplemento agrícola do jornal. Em todo caso, a Sossô é que ela não era. Minha lolita de estimação não encarnava em nenhuma das vagabas do çaite de putaria, talvez porque eu me recusasse a imaginá-la embananando-se e empepinando-se daquele jeito.

Em todo caso, não me deu o menor tesão aquela putaria desbragada. Eu ia ter que socar uma de cor e salteado mesmo, transitando entre as imagens mentais da Sossô e da Samayana, fresquíssimas ainda nas minhas duas cabeças. Pranchei no sofá com a pilha de folhas de jornal no chão ao meu alcance. A capa da seção internacional da Folha exibia uma matéria sobre terrorismo relembrando o atentado tchetcheno de 2004 à escola de Beslan, na Ossétia do Norte. Na foto, tirada no dia da tragédia, uma osseta ainda jovem, com um lenço negro emoldurando seu rosto todo feito de dor, acariciava a cabeça do filho recém-assassinado pelos terroristas ou pelas tropas russas que tinham invadido a tiros e gases a escola ocupada. De repente, aquela mater dolorosa me pareceu demasiado familiar. Sim, era a Sossô de novo. Caralho. Com ou sem ácido na moringa, aquela imagem me bateu forte nas retinas: Sossô na Ossétia do Norte chorando a morte de um filho. Quem era o pai? Eu? O Melquíades não podia ser. O garoto da foto era branquinho de neve. E eu tinha acabado primeiro dentro dela, na surubrâmane. Logo, só podia ser meu aquele filho. Quer dizer, se algum outro branquelo não andou carcando na guria sem camisinha antes de mim, o que deve ser no mínimo 50% provável. Sossô é dessas mulheres que vão dar muita grana pra aborteiro na vida, se é que já não começou a dar. A merda é que o guri morto nos braços da osseta arrasada me evocou o Pedrinho. O ossetinho devia ter a idade dele na foto, três pra quatro anos. Larguei a folha de jornal no chão. O que eu precisava era de mais umas horas de sono. Acabei dormindo, com pesadelos em 3D ultravívidos protagonizados por terroristas de capuz ninja a esfaquear criancinhas numa creche encarapitada numa montanha nevada. Vermelho no branco. Horror, piração.

E assim fui eu até o início da noite, dessa mesma que já virou madrugada de sábado e corre de braços abertos ao encontro do dia, emendando um pesadelo no outro, pródigos todos eles em cenários apavorantes, castigos atrozes, chagas abertas esguichando sangue cênico em technicolor, e o caralho. Só sei que, uma hora lá, acabei ressuscitando com uma puta mijaneira, e de pau duro, sinal de que talvez um daqueles pesadelos não tenha sido tão ruim assim, afinal de contas. Achei que estava sentindo de novo cheiro de bacon frito. Mas era só uma bufa de minha própria lavra que pairava no ar. Quando me levantei, depois de socar uma e esporrar em cima do Banco Central na capa da *Folha*, vi o bilhete da Terezinha na cortiça da parede do hall, com as ligações que ela tinha atendido durante a minha capotada vespertina: Zuba, Lia, Nissim, Estelinha. Todos pedindo pra eu "retornar", como se eu estivesse em algum país ou planeta distante. O bilhete continha também uma recomendação suscinta: "Guarda o dinheiro do meu salário. Obrigada".

Achei estranho a Estelinha ligar. Pra falar, perguntar o quê? Esclarecimentos adicionais sobre o Jim Morrison? Ou era algum recado da Sossô? Essa hipótese voltou a me revascularizar a pemba. Liguei pra casa do Nissim, mas "tá tudo pa fora", informou a empregada. Melhor, decidi. Eu tinha mais com que me ocupar: embutidos de frango. Sendo assim, não ia retornar nada pra ninguém. E foi aí que decidi pegar um pó, o primeiro da noite, sem ter comido mais nada desde o bacon & eggs terezônico. O resto você já sabe. É tudo que andou me acontecendo aí pra trás nessa longa noite de sexta pra sábado: o pó do Miro e a pancada que ele deu na moto do amigo do vizinho, o ligão pra Lia em que ela me encaminhou à merda, a puta e o traveco na Augusta, e o mais que eu venho te contando ao longo dessas horas brancas de pó e verdes de fumo e amarelas de cerveja e acobreadas de uísque nacional falsificado.

Fato é que já passou um pouco das quatro no relógio do computador. O pó do traveco tá minguando por aqui, e eu me segurando nas carça pra não ligar de novo pro Miro e encomendar a saideira delivery. Não é nada impossível que o Miro ainda esteja na função. Tô achando que ele anda mais precisado de grana do que o normal nesses últimos tempos. Tem sido fácil demais pegar pó com ele, a qualquer hora do dia ou da noite.

Vou dar só uma ligadinha. Se ele atender, pego uma petequinha, no más. Que custa, além dos cinquenta mangos de praxe? Vou dividir esse resto de pó do traveco em duas carreironas, matar uma, economizar a outra, e aí eu ligo.

Embutidos de frango.

Help me.

# PARTE II

# <15>

Lá vai a tarde entrando em preguiçosa agonia no horizonte líquido desse lugar comum à beira-mar. Olha só que poesia tem essa frase. Má poesia, mas poesia assim mesmo. Eu conseguiria viver sem poesia. Aliás, eu vivo sem poesia. Não conseguiria é viver sem buceta. E estou vivendo sem buceta. Entretanto, me divirto fazendo versinhos idiotas, como você já deve ter reparado. Mas já faz algum tempo que eu não cometia versinhos de nenhuma espécie. Tenho passado os últimos dias só lendo e bundando nesse pequeno paraíso à beira-mar. Você já deve ter ouvido falar de Porangatuba. Psicanalistas, jornalistas, sociólogos, publicitários, arquitetos, fotógrafos, professores eméritos, artistas plásticos têm casa aqui ou costumam frequentar as pousadas descolex do lugar, junto com a estrangeirada que deu de aparecer nos últimos anos, como relatam os locais. Depois te conto por que vim parar em Porangatuba. De novo, e mais do que nunca, decidi que você é você mesmo, como você mesmo verá nos próximos dias, quando eu te mandar esse arquivo. Preciso de um *você*, e você é perfeito pra esse papel. Quando pensei em ligar o computador e voltar a escrever aqui, minha ideia era reatar a nossa conversa. Se a cabeça entra numas de monologar com tal ou qual interlocutor imaginário, melhor não interferir, sendo que você nem é imaginário, só não sabe ainda que está aqui conversando comigo, mas isso é um pormenor de somenas importância, como diz o outro. Há quantos dias, afinal, eu tô aqui? Preguiça de fazer as contas. Cortei relações com o tempo, e venho tentando cortá-las com o mundo também, o que nem sempre é possível, já que o mundo se move e acaba te implicando no movimento dele, o que é, no mínimo, uma puta arbitrariedade por parte do mundo. O tempo aqui se resume a noite e dia, chuva e sol, mar manso, mar agitado. Até agora há pouco tava de celular desligado, sem ver imeios e sem telefone aqui nessa casa. Também não li jornal, revista, não vi televisão, não ouvi rádio. Me fez um bem danado ficar longe do ruído do mundo. Acho até que fiquei mais inteligente. Uns 10% a mais, quem sabe.

    Quanto aos embutidos de frango da Granja Itaquerambu, rolou o seguinte, se você faz questão de saber: na primeira segunda-feira que passei aqui, liguei pro Zuba — o único e último telefonema que dei de Porangatuba até uma hora atrás — pra saber o que os itaquerambus tinham achado do meu roteiro, se estava aprovado ou não, e o caralho. Por incrível, e até por sobrenatural que pareça, eu tinha conseguido fabricar e mandar um roteiro pro Zuba antes de sair de São Paulo, naquela mesma madrugada de sexta pra sábado, faz sei lá quantos dias, dez talvez, não sei, não sei, nem quero saber.

    "Você não viu os dez mil imeios que eu te mandei, caralho?", começou o Zuba, naquele telefonema, enquanto, aqui da varanda, celular na mão, eu contemplava o mar evaporando sob o sol lá embaixo na enseada. "Não pegou meus recados na sua caixa postal?"

    Eu não tinha visto imeio nem pego recado nenhum. Cheguei num sábado, num fim de tarde, e o domingo passei todo na cama, só dormindo, bebendo água e mijando. O Zuba disse que eu tava era louco de mandar aquele roteiro das modelos que viram embutidos de frango. Sem falar que era uma ideia chupada do vídeo da lingerie, de um ano atrás, também agenciado por ele. Resultado: o Zuba não mandou meu bem bolado roteirinho picareta pra Itaquerambu.

    "Porra, Zeca, senta a bunda aí e trabalha direito. Já tô ficando surdo de tanto que você estoura prazo no meu ouvido, cara. Não se esqueça que eu já te dei dois paus de adiantamento. Do meu bolso!"

    A conversa acabou ali mesmo. Apenas desliguei o celular e desci prum banho de mar. O aparelhinho permaneceu desligado esses dias todos até uma hora atrás. Nem com o Nissim eu falei, ele que é o mantenedor desta casa em que me hospedei. Ele quer muito falar comigo, que eu sei, deixou recados na pousada da Rejane me pedindo pra ligar de lá prum certo número que eu desconhecia, mandou a caseira deixar aqui no portão de casa uns bilhetinhos garatujados numa espécie de português quinhentista ("É pra sinhor liga di pozada o intão de oreião pa seu Nizin no 8871..."), mas eu não quis falar com ele nem com ninguém. Nem me interessava saber no que deu aquela cagada federal que rolou na frente da produtora na madrugada da minha partida, séculos atrás. Sabia que alguma merda devia ter dado, na certa, cagada só pode dar merda, é um velho truísmo escatológico, esse. Tal certeza só foi reforçada pela recomendação do Nissim pra que eu ligasse da pousada ou dum orelhão, e não do meu celular, praquele número estranho. Tinha alguma grande merda rolando lá em São Paulo. Da mesma forma que as pedras, as merdas também rolam — quando não voam — o tempo todo. Por isso eu vim pra cá, pra cair fora daquela sentina. Mas, se você não vai até a sentina, a sentina vem até você — eis outro truísmo de merda.

Até sair de São Paulo, vejo agora, escrevi um monte num curtíssimo espaço de tempo: das sete da noite de sexta, até as cinco da madrugada de sábado, quando me mandei da produtora. Mas desde que cheguei aqui, no fim da tarde daquele mesmo sábado, não cheirei nem escrevi uma só linha. Não cheirei por falta de pó. Não escrevi por falta de pique. Sentei agora pra fazer o que cineasta mais faz no Brasil: escrever, de sinopses e projetos a roteiros com mil tratamentos. Aqui, no caso, estou escrevendo pra você. Isto é, pra mim. Quer dizer, pros improváveis espectadores do meu próximo filme. Agora, de pó, não sinto falta. Não combina com este lugar nem com a vida de monge caiçara que ando levando nesses dias praianos. A verdade é que puxei — tive que puxar — o breque. Não que eu tenha mudado da água pro vinho, descoberto a luz divina, "caído em mim", ou qualquer bosta patética do gênero. Se mudei foi do uísque pra cachaça, que é de Paraty por essas bandas, e de primeira, infinitas vezes melhor que o Old Eight da rua Augusta, por exemplo.

Porangatuba é uma das últimas praias de Ubatuba, antes da divisa com o Rio, a uns trinta quilômetros de Paraty. Fica a cerca de 4 quilômetros da BR descendo o morro por uma estradinha de asfalto carcomido, com mato por todos os lados. Lá embaixo, na enseada, cercada por uma ferradura de morros, tem uma vila e um povoado pendurado nas pirambeiras onde não passa carro. São antigas casas de caiçaras reformadas e ampliadas, que o "povo de fora" comprou há décadas. Essa casa em que estou agora, no alto do morro, é uma delas, simples, confortável, com vista para dois cartões-postais: a enseada, com seu respectivo mar lá embaixo, e a Mata Atlântica, mais ou menos intacta desde que os caraíbas chegaram à Terra Brasilis, há meio milênio.

Desse ponto da varanda em que estou agora, espichadão na rede, dá pra ver tanto o mar quanto os morros e seu forro de mato. A casa é do cunhado da Nina, mulher do Nissim. Não conheço o cara. Só sei que ele é médico e vive há anos com a família nos Estados Unidos. Vem passar uma semana por ano aqui, quando vem. O resto do tempo a casa é do Nissim e da Nina, que só aparecem nos feriados mais longos e nas férias, pois Porangatuba fica a pelo menos 4 horas de São Paulo. Com trânsito pesado na saída e na estrada pode demorar de 6 a 8 horas pra chegar aqui, o que, pra mim, é ótimo. Quanto mais isolado, melhor.

Minha principal referência no pedaço é a dona da pousada Chapéu de Sol, a Rejane, uma pós-coroa muito boa gente. Das outras duas vezes que eu vim pra cá trazido pelo Nissim e a Nina, junto com a Lia e o Pedrinho, fomos almoçar umas duas vezes na pousada, rango de primeira. Dessa vez fui lá algumas vezes pra tomar café da manhã, depois da minha nadada matinal, e umas outras tantas pra jantar, evitando, porém, de ir nos dois fins de semana que já passei aqui, incluindo o da minha chegada. Quero distância de gente. A Rejane me trata com grande simpatia. Mas fico na minha. A mulher tem idade pra ser minha mãe. Deve regular com a tia Renée, irmã do meu pai, que tinha quase a idade da minha velha. Tô carente de buceta mas também não tô matando esse cachorro todo a grito. Ainda não.

Cara, tô achando legal voltar a ter pique de sentar pra escrever. Sentar, não, deitar, aqui na rede, almofadão rançoso de mofo pra apoiar as costas, notebook em cima duma almofadinha na barriga. Já tenho o material básico pra escrever o roteiro do filme da surubrâmane, cuja história será esticada até a madrugada do dia seguinte, de maneira a incluir uns acontecimentos algo bizarros que devo relatar aqui qualquer hora, neste B.O. lítero-cinematográfico. (Por "acontecimentos algo bizarros" entendam-se as "cagadas" a que eu me referi antes, e que motivaram minha vinda pra cá. Tenho tempo de sobra pra isso, praquilo e, sobretudo, pra nada.)

Como te disse, andei lendo pra caralho nesses dias de budismo contemplativo compulsório. Lendo, nadando, subindo morro e punhetando em grande estilo. Mas, sobretudo, lendo. E punhetando. Tem duas estantes aqui na casa, uma baixa e comprida, outra alta e estreita, que vai do chão ao teto, com as prateleiras atulhadas de fileiras duplas de livros velhos e nem tão velhos que o pessoal foi trazendo pra cá em sucessivas eras geológicas. Tem cacarecos antediluvianos, como Lobsang Rampa ("A terceira visão"), Carlos Castañeda ("Os ensinamentos de Don Juan — Um caminho iaqui para o conhecimento"), Eugen Herrigel ("A arte cavalheiresca do arqueiro zen"), uns Harold Robbins e Sidney Sheldons com aquelas capas figurativas que parecem inspiradas no realismo socialista soviético compondo painéis temáticos: a mocinha peituda nos braços do herói galã, o inimigo malévolo, iates, aviões, castelos, armas. Tem vários Guia 4 Rodas dos anos 80 e 90. E alguns volumes da Barsa e de Seleções dos tempos da Guerra Fria. Mas, garimpando, você encontra coisas legais. O Proust, por exemplo: "Du Côté de Chez Swann", num pocket da Flamarion, que ando ensaiando começar a ler qualquer dia, se o meu francês não pegou um táxi e voltou pra Aliança Francesa, de onde nunca deveria ter saído. Vi também uma edição recente do "Complexo de Portnoy", do Philip Roth, que o Nissim adora e há anos vive me chamando de analfabeto por não ter lido ainda.

Já leu o Portnoy? Genial, cara, genial. Esse Portnoy do título é um judeu americano cínico, sarcástico, irônico, escatológico, bufão, mulherengo, advogado inescrupuloso e cheio da nota que conta a vida dele pro analista desde a infância pobre até o último casamento desfeito. Garrei a ler o maluco de cabo a rabo, noite dessas, aqui nessa rede da varanda. Tem cenas do cacete, como a do fígado cru que o Portnoy adolescente fode até esporrar dentro dele, pra depois recolocar a posta de carne galada na geladeira da família. Daí, vem a cena do jantar, com o pai, a mãe e a irmã gorda devorando o fígado espermático regado a um capitoso molho ídiche. Esse lance do fígado fodido ficou pairando como uma possibilidade erótica no ar parado da minha libido carente. Tem um açougue lá na venda da vilinha, em todo caso, pra qualquer emergência.

Quando terminei o livro, a manhã já vigorava em Porangatuba, o sol se anunciando com espalhafato por trás do morro, onde o meu senso escolástico de direção indicaria o poente. Puta romanção. Gozado é que o esquema narrativo dele lembra esse papo que eu venho levando com você. Meu interlocutor — você — não se manifesta nunca, do mesmo jeito que o analista do Portnoy também fica na sombra o tempo todo enquanto o analisando tagarela sem parar no divã. No meu caso, o divã é uma rede. Mais confortável, e com a vantagem de não ter ninguém atrás de mim cozinhando interpretações que não passam de más notícias sobre a minha pessoa. Aqui só tem mato e maritaca atrás de mim. Na frente, só o mar — sol e mar.

A grande diferença entre mim e o Portnoy — além de ele ser um grande personagem de ficção e eu apenas um claudicante trânsfuga da realidade — é que o analista tá lá com o paciente-narrador, e você, bom, você nem sabe ainda que está envolvido num diálogo comigo. Mas logo saberá, se e quando for o caso.

Fora ler e me masturbar, o que mais tenho feito aqui é dormir. Muitas horas seguidas de um sono sem sonhos notáveis. Sono puro, profundo e besta como deve ser um bom sono, do tipo que eu não desfrutava há anos. Em São Paulo era só zoeira de noite e aquele sono diurno, sujo e abafado, no meio da pauleira da cidade. Aqui, pelo contrário, a vida segue mansa, medíocre, confortável, silenciosa, descontando o esporro das maritacas e, agora que voltei a escrever, o telecoteco do teclado do meu HP Compaq nx6110, sem conexão disponível com a internet, o que é uma bênção. Acho que se uma megabomba atômica arrasar com a civilização atual, a primeira coisa que um cara como você gostaria que a próxima reinventasse é o notebook, imagino. Já eu votaria na câmera digital. Depois pediria emprestado o seu reinventado notebook pra ver e editar minhas imagens. O Pedrinho, meu filho, apostaria no forno de microondas, que é pra humanidade continuar fazendo pipoca em dois minutos, um dos maiores feitos técnicos da civilização, a seus olhos, sem contar o espetáculo do tiroteio de grãos espoucando dentro do saco estufado.

Voltar a escrever é uma decisão que deve estar de algum jeito ligada a outra decisão, tomada agorinha há pouco, de quebrar meus votos de incomunicabilidade. O Nissim, depois de uma pausa nos recados, voltou à carga nesses últimos dias. No último recado que o Leno da Chapéu-de-sol me passou, ele pede de novo que eu ligue lá da pousada ou do orelhão da vila — e não do meu celular — praquele número que não é o dele. Pelo sim, pelo não, acabei acionando meu celular. Torci pra porrinha não pegar aqui no meio da mata virgem. Mas pegou. Tem uma antena retransmissora em algum lugar desse morro, justificada pelo contingente de bacanas com casa no pedaço. Acessei minha caixa postal, que armazena até dez recados. Estava cheia, claro, depois desse tempo todo fora do ar.

Entre os previsíveis: Lia (pedindo grana, sem perguntar sobre o meu paradeiro), Leco (me chamando de ladrão por ter garfado a grana das despesas da Khmer e ameaçando romper a nossa sociedade), Nissim (mandando eu ligar da Chapéu-de-sol praquele número misterioso, "liga logo, porra", Zuba (me ameaçando com um processo se eu não devolver os 2 paus que ele me deu de adiantamento pelo vídeo ratê dos embutidos), Terezinha (querendo saber do salário dela e avisando que a polícia passou lá na produtora). Ou seja, só cobrança, xingança, ameaça, encrenca. Essa parte da minha vida que faz fronteira com o mundo administrado sempre foi um inferno. O mundo acorda todo dia pensando em novos meios de torrar e moer o meu saco. Vade-retro, mundão véio do caralho.

Entre os recados imprevisíveis: Nina (me pedindo um *retorno urgente*, o que me deixou preocupado) e dois recados tão idênticos que pareciam gravação: "Ligar para o gabinete do doutor Roquete Paiva, da segunda delegacia da divisão de homicídios do DHPP. 011-2798... Máxima urgência. Obrigado".

Polícia? Homicídios?! Gelei nesse calor de 38° à sombra que faz aqui. Pelo menos a voz, feminina, teve a gentileza de dizer um masculino *obrigado* no final da mensagem. Pra polícia eu não ia ligar de jeito nenhum. Mas pensei se já não era hora de ligar pra rádio-patroa, a temível dra. Lia, titular da 1° DP — Domestic Police.

Tenho um conjunto de técnicas patenteadas para lidar com a patroa depois de uma ausência prolongada, quando a fofa já terá telefonado pra todos os meus amigos, pra polícia, pro HC, pro IML, e talvez tenha até procurado no armário algum pretinho básico que não seja sexy demais nem muito antiquado pra vestir no meu eventual velório. Sem entrar em pormenores dessas técnicas, adianto que tudo depende da capacidade de inventar enredos simples e consistentes.

Negócio é botar a faca entre os dentes e mandar ver — pelo telefone, de preferência, que é sempre mais seguro. Da última vez que dei uma exorbitada na gandaia, três dias longe de casa sem dar notícia, inventei que duas putanas tinham vindo puxar papo comigo num búti da Rego Freitas, onde eu esperava por um trafica que não chegava nunca. As malaconas tacaram uma dopa braba no meu copo, sem eu ver, e aí, boa noite, Cinderela. O velho golpe. Acordei 60 horas depois, zonzo, pelado e amnésico num HO em Diadema, sem um puto na carteira, nem cartão de crédito, celular ou relógio, e com um tremendo rombo na conta bancária. Só não tinham me levado o Monzão, que é muito velho e não vale nada. Não é que colou? "Que filhas da puta!", a Lia explodiu no telefone. "Também, quem manda pegar pó na boca e dar trela pra puta em botequim? Bem-feito!"

Claro que um ou no máximo dois dias depois os rancores e desejos de vingança acumulados durante as longas horas de espera angustiada vão rebrotar na alma da patroinha e algum troco há de vir a galope. Uma boa chifrada, ou, no mínimo, um chope lançado na minha cara no meio dum bar lotado, como, aliás, rolou na sequência daquele sumiço em "Diadema". Passei um carão da porra no bar, a Lia me detonando aos berros, eu encharcado de cerveja, todo mundo olhando, vexame total. Mas tudo bem levar uma chopada na cara, dá pra segurar, se o copo não vier junto.

Pensei em ligar pro tal número que o Nissim deixou, da pousada ou do orelhão, como ele pediu, mas acabei ligando primeiro pra Lia, a cobrar, do meu celular mesmo. Qual era o problema de ligar pra alguém do meu celular? Paranoia mineira do Nissim.

Hora do almoço em casa, a Lia atendeu. Não parecia puta comigo, nem nada. Só esquisita.

"Tá vivo?", desfechou, serena, depois do meu alô.

"Faz diferença?"

"Pra falar a verdade, não."

Escrotinha, como só as mulheres conseguem ser quando querem e podem. Um homem jamais diria isso pra sua mulher. Mesmo o maior troglodita da boca do lixo poderia lhe dar uma porrada no meio da cara, mas não diria isso. Elas precisam sentir que estão abrindo o jogo com um ás na mão.

"Lia, olha, eu/"

"Olho nada. Deixei mil recados no seu celular, na produtora, na internet", ela continuou, ainda naquele tonzinho mais ou menos neutro. "Você não viu? O que você andou fazendo esses dias todos? Arrumou outra e esqueceu de me avisar?"

Me escapou uma risada.

"Antes fosse", eu disse, sem pensar. Aí pensei melhor e tentei consertar: "Quer dizer, não é isso que eu quis dizer."

Silêncio em São Paulo. Puxei um drama:

"Lia, tá foda, viu. As minhas finanças, a produtora, a minha saúde, a minha vida, tá tudo de perna pro ar."

"Bom proveito."

"E sabe por quê?"

"Não estou interessada."

"Porque eu tenho que ficar fazendo vídeo institucional de embutido de frango, em vez de tocar meus projetos de cinema. Quando não é aquela putaria pro Silas."

"Você adora putaria, Zeca. Você é o Godard do baixo meretrício."

"Lia, vai pra/... Puta merda, Lia. Puta merda, caralho."

Bufei, suspirei, no melhor estilo humilhados & ofendidos. Deixei o silêncio falar pelos meus supostos brios feridos, me deliciando com aquele "Godard do baixo meretrício".

Recomecei:

"Porra, Lia..."

"Porra o quê?", ela rebateu.

A raiva e a mágoa começavam a minar daquela neutralidade fake. Deixei mais silêncio escorrer pelo fio abstrato do aparelho. Ela piscou primeiro:

"Por onde você andou esse tempo todo?"

"Eu? Por aí."

"Aí onde?"

A merda é que eu tinha ligado pra ela num impulso. Não tinha nenhuma história sequer rascunhada na cabeça.

"Aqui", eu disse. "Na praia. Você não sabe? Não ligou pro Nissim? Deve ter ligado. Ele não te disse?"

"Tá fazendo o que na praia?"

Por que mulher sempre quer saber o que você está fazendo? Não basta saber que você tá vivo, catso?

"Trabalhando", eu disse. "E aproveitando pra esfriar a cabeça e o saco. Sozinho."

"Sei."

"Juro."

"Jura o quê? Que tá sozinho? Pra mim não faz a menor diferença."

Mais silêncio. Soltei, empostando fragilidade na voz:

"Lia, tô me esforçando pra botar a minha vida em ordem. Aí em São Paulo tava impossível."

Fez-se um bloco de silêncio gelado do lado de lá. Tapei o bocal pra bocejar. Bater boca com a Lia sempre me dá sono.

"Zeca, não me interessa a ordem nem a desordem da sua vida. O que eu quero é dinheiro pras despesas da casa. Quatro mil. Deposita na minha conta — hoje. Você tem o número. Quatro mil, Zeca."

"Assim que a minha máquina de fazer dinheiro voltar do conserto eu deposito."

"Se vira, meu. Vende pó, vende um rim, vende um olho. Foda-se. Não sou mulher de malandro, pra segurar a barra sozinha. O Leco me disse que você roubou o dinheiro da produtora, inclusive o salário da Terezinha. Pode me passar essa grana. E se acerte com o Leco."

"Já gastei a grana. Tive que ir no médico em Ubatuba, fiz exames", menti. "Num tô legal."

"Quem não tá legal sou eu, seu! A escolinha do Pedro, o dentista do Pedro, o pediatra do Pedro, o supermercado, o condomínio, a Zina, tudo pendurado no meu cartão de crédito e no meu cheque especial. E, ainda por cima, o Natal taí. Assim não dá mais, Zé Carlos, não dá! Sem falar que o condomínio veio quinhentos reais mais caro esse mês, por causa das obras na garagem. Quer dar um tempo, dá. O tempo que você quiser. Pra sempre, de preferência. Mas me manda grana. TÁ ME OUVINDO?!"

Furou meu tímpano aquela pergunta. Porra, quer saber, cara? Odeio a realidade. Odeio garagem, odeio obras, odeio condomínio, odeio o casamento, odeio escolinhas, dentistas e pediatras. Só não odeio o Pedrinho. Tratei de apelar à razão, o penúltimo reduto dos canalhas:

"Você sabe muito bem que eu tô a zero, Lia. Nada engrena, nada emplaca, tudo emperra na minha vida. E justo agora que o job dos embutidos tá na mão, justo agora, vem você puxar minha perna pra dentro da cova?"

"Quatro paus até amanhã. Pede emprestado pro Nissim, pro traficante, pras tuas vagabundas."

"Isso, Lia, me esculacha, me humilha, lava a tua alma."

"Quatro paus, Zé Carlos. Senão, vou botar no prego tudo que é seu, aqui e na produtora. Até as cuecas."

Me lembrei que eu estava sem cueca pra vestir. Não tinha cuecas no armário da produtora quando eu vim pra cá. E sem cuecas fiquei eu até agora. Me felicitei por poder viver sem cuecas. Um problema a menos na minha vida.

Parti pro contra-ataque, sacando uma megacascata:

"Porra, Lia, já te falei mil vezes: o institucional da Itaquerambu tá na mão. É aprovar o roteiro e pegar a grana. Quer dizer, trinta dias fora o mês, aquele papo de agência. Mas vai rolar. Os caras aprovando o roteiro, já recebo três paus de advance. Aí pego um pra mim e te mando dois."

"Não foi nada disso que o Zuba me disse."

"Como assim?"

"Ele ligou na semana passada, ou retrasada. Disse que você embolsou um adiantamento pelo trabalho, mandou um roteiro requentado que não serviu pra nada e desapareceu do mapa."

"Esse Zuba é um estressado. Escrotinho. Sempre foi."

"E você é um puta folgado. Sempre foi. E agora deu pra ladrão também. Aperfeiçoou a folga."

"Não baixa o nível, Lia. Não baixa o nível, porra. Ladrão o caralho. Cê não sabe de nada."

"Nem quero saber. Quatro mil, Zeca. Não é pra mim, é pro seu filho. Lembra do seu filho? Lembra?! Lembra, seu puto!"

"Não bota o Pedrinho nisso."

"Que o quê! Chega de enrolação! Manda a grana. Dinheiro! Não me importa se vai sair do Zuba, dos pornôs ou do olho do seu cu!"

Uau. Tava afiada a patroa.

"Ok, Lia", repliquei, sonolento. "Vamo vê se de hoje pra amanhã não chove uns diamantes por aqui."

"Você se trai até quando faz essas piadinhas idiotas. Porque esse é justamente o seu problema, Zeca: sempre esperando a solução cair do céu. Enquanto isso vai se enterrando no pó e na gandaia pra passar o tempo. Agora, trabalhar, que é bom..."

"E eu não trabalho, porra?"

"Trabalha? Faz uma droga de vídeo institucional a cada três, quatro meses. Cineasta de um longa só. E *maldito* ainda por cima. Rateando, quanto dá isso por mês? Quinhentos reais? Trezentos? Cem?"

"Eu não faço só institucional."

"Não, claro. Faz também as putarias mais nojentas do mundo praquele seu amigo cafetão. Quanto você tira num pornô daqueles? Duzentos, trezentos paus? Um michê de puta por cada filme?"

Chegou perto. O Silas me paga quinhentão por vídeo de vinte minutos produzido por ele e criado, rodado e editado por mim. É michê de puta boa, classe B, de 8 a 10 vezes mais que o micho michê duma quenga rampeira da Augusta de madrugada. E dá pra fazer uns três filmetes por dia, usando os mesmos atores na mesma locação, se você tiver tudo bem roteirizado e produzido, e ninguém broxar na hora da ação.

A Lia continuou carcando:

"Uma besta de carga, é o que eu virei nessa casa. Tenho que dar vinte horas semanais de aula na faculdade. Tenho onze — onze! — teses de mestrado e doutorado pra orientar, fora a minha própria tese de livre-docência que mal deu tempo de começar e o prazo já tá estourando. Peguei dois livrões de teoria pesada pra traduzir, um com seiscentos e cinquenta páginas. Precisei pegar, senão como vou fechar as contas no fim do mês? Tenho que aturar pelo menos duas reuniões massacrantes todo santo dia no departamento, dar atendimento pros alunos, pegar trânsito, levar e trazer o Pedrinho pra todo canto, fazer supermercado, mandar consertar as coisas que quebram. Tudo eu, eu, eu! Isso é vida pruma mulher, Zé Carlos? Cê tá querendo acabar comigo?"

Ignorei a perguntinha telenovelesca e tentei de novo apelar à razão, que, pelo visto, é surda:

"Lia, vamos conversar direito quando eu voltar. Não tô mais segurando essa tua onda de classe média abonada. Só a mensalidade da escolinha *alternativa* do Pedrinho já dava pra pagar um curso de física nuclear em Harvard."

"Zé Carlos, não me aluga com esse papo de *classe média*, tá? Não é possível um cara de quarenta e dois anos, casado, com filho, se contentar em viver dessa maneira absurda que você vive, meu Deus. Você tá virando um beleléu, um parasita de classe média montado nas minhas costas. Não é possível uma coisa dessas, Zeca! Não é possível!"

Possível, até que é, pensei. Mas disse:

"Lia, além do vídeo dos embutidos, tô na boca dum lance novo que pintou aí. Bramanismo pra dondoca. Vou filmar em Jaipur, na Índia, em Londres e São Paulo. Coisa de cem mil euros."

"Há-há. Bramanismo pra dondoca. Na Índia. Cem mil euros. Legal. Quem te convidou? O Ingo, aquele óvni ensebado que vomita em cachorrinho de madame?"

Caí na risada. Era uma boa descrição do Ingo.

"Pior é que foi ele mesmo", respondi, sem saco pra maiores explicações, nas quais, de resto, ela não acreditaria numa vírgula.

"Que barulho foi esse?!", ela soltou de repente.

"Maritaca. Tem de monte aqui."

Ela soltou uma fungada áspera na minha orelha. E mandou, num tom quase maternal:

"Zé Carlos, existe alguma chance de você criar juízo nessa tua cabeça lesada, algum dia?"

"Só com lobotomia", arrisquei.

"A ideia não é má."

Eu ri. Ela riu. Depois soltou um suspiro-lixa. E mandou, no tom neutro do começo:

"Vou pedir pra Zina fazer sua mala e empacotar suas coisas. Vou deixar tudo na produtora. Certo?"

Caralho, ponderei. Não era bem isso que eu queria. Já saí de casa e voltei um par de vezes. Mas agora, sei lá. A Lia parecia mais serena, decidida. Perigo à vista. Joguei um verdão:

"Lia, vamo tentá esfriá a cabeça, tá legal? Olha, te ligo hoje à noite pra gente conversar melhor. Nove horas? Dez? Cê abre um vinho aí, eu tomo uma pinguinha aqui, e a gente se entende."

"Vou chegar tarde hoje."

"Festinha de mestrado? Ou doutorado?", provoquei.

"Vou direto da faculdade jantar com um amigo."

"Jantar com amigo?"

"Tchau, Zeca. E não esquece a grana. Eu não tô brincando. Vou acabar botando advogado na tua cola. Quatro paus."

"Vai, vai, vai, vai!", explodi. "Vai dar essa buceta pro *amigo*, vai, sua piranha do caralho!"

Ela desligou. Filha da puta. Vai *direto da faculdade jantar com um amigo*. Que porra de amigo? Soou a "Marselhesa" no meu celular. Era ela:

"Esqueci de avisar: a polícia veio aqui. Trouxeram uma intimação pra você. Faz mais de uma semana."

"Que intimação?"

"Pra você prestar depoimento na... péra aí... o papel tá aqui em algum lugar... Não tô achando. É numa delegacia aí."

"Depoimento sobre o quê?"

"Sei lá. Alguma merda que o senhor andou aprontando."

"Que merda, porra?"

"Eu é que sei das suas merdas, Zé Carlos?"

"Foi você quem falou com os caras?"

"Foi. Vieram duas vezes. Sempre às sete da manhã. Saco!"

"Eles foram duas vezes em casa?"

"Foram. Na segunda eu não estava, a Zina que atendeu."

"Você não tava aí às sete da manhã?"

"Não."

"Você disse onde é queu tava?", perguntei, remoendo com dificuldade a informação de que ela não estava em casa às 7 da manhã.

"Não."

"Cê disse o quê pra eles?"

"Que você não aparecia em casa fazia mais de uma semana, nem dava notícias."

"Caralho, Lia! Você disse isso pros caras? Cacete! Eles vão pensar que eu tô fugindo, porra. Que bosta!"

"Que bosta digo eu. Você fugiu mesmo, de mim, do seu filho, do trabalho, de tudo. Quê q'cê andou aprontando, Zé Carlos? Seja o que for, só espero que não sobre pra mim. Era só o que me faltava: ter que administrar rolo seu com a polícia."

"Valeu pela solidariedade, Lia. Não tenho palavras."

"Que foi que aconteceu, Zeca?"

"Fui testemunha dum acidente de carro, de madrugada", chutei de chapa. "Morreu um cara. Que mais você disse pros tiras? Hein? Lia? Lia?!"

A putona tinha desligado outra vez na minha cara. Merda. Polícia atrás de mim, *amigo* atrás da minha mulher. Porra. E digo mais: PORRA! Matei um pernilongo no antebraço. O putinho se espatifou em sangue, meu triste sangue. Acendi uma bituca e um Marlboro, abri uma cerveja. Me bateu violenta a vontade dum pó. E dum amigo, qualquer amigo, o pior amigo que fosse. Comecei a discar pro Nissim, mas lembrei da recomendação nos recados dele: ligar da pousada ou do orelhão da vila.

Do jeito que eu tava, de bermuda, descalço e sem camiseta, desci pra vilinha. Quando entrei na Chapéu-de-sol, o Leno já foi avisando: "Seu Nissim ligou pra você de novo". E me deu um papel com aquele mesmo número de telefone. Liguei do bar-restaurante da pousada, quase vazio àquela hora, à exceção de uma mesa com um casal de hóspedes. A ligação estava boa. O humor do amigo, nem tanto:

"Zeca?! É você, filho da puta?!"

Me bateu o medo de que tivesse dado alguma cagada envolvendo a Nina. As mulheres, vai saber. Mas não, nada a ver.

"Você sumiu, porra!"

"Sumi, *porra*."

"Cê ainda taí em Porangatuba?"

"Positivo."

"Por que não me ligou antes, viado? Deixei mil recados na tua caixa postal, na pousada da Rejane. Mandei a caseira te procurar. Impossível você não ter recebido nenhum recado."

"Recebi."

"E por que não me ligou?"

"Pois é, não liguei. Não queria ligar. Pra ninguém. Além do mais, vi que você parou de deixar recado um tempo..."

"Claro, né, Zeca. O que a Rejane e a caseira não iriam pensar? Que você estava se escondendo de mim na própria casa que eu te emprestei, no mínimo."

"Sei lá o que eles iam pensar."

"Vá se fuder, Zé Carlos. Vá se fuder, tá legal?"

"Vou, mas não hoje. O ano tá acabando, tá ligado? Não é boa época prum cidadão se fuder."

"Cê tá precisando é levar uma porrada no meio da cara, *tá ligado*?"

Engoli mal aquela ameaça. O véio mineiro que viesse me dar uma porrada pra ver só. Ele continuou:

"Caralho, Zeca, que merda você e o Miro andaram aprontando naquela noite, na frente do prédio?!"

"Como assim?"

"Vai-te à merda, Zeca. Vai me dizer que você não tava dentro daquele carro com o Miro?"

Era inútil negar isso. Lógico que eu estava dentro daquele carro com o Miro.

"Tá sabendo, Nissim?"

"Claro que eu tô sabendo, porra! Como é que eu não ia estar sabendo?!"

"Foi uma puta zica do caralho."

"E você ainda me vai direto pro Bitch depois e não conta nada pra gente, seu puto!?"

"Achei melhor não contar. Eu tava meio xarope, todo mundo lá muito doidão, e não tinha o que fazer."

"No cu! Devia ter contado, sim. Pelo menos pra mim, caralho."

"Eu ia contar..."

"Seu puto! Chegou dizendo que não sabia do Miro, e o Miro morto na frente do prédio, a dois palmos da sua produtora!"

"... depois que a coisa esfriasse."

"Zeca, você é um psicótico do caralho!"

"Obrigado. E você é um amigo do caralho."

"Vai se fuder."

"Ó, véio", eu comecei, "não te disse nada no Bitch porque eu queria — e quero — distância desse assunto. Foi uma puta cagada. E o Miro já tinha ido pro saco. Não sou nenhum psicótico. Fui realista, só isso."

"Realista?! Você é um filho da puta, isso que você é."

"Nissim, o que ia adiantar uma sessão fúnebre no Bitch às cinco da manhã, com todo mundo bêbado, cheirado, maluco? O quê, me diga? Nada, zero."

"Alguma cê aprontou lá com o Miro."

"Não aprontei nada com ninguém, caralho. Só liguei pro Miro atrás de pó pela segunda vez na mesma noite, como a gente, aliás, já fez trocentas vezes na vida. Só que dessa vez deu merda. Em vez do Miro, podia ter sido eu a tomar aquele pipoco. Já pensou nisso, Nissim?"

"Mas que caralho aconteceu, porra? Me conta!"

"Um tiroteio no meio da rua, de madrugada. Cê não ficou sabendo? Polícia no pé dos malas. E o Miro e eu no lugar errado, na hora errada."

"Soube do tiroteio. Mas não acredito."

"Não acredita no quê, Nissim?"

"É muita coincidência, porra!"

"Do mesmo tipo que fez da Terra um planeta habitável. Se a gente estivesse um metro mais próximo do Sol isso aqui virava uma churrasqueira. Um metro mais longe, virava um freezer."

"Não desvia do assunto, porra!"

"Não tô desviando, *porra*. Só dizendo que se o Miro tivesse me dado a peteca e se mandado trinta segundos mais cedo, em vez de ficar enrolando, como ele sempre faz, o babaca estaria vivo agora. Isso é que é o mais louco da história."

"O mais louco da história é você, Zé Carlos. Um débil mental do caralho. Cuzão desmiolado!"

Só não mandei o mineiro tomar no cu porque tá bom demais aqui em Porangatuba, hospedado na casa do concunhado dele, e tudo mais. Só que ele não largava a carniça:

"Fala a verdade uma vez só na puta da sua vida, Zé Carlos. Alguma você aprontou ali com o Miro, não é possível. A polícia perseguindo traficante na rua Alagoas, e isso não tinha nada a ver com vocês?"

"Nissim, qual é o seu interesse em me colocar de filho da puta nessa história, me diga? E desculpe perguntar, mas, você é meu amigo ou o quê, seu puto?"

"Se eu não fosse seu amigo você não estaria aí agora na casa do cunhado da minha mulher, no bem-bom, à beira-mar. Enquanto o Miro tá lá na geladeira do IML. E a polícia no meu pé."

"Polícia? No teu pé?"

"E no teu também, porra!"

"Jura?"

"Zeca, me faz um favor, tá? Vai tomar no cu!"

Não fiz esse favor ao Nissim, que seguiu me dando notícias sobre aquela merda toda que rolou. A polícia tinho ido fazer perguntas na vizinhança. Só ele tinha sido interrogado três vezes, duas em casa, uma na marcenaria, por ser meu amigo, sendo que eu, o vizinho fisicamente mais próximo do crime, estava agora "em lugar incerto e não sabido", como os ratos gostam de dizer.

Além disso, tinha mais um detalhe arquióbvio do qual eu não tinha me dado conta: o celular do Miro, com a respectiva lista telefônica, foi parar na mão dos home. Ou seja, meus números todos, da produtora, de casa e do celular, estão lá. Os do Nissim também, e os da Gaúcha, da Melina e de toda a extensa freguesia do nosso finado traficante. Foi uma advogada amiga do Nissa quem soprou esse apito pra ele. Merda. Eu bem que podia ter pego o celular do Miro quando catei o saco de petecas do colo dele. O maldito aparelhinho devia estar no bolso do camisão do falecido. Caralho, ninguém consegue pensar em tudo numa hora dessas.

"Bitchô, cê não sabe o que foi aquilo", o Nissim contou. "Da primeira vez, lá em casa, fiquei encarando o tira, o tira me encarando. Eu sabendo que ele sabia que eu sabia que o meu telefone tava gravado no celular do Miro. Mas cada um ficou na sua."

"Vai ver ele não sabia que você sabia", eu disse.

"Vai ver. Mas na segunda vez, na delegacia, o Roquete Paiva em pessoa abriu o jogo, olho no olho: meu número, e o seu também, tavam lá gravados no aparelho do Miro, sendo que você tá sumido. E mais, bitchô: acharam só uma peteca na mão do Miro."

"Era a peteca que ele ia passar pra mim."

"E o saco de petecas? Onde foi parar?"

"Sei lá, pô."

"Zeca, você é um cuzão mesmo. Olha a fria em que você me meteu."

"Quê que cê disse pro delegado?"

"Disse que eu não conhecia o Miro. E que você me pedia o celular emprestado às vezes, quando o seu não tinha crédito. E eu não tinha como saber pra quem você ligava."

"E o cara engoliu essa?"

"Duvido. Ele tá muito a fim é de ouvir a sua versão da história."

"Mas você não disse onde eu tô, né?"

"Só não disse pra não sujar ainda mais a minha barra. E ó: não usa mais teu celular. Deve tá grampeado. Usa o telefone da pousada ou o orelhão aí da vila."

"Você já disse isso nos teus recados. E os imeios? Será que tão grampeados também?"

"Não tenho ideia. Só sei que você precisa sair daí, Zeca. Se te pegam na casa do cunhado da minha mulher, eu tô fudido. Digo, *mais* fudido."

"Mas, peraí, Nissim. Que mais o delegado te disse? Eu tô sendo procurado pela polícia? Tem um mandado de prisão contra mim?"

"Não sei, talvez. Em todo caso, esse problema não é meu. Só sei que você vai ter que se mandar daí. Hoje."

O Nissim contou também que o tiroteio da Alagoas foi obra do PCC, e saiu em toda a imprensa. Ele achou tudo inacreditável, e continuava achando. Os malas tinham metralhado uma delegacia e detonado uma fachada de banco em Santa Cecília, antes de serem flagrados e perseguidos pela polícia. Depois de passar pela rua Alagoas e detonar a cabeça do Miro, o bangue-bangue foi parar no Pacaembu, em frente ao estádio, na hora em que a feira de sábado estava sendo montada. Os bandidos bateram a Pajero e correram a pé em direção à feira, com os home no pé deles, mandando bala. Morreram os malas e uns feirantes, sem contar uma pá de feridos. Puta cagada. Foi por isso, aliás, que a morte insignificante de um malaco pé de chinelo feito o Miro ganhou importância. Foi o primeiro episódio da chamada "chacina do Pacaembu".

Eis aí a merda toda. O mineiro tava muito puto comigo, como se o fato de eu ter acionado o Miro naquela madrugada tivesse provocado o tiroteio que resultou na morte dele e na chacina dos inocentes feirantes com arruda atrás da orelha que se preparavam para vender seus tomates um a preço 30 vezes mais caro do que pagaram pro lavrador na roça. O Nissim agora quer distância de mim — e mais distância ainda entre mim e a casa de praia do concunhado dele.

"Perdi um irmão", o mineiro teve o surrealismo de me dizer, uma hora lá.

Irmão? Aquele vagabundo do Miro? Bom, ele conhecia o figura há muito mais tempo que eu. Era inclusive padrinho de um dos moleques do cara. Desatou, daí, um panegírico do *irmão* tombado em combate, dizendo que era "um lutador, ponta-firme, alto-astral", e outras inanidades de que só um mineiro sentimentalão como o Nissim é capaz. Fiquei ouvindo e ponderando o quanto eu não vou sentir a menor falta daquele bosta do Miro. Acho que até a mulher dele, a "dona Porra", deve ter sentido um puta alívio por se livrar daquele inseminador compulsivo, um Nero doméstico, casca-grossa, boçal, arbitrário, violento, covarde, folgado, escravagista do caralho. Ela agora vai dar um trato na figura, emagrecer, parar de engravidar a cada quinze minutos. Aposto como a uma hora dessas já deve ter arranjado outro diabo que a carregue, menos escroto que o Miro. Se bobear, volta a sair em fevereiro na Vai-Vai.

"Então, é isso", concluiu o Nissim. "Pega o teu Monzão e se manda pra longe."

"Pra longe onde?", perguntei por perguntar.

"Pra bem longe de mim!"

# <16>

Ok, tá mais do que na hora dum lampejo retroativo, evocado por aquele papo que tive ontem com o Nissim no telefone sobre a morte do Miro, e que me ficou quicando na cabeça feito bolinha de pingue-pongue escada abaixo.

Naquela última madrugada em Zambaulo, fritando os bagos da alma na produtora, o pó do traveco já pela bola 7, sem cerveja e com o Velho Oito malhado já quase transferido por inteiro da garrafa pra rede de esgotos em que se transformara o meu sistema circulatório, tomei a decisão que me pareceu mais razoável na hora, que foi a de ligar de novo pro Miro, conforme já contei. Se o Miro não atendesse ou não quisesse ir até Higienópolis pra me levar o bagulho, o plano B era dar um pulo no Bitch — o plano Bitch —, onde o próprio Miro costumava bater ponto no fim da madruga pra vender as derradeiras jujubas do seu saco de maldades bolivianas, e também se divertir um pouco, pois traficante, embora não pareça, também precisa arejar o saco e o espírito alguma hora. Ali a freguesia é certa e sedenta de substâncias, a despeito da baixa liquidez de seus bolsos, o que levava o Miro a aceitar pagamento em espécie — toda espécie de espécie —, tal como relógio, chaveiro com lanterninha a laser, CD, canivete suíço, boquetes e bucetas em geral.

Já puxava da carteira o papelzinho com o número novo do celular do desgraçado, que é imemorizável, pois muda a cada semana, quando uma descarga de adrenalina inundou meu sistema nervoso, provocada pela trombeta-mor do juízo final disfarçada de campainha do apê da produtora, como acho que já falei. Foram duas trombetadas longas. Caralho, me sobressaltei. Quem, de toda a hierarquia dos anjos e demônios, podia ser àquela hora? O Nissim, que voltava pra casa e tinha visto luz no térreo? Bem possível, calculei. Se bem que aqueles dois toques, pesados e longos, não eram próprios do Nissim, que costuma dar apenas um soquinho curto na campainha: *pém*, suficiente pra fazer um morto abrir um olho no caixão, mas não os dois olhos, nem muito menos erguer o tronco feito boneco de mola, como era o caso agora.

Pelo olho mágico divisei um vulto desenhado contra a penumbra do corredor. Um vulto não muito alto. Achei que conhecia o vulto mas não quis acreditar no que meu olho sugeria. Pelo sim, pelo talvez, abri a porta e dei de cara, adivinha com quem? Com a Nina, a mulher do Nissim. Fosse o fantasma daquele pai corno do Hamlet, meu espanto não seria maior. No entanto, quem parecia mais espantada era ela:

"Zeca?!"

"Acho que sim."

Ela entrou, eu fechei a porta sem barulho. Debaixo da luz chapante do hall, ela me olhava como se eu fosse uma aparição, mesmo sendo eu o titular do pedaço e o ser vivo com maior probabilidade de ser encontrado ali. Vestia uma camisa azul de homem — do Nissim —, à guisa de vestido, com um decote vertical instável que se abria e fechava ao sabor dos movimentos deixando ver uns nacos de peito. A camisa também se abria embaixo, entre as coxas bronzeadas, lisas, material de primeira. Descalça, cada dedinho de cada pé parecia mais delicado e chupável que seu vizinho. Um tesão essa Nina, com todo o respeito ao velho Nissim.

"Vi luz debaixo da porta, achei que o Nissim podia tá aqui", ela disse.

"Tá não, Nina."

"Foi mal."

"Magina, entra aí."

"Trabalhando?"

"Tô, mas tudo bem."

Ela entrou. Tinha acabado de sair da cama, parecia, cinco andares acima, onde fritava à espera do maridão que não aparecia. Exalava uma quentura sexual que se impunha ao ambiente como um foco de incêndio. Fechei a porta sem ruído, pensando na cagada que seria o Nissim aparecer naquela hora e flagrar a Nina sozinha comigo, a nudez da patroinha mal escondida pela camisa dele. Eu mesmo teria dificuldade em acreditar que não estava rolando nada entre nós. Só de olhar aquele carnão, já me sentia traindo o Nissim, mesmo eu não tendo movido uma palha praquilo tudo estar ali na minha frente.

Depois de quase um minuto de cabeça baixa, ela abriu um chororô pontuado de soluços. Eu não sabia o que dizer, menos ainda o que fazer. Quem fez foi a vizinha: se jogou em mim num abraço agônico, a cabeça dourada contra meu peito nu. Envolvi seu corpinho nos meus braços o mais fraternal que pude, me esforçando pra não tacar o mãozão naquela bunda. O cheirinho de fêmea curtida na insônia de verão me falava direto ao pau. Eu via que, da parte dela, aquilo não tinha nada de erótico, era só abandono puro e simples, desespero, medo, ciúme, raiva do Nissim, que devia estar — e estava, como eu iria constatar depois — lá no Bitch, se entupindo de Red Label com pó, encoxando as vagabas e gorgolejando teorias, trocadilhos, lembranças, análises políticas, opiniões culturais, relatos enfatuados de façanhas sexuais e mais todo tipo de papo-furado diante da seleta plateia de malucos e malacos de praxe, os *unhappy few*, como diz o Ingo, referindo-se a tipos como o Alê, o Margarido, a Gaúcha, o Leo, a Melina, o Nissim, o Miro — e eu, of course. Menos ele, Ingo, pra quem a alegria é o estado compulsório da mente nirvânica.

Passei a mão no cabelo carameloiroso dela. Xampu de princesa cosmética. Um tesão. O que pegava era aquele chorinho chatonildo. Não me parecia animadora a ideia de abrir um consultório sentimental às 4 da madrugada, viradão de pó e uísque como eu tava. Em meio ao silêncio burguês do edifício Paris, temi que o Adermilson pudesse ouvir aquilo lá da mesa de plantonista cochilante dele, a poucos passos do apê da produtora. Se estava acordado, o que era improvável, devia ter visto a mulher do 52 pegar o elevador, equipado com a maldita câmera interna, e descer pro térreo. Será que o puto contaria isso pro Mané zelador, que por sua soez vez daria um jeito do marido da mulher ficar sabendo? Eram perguntas que se levantavam na minha mente junto com o meu pau dentro da calça. Deixei a Nina sentir na barriga o estado da coisa, que eu tinha posto pra cima sem ela perceber. Fiquei ali, pois, de pau duro encostado nela, sem o menor sentimento de culpa. Porra, a vizinha estava ali roçando suas mágoas no meu corpo por livre e espontânea deliberação dela. Tudo que fiz foi abrir a porta. Como eu podia imaginar que segundos depois estaria encostando a vara na mulher do meu velho amigo e sentindo suas lágrimas quentes escaldarem o meu peito peludo?

Depois de longos e fervilhantes segundos, a insana insone desgrudou de mim e saiu feito louca pela produtora. Onde a luz estava apagada, como na cozinha, entrava estapeando a parede até acertar o interruptor. Fui atrás dela, precedido pelo meu pau que tinha escorregado da posição de sentido e agora armava um circo razoável dentro do jeans.

"Cadê o seu amigo?!", ela se pôs a berrar, abrindo tudo que era porta que encontrava pelo caminho, inclusive dos armários. "Onde se meteu aquele filho da puta? Ele tá aqui, não tá? Se escondendo de mim. Tá ou não tá?"

"Tá não, Nina. E eu não costumo guardar meus amigos em armário embutido."

"Por que ele não volta pra casa, por quê?! O que é que ele tá fazendo na rua até uma hora dessas? E com quem? Me fala? Hein?!"

"Não faço a mínima."

"E você?"

"Eu?! Tô aqui, na sua frente, salvo engano."

"E por que não tá lá na sua casa com a Lia e o seu filho? Por quê? Vocês não sabem o que uma mulher sente quando o marido não volta pra casa. Sabem? Não sabem. Se soubessem não faziam isso com a gente. A sua mulher sabe. Eu sei. Eu sei e não aguento mais! Toda semana, a mesma coisa, duas noites de gandaia, três, quatro. Se deixar, é todo dia. O resto do tempo, se não tá na marcenaria trabalhando, o Nissim fica de bode no sofá, lendo jornal, vendo tevê, roncando. Nem quer saber mais de mim. Se eu não pulo em cima dele, não rola nada. E quando pulo, também não rola. Vocês são foda, viu! Que merda! Que merda!! Que merdaaa!!!"

"Shshshsh! Pô, Nina. Manera. Sabe que horas são?"

"Que horas são? QUE HORAS SÃO?! Eu é que pergunto que horas são! Seu amigo me ligou da marcenaria às sete da noite dizendo que ia tomar uma *cervejinha rápida* e vinha pra casa. E olha só QUE HORAS SÃO!", ela retrucou, apontando pro Swiss Army no pulso.

"Cervejinha rápida demora mesmo", comentei, tentando amenizar o clima. "E desanda fácil. Eu sei como é."

"Eu *sei* que você sabe como é!"

Daí por diante, achei mais prudente fechar o bico. Ela deixou as costas tombarem contra a parede e se acalmou. Tava arrasada, tadinha. Fiquei pensando naquela curiosa informação sobre a vida sexual do casal. Não batia com as batotas que o Nissim alardeava sobre comer a patroa "todo santo dia" com sacra devoção mineira. Ninguém que conhecesse a Nina poderia duvidar disso. Todo mundo faria o mesmo, com o maior prazer. Até mesmo algumas garotas fariam. Pois ali estava: não comia porra nenhuma. Deixava a bela mulher à míngua de sexo e companhia, o animal. Eu faço a mesma coisa com a Lia. Mas a Nina é um piteuzinho de trinta anos recém-completados, uma gazela no auge da juventude madura, e não aquela acadêmica quarentona *resolvida* com quem ainda me acho — me achava, a essa altura — casado.

Porra, cara, ver aquela delícia cruzando descalça o apê da produtora mexeu comigo. Mas tudo que ela queria, com seu olhar de diaba vingativa, era encher o diabo do mineiro de porrada. Fazia isso mentalmente naquele momento, arreganhando o lábio inferior, o ódio sibilizando entre os dentes. E no entanto estava vestida de Nissim, recheada, encharcada, entupida de Nissim. Matando o Nissim, mataria a si mesma. Era esse seu plano, o clássico homissuicídio passional. Problema dela e do Nissim, pensei. Só me interessava saber ali é se ela estava sem calcinha. Eu pelo menos não conseguia ver marca de calcinha naquela bunda delineada sob a fralda da camisa. Fiquei "trabalhando com a hipótese" dela estar sem calcinha, como diria o Zuba. Sem calcinha e sem sutiã nas tetas. *Caralho...*, suspirei, afagando o próprio por cima da calça, fora do viewfinder dela.

Daí a doida retomou a blitz pelo apartamento, repassando pelos mesmos cômodos, menos agitada agora. Mal deu tempo de entrar na minha sala antes dela e esconder numa gaveta a caixinha de CD com a última lagartona de pó esticada em cima, ao lado da carcaça da Bic e do cartão de crédito. Uma lasca de segundo depois, a Nina entrou e desabou sentada no meio do sofá, pernas abertas, ainda com filetes de água salgada se derramando dos olhos brilhantes e vermelhos. Parte daquela água devia ter molhado pelo menos um dos peitos. Um peito salgado de lágrimas e suor seria iguaria dos deuses priápicos naquela hora. Os dois soluçavam em uníssono debaixo da camisa-vestido. Nina cruzou as coxas, descruzou. Tornou a cruzar. Ergueu um joelho, apoiou o queixo nele e firmou o pé no assento. Aí vi que tinha trabalhado com a hipótese errada: ela estava de calcinha, branca, com o calombo de absorvente visível na buça. Minha segunda fêmea menstruada em 24 horas. Água pelos olhos, sangue pelo sexo, suor pelo corpo todo. Meu pau ardia de sede por aquela mulher tão líquida.

"Por que seu amigo faz isso comigo, por quê?", ela repetia, exalando amargura. "É o pó. Essa merda tá acabando com vocês. E comigo. Amanhã cedo, quer dizer, daqui a três, quatro horas, tenho que estar no Pata pra coordenar a reunião de sábado das professoras. É só um sábado por mês. E eu não dormi até agora por causa do Nissim. Com que cabeça eu vou coordenar a reunião? Me diga?"

"A cabeça eu não sei, mas a cara continua bonita", mandei, sem pensar.

Tive a impressão de que ela gostou de ouvir aquilo e apenas fingia não ter ouvido. A vaidade sempre fala mais alto num certo tipo de mulher. E a Nina sem dúvida era esse tipo de mulher.

"Eu não mereço isso. Eu trabalho também. Não é só o Nissim que traz dinheiro pra casa, não. Eu trabalho, e *muuuuito*. Você não sabe como escola dá trabalho."

A Nina é dona de uma escolinha de criança que ela herdou da mãe, na Vila Nova Conceição, perto do Ibirapuera. O Pedrinho chegou a frequentar o Pata Patty durante seis meses. Sendo a dona mulher do meu amigo, a gente tinha 50% de desconto. Mas era muito puxado levar o moleque das Perdizes até lá todo santo dia, tarefa que só a Lia desempenhava. Além disso, a Lia não parava de reclamar que a Nina é muito "fútil" e que o Pata Patty, além do nome idiota, era por demais "tatibitati". A gota d'água foi quando ela encontrou o moleque numa roda de crianças dançando uma espécie de quadrilha junina ao som de um CD da Xuxa. "Ilari lari ê, ô-ô-ô!" No dia seguinte o Pedrinho não voltou mais lá. Porra, tá certo que o Pata Patty não seria confundido com um centro formador de futuros socialistas bolivarianos, mas e os 50% de bolsa? Agora o menino estuda numa escola tão cara quanto o Pata, mas sem desconto nenhum. "Eparrê--Mirim", se chama a nova escola. O Pedrinho passa o dia cantando o *paranauê, paranauê, camará*, ao som de berimbau e atabaque, e faz visitas a aldeias guaranis nos arredores de São Paulo, de onde volta com um pacote de prendas incluindo chocalho, CD com música indígena e cartilha tupi-guarani. Legal. Tudo bem. Mas perder 50% de bolsa só por causa de um Ilariê de nada, sendo que a Xuxa, ainda é uma puta duma gostosa?

Sentei ao lado da Nina, que não se mexeu. Seus peitos se expandiam a cada inspiração funda. Peguei sua mão, quente e úmida, com a minha, fria e seca. Eu era o amigão do Nissim, tinha o dever de consolar a patroa dele. Nina apertou minha mão, e eu me animei a passar o outro braço por seus ombros macios. Acariciei um antebraço pra fora da manga dobrada. Ela se deixou aninhar no meu abraço, cabelo cheiroso na minha cara.

Larguei do braço dela e deixei a mão bobeando um momento no ar, antes de mergulhar por dentro do decote da camisa — do Nissim, o que eu tentava esquecer — até pousar num peito. Não houve reação. Catei o mamilo macio. Dei uma leve sintonizada. Ela fez um *aah...* e virou a cara pro outro lado, num protesto dengoso. Larguei da mão dela e catei uma coxa melada de suor. A respiração dela ia acelerada, a minha também, mais ou menos no mesmo ritmo. Escorreguei a mão coxa acima até a ponta do dedo tocar o absorvente sob a calcinha.

Ela voltou a cabeça pra mim. Os lábios vieram junto. Saiu o primeiro beijo linguarudo. Afastei calcinha e absorvente e abri com suprema delicadeza as folhas de carne molhada. Senti o perfume no ar: buceta pura. Puxei o zíper da calça e liberei meu pau disponível para o amor, para falar de um modo poético. Como a Nina demorasse a tomar alguma atitude, tomei eu da mão dela e botei lá. Seus dedos deram conta da encrenca. Apalpava, amassava, titilava e até sacudia o objeto. Na verdade, não tinha muito jeito pra coisa, mas, porra, tava bom pra caralho — praquele caralho específico. Desgrudamos as bocas pra tomar um pouco de ar, mas nem por isso a Nina parou de me punhetear, nem eu de siriricar sua bucetinha molhada e de bolinar seus peitos por dentro da camisa.

Botei os quadris pra funcionar e dei umas estocadas naquela mão. Ela entendeu a proposta, parou de chacoalhar e deixou-se foder na mão fechada, enquanto eu ia metendo devagarinho meu dedo anfíbio naquela buceta aquática. Ela gemeu mais forte. Eu não sabia onde aquilo ia parar, mas queria estar na minha pele pra ver isso. Todo o rancor inicial da Nina se dissolvia em tesão, não mais nem menos que de repente. Eu devia essa ao Nissim. Não fosse meu amigo um bebum de merda que larga a mulher sozinha pra ir farrear num inferninho encardido cum bando de malucos, eu não estaria naquela hora nos preâmbulos eróticos com a mulher dele.

Nos beijamos mais um pouco, com mais violência agora, cada qual se esforçando ao máximo para sugar o segmento superior do aparelho digestivo do outro. Resolvemos de comum e silencioso acordo desacoplar nossas bocarras tubarônicas antes que isso acabasse acontecendo de verdade. Desendedei-lhe a buceta, tirei a mão dela do meu pau e ajoelhei à sua frente. Agarrei os flancos da calcinha, e já puxava o paninho pra baixo quando ela me gadunhou os pulsos e me deteve. *O-ou*. Não era possível que a comadre fosse refugar naquela hora. Se isso acontecesse, pensei na possibilidade de estuprá-la, na boa. Dava-lhe duas bofetadas na carinha linda e metia-lhe a mandioca. Mas não, o que ela queria era se ocupar ela mesma da tarefa, cuidando pra não deslocar o absorvente carimbado de sangue vermelho-amarronzado. Mal depositou a calcinha dobrada de lado no chão, e eu já lhe puxava a camisa por cima da cabeça num só golpe, como se arrancasse a pele do Nissim de cima dela, desvelando um violoncelo de mulher, com peitos cheios, altos, rijos. Tinha uma barriguinha também, mas, porra, que mulher de carne e osso não tem uma barriguinha hoje em dia? Nada grave, mas podia ser menor, a barriguinha. Barrigas, de um modo geral, sempre podem ser menores do que são, máxima que todas as anoréxicas devem seguir à risca. Lembrei ali do quanto a Zoca, empregada deles, é boa de forno e fogão. O Nissim, em algum momento do casório, deve ter mudado o foco libidinal da buceta da mulher pro estômago — dele. E a Nina, claro, aderiu à comilança, ordenando cardápios suntuosos à cozinheira. Já mandei altos rangos na casa deles, em geral às sextas, no jantar. A Zoca deixava tudo pronto, a Nina só esquentava e servia. A Lia, no começo, me acompanhava nesses regabofes e até apreciava o programa. Depois passou a implicar que a bebida rolava solta demais e acabou descobrindo que eu e o Nissa mandávamos uns tecos na paralela, coisa que ela abomina.

Uma noite, findo o prato principal, um pato, acho, eu e o Nissim saímos antes da sobremesa a pretexto de comprar mais vinho numa conveniência e acabamos no Bitch pra pegar pó, de onde não saímos mais. As patroas ficaram nos esperando, entregues a si mesmas, ou seja, ao tédio absoluto, já que a Nina acha a Lia uma intelectual esquerdofrênica e arrogante, e a Lia considera a Nina uma dondoca tapada e diletante com aquela escolinha yuppie dela que só serve pra disfarçar o ócio de madame em que vive.

Bom, foi fácil relevar la pancetina de la bela Nina — Belly Nina. A bunda eu não podia apreciar direito, sentada que ela estava. Mas na frente a pentelheira aparadinha dava show. E que peitos, amice, nunca é demais repetir. Os mamilos lembravam bicos de mamadeira para recém-nascidos, gordinhos e macios, brotando de róseas aréolas redondas e bojudas. Encaixado entre as pernas da Nina, tratei de chupar um deles, bem salgadinho, como eu imaginava. Depois, chupei o segundo, que me pareceu mais pra doce que salgado, talvez porque o primeiro tivesse alterado as condições do meu paladar. Essa operação suscitava lamúrias excitadas da parceirinha e me deixavam em ponto de bala. Dava pra ver que aqueles peitos não eram chupados fazia tempo. Ela retribuía os carinhos me arranhando de leve as costas. A certa altura, respiração e arranhação foram ganhando intensidade. Aquilo ia deixar na minha pele a assinatura do adultério, calculei, e ela própria deve ter calculado a mesma coisa. Que se foda, comuniquei pro meu superego, já enfiando a mão por debaixo daquela bunda fofa. Logo tateei as rugosidades do cuzinho da vizinha. Não houve protesto.

Era chegada a hora de me livrar da calça. Me pus de pé e fiquei peladão, de pau duro apontado pra cara dela. Não posso negar que muito me orgulho do meu pau duro e gosto de exibi-lo pra mulherada. Não é muito grande, como já devo ter dito umas cem vezes, mas é grosso, cabeçudo e tenaz. Qualquer mulher com tesão olha praquilo e se diz: oba! Com a Nina não foi diferente. E sabe o que ela fez? Me arregaçou o que faltava arregaçar do prepúcio, liberou a chapeleta e deu uma cheiradinha ali, como se o meu pau fosse uma rara flor--do-campo. Cheirou e deu uma lambidinha. Gostou e abocanhou o cabeção. Chupou, lambeu de novo, mordiscou. Daí, num rompante de glutoneria, mandou quase tudo pra dentro. Agasalhei sua cabeça nas minhas mãos, e comecei a foder aquela boca beiçuda. A sensação era de estar fodendo a própria cabeça da Nina, como se eu lhe atravessasse os miolos até tocar o âmago do seu psiquismo de fêmea ultrajada disposta a dar o troco em grande estilo no marido fujão. Um formigamento forte foi me brotando na planta dos pés, sinal de gozo à vista. De olhos fechados, na pilha do tesão, ela também devia pressentir isso e se preparava para receber na boca toda a porra que eu tinha pra doar.

Mas eu estava decidido a não gozar logo feito um colegial afoito. Tirei meu pau daquela boca glutona antes que fosse *taaaarde* demais e caí pela segunda vez de joelhos na frente dela. Catei-lhe as coxas por debaixo, erguendo suas pernas e escancarando aquela buceta peludinha. E caí de língua no manjar. Lambi, chupei, bebi seus sucos desejantes, operação que ela aprovava com gemeção de cadela sôfrega. Senti na língua o sabor exquis de alcachofra curtida na hemogoblina, e dei meu veredito: bucetão. Outra coisa que eu dei foi uma lambida de bônus no cu pelado da parceira. Cu limpinho que só vendo. Ficou ainda mais limpo depois do banho de saliva com baba de buceta ensanguentada que eu dei nele.

Prossegui naquela degustação até perceber que a dona do Pata Patty começava a gozar dum jeito que não ia ter volta. Nem se mil janízaros com a cara do Nissim entrassem ali naquele momento brandindo cimitarras ciumentas, ela deixaria de dar seu glorioso gozo — um glorigozo. Resolvi parar de chupar e, sempre ajoelhado, enterrei-lhe a pica até o cabo, de prima. *Vlof.* Me faltaram uns poucos centímetros de pujança pra atingir o fundo do poço sem fundo do tesão feminino. Eu puxava, enterrava, puxava, esperava, enterrava, e ela, aos gemidos e gritos, me agarrando, me arranhando, "Vai! Vai!" Uma hora lá meu pau saiu pra fora, mas achou o caminho de volta no mesmo instante. Puta trepada escandalosa. A Nina, ou o maluco do inconsciente dela, alardeava a todo mundo no prédio, no quarteirão, no bairro, que ela estava plantando um solene par de cornos no marido boêmio. Só podia ser isso. A desgraçada ululava e vibrava com as pernas enroscadas nos meus rins. O que estragou um pouco a foda foi ela ter inventado de ordenar:

"Goza fora! Goza fora!"

É um saco ouvir a mulher te dizer onde, quando e como gozar. Muito menos naquele tom assertivo da Nina. A vontade era retrucar um "Cala a boca, sua vaca, e me deixa gozar em paz, porra!" Mas, sendo um cara educado, só dei mais quatro ou cinco bombadas e gozei — dentro dela.

"Cê gozou?!", ela soltou, ao sentir-se inundada de gosma romântica.

"Goz...zzei", respondi, terminando de gozar.

"Porra, Zeca!", ela explodiu, me expulsando de dentro dela.

Meu pau saiu puxando um longo fio de porra lá de dentro.

"Não te falei pra gozar fora, meu?!", ela começou, deveras pícica.

"Tudo bem, Nina. Cê tá menstruada, não vai engravidar."

"Que merda! Tô no fim da menstruação, Zeca. Já engravidei assim uma vez. Tive que fazer aborto, sabia?"

Foi quando um carro estacionou bem diante da janela fechada. O motor continuou ronronando. Uma porta se abriu.

"O Nissim!", ela soltou, se retesando toda, gata pilhada em flagrante deleite em teto de zinco quente.

"Foda-se o Nissim", deixei escapar, ventilando meu próprio mau humor.

Lá fora, vozes, risadas de homem e mulher se despedindo, batida de porta. O carro logo arrancou. Lógico que não era o Nissim. Ele não teria por que parar o carro na frente do prédio àquela hora, pra começo de conversa, com sua vaga a esperá-lo na garagem. Aquilo era só um cara qualquer deixando em casa a buceta que ele tinha acabado de comer e que, na certa, pelo tom das risadas, não devia ter reclamado do jeito que ele gozou ou deixou de gozar dentro ou fora dela.

"Foda-se você", a Nina soltou de repente, enquanto enxugava a buceta e arredores com uma ponta do edredom mijado que recobria o sofá. As partes brancas do edredom xadrez ficaram tintas de sangue diluído em porra.

Eu não disse nada. Ela continuou:

"Que sacanagem, Zeca! Trepa com a mulher do amigo, sem camisinha, e ainda manda ele se foder?"

"Eu não mandei o Nissim se foder."

"Claro que mandou! Eu ouvi: 'Foda-se o Nissim'."

"Foi só um jeito de, de, de, de dizer pra você não se preocupar co-com o Nissim, que não era o Nissim lá fora, que que..."

Mas ela catou a calcinha com o absorvente do chão, se levantou, recusando a minha mão de cavalheiro, e marchou a passo duro pro banheiro, balançando uma bunda de fato deliciosa, como eu via agora.

Falha minha, me remoí. Gravíssima. Detonar o cônjuge ou mesmo o ex-cônjuge da pessoa que você tá comendo diante da própria pessoa-que-cê-tá-comendo é gafe primária. Quê qui tinha eu que dizer aquilo, meu caralho, e bem naquela hora? Porra, às vezes desconfio que não aprendi nada com a vida. No resto das vezes tenho certeza disso.

Quando a Nina voltou do banheiro, já de calcinha, ostentando o belo par de peitos que eu tornaria a chupar de bom grado, tentei sacar em grande estilo:

"Eu adoro o Nissim, Nina. Você sabe disso. A ponto de dizer 'Foda-se o Nissim' numa boa. A gente só se trata assim. É um tal de *foda-se, viado, vai tomá no cu, filho da puta*, na boa. Jeito de macho antigo do teu marido, que eu acabei pegando."

A Nina já abotoava a camisa do Nissim sobre seu corpinho recém-fornicado.

"Vocês são todos iguais, essa é que é a verdade. Um mais igual que o outro."

Tentei mudar de assunto com a pergunta mais cretina que me ocorreu:

"Foi legal pra você?"

"O quê?"

"Nada", respondi, disfarçando a mágoa que deveras não sentia.

Ela desencanou de mim e retomou a ladainha:

"Onde se meteu o Nissim, porra? Só consigo pensar em coisa ruim. Isso é o que mata a gente, passar a noite em claro pensando em tragédia ou traição. É um horror."

Ponderei lá comigo mesmo que, tirando alguma pêta rápida que a Melina possa lhe ter feito lá no banheiro do Bitch, nada de mais grave devia ter acontecido com o meu amigo. E foi isso mesmo que eu disse:

"Não aconteceu nada disso com o Nissim, Nina. Ele tá enchendo a cara por aí, só isso. Daqui a pouco o doido aparece, capota na cama e amanhã vai ser um novo dia, cê vai ver."

"Isso se não capotar de carro na rua."

"Capota não. O Nissim é um bêbado habilidoso. E responsável."

"É um filho da puta, isso que ele é", ela rosnou. "Se ele não morrer por conta própria, vou acabar matando o seu amigo."

"Não carece. Basta botar um chifrinho nele de vez em quando."

Achei que ia levar uma porrada, ou duas. Mas meu comentário singelo passou batido.

"Por que aquele idiota faz isso comigo, me diz? É só isso que eu queria saber."

"Não chama o meu amigo de idiota", provoquei.

"Você é outro, Zé Carlos", ela mandou, acrescentando: "Idiota, escroto, oportunista."

"Tão tá, Maria Eponina", rebati, calmo, pra não mandá-la de vez à merda.

Acredite se quiser: esse é o nome cartorial da Nina — Maria Eponina. Seus pais deviam achar que a monarquia seria restabelecida e ela se casaria com um Orleans e Bragança do ramo de Vassouras e viraria imperatriz, ou porra assim. A Nina me jogou um olhar azedo, sentou de novo no sofá, fincou os cotovelos naquelas coxas adoráveis, enfiou a cara nas mãos e desatou a chorar outra vez, sem grandes convulsões agora. Um chorinho à toa, só pelo gosto de verter mais umas lágrimas, parecia. Deixei a vizinha prantear em paz seja lá o que fosse, seu casamento capenga com véio maluco, por exemplo, ou o eventual feto condenado à morte que eu poderia ter acabado de injetar nela. Motivo não falta pruma mulher chorar. Cagando pra ela e pra tudo mais, tirei da gaveta a capa do CD do Lou Reed com pó em cima, tomei da carcaça da Bic e matei a última e derradeira carreirosa que restava do meu patrimônio narcoentorpecente. Dei também uma mamada no bico do Old Eight fajuto, tentando sugar aquelas últimas gotas que ficam presas no dosador. Ela viu e sacudiu a cabeça, enojada. Achei que ia dar outro piti. Não deu. Já tinha gasto bastante energia por uma noite. É isso, afinal, o que ela tinha ido fazer ali: exaurir a ansiedade pra poder dormir algumas horas antes da tal reunião de sábado com as professorinhas do Pata Patty.

Daí, se levantou, enxugou olhos e cara na fralda da camisa, onde aproveitou para assoar o nariz, exibindo outra vez a calcinha e as pernas deliciosas. Saiu sem dizer nada pelo corredor. Fui atrás dela, peladão, temendo ainda algum barraco repentino.

"Se encontrar o Nissim, fala pra ele voltar pra casa, tá?", ela disse, mansa, com a mão na maçaneta. Mas ao pôr o pé na soleira teve um escarro de raiva: "Seus merdas!".

Impedi com o pé que ela batesse a porta, o que por pouco não me esmigalha a canela. Soltei um berro tão ou mais decibélico que a batida de porta que eu quis evitar. Com dor e tudo, fiquei observando seu rebolado na penumbra do hall interno a caminho do elevador. Gostosinha pa caraio. Ela tinha razão: sou um merda. E o Nissim é outro. E quem não é? Ela, por acaso, que tinha acabado de dar pro vizinho e amigo do maridão?

Voltei pra minha sala e caí no sofá coberto com o edredom ainda morno da bunda da Nina, a canela latejando de dor. Me veio o Pedrinho à cabeça. Mandei um beijo grande pra ele, que devia estar dormindo em boa paz lá em Perdizes. Lembrar do Pedrinho me fez bem à alma. É a única coisa boa e pura da minha vida. Fiquei tão contente de lembrar do meu filho que me bateu uma tremenda fissura por mais pó, mais birita, mais pito de pango e, quem sabe, mais uma bucetinha antes do definitivo raiar do dia, e mesmo depois do dia raiado, fosse o caso. Um resto de noite persistia lá fora. E que putinha essa Nina tinha me saído, hein? Rapaz! Sempre achei que a Nina gostava do lesco-lesco, e agora podia avaliar o quanto. Só não precisava ter saído batendo a porta na minha pobre canela.

Passei a mão no telefone enquanto acariciava a canela amassada, decidindo se ligava ou não pra Nina pra lhe dizer qualquer coisa como: "Aê, sua putinha, vai batê porta na canela daquele corno do teu marido, porra". Ou: "Desce aqui, que faltou eu foder teu cu lambrecado de cuspe, piranha". Ou qualquer gracejo do gênero. Calculei também as chances do Nissim já ter voltado do Bitch e atender o telefone. Mais provável que não, achei. Era sexta, o bitchô só ia sair de lá com o dia raiado. Isso se a Gaúcha não resolvesse retê-lo para averiguações urológicas depois de fechar o bar.

Liguei. Não pra Nina, pro Miro. Achei que uma hora daquela até aquele mala do caralho já devia ter puxado o carro. Mas não é que o filhadaputa respondeu ao primeiro toque? Tava na função ainda, suprindo a demanda residual por cocaína no segmento de bêbados trincados em fim de noitada, como diria o diretor de marketing do Cartel de Medellin, que bem poderia ser o mesmo da Granja Itaquerambu, e vice-versa. O Miro me garantiu que ia "dar uma passada numa quebrada aí, e, em quinze minuto, quarenta, no máximo, tô chegando".

Vê se pode: *quinze minuto, quarenta*! Tinha uma ironia autoritária naquilo, do cara que se sabe senhor absoluto da fissura alheia e tira uma da tua cara fissurada.

Desliguei me prometendo que, de posse de mais munição, iria colar a bunda naquela cadeira diante do computador e arrancar das trevas o maldito roteiro dos embutidos de frango. Só de saber que mais pó estava a caminho já fez meu coração bater mais forte. Eu era um Romeu aviagrado esperando por sua Julieta em flor. É uma viadagem total esse negócio de esperar pelo traficante. O bostinha chega na hora que bem entende e você ainda lhe beija os pés, cheio da mais comovida gratidão. Bom, eu tinha de quinze a quarenta minutos pra esperar. Talvez mais, era impossível prever. Sentei, pelado ainda, na frente do notebook e fiquei um tempo olhando pra tela até conseguir criar um arquivo novo: *Itaquerambu.doc*. Já era um começo. Deixei os olhos vagarem mais um pouco pela página em branco do Word, ouvindo o leve zumbido da ventoinha contra o relativo silêncio da madrugada e o *fuiiiiim* que me atravessava a mioleira por dentro, de ouvido a ouvido, ida e volta, sem fim.

Foi aí que tive uma ideia que você poderia classificar de genial, como eu a classifiquei. Era aquela ideia que eu mais ou menos já contei aqui: clonar um roteiro de institucional que eu tinha escrito fazia um ano mais ou menos prum vídeo dirigido aos vendedores de uma nova linha de lingerie da Pop Vênus, mesmo tipo de job que esse dos embutidos. Bastava substituir calcinha, anágua e sutiã por salsicha, linguiça e salame.

A estrutura do vídeo da lingerie, que localizei em dois segundos aqui no notebook, era simples e eficaz. Uma voz em off enumerava os produtos e suas vantagens em frases rápidas e sedutoras: "Nova geração de lycra entretecida com fios de seda sintética. Alças em silicone transparente. Moldes revolucionários que dão um relevo marcante às formas primordiais da mulher".

A imagem mostrava um vendedor de peruca armada em topete Elvis, com pinta de fauno comerciário, de plantão na porta de uma butique de shopping vendo a mulherada passar na alameda, de olho em suas "formas primordias": bundas, púbis e tetas, focadas em zoom. Só que o olhar do cara tinha a propriedade de despir os corpos das fulanas, revelando suas peças íntimas: calcinhas, anáguas e sutiãs da Pop Vênus. Eram cinco mulheres gostosérrimas recrutadas numa agência de modelos. (Quase comi uma delas, mulata peituda, um tesão, mas ela só podia sair num sábado em que tive de ir a uma festa idiota com a Lia, e, depois, já era.) No final, ao voltar pra dentro da loja, o vendedor se postava suspiroso e sorumbático atrás do balcão, pensando nas lindas mulheres do shopping que nunca seriam suas. De repente, as mesmas gatas que ele tinha acabado de radiografar lá fora saltavam dos provadores, envergando as lingeries da Pop Vênus, e partiam pra cima dele no maior alvoroço. Uma delas arrancava sua peruca e todas carimbavam-lhe a careca — era um ator careca — de beijos vermelhos. A imagem congelava, com o vendedor atolado em mulheres de calcinha e sutiã, o logo da Pop Vênus rodava na tela — e um abraço.

O vídeo ganhou o Top of Mind daquele ano, na categoria de institucionais, com direito a festa, troféu e agradecimentos ao microfone. Eu tinha um futuro profissional naqueles tempos. Mas, como diz a dona Lia, preferi virar um mártir da insolvência e da vagabundagem, investindo tempo, dinheiro e neurônios em cineprojetos malucos que nunca saíram do papel. E quando saíram, caso único do Holisticofrenia, foi só pra me valer o carimbo de "cineasta maldito", tão vantajoso no mercado de audiovisual quanto um furo na testa. Nem mesmo o prêmio no festival de Cartagena ajudou a levantar minha bola. Sou, sempre fui totalmente por fora das panelinhas de cinema. Cheguei a viajar um pouco pelo Brasil a convite de cineclubes e grêmios universitários pra exibir o Holi, comi umas doidinhas em hotéis 3 estrelas de lugares como Passo Fundo, Bauru e João Pessoa, conheci uma pá de psicopatas com abiloladas tendências artísticas, e mais nada.

Minto: conheci também o Silas, que viu meu filme por acaso, gostou das cenas de sacanagem e me chamou pra criar e dirigir pornôs pra ele usando a minha "ístética muderrna", como ele a classificava.

Meti bronca, pois, no roteiro velho fazendo as devidas substituições dos produtos, do figurino, dos personagens e de algumas locações. Foi bico. Em quinze minutos estava pronto. No roteiro clonado, o vendedor da loja de lingerie se transforma num garçom de restaurante alemão vestindo aquele calção tirolês de suspensório. O "alemão" fica dando pose de galã na porta do estabelecimento, babando pela mulherada que desfila por uma rua em chromakey, pra facilitar e baratear a produção. O garçom lambe os beiços e delira, vendo os corpos das minas que vão sofrendo metamorfoses compugráficas e trocando partes de suas anatomias pelos embutidos. Os peitões de uma loira viram duas metades de um balão de mortadela. As pernas de uma morena de minissaia se transformam num par de salames. Coxas e braços de três adolescentes de shortinho e camisetas regata viram salsichas e salsichões. O colar de pérolas de uma madame vira uma fieira de linguiças. Findo o desfile das fêmeas embutidas, o tirolês entra de novo no restaurante, onde tem a grata surpresa de encontrar as mesmas tipas que ele acabou de apreciar na rua sentadas a uma mesa redonda repleta de embutidos de frango. Ele se aproxima da mesa e é cercado pelo mulheril, como se fosse um astro pop. Todas lhe oferecem fatias e nacos dos embutidos, que ele vai devorando nas mãos de cada uma delas com grande gula e prazer, compondo uma brilhante metáfora erótico-antropofágica até o freeze final da imagem.

Dei uma relida nas oito páginas do roteiro maquiado, fazendo umas correções, e chutei pela internet pro Zuba. Eu mal podia acreditar que tinha acabado a porra do roteiro dos embutidos. Me sentia merecedor de toda sorte de compensações. Quando a nova remessa de pó chegasse eu sairia correndo pra Augusta de novo pra pegar a xepa da putaria. Outra possibilidade era rumar pro Joy Story, um inferninho com um monte de cerveja, uísque fajuto, cafungadas no banheiro e piranhas ouriçadas sob um som bate-estaca aplastador. Era de alguma merda assim que eu precisava naquela hora. Porque dormir é que eu não ia mesmo. Eu merecia uma farrinha, porra. Tinha escrito toda a história da surubrâmane, mais o roteiro dos embutidos. Eu era o meu herói. E ao herói as bucetinhas!

Tinha acabado de tomar essas graves decisões sobre o meu futuro imediato, quando ouço um carro estacionando na rua em frente à janela fechada da minha sala. Torci pra ser o Miro e torci também pro desgraçado não me buzinar às cinco da matina bem na fuça do meu prédio. Mas foi isso mesmo que o cuzeta fez. Dois toques curtos, mas altos o suficiente pra acordar as múmias do Egito, quanto mais as do edifício Paris. Meu plano era sair incógnito pela porta da garagem que dá pra rua Itacolomi, manobra que o Adermilson só flagraria se olhasse o monitor do circuito interno de tevê, o que exigiria dele estar acordado, em primeiro lugar, coisa improvável àquela hora, não fosse pelas buzinadas do Miro. Mais um galo da minha carteira ia cantar no bolso do trafica, onde faria companhia ao outro galo que eu já tinha lhe dado umas oito horas antes, no começo daquela noite sem fim.

 Ao sair do apê pro corredor, já ouvi os roncos horrendos do Adermilson. Eu ia quebrar à esquerda, no sentido oposto ao da portaria, ganhar o hall do elevador de serviço e descer a escada pra garagem. Mas não resisti e fui dar uma espiadela no bravo guardião da noite. Fui a passo de gato, e nem precisava, pois o cara jazia nocauteado na cadeira. Não tinha ouvido as clarinadas do Miro lá fora, como também não registrava aquele estertor que ele próprio emitia pela boca aberta cercada por uma barba de três dias.

 Uma vez dei um pouco de trela pro Adermilson e ouvi dele uma síntese da sua história. O cabra é pernambucano, natural de Afogados da Ingazeira, e aluga um quarto num barraco nos fundos de uma funilaria em Parelheiros, pra onde toca de volta em dois ônibus e uma van depois de largar o serviço de manhã. Me contou que ele dorme mesmo é nessas viagens, já que lá no barraco isso é impossível, com as marretadas do funileiro na lataria de alguma Brasa 76 ou Fusca 67, mais serra e furadeira rasgando e perfurando aço, e vozes, berros, cantorias, rádio ligado no máximo volume, a carburação explosiva de motores com escapamento aberto, tudo a dois palmos da cabeça dele. O cabra diz que atocha os ouvidos de algodão, mas isso de pouco adianta. Não é à toa que o filhadaputa ferra no sono à noite lá na portaria do prédio. É sua única chance de sonhar com alguma coisa que não lembre astros e planetas metálicos em perpétua colisão no meio do caos.

 Tranquilizado por ver o Adermilson fora de combate, desci pra garagem e toquei pra saída da Itacolomi. Subi a pé por meio quarteirão, virei à esquerda na Alagoas, e lá estava o mesmo Corsa preto do começo da noite, o que tinha faturado a moto do amigo do meu vizinho de rua. Como é que o idiota do Miro não tinha ainda se livrado daquele carro, me perguntei estarrecido. E ainda voltava com ele ao local do crime, o viado. Pelo menos não estava às vistas do Adermilson, caso o desgraçado acordasse daquela ronqueira proletária. Seria conveniente também que o amigo do cara da moto não resolvesse espiar pela janela o filho da puta que tinha dado aquelas buzinadas na rua.

Lá ia eu, portanto, pegar a bilionésima peteca da minha vida empoeirada. Na hora da fissura parece a coisa mais natural do mundo pegar pó às quatro e quarenta da madruga, e pela terceira vez na mesma noite — a segunda com o mesmo traficante. Mas aqui em Porangatuba, depois de uns dez dias à beira-mar sem cheirar nada além do mesmo ar respirado pela flora e a fauna da Mata Atlântica, isso me parece um certo exagero, devo reconhecer.

Já te conto o resto da história. Deixa eu tomar uma ducha de cano aqui no quintal, que hoje tá quente demais da conta.

# <17>

A bala veio de trás, entrou pela fresta de quatro dedos da janela do motorista sem relar no vidro ou na lataria, arrancou a lateral esquerda da cabeça do Miro, acima da orelha, fazendo o olho dele saltar da órbita, e saiu pelo para-brisa, que ganhou um furo no meio de uma teia de trincaduras salpicadas de sangue e fragmentos humanos. Isso eu vi quando o tiroteio já tinha passado por nós e estava lá na frente, quase na Angélica, pois até então eu tentava me encafuar debaixo do painel, onde normalmente só cabiam minhas pernas. Vi também que eu tinha tomado uma chuva de sangue e miolos do meu lado esquerdo. Até do teto pingava sangue. A cabeça do Miro tinha estourado, nada menos, com o olho pendurado na cara pelo nervo ótico. Ele tinha grande orgulho daqueles olhos verdes. Pelo menos o direito ainda estava no lugar. De qualquer jeito, ele não ia precisar de nenhum deles. O impacto da bala fez com que seu novo visual caolho se voltasse pro passageiro — pra mim, no caso.

Porra, e pensar que eu nem queria entrar naquele carro. Só que, em vez de descer o vidro, me passar a peteca, pegar a grana e se mandar, o imbecil inventou de abrir a porta do passageiro me intimando a entrar. Foi quando assinou sua sentença de morte e quase que a minha também. Quando sentei no banco do carona, o mala se ocupava em desatar o cordãozinho dourado do saco de veludo, contando como tinha comido "o cuzinho" das três gatas que eu tinha visto com ele mais cedo. Falou que as minas fizeram um campeonato de par ou ímpar pra ver quem dava primeiro. Deixei ele falar, naquele tom torporoso já próximo dum apagão. Não acreditei numa palavra daquela história trianal. Como ele também não acreditaria se eu lhe contasse da minha surubrâmane na noite anterior. Donde se conclui que ele podia, afinal, ter comido mesmo aqueles cuzinhos todos, já que eu também tinha vivido as minhas improbabilíssimas sacanagens. Faço votos pra que sim. Terá sido sua última refeição sexual, opípara como deve ser a de um condenado à morte. Enquanto falava, ia apalpando as opções dentro do saco, como era seu hábito, só que num ritmo três vezes mais lento. Acho que uma hora lá chegou a esquecer o que estava fazendo com a mão dentro daquele saco. Quando enfim pescou uma peteca, ficou com ela na mão, não se resolvendo nunca a passá-la pra mim.

"Hoje foi foda", engrolava, num bamboleio bêbado de cabeça. "Só rodando, rodando, e tomando aluguel de pleiba pechincheiro filho da puta. Vão se fudê, falô? Tudo boiola, tá ligado? Eles andam cas mina e tal, mas é as mina que come o cu deles, tá ligado?"

Daí, suspirou fundo e repetiu:

"Vão se fudê, tá ligado?"

Nunca tinha visto o Miro tão chapado, e com tanto cu na ponta da língua. O crack tava acabando com ele. Mesmo mandando todas daquele jeito, vivia repetindo: "Trampo é trampo, baguio é baguio, tá ligado?". Balela. Uma vez, no Bitch, chegou às cinco tão pra-lá que deitou no chão imundo do bar e apagou. Quando todo mundo foi embora, ele continuou lá. Ninguém teve coragem de tentar acordar o desgraçado. O Miro tinha umas guinadas radicais de humor, ia do riso à mais intensa raiva por nada. Diz a Gaúcha que ele mijou na calça e só foi acordar de noite. Esse era o "irmão" que o Nissim perdeu.

Tava ele naquela de esculhambar os pleibas do planeta quando ouvi os primeiros tiros subindo a Sabará, atrás da gente. O bangue-bangue não demorou a virar na Alagoas, sendo que a gente estava a não mais de 50 metros da esquina. Virei pra trás em tempo de ver uma Pajero cinza completando a curva, pneus guinchando no asfalto, um deles, traseiro direito, suspenso no ar. A Pajero quase capotou ali mesmo, o que teria sido a salvação do Miro. O bandido ao lado do motorista despejava rajadas de minimetranca no camburão com sirene a mil que logo apontou atrás deles. Os meganhas devolviam uma saraivada grossa de pipocos de todo calibre contra a Pajero, até de escopeta. E o Corsa ali, e eu e o Miro dentro dele, no meio do fogo cruzado. Foi tudo muito rápido, os tiros, o Miro estourado do meu lado, eu tentando inutilmente me abrigar debaixo do painel, a Pajero passando na vula por nós, seguida da Blazer, com canos cuspindo chumbo por todas as janelas. A bala que pegou a cabeça do Miro, vinda de trás, só podia ser da polícia. Fosse dos bandidos, teria vindo da frente, como é lógico. Não demorou muito, foram aparecendo viaturas com o pé embaixo e as sirenes arregaçando o silêncio da madrugada, meganhas e guanacos debruçados nas janelas de arma na mão loucos pra apertar seus gatilhos e participar da brincadeira. Acho que ninguém nem reparou na gente. O tiroteio lá na frente ia se encaminhando pro Pacaembu, me pareceu.

Olha a cena: um traficante do varejo (Miro) e seu cliente artiste-cineaste (muá) estacionados na santa paz junto ao meio-fio em plena rota de fuga duns malas que não tinham nada a ver com o nosso peixe podre, nem a gente com o deles. Um saco cheio de petecas de pó no colo do trafica e toda a polícia de São Paulo a dois palmos da gente despejando munição pesada na bandidagem, numa cidade ainda quente da onda de ataques do pcc, menos de seis meses antes.

Quando o corso de viaturas escasseou, abri a porta e, já com as pernas pra fora do carro, vi o saco de Royal Salute no colo do Miro. Aquilo não podia ficar ali, decidi, hiperlúcido depois daquela superdose de adrenalina. Dei um look em zigue-zague pelos prédios em volta. Ninguém em parte alguma, que eu visse. A turma ia demorar um pouco pra ter coragem de botar a cara na janela. De sua mesa no hall do edifício Paris, o Adermilson, que devia ter acordado com a trovoada de pólvora e chumbo, também não podia me ver. Catei o bagulho, a um palmo do olho pendurado do Miro, fechei a porta e me esgueirei em direção à Itacolomi. Virei pra trás e dei uma última olhada no maldito Corsa preto com o farol esquerdo espatifado por uma bala que, essa sim, devia ter vindo dos malas. Quebrei à direita na Itacolomi, caminhei vinte passos e me encafuei na rampa de acesso alternativo à garagem do meu prédio. Dei um clique no remoto acoplado ao chaveiro e me agachei o melhor que pude pra passar por debaixo do portão que se erguia com torturante lentidão. Quem tivesse me visto na Itacolomi não teria me flagrado saindo do Corsa preto na Alagoas, e vice-versa. Achei que as chances de ter passado incógnito naquele frege estavam todas do meu lado.

Mal entrei na garagem, me deu paúra de ficar com aquela bagulhêra na mão. Achei mó sujeira mocozar aquilo na produtora, com o cadáver do Miro na rua, bem defronte. Raciocinei: se alguém me viu e de repente me aparece a polícia na porta pra dar uma geral na Khmer, tô fodido. E sair por aí com um saco de pó em cima, numa cidade arisca daquele jeito, me pareceu mais sujeira ainda. Achei que a minha cota de sorte tinha se esgotado por uma noite. Era bom não facilitar. O bairro devia estar coalhado de polícia depois daquele pega-pa-capá. Frigindo na paranoia, dei uma espiada em volta, escrutinando os carros estacionados. Senti o pano do saco de Royal Salute pegajoso de sangue do Miro. Vi a caixa vermelha do hidrante atrás de uma coluna. Fuçando ali, descobri que dava pra forçar um espaço por trás do rolo da mangueira, no fundo da caixa. Me pareceu um mocó seguro, desde que o prédio não pegasse fogo nas próximas horas ou alguém aparecesse pra checar o equipamento contra incêndio, o que era improvável num fim de semana.

Prós e contras somados e ponderados, deixei no hidrante meu butim. Ainda deve estar lá uma hora dessas, espero. No mínimo tô bem fornido de gargumilo quando voltar pra São Paulo. E, se precisar, ainda passo umas petequinhas nos cobres.

Na sequência, subi a escada que liga a garagem ao hall dos elevadores no térreo, a poucos metros da portaria. Arrisquei uns passos até lá e vi o Adermilson de cara grudada no vidro da porta, mãos improvisadas em viseiras laterais, a espiar a quantas andava a rua depois do furdunço, sem coragem de botar o pé pra fora. Estava de costas pra mim e, portanto, também pra sua mesa de porteiro onde ficava o monitor do circuito interno de tevê. Era alta a chance dele não ter me visto na garagem pelo monitor. Dei meia-volta e me esgueirei pra dentro do apê da produtora. Até ali, beleza.

Apaguei a luz da sala, deixando acesa só a do corredor, que não pode ser vista da rua, e fui tomar um banho vigoroso, me esfregando com uma bucha até quase me arrancar a pele e aplicando uma superdose de xampu no cabelo. Vi como a água escorria vermelha pro ralo. Puro "Psicose". Atochei minha roupa ensanguentada num saco plástico de lixo — preto, como convinha às circunstâncias —, lavei bem as mãos de novo, enfiei uma muca de maconha no maço de Marlboro, e taquei este notebook que vos fala na mochila, junto com umas roupas limpas que catei no armário. Daí, refiz em surdina o caminho pra garagem, onde me aguardava o Monzão véio de guerra. Antes de entrar no carro, precisei brecar na tarraqueta o impulso de ir lá no hidrante catar umas petequinhas pra viagem. O porra do Adermilson podia estar me vendo agora no monitor. Ia achar estranho eu me esgueirar por trás da coluna e voltar logo depois. Pra fazer o quê?, ele ia se perguntar. Deixei pra lá o pó e me forcei a entrar no Monza. Dei a partida algumas vezes antes do caquético propulsor se decidir a pegar, e toquei pra saída. Cliquei o remoto, fazendo a porta da garagem bascular à minha frente, lenta como uma tortura chinesa. Vi que a noite empalidecia lá fora, naquilo que os poetas chamam de antemanhã, e confesso que senti um troço. Não sei definir o que era, nem onde era, mas bom é que não era. Fiquei tentando espantar uma revoada de pressentimentos paranoicos que me devastavam o peito por dentro naqueles segundos de espera eterna.

Ao se abrir de todo a porta da garagem, acelerei o trepidante 2.0 do Monzão com mais de 250 mil quilômetros rodados por seus incontáveis donos anteriores, constatando que o meu Zebuh interior ia perdendo toda a força priápica e até a forma taurina. Era um sorumbático urubu cansado agora — um urubuh-jururuh, diria a Samayana. Segui pela Alagoas, palco recente de uma cena eletrizante dos "Intocáveis", pensando na divina mestra e no quão divino seria dormir agora enroscado no corpão dela sobre aqueles tapetes e almofadões do petit pagode. Rapaz, acho até que teria me arriscado a ligar pra ela se não tivesse deixado o fôlder na produtora. Vai que eu pegava a mulher no pulo e ela me deixava ir lá dar-lhe uma bhagadhagaphoda, no capricho, pra desopilar a ansiedade monstruosa que ameaçava me implodir todo, corpo e alma, naquela hora. Pensei em milhões de outras coisas também, enquanto mudava de marcha e de opinião sobre o meu destino imediato. O mais sensato era dar um sumiço da cidade, longe dos tóchico e de seus respectivos traficantes e praticantes. Na volta eu tentaria a centésima reconciliação com a patroa, fazendo força pro tesão e a harmonia retornarem ao aprisco conjugal, deixando as putas da Augusta um pouco em paz com suas bucetas, bocas e cus de aluguel. Nobre propósito que me pareceu de uma inabalável e inaudita sinceridade. A morte do Miro tinha disparado um alarme na minha vida. Pedaços da cabeça dele estavam grudados na minha roupa dentro do saco preto ao meu lado no banco do passageiro. Aqueles miolos nunca tinham servido de grande coisa pro Miro em vida. Iam agora parar no lixo mais próximo — uma caçamba de entulho, no caso, onde pinchei o saco pela janela do carro.

Ao engatar uma quarta na Angélica deserta naquela manhã de sábado, em direção à Paulista, eu só pensava em me jogar no Bitch, na companhia da maluquêra do pedaço: o Alê, o Leo, a Gaúcha, a Melina e, com quase toda certeza, o Nissim, cuja distinta patroa eu tinha acabado de passar na vara. Por mim, tudo bem encontrar o Nissim. Acho civilizado comer a esposa do amigo e, horas depois, tomar uns copos na companhia dele num bar, no mais sereno compadrio. Chato era não poder compartilhar com ele tão suculento segredo: "Rapá, cê não imagina quem eu acabei de comer. Sabe aquela loirinha gostosa do quinto andar, casada com o véio de rabo de cavalo! Sabe? Ela mesma, a tua mulher, malandro! Cê acredita? Louquinha pra dar, a vagaba. Que bunda, que peitos, que bucetinha mais gostosa".

Planejei também dar uma caída na cama da Gaúcha, no andar de cima do Bitch, antes de decidir o que fazer da puta da vida. Se calhasse de ter vaga no leito da patronne, é o que eu faria, sem dúvida. Não contava muito que tivesse. Nas madrugadas de sexta pra sábado, a concorrência é forte ali. E às vezes o namoradinho eventual da Gaúcha, que mora no interior, aparecia pra dar seu plantão. Nesse caso, sobrava o quarto de hóspedes, onde eu poderia me enfiar com a Melina. Tem só uma cama de solteiro, estreita e com um colchão morfético, puído, cheio de fungos, manchas e calombos, sem lençol, mas que é melhor que nada. Eu podia, quem sabe, ficar uns dias por lá, até ver que merda mole ia dar a morte do Miro. De todo jeito, o Bitch era minha única alternativa de pouso amigável àquela hora, se eu não quisesse me enfiar num quarto úmido de hotel mambembe e depressivo das imediações da Augusta, tomando Dreher falsificado na companhia da última puta louca de plantão na rua da amargura.

# <18>

Bati com a chave três vezes na portinhola de vidro. Era a senha de admissão no Bitch àquela hora da madruga, embora os mais bêbados costumassem dar um número variável de murros na porta gritando: "Gaúchaaa!!! Abre aí!". No caso, só dei mesmo as três batidinhas civilizadas com a chave. Um vulto veio se formando atrás do vidro bisotê da portinhola. Pelos rumores e gargalhadas audíveis de fora já dava pra ter uma ideia do que me esperava lá dentro.
"Quem é?", perguntou o vulto.
"Bond", respondi. "James Bond."
A porta se abriu e logo fui sugado pra dentro por uma gargalhada seguida de um beijo da Melina, tendo por trilha musical a interpretação de "Três da madrugada" na voz d'além-túmulo do Alê acompanhando-se numa maçaroca de madeira rachada e cordas bambas que tinha sido um violão em outros e melhores tempo.
"Zecão, seu viado! Aprochegue-se e sirva-se", saudou-me um titubeante Nissim, apontando pruma mesa onde descansava um prato de vidro marrom transparente a sustentar umas carreironas toscas e uma folha de cheque enrolada em canudo.
Eu não disse nada, e nem poderia, com a minha língua enroscada na da Melina, mas vi quando ele veio até nós tilintando seu copo de uísque, só com um dedinho da bebida no fundo.
"Que cê tava aprontando até agora, seu puto?"
Imagina se eu ia chegar soltando a bomba: "O Miro acabou de morrer baleado. Tá morto no carro dele na frente da produtora". Ia foder com a noite de todo mundo ali, a troco de nada. De modo que deixei a língua mais um pouco na boca da Melina, até que a pergunta do Nissa se dissipasse no ar espesso de fumaça.
"A mulherada aqui louca pra dar, e você na rua até essa hora fa-

zendo o quê, podemos saber?", insistia o Nissa. "Dando essa bunda seca de cineasta falido? HUAHUAHUAHUÁ!!!"

O mineiro estrugia aquela gargalhada de ursão véio divertindo-se consigo mesmo, que pra isso, afinal, é que serve a cocaína. Outras risadas fizeram coro com a dele. Tinha pouca gente ali, mas tava animada a função. Vou te levar lá no Bitch, qualquer hora, cara. Pode me cobrar. Você nunca mais vai escrever uma linha como escrevia antes. Talvez nem escreva mais linha nenhuma. Mas vai cheirar muitas linhas, infinitas linhas brancas. E vai se divertir bastante, sexualmente inclusive, isso eu garanto.

"E eu lá tenho bunda, Nissim?", rebati. "Bunda é isso aqui, ó", completei, apalpando o popó da Melina, uma "holandestina", como ela se define, nascida no Recife e trazida bebê de colo pra São Paulo.

"Tava faltando macho no pedaço, bitchô!", se esgolelava o Nissim como se eu estivesse em Cotia, e não ali ao lado dele. "Mas agora que você chegou tá sobrando viado!"

E quaquaquaquaquá.

Tinha uma deselegância intrínseca naquela pataquada do Nissim, em vista das outras presenças masculinas do pedaço, o vago Leo, o bardo Alê e o janotelho Margarido, como se os três não fossem machos o suficiente pra dar conta das "bucetas residentes" do Bitch, como eu e o Nissa chamamos a Gaúcha e a Melina. O Leo, de fato, não é o que você chamaria de macho clássico. Trata-se de um looser nato, inseguro até pra piscar, sem um pingo de autoestima dentro dele, embora delicado e boa gente. O tipo do cara que se recusaria a aceitar uma chamada a cobrar que viesse a fazer pra si mesmo. Já o dr. Margarido trescalava uma frescura perfumada de colônia importada, todo ele reluzente dos ouros que trazia no lóbulo de uma orelha, em forma de brinquinho, no anel de bacharel, no relógio, numa pulseirinha fina e estreita, na correntinha devocional no pescoço e nas obturações dos dentes. E o Alê era o Alê, cachorrão do mesmo naipe que o Nissim e eu, mas já vivendo a quinta decadência que se traduzia em magreza com pança mole, roupas velhas e nem sempre limpas e passadas, além de uma profunda melancolia entranhada na pele e na presença dele.

A Melina se enroscava em mim oferecendo mais uma vez sua boca beijoco-boqueteira que sabia a estômago vazio, álcool, cigarro e éter, entre as substâncias que deu pra identificar.

"Cabô a lança?", perguntei.

"Lógico. Já viu lança durar até essa hora, Zequinha? Se você tivesse avisado que vinha..."

Dei-lhe uma prise no cangote branco e sarapintado. Bodum gostoso de bacante maturada na farra braba. Caí de boca ali. A doida se desmilinguia toda enquanto era chupada. Atrás de mim soaram aplausos, assobios, apupos. Melina me sussurrou no ouvido.

"Banho tomado! Tava aprontando, né, cachorrão? Com quem? Fala!"

"Com ninguém, bêibi. Sempre tomo banho quando sei que vou te encontrar."

"Aaaah, tá! Me engana que eu gosto!"

E me tascou outro beijo de língua, tentando enfiar a mão por dentro da minha calça, sem conseguir, por causa da minha pança que não fiz questão de chupar. Decidiu, então, apalpar meu pau mole por cima do brim mesmo.

"Iiih. Já vi que gastô o gás todo. Hahahahahá!"

Grandessíssima cadelona, a Melina. Recomendo. Ruiva em brasa, herança de algum Van Der Hardcock traçador das nativas dadivosas no Recife do século 17. A doida se espremia num minivestido apertado que fazia peito, coxa, bunda, tudo nela querer pular pra fora do pano preto. Uma dádiva prum exaurido peregrino da madrugada como eu. Ficamos abraçados de ladinho olhando o cenário de mesas abarrotadas de garrafas de cerveja vazias, copos sujos, cinzeiros com pirâmides de bitucas. A freguesia genérica já tinha espirrado fora. Sobravam só os chegados. Enquanto tem gente entrando no bar, no horário de pico, que vai das dez da noite às duas e meia da madrugada, a Melina ajuda a Gaúcha na garçonetagem e limpeza rotativa das mesas. Depois disso, com a vazante do público, as duas mandam tudo pro caralho, na boa.

Sentado numa mesa, com o pé numa cadeira, o Alê murmurejava o "Três da madrugada" pruma plateia de gatos pingados e mamados, acompanhando-se naquele instrumento de um dadaísmo atroz, o tampo estraçalhado, as cordas bambas, impossíveis de afinar.

O Alê é músico profissional e chegou a tocar guitarra-solo numa banda mais ou menos famosa de *rock'n'tango*, o Malvinas Perdidas, antes de ser expulso por junkeria selvagem e baixarias variadas, que incluíam surtos destrutivos de alto risco para o equipamento e para a integridade física dos colegas e do público mais próximo do palco. Agora, passava o dia dando aulas de guitarra pruns aspirantes ao pop-estrelato numa escola de música da Teodoro, não longe do bar. Era sua única fonte de renda, já que nenhuma banda o queria por perto, apesar de todo mundo reconhecer sua competência musical. Tocando Hendrix, por exemplo, o Alê reencarnava o Exu maior do blues-rock e era mais hendrixiano que o próprio. Grande parceiro de balada, com a barba sempre por fazer na cara quadrada de marujo ibérico, olhos brilhantes de loucura química, nariz de imperador romano que parecia crescer a cada semana, tanto era o pó que aspirava. Aquele lá traz os genes da gandaia e da arruaça no sangue, junto com o enorme talento desperdiçado e um bloco carnavalesco de toxinas despirocantes. Já tomou cartão vermelho da mulher & filhos faz tempo, na mesma época, aliás, em que foi chutado do Malvinas. Diz a Gaúcha que ele já tentou se matar com uma superdose de heroína, e quase conseguiu.

Naquela noite, porém, o Alê apascentava sua depressão poética com pó e Torquato Neto. Quase não abriu a boca a noite toda, senão pra cantar. Confinava seu amargor à voz desfalescente e ao decomposto instrumento que ele próprio tinha detonado num de seus ataques de loucura florida. Quem amava aquele "Três da madrugada" do Alê era o Nissim, que nunca deixava os circunstantes ficarem sem saber que a letra era do Torquato sobre uma música do Carlos Pinto. Como ninguém conhecia o Carlos Pinto, ele puxava uma tribuna pra informar a quem quisesse e a quem não quisesse ouvir que se tratava de um compositor superimportante dos anos 60/70, parceiro de Torquato, Gil e Waly Salomão, entre outros figurões da Tropicália. Era o autor, por exemplo, de "Luz do sol" e "Todo dia É dia D".

"Tem mais de trinta anos essa música", se debulhava o didático Nissim. "E olha como ela é atual, cara. Parece que foi composta hoje, às três da madrugada!"

Depois de cumprimentar o resto da gangue, tracei uma carreirona do prato, sentindo na língua o gosto de química barata, querosene com sal de fruta, parecia. A Gaúcha, que na verdade é paranaense, de família polonesa, e se chama Urzsula, tinha ouvido o alarido que a minha chegada provocou e veio da cozinha me recepcionar com um beijo, um abraço e uma long-neck que encaixou na minha mão.

"Demorô, hein, Zequinha", a Gaúcha disse. "Mas veio de banhinho tomado! Olha o cara!"

O Nissim, copo de uísque enganchado na mão, ouviu isso e mandou: "Banho?! Que merda cê tava aprontando na rua pra ter que tomar banho, viado?".

Matei meia long-neck com a mão livre e passei a garrafa pra Melina, antes de arrotar pro alto como um leão-marinho e responder: "Trabalhando, caralho".

"Trabalhando o caralho?", rebateu o Nissa, espoucando nova gargalhada. "Huahuarrruaááá!"

"Já vi tudo", continuou a Gaúcha. "Aprontou à vontade por aí, cabô o pó e bateu saudade de nóis, né, interesseiro?"

"Saudade docês eu tenho todo dia, toda noite, toda hora, toda madrugada, momento e manhã", recitei, pra amansar os espíritos.

"Caetano!", bradou o Alê, acusando o verdadeiro autor da minha frase, sem interromper a batida no desviolão.

"Tá bom", falou o Nissim, alisando minha cabeça. "A gente faz de conta que acredita nocê. Mas fecha essa braguilha, animal."

No puro ato reflexo, olhei e toquei a braguilha — fechada — do meu jeans. O puto explodiu:

"HUAHAHAHAHAHÁ! Se entregou, cuzão! Tu tava era na putaria. Confessa!"

"Quem me dera", respondi, exalando a mais falsa humildade.

"Quem te dera tu comera. Conta aí quem foi, viado."

"O Zeca é um gentleman, Nissim. Não é que nem você que mal saiu da mulher já tá ligando pra Deus e o mundo pra contar, mandou a Gaúcha"

A Melina apartou:

"Isso quando ele não liga dentro da mulher ainda. 'Alô? Zeca? Divinha quem qui eu tô comendo aqui nesse instante?'"

O Nissim ribombou mais uma gargalhada e eu fiquei pensando como tá tudo no ar o tempo todo, as bandeiras todas desfraldadas pra quem quiser ver e ouvir. É como se o Nissim intuísse em mim os vapores sutis do adultério cometido com sua consorte, apesar do real motivo do meu banho ter sido bem outro. Em todo caso, o mineiro matou uma carreirona desengonçada no prato e ficou oscilando em pé no centro instável do seu universo particular, antes de pedir:

"Liga de novo pro Miro, Gauchinha. Meu pó tá acabando, porra. Agora que o Zecão chegou, não dura mais dois minutos. Alguém aí, liga pra ele, caralho."

O Leo passou a mão no telefone sobre o balcão e apertou o redial.

"Já ligamo duzentas veiz", ele disse. E repetiu o que ouvia do outro lado da linha: " 'Vivo informa. Este telefone está temporariamente fora de serviço'".

Só eu ali sabia que aquele "temporariamente fora de serviço" ia durar toda a eternidade. Talvez o celular do Miro estivesse encharcado de sangue, por isso não funcionava. Não deixei também de notar a suave ironia do destino: o celular de um morto tinha uma mensagem pré-gravada da Vivo. O Miro tinha virado o cliente morto-Vivo.

"Caralho", exalou o Nissim, de olhos fechados, acariciando a careca como se tentasse amainar seus pensamentos. Viajava a grande altitude, o mineiro. Ao vê-lo naquele estado cedi a um impulso fraternal e descolei das ventosas da Melina e da Gaúcha pra ir aplicar nele um abraço lateral, de macho — de macho lateral. O mineiro encostou a cabeça no meu ombro, comovido. Eu gosto do Nissim. Gosto do sentimentalismo kitsch dele. O Nissim é o tipo do cara que chora ouvindo "Canção da América", por exemplo. No que o Milton manda o *Amigo é coisa pra se guardar a sete chaves no peito*, ele já abre o esguicho. Curto as longas horas que a gente desperdiça nos botecos em altos papos, passando de lá pra cá uma petequinha por baixo da mesa. Muito me aprouve também traçar a senhora dele. Tive a quase irrefreável vontade de lhe dizer isso: "Ô, Nissim, tua mulher é um fodão, cara. Tanto que eu gozei nela sem camisinha, veja você".

Porra, não quero nem pensar na merda que ia dar se a Nina, no auge dum ranca-rabo com o maridão, soltar a bomba, pra foder com ele: "Dei pro Zeca enquanto você gandaiava na rua". Mulher é capaz duma merda dessas. E aí, o que eu ia dizer pro mineiro antigo? "Sim, comi a tua patroa, mas foi uma vez só e com todo o respeito. Pode ficar tranquilo. O cuzinho, por exemplo, eu só chupei."

Dei uma olhada na cara do Nissim, abraçado a mim, fazendo um dueto fora de sincro com o Alê no "Três da madrugada" e balangando de lá pra cá aquele rabo de cavalo grisalho, que mais parecia um espanador de palha de aço. Tinha umas lágrimas escorrendo dos olhos dele. Era o velho e bom Nissim tendo uma efusão poética, ou merda que o valha.

*Saiba, meu pobre coração não vale nada, pelas três da madrugada, toda palavra calada...*

Eu tinha inveja das lágrimas do Nissim que o ungiam de patética humanidade. Onde estarão minhas lágrimas?, eu me perguntava. Por que eu não era capaz de ouvir "Três da madrugada" e chorar como o mineiro? Porque não sou um mineiro sentimental, talvez seja uma das razões. Deve haver outras. Pouco interessado no assunto, fui ter com a Gaúcha, que, descalça e sentada no tampo do balcão no fundo da sala-bar, esticava os braços na minha direção, repuxando os dedos num vem-cá-meu-bem, de pernas abertas pra me acolher, o que deixava patente, mesmo sob a iluminação cavernosa do inferninho, a ausência de calcinha debaixo de seu fuck-me-dress amarelo. Quando me encaixei entre suas coxas a maluca cruzou as canelas por trás das minhas pernas e avançou de boca na minha boca. Puta beijo bem beijado da porra. É assim que um homem gosta de ser recebido num bar. E só há um bar no mundo onde sou recebido assim: no Bitch.

Tesão que é essa Gaúcha. Sedutora profissional. Batom esmaecido de tanta beijação pela noite adentro, narinas fribilando fissuras variadas, loira natural graças aos genes herdados de Varsóvia, olhos verde-claros, zigomática e beiçuda, exalando sexo por cada milímetro da pele branca-de-neve. Trinta e cinco anos, ela deve ter. Ou 38, quem sabe, a julgar pelo tantinho de papada que carrega debaixo do queixo e pelas rugas que lhe adjetivam os cantos dos olhos e da boca carnuda, sobretudo quando ri. Uma fogosa maturidade, é o que se vê ali. A Gaúcha tem um filho que vive com o pai italiano numa quebrada qualquer da União Europeia, mas nem parece mulher parida. Enxutésima, peitos bons, quase exuberantes, coxas de ginasta olímpica cultivadas na lida do bar e no sobe e desce pela escada de dois lances do sobrado que leva ao banheiro único e aos quartos lá em cima. Quase não tem barriga, e a bunda, esférica e rija, parece bem mais jovem que o resto do corpo. Impressionante, aquela bunda, que você precisava ver nua pra entender o que eu tô falando. É como se a Gaúcha tivesse sentado na poça da imortalidade, de onde somente seu rabo se levantou imperecível.

Nego zoou de novo atrás de mim, mas todo mundo ali, a Melina incluída, já tinha comido a Gaúcha. Até mesmo o Leo, sonso daquele jeito. Na verdade, sonso mesmo ele não era. Remoto, é o termo. Sempre a milhas de distância de si mesmo e do mundo em volta. Por mais que tente, aquele lá nunca vai se encontrar. Mesmo assim, ainda posso imaginá-lo trepando com uma mulher. Só do Margarido é que tenho minhas dúvidas, apesar da própria Gaúcha garantir que sim, que o nosso aurífero causídico comparece direitinho numa xereca. Sei lá. Julgando pelas reluzentes aparências, eu diria que o Marga só teve contato com uma vagina na hora do próprio parto — se é que não nasceu de cesária.

"Cadê o Brutucu?", perguntei pra Gaúcha.

"Tá fora do ar. Tem prova na faculdade amanhã."

"Que pena...", eu disse, provocando uma gostosa gargalhada na minha interloucutora.

O Brutucu, que ganhou esse apelido do Nissim, é o namoradinho da Gaúcha, um pleiba interiorano todo bombado, quinze anos mais novo que ela, por aí. Cursa alguma neocoisa em alguma subfaculdade do interior, marketing cibernético em Avaré, turismo aquático ecossustentável em Brotas, relações cosméticas internacionais em Santa Bárbara do Oeste, qualquer bosta do gênero. Mas o Brutucu se aplica mesmo é na academia puxando ferro todo dia. Forte pra caralho, faz o tipo paranoico de ciúmes e invoca direto com a população peniana do bar, achando que todo mundo quer comer a namorada dele, no que exorbita de razão. Mas a Gaúcha tem a força e domina o babaca a golpes de buceta e astúcia feminina. Quando ele aparece no Bitch olhando duro pros machos locais, a loira sempre dá um jeito de aprisionar seu pit-burro na cozinha, entregue a qualquer tarefa braçal. Até já dei uns pegas na Gaúcha no quarto dela, lá em cima, com o Brutucu embaixo lavando copo, repondo cerveja na geladeira, servindo as mesas.

O Nissim, que tinha pescado de longe o nome *Brutucu*, não perdeu a deixa:

"Tão falando do Brutucu aí? Porra, Gaúcha, cê ainda não deu baixa nesse boçal?"

Ao que a nossa bitch-mor retrucou por cima do meu ombro:

"Boçal, mas cum pau de dar complexo em qualquer um aqui."

"Nem diga", a Melina deixou escapar de seu canto. Eu podia vê-la, e ao resto da trupe, pelo espelho da estante de bebidas, atrás do balcão.

"O quê?!", soltou a Gaúcha.

"Brincando", replicou Melina, botando cara de putinha angelical.

A Gaúcha deu de ombros:

"Ah, foda-se. Pode comer o Brutucu à vontade. Ali tem bofe pra nós duas, e sobra!"

Essa é a Gaúcha. Eu sentia sua buceta colada na minha barriga. Meu umbigo estava adorando aquela companhia. Meu pau, mais embaixo, nem tanto. Eu estava cansado. Muito cansado.

"O Ingo passou por aqui hoje?", me lembrei de perguntar.

"Hoje, não. Aliás, tem um tempinho já que ele não aparece. Nem ele nem a cítara. Cê tem visto o maluco?", ela perguntou.

"Encontrei o figura na quinta. Me levou numa parada doida aí."

"Que parada? Militar?"

"Milenar. Uma cerimônia surubrâmane bhagadhagadhoga."

"Quê?!"

"Deixa pra lá. Basicamente, era um punhado de gente pelada num porão cheirando incenso."

"Tinha sacanagem no meio?", a loira quis saber, interessada.

"Lógico. Sacanagem como via de acesso ao conhecimento cósmico."

"Isso é a cara do Ingo!"

Vi pelo espelho que a Melina se atracava agora com o Nissim, enquanto o Marga confabulava com o Leo sobre fontes alternativas de farinha que pudessem ser acionadas no ato.

"Tá de alvará conjugal hoje?", a Gaúcha sussurrou no meu ouvido.

"Acho que definitivo", menti, intuindo, no entanto, que podia estar falando a mais rigorosa verdade.

"O-bá!", a Gaúcha comemorou, flor de safadeza.

Adoro essa mulher. Ela é linda, ela é alegre, ela não presta. Nem eu.

Ainda capturado pelas pernas prepotentes da fera gentil, lembrei da nossa última trepada, que tinha começado ali mesmo no salão. Depois da debandada geral, com o último bebum cambaleando porta afora pra dentro da manhã, ela me agarrou e quase comi a maluca naquele chão pastoso de imundície acumulada. Antes do consumatum, porém, madame me puxou pra escadinha do sobrado, ela na frente, eu atrás na mais canina sacanagem, cheirando e lambendo o fabuloso rabo nu da cadelona, que se desmilinguia às gargalhadas obscenas. Lá em cima, no quarto, rolou de tudo. Madame tava inspiradaça e soube me inspirar ainda mais. Fodão, viu, com várias modalidades orto e heterodoxas.

Agora, tudo indicava que ia rolar repeteco, talvez com a participação especial da Melina. Nossa holandestina, como o espelho do bar me informava, já tinha largado o Nissim e malhava forte como o Alê. Por alguns preciosos instantes estávamos livres do bendito "Três da madrugada" e da sonoridade decrépita daquele violão esquizoide.

Era mais ou menos nisso que eu pensava quando a Gaúcha tornou a cochichar no meu ouvido:

"Cê tem quatrocentos paus pra me emprestar?"

A realidade, pensei, sempre a realidade nos momentos mais inoportunos.

"Depende", respondi, sentindo no bolso o peso da grana do salário da Terezinha e das demais despesas da produtora. "O que você me dá em garantia?"

"O de sempre. No capricho."

Caí de boca no cangote da vagaba, sentindo na barriga, através da camiseta, o calor daquela xota argentária. Me deu algum tesão aquilo, junto com uma repentina vertigem. Desatraquei da Gaúcha e me escorei no balcão pra não cair.

"Tudo bem?", ela perguntou, tentando me segurar.

"Tudo. Vai melhorar...."

"Cê mandou muito hoje, Zequinha?"

"Cheirei mais pó que beduíno em tempestade de areia. E tudo regado a uísque vagabundérrimo."

"Ê, minino. Tem que saber a hora de parar. Quer deitar um pouco?"

"Depois. Tô melhorando."

Tava mesmo. Tinha sido um breve ziriguidum no labirinto da solidão. Muito abafado que tava ali, com todas as janelas e portas fechadas, e aquele fumacê todo. Normal, normal, procurei me tranquilizar.

De costas pro balcão, onde finquei os cotovelos, pude enquadrar de frente a canalha ébria entregue aos ritos aleatórios de fim de balada. Um ia daqui pra lá sem saber por quê, dois falavam ao mesmo tempo sobre assuntos diferentes, e a Melina, vê se pode, tinha largado o Alê pra agarrar outra vez o Nissim, por trás agora, apertando o pau dele por cima da calça. Ela fazia a ronda das pirocas, a ver qual lhe traria a felicidade naquela noite. De olhos fechados, meu amigo parecia a ponto de desfalecer nos braços roliços da maluca, enquanto nosso bardo apocalíptico retomava o "Três da madrugada" no esbagaçado alaúde. Por um momento achei que os dois iam tombar pra trás, por cima de mesas e cadeiras, com direito a sangue e fraturas expostas. Mas nem o Nissim se abandonou com tudo nos braços de Melina, nem a robusta holandestina fraquejou ao escorar sua carga pesada. O mineiro acabou sentando no chão, puxando a Melina pro colo dele.

O arregalado Margarido me oferecia seu mix de sorriso fixo e olhar visguento, com o cabelo duro de gel esticado pra trás, bochechas brilhantes de suor, camisa social aberta no pescoço, gravata de laço afrouxado e aquele ouro todo cravejando sua figura. Empoleirado numa banqueta do balcão que tinha ido parar no meio da sala, de pernas cruzadas, ele agitava o sapato social de bico fino, marcando algum ritmo interno ditado pela ansiedade cocaínica regada a gim--tônica, sua bebida oficial. A Gaúcha afirma em juízo que ele é um *metrossexual*, nada mais que um cara vaidoso que gosta de se empetecar. Nada a ver com viadagem, diz ela. Eu sei lá. O cara não pode me ver que já vem pra cima de mim com um papo "culto" de algum jeito relacionado a cinema. Ele parece admirar minha fama de "cineasta marginal", bobagem que deve ter lido em algum lugar. Um bostinha, esse Margarido. Mas é o *nosso* bostinha das madrugadas do Bitch. Doutor advogado. O que pega nele é o fedor daquela colônia gay com a qual ele se banha antes de sair de casa.

O Nissim, ainda no chão com a Melina no colo, tentava tirar um peito dela pra fora do vestido. Levaram os dois um esporro da patroa, que voltava da cozinha com duas Bohemias recém-abertas:

"Ê! Ê!! Ê!!! Quê qui é isso, minha gente? Pó levantá, os dois. E bota esse peito pra dentro, Melina. Stripitisi é na zona. Aqui é um puteiro familiar!"

O Leco e o Margarido aplaudiram a patronne, às risadas galhofeiras, enquanto o casalzinho serelepe se erguia do chão com certa dificuldade pra vir se juntar a nós no balcão.

"Melina, dá o cu pra mim, hoje?", propôs o Nissim, dengoso, pra todo mundo ouvir.

Gargalhamos em comum, as meninas mais ainda. Melina bateu o pênalti:

"Dô, uai."

Mais galhofa na geral.

"Ma-ra-vi-lha!", vibrava o Nissim, que logo engatou a velha teoria de que mulher não dá o cu pro marido, só pro amante.

"Não é verdade!", apartou a Gaúcha. "Sempre dei o cu pros meus três maridos *e* pros meus amantes. Já dei até prum marido e prum amante na mesma noite, na mesma cama. Foi um de cada vez, com o outro observando e participando na medida do possível. Sem problema."

"Fofa!", aplaudiu a Melina, cobrindo a amiga de beijos.

"Só aqui, já dei o cu pra vários", a Gaúcha emendou, num despudor acachapante.

A malta caiu matando. Balbúrdia, esculacho. Uma hora lá achei que tinha ouvido um "Cala a boca!" vindo da vizinhança, mas ninguém parecia ligar pra isso, se é que alguém ali se deu conta.

Leo acompanhava essa parolagem de longe, rindo e balançando o cabeção triste, enquanto o Alê partia pruma espécie de solo neoconcretista no cadáver estraçalhado do violão, extraindo dele uma sonoridade de orquestra soterrada por uma avalanche de pedregulhos.

Puxei uma cadeira e me abanquei, procurando não trocar olhares com o Margarido pra não atrair o desgraçado. Não demorou muito, recebi o peso abrupto da Melina no colo.

"Ai!", gemi.

"Oi!", disse ela.

Descansei a mão numa daquelas brancas e roliças coxas que o minivestido preto nem tentava esconder. Meu pau sob o peso da ninfetona não teve como reagir à altura da situação. Nos beijamos outra vez, transferindo cuspe seco de uma boca à outra. Em volta, a coisa começava a desandar. As pernas do Nissim deviam ter informações desencontradas sobre o rumo a seguir, e uma acabou tropeçando na outra. Por muito pouco o mineiro não se estabaca feio no chão. Acho que ele se segurou no próprio copo que tinha na mão. Bêbado profissional tem dessas manhas de equilibrista numa corda por cima do abismo.

Melina me extorquia beijos e carícias, mas tudo o que eu queria era me livrar daquele corpaço suarento dela e respirar. Pau mole, de fato, não deixa você muito romântico. Procurei redistribuir o peso da ruiva entre as minhas coxas, púbis e quadris. Ela abriu as pernas e eu encostei a ponta do dedo médio no cavalo úmido da calcinha de material sintético que a saia repuxada do vestido deixava à mostra. Ela fez "*Hmmmfff...*", mas meu pau nem tchuns. Meu sexo tinha pendurado um aviso de *Fui pescar*, levando a vara pra longe dali.

Não consegui evitar mais um beijo bafento da Melina. Era como beijar a caçamba do caminhão de lixo que costuma parar na frente da produtora, tarde da noite. Pra não falar do meu próprio bafo, que até a mim incomodava. Grande princesinha da Esbórnia-Herzekockayna. Nunca soube direito o que ela faz pra viver. Não deve ser nada de muito exaustivo e estressante, nem lucrativo demais também. Minha impressão é de que boa parte da grana que ela ganha, seja lá de que maneira, se esvai pelo ralo da gandaia. E não só a grana. A gente percebe como a cada noite varada, a cada vara chupada, a cada linha cheirada, a cada vodka lavada com cerveja, a criaturinha desce um degrau ou dois em direção à mais consumada decadência física. Se eu a visse agora, há não muito mais que uma semana do nosso último encontro, na certa ia encontrar a Melina seis meses mais velha e um quilo e meio mais gorda. Mas tudo bem. Daqui a cem anos isso não fará a menor diferença pra nenhum de nós.

Tempos atrás, novinha ainda, a Melina foi amante de um pica--grossa da traficância paulistana. Eu não a conhecia nessa época, mas a Gaúcha conta que o Johnny da Lapa era um negão fashion, cheio da grana, que rodava numa velha Mercedes branca e vivia cercado de mulheres gostosas, várias de classe média alta, sempre com um canhão na cintura, com o qual cometia proezas que ajudavam a manter em constante crescimento sua capivara no fórum. A Melina chegou a fazer visitas íntimas pro mala no velho Carandiru, onde ele passava largas temporadas. Diz a Gaúcha que o tal do Johnny, que já não está mais entre nós graças à boa pontaria de algum concorrente no narcomercado, botava a jovem Melina à disposição dos cupinchas, vários ao mesmo tempo, e na frente dele. Fico de pau duro só de imaginar o que devia rolar no QG do Johnny em torno de uma Melina baby muito mais apetecível do que ainda consegue ser hoje. Isso dava um belo pornô, aliás, fácil de produzir e filmar, na linha "favela-movie".

O Alê seguia homenageando a *triste madrugada, tudo e nada, a mão fria, a mão gelada toca bem de leve em mim...* É como devia estar a mão do Miro naquele Corsa preto parado na frente do prédio da produtora: gelada. Alguém já devia ter achado o corpo dele, com a cabeça estourada e o olho pendurado na cara pintada de sangue. Pensava no quanto o Nissim não ia gostar nada daquela notícia, quando o próprio, trôpego de trêbado, veio guindar a ex-senhora Johnny da Lapa do meu colo, despejando-lhe um beijo lambrequento na boca. Vendo a cena, o Alê, talvez tomado de algum tipo de ciúme, passou a esgoelar a canção: *SAIBA, MEU POBRE CORAÇÃO NÃO VALE NADA! PELAS TRÊS DA MADRUGADA! TODA PALAVRA CALADA! DESSA RUA DA CIDADE QUE NÃO TEM MAIS FIM! QUE NÃO TEM MAIS FIM!...*

"Shshshsh!", reprimi, temendo que algum vizinho do prédio ao lado, menos sensível à beleza lancinante dos versos do Torquato e da melodia do Carlos Pinto, providenciasse uma chuva de objetos mais pesados que o ar sobre o telhado e janelas do sobradinho do Bitch, como soía e às vezes doía acontecer. Ovos, gelo, garrafas plásticas com mijo, pilhas velhas e copos de requeijão vazios ou cheios de cocô eram os preferidos da vizinhança.

Indiferente a tudo, o mineirim tentava sugar a alma da Melina pela boca. Mas, se por acaso a alma espevitada da holandesa pretendesse lhe escapar pelo rabo, lá estava a mãozorra do mineiro de prontidão se insinuando no rêgo da girl por dentro da calcinha. A Gaúcha, de novo sentada no balcão, mais o Leo e o Margarido repartiam o pó que ainda restava no prato, redividido em carreirinhas democráticas — o famoso "prato feito" do Bitch.

Puta bar, esse Bitch — é o que eu não me canso de dizer. Nunca houve, nunca haverá outro igual. Um dia fiz a cagada de levar o Zuba lá. Tínhamos jantado com uns clientes e, na sequência, já bêbado, resolvi convidar o pentelho pruma esticadinha no meu muquifo predileto. Sentamos em banquetas no balcão, ao lado do moringão de vidro cheio de cachaça com uma cobra-coral repousando no fundo e de uma poodle de pelúcia branca com lacinho cor-de-rosa na cabeça, sentada, piteira com cigarro espetada na boca. Era a mascote do Bitch dando a pala do que se podia esperar daquele boteco zoado. Apresentei o Zuba à Gaúcha e à Melina, que foram até mais ou menos discretas e educadas com ele. Tomamos, ele e eu um par de cervejas, conversamos sobre assuntos corporativos, tudo na moral, apesar dos olhares inquietos que ele dirigia praquela coral no fundo do moringão e pra alguns dos clientes mais animados do bar. Até que, pra azar meu, o caretão acabou presenciando uma transação de pó bem do nosso lado, peteca pra cá, dinheiro pra lá, seguida da partilha e degustação in loco da substância por parte dos jovens integrantes da mesa mais turbulenta do bar, um dos quais me conhecia e me acenou oferecendo um teco.

O Zuba se achou na sucursal do cu-da-mãe-Joana, nada menos. Uma hora lá, fui ao banheiro dar um teco no pó que o meu chegado acabou me passando sem demasiada discrição, e, na volta, cadê o Zuba? Tinha se mandado, deixando um dinheiro no balcão. No dia seguinte, recebo um imeio dele: "Zequinha, posso te dar um conselho de irmão? Não volta mais naquele bar. Aquilo não vai te fazer bem pra saúde. Nem pra tua vida profissional."

Cagada. Quê qui eu tinha que levar a freirinha pra zona?

Daí, então, quando o Nissim decidiu que já tinha sugado tudo que podia da Melina, tomou um largo gole de ar e demandou à Gaúcha: "Me vê um Red, pelamor de Deus, Gauchinha!"

"É hoje!", bradou a dona do boteco girando a bunda no balcão e mergulhando, pernas à frente, pro lado de dentro, a fim de atender o insaciável freguês.

A manhã oficial do horário de verão já tinha nascido, e a real, anunciada pelos primeiros passarinhos, já estava a caminho na esteira do sol que nasce para todos, apesar dos veementes protestos dos voluntários da noite. O Alê, por exemplo, nutre uma birra santa contra a passarada matinal. Vi uma vez o maluco sair do sobrado descalço e sem camisa, com uma garrafa de vodka quase vazia na mão e as narinas brancas de neve, trovejando na calçada: "Vão pra puta que os pariu! Abaixo o dia! Viva a noite!". Pardais, bem-te-vis e sabiás continuaram sua cantoria, numa indiferença que não deve ter sido compartilhada pelos vizinhos. Pra finalizar sua performance, o ex-guitarrista do Malvinas Perdidas matou a vodka numa golada e atirou a garrafa contra a copa de uma árvore que abrigava um coral de trinadores. Ao cair, a garrafa deixou sua ruidosa marca no para-brisa dum carro estacionado embaixo da árvore.

Os passarinhos me fizeram lembrar que já estava mais do que na hora de encerrar o expediente e cair numa cama, que eu tava morto e precisava me amortalhar nos lençóis mais próximos com razoável urgência. Nisso, senti a mão quente e suada de alguém no meu ombro e uma nuvem de loção de fresco — talvez até fosse a loção *Fresco*, que nem sei se ainda fabricam. Virei a cabeça e topei de chapa com o sorriso cintilante do dr. Margarido e sua voz alambicada:

"E aí, meu querido? Colhendo material pro seu próximo filme maldito?"

Enquanto eu procurava uma resposta mais ou menos espirituosa pra essa pergunta cretina, a Gaúcha chegou com o uísque pro Nissim e uma long neck pra mim. Foi a senha pro Margarido puxar uma cadeira e se sentar ao meu lado, com o high ball cheio de gelo e gim sobre rodelas de limão. Dei um longo gole na cerva, conseguindo inibir um arroto que por muito pouco não saiu na cara do Marga, e mandei:

"É isso aí, cara. Tô colhendo material pro meu próximo filme maldito. Qualquer dia desses vai tudo parar numa tela maldita e ser visto por uma corja de malditos. Você tá convidado desde já pra maldita avant-premiére."

"Em Cannes!"

"Se eu não estiver em cana, que é lugar de maldito."

"Hahahá! Boa essa, muito boa, Zeca."

O Marga e o Nissa eram os únicos bitchianos com uma fonte de renda segura e abundante. O rábula ia lá umas duas vezes por semana pra cheirar, beber, palestrar e exibir seus ouros, impávido e cheiroso de colônia. *Metrossexual*. Eita.

"Não vai me dizer que eu também vou virar personagem do seu filme?", ele disse, com uma ponta de legítima apreensão.

"Com certeza, dottore. Portanto, cuidado com o que diz ou faz na minha presença. Fica tudo registrado aqui, ó", falei, apontando pra minha cinecachola.

O Margarido arreganhou um esgar que pretendia passar por uma risadinha cúmplice e deglutiu cuspe seco antes de perguntar:

"E vai filmar quando, podemos saber?"

"Nunca pergunte isso a um cineasta brasileiro. É meio caminho andado pra conquistar uma inimizade."

"E a gente pode ler o roteiro antes ou é segredo de estado?"

"Não."

"Não o quê? Não é segredo ou não pode ler?"

"Não pode ler. Filme é pra ser visto, não lido."

"Entendi."

"Não entendeu picas, mas tudo bem, Margarido", cravei com uma arrogância *maldita* que não passou despercebida ao nosso causídico metrossexual.

Daí, me deu um estalo:

"Você é advogado mesmo, Margarido?"

Ele sorriu de boca fechada, me exibindo com orgulho o rubi no anular da mão direita. Depois puxou a carteira do bolso de trás da calça e, dela, uma carteirinha plastificada. Li em voz alta:

"OAB, São Paulo, inscrição número cento e cinquenta e sete mil, quatrocentos e... Porra, Margarido, tem tudo isso de advogado na praça?"

"Isso, há doze anos, quando eu me formei. E só no município de São Paulo. Agora tem muito mais."

"Caralho, tamo fudido com tanto advogado à solta por aí."

"Fudido você está *sem* advogado, meu querido."

Com presteza burocrática, ele puxou da carteira seu cartão de visitas, e do paletó, pendurado numa cadeira, sua Montblanc, com a qual anotou um número de celular no verso do cartão.

"Já te dei meu cartão?"

"Já, mas usei pra fazer filtro de charo", eu disse, com típica sinceridade cocaínica, pegando o cartão dourado-fosco com o texto impresso em letra cursiva num discreto alto relevo:

*Borghetti, Alvarenga e Margarido, Advogados Associados*
*cível – tributária – criminal*

"Qualquer coisa, me liga. Sou eu, aliás, que defendo a Gaúcha, sabia?"

"Defende a Gaúcha? De quem? Dos incas venusianos? Dos metrossexuais grudentos de pinto pequeno?"

Ele riu, sem entender a referência aos metrossexuais.

"Você é uma figura, Zé Carlos!"

"E você é uma bicha pastosa. Hahahá! Brincando, Marga, brincando."

Tampouco ligou pra minha brincadeirinha. Só se achegou mais e cochichou:

"Não sei se você sabe, mas a Gaúcha tá sendo despejada faz dois anos já. E eu aqui me virando pra empurrar o processo com a barriga."

"Barriga, Margarido? Você é um atleta olímpico. Cintura de menino."

Ele adorou ouvir isso.

"Quem me dera, meu querido, quem me dera", ele disse, encolhendo a barriga. "Eu tô um bagaço."

"Se você tá um bagaço, eu tô o quê, Margarido? Um sósia do Obelix que acabou de engolir um barril de chope com o barril e tudo?"

"Hahahahá! Magina, Zé Carlos. Em quinze dias de jogging, sem beber, você perde isso."

"Em quinze dias de jogging, sem beber, eu perco é o interesse pela vida", respondi, arrancando mais risadinhas do doutor, que aproveitou a deixa pra aterrissar o mãozão anelado na minha coxa. A porra da mão dele ficou lá tempo demais pros meus padrões. Esperei a mão sair dali, pensando no que fazer se ela não saísse logo. Quando o colega se tocou e tirou a mão, continuei, na linha Bronco Kid:

"Por isso que eu gosto de meter nas mulhé por trás, Margarido. Não vejo a cara delas fingindo que tão gozando, e elas não veem meu barrigão podre de banha e a minha cara de babuíno sacana. E todo mundo fica feliz."

"O amor é lindo!", proclamou o Margarido, se divertindo com a minha espessa vulgaridade.

"E não é? Mas, conta aí, Margarido. Quer dizer que a Gaúcha vai ser despejada?"

"Já perdi a conta dos acordos que eu fechei com o senhorio em nome da Gaúcha. Ela nunca cumpriu nenhum."

"A culpa é nossa", me penitenciei. "Todo mundo aqui pendura, se manda sem pagar, é uma puta zorra do caralho isso aqui."

"Pior que é mesmo. E tá feia a coisa, viu."

"Quer dizer que vão fechar o nosso puteirinho de estimação? Que merda, hein?"

"Tudo fecha, tudo passa, tudo acaba, meu querido", sentenciou o Margarido, profundo e estreito como o tubo do diploma dele, expedido por alguma faculdade de Osasco ou Guarulhos.

"É verdade", exalei, acabrunhado.

"Também não é nenhum fim do mundo, vai."

"Como não? Onde a gente vai tomá a última na madruga, com tudo em cima, na moral?"

"Lugar pra zoar é o que não falta nessa cidade", lembrou o Marga. E mudou de tom para emendar: "Olha, me liga *messsmo*. Vou te apresentar um lugar novo aí. Mas *shshsh!* Não conta pra ninguém."

Guardei o cartão dele na carteira. Eu não queria ser apresentado a nenhum *lugar novo aí* pelo Marga. Deve ser algum tipo de sauna metrossexual ou coisa pior. Mas na minha cabeça ficou o eco de uma palavra impressa no cartão que ele me deu: *criminal*. Me sentia próximo dessa palavra agora.

O Nissim chegou na gente conduzido por seu copo de uísque, declamando:

"'Tornou-se-me tudo em vento, após tormento e tormento, que eu passei a sal e cal. Enfim, veio cedo o mal. E tarde o conhecimento!'"

"Beleza", aplaudi. "Que mineiro é esse daí? O Murilo Mendes?"

"Sá de Miranda, sua besta", retrucou meu amigo. "Portuga, contemporâneo do Camões e muito melhor poeta que ele."

Ponderei lá comigo que aquele era um bom mote pra Gaúcha, agora que ia ser despejada: "Tornou-se-me tudo em vento..." Me deu peninha dela. Talvez eu lhe emprestasse, afinal, a grana que ela tinha me pedido. Não os quatrocentos, mas uns duzentos, digamos. Cento e cinquenta, e não se fala mais nisso, decidi.

De vento em popa, a Gaúcha teve a imprudência de passar muito perto do Nissa. Foi gadunhada num encoxante abraço trôpego-giratório apenas sustentável pelas leis da física pós-romântica. A loira conseguiu se desvencilhar do urso babão num gentil rolê de quadril. Nissim deu mais um giro sozinho e foi de joelhos pro chão sem deixar cair, nem mesmo entornar o cálix santo que tinha na mão, no qual aproveitou pra molhar as beiçolas de bebum desidratado. Ato contínuo, descansou o uísque no chão e se jogou aos pés imundos da Gaúcha:

"O caixa dois, pelamordideus, Gauchinha! Os moribundos te imploram!"

Mas a loira jurou que não tinha porra de caixa dois nenhum, que ele procurasse segurar aquela "gastura de fissura" dele, que o dia já tinha nascido e tava mais do que na hora de todo mundo ali puxar o carro. O Nissim insistia no caixa dois:

"Na calcinha! Deixa eu ver, deixa eu ver!"

A Gaúcha tentou se defender com valentia do ataque libidinoso do mineiro ajoelhado que lhe envolvia as pernas com um braço e enfiava a outra mão por dentro do vestido.

"Sai, Nissim! Porra, que saco! Olha o respeito, caralho!"

Mas o maluco do Nissim continuava sua exploração pelas pudendas da deusa tutelar do boteco:

"Gente!", ele vibrou. "Ela num tem nada mesmo na calcinha. Nem calcinha ela tem! HUÁHUÁHUÁHUÁHUÁ!"

"Vai pra casa, Nissim", ordenou a Gaúcha, se arrancando com violência das mãos grudentas do freguês impertinente. Por pouco não acertou uma joelhada na cara dele. "E pega um táxi, pra não estourar os cornos no primeiro poste, animal."

Daí, então, como sempre fazia numa dada e incerta hora da pré-manhã, virou-se pra todo mundo, bateu palmas e decretou:

"Chega! O puteiro já vai fechar. Tchau, té amanhã, tudebom." E quebrou o tom pra acrescentar: "A menos que alguém aí tenha um saidieiro."

Sentada numa banqueta junto ao balcão, a desmilinguida Melina lambia o prato que o dedo do Margarido tinha acabado de varrer atrás de indícios de resquícios de vestígios de resíduos de pó.

Me veio à cabeça a pacoteira de petequinhas do Miro que eu tinha escondido no hidrante da garagem. Podia ter pego uminha só, suspirei. Que burrice não ter feito isso, eu me amargurava. O Nissim, jogado agora numa cadeira, de pernas esticadas e abertas, ergueu a cabeça torporosa e teve uma iluminação, esticando na minha direção o dedo duro:

"O filho da puta do Zeca tá com tudo em cima! Sério!"

Estremeci. Caralho, será que eu tinha pensado alto sobre o pó no hidrante e não tinha reparado?

"Tá?!", estourou a Melina, avançando pra mim. "Que filho da puta! Apresenta aí, meu! Porra! Ó o cara!"

"Cuzão! Regulando pros amigos", reforçou a Gaúcha.

Era comovente a finesse daquelas gurias. Reagi:

"O cuzão filho da puta aqui declara à praça que não tem porra de pó nenhum em cima, cacete. Nem embaixo."

Encarei o Nissim com firmeza:

"Donde cê tirou isso, caralho?"

"Falei com o Miro de tarde. Ele disse que ia passar na Alagoas pra te encontrar."

Alê silenciou o "Três da madrugada". Todos os olhares desabaram sobre mim, cintilando revolta e esperança.

"Positivo. Peguei mesmo, às sete da noite. Vocês já viram peteca do Miro durar até cinco da manhã? Na minha mão?"

"Caralho!", soltou a Gaúcha, eu não sabia se contra mim ou a meu favor.

Nissim me encarou, desconfiado:

"Certeza que foi às sete?"

"Liga de novo pra ele", babujou a Melina, que precisava de um travesseiro ou de uma carreirinha com a máxima urgência. "Quem sabe o Miro só deu um tempo e já voltou pra rua."

"Voltou nada", disse o Leo. "Uma hora dessa, já tirou o time."

"Até traficante dorme de vez em quando", concordou o Margarido, me deixando a impressão de que já tinha dormido com algum traficante.

Nissim voltou ao ataque:

"Porra, Zeca, cê tá regulando pó, seu viado. Te conheço."

"Regulando o seu cu, caralho", retruquei, com moderada veemência.

Melina se lançou molenga sobre mim:

"Cadê o bagulho, Zeca? Num regula, pô!"

Ela me bolinava de todo jeito, enfiando as mãos nos meus bolsos, apalpando por fora da calça minha bunda e meu pau mole.

"Vamo tirá a roupa dele", agregou a Gaúcha, se unindo à Melina na revista à minha combalida pessoa.

"Meninas, querendo, eu tiro a roupa, mas lá em cima, e só pra vocês duas", eu disse. E dei uma encrespada, pra sair da berlinda de uma vez por todas: "Porra, gente. O pó já era. Querem dar uma geral no Monzão também? Taí na frente. Ó a chave. Se sacudir bem os tapetinhos, capaz de sair alguma raspa de pó velho batizado com cocô de cachorro seco, vômito desidratado, terra, pipoca e M&M do meu filho."

"Vamo lá!", topou a Melina, ignorando o caráter retórico da minha proposta e avançando pra cima do molho de chaves que eu sacudia no ar. Enfiei de novo o chaveiro no bolso, e ela agarrou o nada, patética.

"Deixa de ser absurda, Melina", interveio a Gaúcha.

O Margarido soltou sua risada pater-liberal, sacudindo a cabeça: *essas crianças...* Nissim rosnou um "Viado" de esguelha pra mim, ainda pouco convencido de que eu não tinha mais pó. Já o Leo me jogou um olhar estranho, não mais estranho, em todo caso, do que ele próprio.

A Gaúcha jogou a toalha:

"O Zeca não tem nada. Conheço a fera. Só se a gente ligar pro Bucetinha aí na praça..."

Os olhinhos da Melina cintilaram, sua voz se pôs mais firme de repente, só com a dopamina que a perspectiva de mais pó lhe despejava na mioleira:

"É mesmo! O Bucetinha! Que hora são? Será que ele ainda tá na área?"

"Liga, liga", se acendeu o Leo. "O Bucetinha passa pó até dormindo."

O Bucetinha é um mano baixo, magro, cor-de-cadáver-quando-foge, de cabeça sempre enterrada num boné por sua vez enterrado no capuz do abrigo. O apelido vem do cavanhaque de sátiro que ele cultiva. Vende um dos piores bagulhos do Cone Sul. A Gaúcha relutou em pegar o fone, apesar de ter dado a ideia, mas ligou, esbanjando má vontade. Logo atenderam do outro lado:

"Fala, Bucetinha! Tudo em riba, fio?", começou a Gaúcha. E pra nós, tapando o bocal: "Quantas?"

"É daquelas de vinte?", quis saber o Margarido.

"Deve ser", disse a Gaúcha.

"Melhor pegar uma pra cada um aqui, né?", arrazoou nosso jurisconsulto. "Senão daqui a um minuto tá todo mundo na fissura de novo."

"Tô sem grana", se adiantou a Gaúcha.

"Você é minha convidada", retrucou o Margarido, metrossexualmente cavalheiresco.

"Hoje é um dia ruim pra mim também", emendou o Leo, alisando os dois bolsos da calça, a indicar sua duranguice radical.

Ninguém duvidou disso. Ninguém duvidava de que, não só aquele, mas todos os demais dias do tempo sempre estariam ruins pro Leo. Melina, largada numa cadeira junto a uma mesa congestionada de destroços e detritos da noite, sinalizou sua inadimplência retraindo os ombros e erguendo as palmas para cima, uma de cada lado do corpo.

O Nissim, depois daquela exaltação toda, tinha caído num fundo torpor, transferindo-se meio que dormindo da cadeira pro chão, onde se instalou sentado de costas pra parede, pernas abertas, queixo caído no peito, copo de uísque seguro com as duas mãos em cima da braguilha. O Alê também adentrava o primeiro estágio de um cochilo abraçado ao violão atropelado.

A Gaúcha respondeu a qualquer coisa que o Bucetinha lhe dizia ao telefone:

"Péra aí, Bucetinha, o povo tá aqui decidindo." E pra nós, tapando de novo o bocal: "Vai logo, porra. Quantas?"

O Margarido começou a fazer o recenceamento dos seres vivos presentes:

"Um, dois, três... cinco... sete. Sete vezes vinte, cento e quarenta."

"Eu racho com você, Margarido", me adiantei, tirando do bolso mais umas lasquinhas do salário da japa, das diárias da faxineira e das contas a pagar da Khmer.

A Gaúcha destampou o bocal e mandou:

"Sete petecas, Bucetinha. Faz cem paus pra gente? (...) Cento e vinte. Tá bom. Cê passa aqui? (...)" De novo com o bocal tamponado, comunicou ao público pagante: "Tem que ir lá na praça pegar. Quem vai?"

O Marga se virou pra mim:

"Vamo lá, meu querido? Meu carro tá na porta. É pá-pum."

"Sem pá-pum, Margarido. Sô muito noiado com esse negócio de pegá pó na rua de madrugada. Já rodei numa dessas."

O Leo se voluntariou:

"Bora, Margarido."

O doutor mal escondeu a decepção. Ele queria era a minha companhia, o homossexual a metro. Mas o Leo já abria a porta da frente. Dei um galo e uma nota de dez pro Margarido, metade dos cento e vinte tratados, sob os olhos cobiçosos da Gaúcha.

"Tá podendo, hein?", mandou a loira.

"Podendo nada", rebati no ato. "A grana é pras despesas da produtora. Tá no meu bolso por descuido."

"Bota descuido nisso", replicou a Gaúcha, rindo. "Mas, pode deixar que eu cuido do seu descuido", ela concluiu, vampirela, chegando os peitos na minha cara.

Ouvimos lá fora a ignição e o ronco forte de motor no arranque.

O Nissim levantou a cabeça e abriu o quanto pôde os olhos:

"Chegô o bagulho?"

"Esse é o Nissim!", disse a Gaúcha, recebendo na cara um raio de sol que se infiltrou pelo vitrô da cozinha, visível pela porta aberta no fundo da sala, ao lado do balcão. Um Alê ressuscitado beijava a Melina agora com ímpeto invejável prum bebum tresnoitado. O violão jazia em frangalhos no chão ao lado deles, à espera do próximo chute ou pisão.

Nisso, a Gaúcha veio pro meu colo. As mulheres gostam mesmo é de um colinho. Nissim, com um olho mais aberto que o outro, lambia com volúpia pornográfica o fundo do copo baixo onde não havia mais rastro de uísque ou gelo. Lá fora, o canto minimalista da passarada competia na trilha sonora com o escapamento dum caminhão que negociava a subida da ladeira. Não resisti ao decote da Gaúcha e enfiei a cara lá dentro em busca das tetas originais da mãe arquetípica.

"E aí?", ela sussurrou no meu ouvido. "Quatrocentinho? Rola?"

"No morro do Rola-Rôla muita rôla já rolou", balbuciei, em poética resignação.

"Impressionante a sua capacidade de dizer merda, né, Zeca?", cochichou a Gaúcha de boca colada no meu ouvido. "Por isso que eu gosto tanto de você."

"Só por isso?", devolvi, apertando uma peitola da loirinha, que me ofereceu os lábios secos prum selinho.

"Uísque, porra!", gralhou o Nissim, do chão, erguendo impositivo o copo vazio.

"Não aluga, Nissim", protestou a Gaúcha.

Aproveitei pra desviar do assunto *grana*:

"Pega mais um uísque pro Nissim e uma cervejinha aqui pro tio, pega, minha linda? Saidêra."

Eu tava quase dormindo, mas uma cervejinha sempre pega bem, sobretudo com a perspectiva de mais pó a caminho. Como diziam os antigos, o dia só acaba quando termina, sob lua ou sob sol.

A Gaúcha bufou um "Ô, meu santinho!", mas se levantou do meu colo e foi pra cozinha, ombros e braços derreados, arrastando os pés descalços.

"É a última, hein!", decretou, antes de entrar na cozinha.

Nesse instante cravado, tocou o telefone. Nissim teve um sobressalto de telenovela.

"Deixa", a Gaúcha disse, reaparecendo na porta.

"Pode crer", aprovou o Nissim.

"E se for algum vizinho ameaçando de chamar a Swat?", eu disse, só pra encher o saco. "Melhor ver isso."

"Por que iriam ligar justo agora que ninguém tá fazendo barulho?"

"Sei lá", continuei. "Ou vai ver é o Marga."

"O Margarido? Por quê?", se ligou a Gaúcha. "Será que deu merda na praça?"

"Sei lá", aticei. "Não é melhor atender?"

O telefone continuava tocando em cima do balcão, ao lado da poodle de pelúcia, que não parecia disposta a tomar nenhuma providência a respeito.

"E agora?", a Gaúcha disse, paralisada.

"Atende", insisti.

"Que atende nada, sô. Deixa quieto", o Nissim falou, com um quase visível palpite na cabeça sobre quem poderia ser, o mesmo palpite meu, aliás.

"Caralho", bufou a Gaúcha, já meio preocupada, sem arredar pé do umbral da cozinha.

"Não atende!", rosnou o Nissa.

"E se for o Brutucu morrendo de amor em Bauru?", eu disse. "Ou em Botucatu?"

A Gaúcha mandou um "Puta merda!" e atendeu.

"Alô! (...) Quem? (...) Não, não. A senhora ligou pro número errado. (...) Que marido, o quê. Não admitimos a entrada de cachorros e maridos aqui", encerrou, repondo o fone na base e desplugando o fio do aparelho.

Cara, me caguei de rir. Essa Gaúcha é demais. Fui lá dar um beijo na bochecha dela.

"Gênio, Gauchinha, gênio!"

O Nissim cravou o olhar deprimido no chão, enquanto a Gaúcha tocava de volta pra cozinha, de onde logo retornou com a minha long neck e o uísque nas pedras do Nissim.

"E aí?", ele perguntou pra Gaúcha.

"E aí o quê?"

"Quem era, pô?"

"Uma idiota perguntando pelo cretino do marido dela. Tal de Nissim, conhece?", respondeu a Gaúcha.

"A Nina?! Sério?! Caralho! Eu sabia"

Já ia soltar um "Eu também!" mas me contive.

"Como é que a tua mulher descobriu o número daqui, Nissim? Nas Páginas Amarelas é que não foi", argumentou a Gaúcha.

"Sei lá, porra. Mulher descobre tudo."

"Cadê teu celular?"

"Meu celular? Esqueci na marcenaria, acho. Quer dizer, se já não saí de casa sem ele, de manhã."

"Bingo: a tua mulher fuçou a lista do teu celular, seu panaca. Aposto que tá lá: 'Bitch, 3162...'"

"Fudeu", exalou o Nissim, desolado.

Tentei tranquilizar o bitcho:

"Relaxa, Nissim. Um telefonema é só um telefonema. Não é um tiro no meio da cara, por exemplo."

"Vá te catá, Zeca", desabafou o véio, entre contrariado e conformado.

Daí, com a agilidade de um hipopótamo tentando escalar uma falésia, ele se pôs de joelhos e, depois, com muito esforço, de pé. Deu uma larga e longa talagada no novo uiscão antes de proclamar à nação, num súbito acesso de sobriedade e lucidez:

"Vô sartá."

"Falô", concordou a Gaúcha

"Requiescat in pace", latinizei.

"Amém", respondeu o antigo coroinha barroco que o Nissim me confessara ter sido na infância mineira dele.

Meu amigo puxou da carteira uma nota de cinquenta. Sempre invejei no Nissim essa capacidade de puxar inesgotáveis galos daquela carteira. Quando sóbrio, é mão de vaca como só um escocês de anedota. (Ou mineiro.) Bêbado e cheirado, porém, coça o bolso com a maior facilidade. Deu a nota pra Gaúcha, que sumiu com ela por dentro do decote, onde estaria a salvo da desvalorização cambial.

"Ué?", fez o Nissim. "E o trôco?"

A Gaúcha tascou um beijão na boca dele.

"Taí", ela disse depois do beijo. "Agora, rua!"

O mineirão se abalou decidido pra porta, puxando a maçaneta com tanta força que o negócio saiu na mão dele, junto com o eixo.

"Outra vez, caralho!", imprecou a Gaúcha.

Irritada, nossa Big Bitch tomou a maçaneta da mão do Nissim e se curvou sobre a fechadura tentando reencaixar a peça. Mas o eixo não se entendia bem com alguma coisa solta lá dentro.

"Porra! Porra!! Porra!!!", praguejava a Gaúcha, querendo enfiar aquele eixo no cu de alguém, de raiva.

De repente, me bateu uma idéia:

"Nissim, me empresta a chave de Porangatuba?"

"Quê?"

"A chave da tua casa na praia."

O mineiro fez um esforço impaciente para processar o meu pedido, enquanto eu calculava quanto tempo ia levar pro desgraçado saber da morte do Miro na frente do nosso prédio, pra não falar no entrevero entre mim e a mulher dele.

"Vai fazer o quê na praia?", ele perguntou por fim.

"Botar o saco de molho na água salgada. Tô precisando. Na terça ou quarta começo a rodar um institucional na correria. Tenho que tá nos trinques."

"Puta que pariu de porra de eixo do caralho que entra mas não gira", maldizia a Gaúcha, ainda às voltas com a fechadura. "Travou, filhadaputa!"

"Tá que nem nóis, então", pontuou o Nissim.

"E aí, Nissa? Empresta?"

"Mas não é você que vive dizendo que não gosta de sair de São Paulo? Que fora daqui é tudo a América Latina, e o cacete?"

Era verdade. Ao contrário da maioria claustrofóbica dos paulistanos estressadinhos, prefiro ficar onde estou. Só saí do Brasil uma vez pra ir à Colômbia, Cartagena, prum festival de cinema, com tudo pago. Comi uma francesa por lá. Ela gozava em francês. Foi um pouco como ter ido à França.

"É só por dois, três dias. Na segunda ou terça eu tô de volta."

"Você não aguenta dois dias de natureza, Zeca. Vai morrer de tédio."

Outra verdade. De fato, não me animo a frequentar lugares onde possa cruzar com cobras e lagartos não metafóricos. Preciso ter por perto pizzaria, cinema, boteco e pelo menos um traficante a postos a noite inteira, mais um estoque mínimo de putas na rua. Além disso, me sinto inseguro em lugares "seguros", como esses redutos de classe média abonada em praias e represas, onde nego chama a segurança se você acende um charo. E me dá uma ansiedade da porra olhar pela janela e não ver uma barreira de prédios a me defender contra o horizonte. Sou como uma lêndea de chato encravada nos pentelhos urbanos. Mas agora era diferente. Eu sentia na pele a necessidade de puxar o carro daquele pântano sangrento com traficantes baleados do meu lado e patroas e patrões querendo me arrancar as gônadas a dentadas. Um pouco de solidão natureba ia me cair bem.

"Nissim", eu disse, no tom mais peremptório que pude arranjar. "Me dá essa chave e não enche o saco, porra."

"Zé Carlos, eu te conheço, Zé Carlos. Cê vai sair daqui direto pro Joy Story, que eu sei, e vai pedir meia dúzia de putas pra viagem. E vai sujar a minha barra em Porangatuba."

"Que sujar sua barra o quê, rapaz. Vou é ver se limpo a minha. Preciso ficar sóbrio por uns tempos. E cê já viu que aqui tá difícil, né? Vou aproveitar pra organizar a pré-produção do institucional via telefone e internet."

"Bitchô, seguinte: você sabe que a casa não é minha, é do cunhado da Nina. E não tem internet nem telefone lá."

"Eu me viro. Vou na pousada daquela sua amiga pra internet. E tô de celular. Cadê a chave, Nissim?"

O mineiro ficou me olhando com aquela vesguice etílica dele. Eu precisava arrancar logo a chave do mineiro antes que a Gaúcha consertasse a porra da maçaneta.

"Vai, Nissim. A chave."

"Porra, Zeca, se você me aprontar lá em Porangatuba, eu tô fudido."

"No suruba in Porangatuba. I promise."

"O melhor é a Nina nem ficar sabendo que eu te emprestei a casa. Quer dizer, se eu emprestar."

"Se você não contar, ela não vai saber. E vice-versa."

"Que vice-versa?"

"Sei lá. Passa a chave, catso."

"Se eu te emprestar a chave, não me vai sair na rua perguntando por maconha, pó e puta, pelamor de Deus. Porangatuba é a maior sujeira. Você já foi pra lá, viu como é."

"Eu sei, porra, não é pra isso que eu quero me enfiar no mato. Justo o contrário. Dá logo essa chave."

"A turma lá tem bronca de bagulho, é tudo evangélico, careta, dedo-duro. Vai por mim."

"Vou ficar só no peixe frito com cerveja, Nissim. E na pinguinha pra rebater."

Por fim a Gaúcha conseguiu girar a maçaneta e abrir a porta:

"Pronto! Fora!", ordenou pro Nissim.

Meu amigo, já de saída, me olhou de fianco.

"Onde cê tava até agora?"

"Aqui, ué?"

"Antes de vir pra cá, sua anta."

"Trabucando, uai."

"Trabucando, o caraio. Cheirando feito lôco e trepando com alguém. Com quem? Fala aí."

"Com a mão direita. A velha e boa."

"Cê tá com cara de buceta amanhecida."

"E você de cu requentado."

"Nissim, se manda", comandou a Gaúcha, rindo e empurrando o Nissim pra fora.

"A chave, Nissim", insisti, segurando o braço dele.

"Só socê me contar quem é que o senhor andou comendo."

"A madame AAA", sussurrei.

"Aquela uma?"

"A própria."

"Casada, né?"

"É. Quê qui tem?"

"Não é legal ficar comendo mulher casada."

"Por que não? Elas têm buceta igual às solteiras. Só que usam bem menos."

"Dá logo a porra dessa chave pro Zeca, Nissim", atalhou a Gaúcha, que, apesar de impaciente, se divertia com a nossa conversa.

"A chave", reforcei, estendendo a mão.

"Porra, Zeca, olha lá, hein."

"Txa cumigo, Nissim."

Eu continuava com a mão estendida.

"A chave tá lá em casa, ca Nina. Mas vou ligar amanhã pra caseira e/"

"Amanhã, não", cortei no ato. "Liga hoje. Agora, antes de dormir ou de ser degolado pela Nina. Tô indo pra lá hoje mesmo. Daqui a pouco, aliás."

"Pra quê a pressa? Fugindo do quê?"

"Ô, Nissim, que pentelho", atalhou a Gaúcha. "Liga pra essa caseira, resolve logo a parada e se manda, porra."

"Esse puto desse Zé Carlos comeu alguém que não devia ter comido e agora quer sumir do mapa. E não foi a tal da madame AAA. Tá na cara dele que não foi."

"Nissim...", eu disse, me segurando pra não mandar aquele corno tomar no cu.

"Tá báo, tá báo, vou pedir pra caseira deixar a chave debaixo do anão da escada. Lembra como chega na casa?"

"Lembro. Quer dizer, não."

"Chegando na vilinha de Porangatuba, é só perguntar pela casa do senador Meirelles. Todo mundo conhece a casa amarela do senador. A minha é duas pra cima, na mesma ruela. É a de portãozinho de ferro verde que dá pruma escada de tijolo. O portãozinho não tem chave, é só empurrar com força, que ele é meio emperrado. O anão fica no primeiro patamar da escada. Num tem erro."

"Legal, Nissim. Mas liga pra caseira agora", eu insistia, oferecendo meu celular.

"Porra", explodiu a Gaúcha, "eu não vou ficar aqui nessa porta esperando o dia inteiro cês resolverem isso! Que puta aluguel!"

"Tô sem o número da caseira aqui. Ficou no meu celular. Mas pó dexá que eu não esqueço", ele garantiu.

"Vou deixar um recado na tua caixa postal procê lembrar. Chegando em casa, pega a porra do teu celular e liga pra mulher, antes de qualquer coisa. Se eu chegar lá em Porangatuba e não tiver chave nenhuma, aí é que eu armo um puta escândalo do cacete."

"Vá se fudê, Zeca", retrucou o Nissim, me dando as costas, a caminho da rua.

Puxei meu celular do bolso e liguei pro do Nissim. Só faltava a Nina atender, temi. Mas deu a voz eletrônica: "Você ligou para a caixa postal de..." seguida do vozeirão enfadado do mineiro declarando seu nome como se diante de um escrivão de polícia: "Nelson de Paula Arantes. Deixe seu recado depois do bip". Deixei a mensagem:

"Nissim, seu viado, liga já pra caseira de Porangatuba e manda ela deixar a chave no... na... na onde mesmo, nissim?"

"quê?", ele gritou de volta, já na calçada oposta, olhando pra rua acima, rua abaixo tentando lembrar onde tinha estacionado o carro.

"a chave de porangatuba?! onde é que é pra caseira deixar?!", tornei a berrar.

"no anão da escada!", gritou o Nissim.

"cala a boca!", alguém berrou nas imediações.

"No anão da escada", concluí no celular.

A Gaúcha me puxou pra dentro do bar e fechou a porta. Agarrei ela por trás, amassei-lhe os peitos, chupei aquele cangote suado, encoxei a lendária bundinha de eterna adolescente.

"Tesuda!"

"Cês são tudo pirado", ela disse, se rindo, dengosa.

Ouvi um "fiu-fiu!" Era a Melina de pé erguendo em brinde um copo de cerveja transbordante de espuma que caía farta na mão dela.

"E aê? Cadê esse pó que não vem nunca?", a ruiva disse, cambaleando pelo grand salon do Bitch Bar.

"Demorando, né?", respondeu a Gaúcha, desgrudando de mim. "Daqui a pouco eu durmo em pé. Ou sentada, que nem aquele ali."

Aquele ali era o Alê, dormindo de novo na cadeira, de cara no tampo visgoso de uma mesa.

Melina soltou a frase que mais deve ter repetido na sua vida adulta:

"Quero pó."

Quanto a mim, dei uma espreguiçada gigante e um bocejo tão aberto e franco que acabei peidando junto. Um peidão alto, forte, prolongado.

"Bravô!", fez a Gaúcha.

"Olé!", saudou a Melina.

"Peidei, mas não fui eu", declarei.

A piada era velha, mas o peido era novo. Elas riam se abanando as napinhas. Eu não podia mais com o meu peso. Até as pestanas me pesavam na testa. Precisava desabar numa cama pra não ficar pelo chão mesmo, que nem o Miro naquele dia.

"Posso dar uma caidinha no teu quarto, Gaúcha?", pedi com a maior cara de pedinte. "Tô despencando de mim mesmo."

"Por que será, né?", ela me disse, rindo.

"Não vai esperar o pó, Zequinha?", estranhou a Melina.

"Pó, agora, só na veia. E comigo dormindo." E pra Gaúcha, apontando o andar de cima: "Posso?".

"Vai lá, seu lôco", ela respondeu, com uma piscadinha safada que me fez pressentir o quanto eu estava próximo de perder quatrocentas pilas.

Devolvi a piscadela, encontrando certa dificuldade em reabrir a pálpebra que tinha piscado, e saí em demanda da escada. Ia ser uma África subir aquilo, calculei. E foi. Subi de quatro. Mais difícil foi me lembrar se o quarto da Gaúcha era pra direita ou pra esquerda no corredorzinho lá em cima. Acertei de prima — era pra esquerda. Do quarto, eu me lembrava bem. Já tinha participado de muitos simpósios e simpozeiras ali, envolvendo fodelanças variadas. Lá estava o colchão de casal no chão, ao lado de um abajur coberto por um panô roxo, muita roupa pendurada numa arara ou espalhada por toda parte, junto a bolsas, jornais, revistas, embalagens de pizza, um exemplar do "Código da Vinci", uma tevê portátil, mais uma infinidade de cacarecos e tralhas e troços, de escova elétrica pra cabelo a cinzeiros atulhados de guimbas de cigarro e baseado, revistas e jornais velhos, copos de vidro e de plástico, garrafas de vinho vazias, pratos, talheres, carcaças de Bic sem a carga, cargas de Bic sem a carcaça, embalagens de camisinha, algumas rasgadas e sem a camisinha, tubos e potes de cremes e pomadas — tinha um KY no finzinho, igual ao daquela puta da Augusta —, além de uma espécie de seringa de plástico comprida que parecia ser um aplicador vaginal de algum daqueles cremes.

Caí na cama, onde tirei tênis, calça, camiseta e meias. Não tirei a cueca porque estava sem cueca. Fiquei peladão, coçando o saco e cofiando esparsas badalhocas do rego. Daí, enquanto me ajeitava naqueles travesseiros e lençóis encardidos, onde amplos segmentos da humanidade já tinham vertido variados fluidos corporais, ouvi o motor da caranga do Margarido estacionando na frente do sobrado.

O motor silenciou, portas se abriram e voltaram a se fechar, blam! blam! Logo risadas pipocavam embaixo do piso do quarto. Eram o Margarido e o Leo chegando com o pó do Bucetinha e sendo aclamados pelas mênades em êxtase nasal. Tinha um rádio-relógio em cima da tevê com o mostrador piscando caracteres cuneiformes. Mas a luz cinzenta que se infiltrava pelas frestas da veneziana indicava algo como sete da manhã do horário novo. O dia avançava lá fora, de onde não sairia tão cedo.

Acabei relaxando naquele campo de micro-organismos em repouso, cabeça afundada num travesseiro que fedia a catre de prisão e perfumes fanados. Tive umas ânsias de vômito. Brequei o troço na garganta, o que me fez reviver o gosto do bacon vespertino da Terezinha, último treco sólido que eu tinha ingerido desde então. Cheguei a ter o impulso de abrir a janela do quarto e vomitar na cara da manhã. Mas um enorme, massivo, brutal cansaço me mantinha chumbado ao colchão. Se eu fosse vomitar, ia ser ali mesmo, numa daquelas embalagens de pizza, por exemplo. Não vomitei, acho que por falta total de forças. As pálpebras me caíam como portas de aço sobre olhos que já tinham visto coisa demais nas últimas 48 horas — sem falar nos últimos 42 anos.

Em algum momento apaguei geral, e em algum outro momento senti um corpo nu colado ao meu e um bafo de onça na minha cara. E também a mão de alguém passeando pelo meu pinto ainda mais adormecido que eu. Nem tentei abrir os olhos, quanto mais reagir ao estímulo. Ouvi uns alaridos de mamíferos excitados vindos do quarto ao lado. Devia ser a Melina se engalfinhando com o Alê ou até mesmo com o Leo, ou ainda, hipótese não de todo improvável, com o Margarido, vai saber — se não era mesmo com os três de uma só e gloriosa vez, como nos tempos do seu namoro com o traficante surubento. Für Elise subia melancólica a Capote Valente a bordo do gás, lembrando a todo mundo o quanto a vida é triste e prosaica. Nem tive muito tempo de me irritar com a desgraçada da Elise. Afundei de novo num sono clínico do qual só fui sair umas seis horas depois.

Senti a consciência vindo à tona antes que o corpo despertasse. Momento mágico-hipnagógico, entre o sono e a vigília, com as fronteiras do inconsciente ainda porosas permitindo a ligação direta entre sonho e realidade. Foi nesse estado que passei a me ver numa Pasárgadatuba à beira-mar onde eu não era marido, pai, amante, amigo, sócio, freguês, vizinho de ninguém. E nem cineasta, videasta, orgiasta, correntista, contribuinte, prestamista, reservista, eleitor, condômino, assinante, réu, reclamante, cidadão, ou qualquer outra porra de merda de bosta. Tive um insight do óbvio cintilante: eu tava de saco na lua de ser alguma coisa em algum lugar pra alguém. Nowhere man numa nowhere land — é o que eu aspirava ser, e seria, logo mais, em Porangatuba, se o porra do Nissim não se esquecesse de mandar a caseira me deixar a chave no cu do anão.

Abri os olhos. A Gaúcha ressonava do meu lado, barriga e peitos pra cima, pelada. Que gostosa essa Gaúcha, pensei, contemplando aquele monumento adormecido. De repente, a loira capotada mudou o passo da respiração e virou de lado, com sua bunda 20 anos mais jovem que ela voltada pra mim. Constatei nesse momento que eu tinha acordado de pau duro. A visão daquela bunda-modelo, feita pra ser copiada em aulas de desenho nas escolas de belas-artes, só fez reforçar a ereção. Cheguei nela por trás e encaixei o negócio entre suas coxas quentes e suadas, roçando-lhe a buceta por baixo. Meu pau quase trincava de tão duro. A Gaúcha, nocauteada até o último pentelho, nem se mexeu. Deixei meu pau lá ensanduichado nas coxas macias e úmidas da minha amiga. Colei meu corpo no dela e dei uma estocadinha. Coisa leve, só um deslizar de pica no entrecoxas. A loira não soltava um pio. Acho que eu podia ter tacado a rola naquela xota logo duma vez, sem problemas. Mas tava gostoso daquele jeito, raspando a glande na escovinha áspera de pentelhos. Dei mais umas estocadas e gozei gostoso.

Puxei o pau pra fora, deixando meu visgo amoroso no entrecoxas da vagaba adormecida. Catei, então, roupas e tênis do chão, me levantei de pau pingando porra, e fui pro banheiro que serve ao mesmo tempo ao lar e ao bar, e deve rivalizar em nauseabundice com o da rodoviária de Afogados da Ingazeira, no sertão nordestino do Adermilson. Dei um barrão semiagachado sobre a privada infecta, sem relar nela, lavei o rabo na torneira da pia, na falta de papel higiênico, me enxuguei numa toalha úmida e encardida que devia ter sido utilizada para esse mesmo fim e outros ainda piores durante incontáveis noites e dias, joguei água na cara, que enxuguei depois na barra da camiseta, e desci, envergando uns óculos escuros estilosos que surrupiei do quarto da Gaúcha. Na sala vazia de gente, só os despojos da última bebedeira coletiva sob as vistas da imperturbável poodle de piteira sentada no balcão ao lado do garrafão de pinga com a cobra-coral no fundo dormindo seu sono peçonhento. Roubei o cigarro da piteira da cadela e me mandei.

    Abri a porta da frente com cuidado pra não arrancar de novo a maçaneta. O Monzão estava à minha espera, junto ao meio-fio. Dei a partida pedindo a são Cristóvão que a lata-velha não demorasse a tarde inteira pra pegar. O desgraçado rezingou, tossiu, deu uns chiliques, mas acabou pegando. Depois de acender o cigarro da cadela no isqueiro do painel, galguei o resto do ladeirão da Capote rumo a Sumaré, por onde segui até o final, antes de me injetar na avenida Antártica e desguiar pra marginal Tietê, onde dei uma vomitada pela janela em meio a um congestionamento bem em frente à montanha-russa do Play Center. Vi que o trenzinho despencava pela pirambeira mais íngreme da montanha, com as pessoas levantando os braços e gritando. Ver isso me fez vomitar mais um pouco, ao som da buzinaria dos carros de trás. Deixei o vomitão empoçado no asfalto e segui direto pela marginal até a Ayrton Senna. Uma hora depois, mais ou menos, me despejei na Tamoios, por onde rodei uns 20 quilômetros antes de parar no Fazendão pra traçar um fabuloso sanduba de linguiça com guaraná.

    De barriga cheia e me sentindo até que bem-disposto, mais pelo alívio psicogeográfico de me afastar de São Paulo do que pela saúde dos meus malhados miúdos, desci a serra do Mar até Caraguatatuba, de onde toquei pela Rio-Santos até os extremos do litoral norte paulista, pra lá de Ubatuba, chegando já no fim do dia nesta Porangatuba encafuada na Mata Atlântica. Aquela esporradinha saideira nas coxas da Gaúcha tinha me feito bem ao corpo e à parte da alma que costuma se alojar na bolsa escrotal. Ao acordar, minha amiga teria uns quinze segundos de perplexidade até entender por que suas coxas tinham grudado uma na outra. Eu devia essa à boa Gaúcha paranaense de Varsóvia, que, por sua vez, me devia os quatrocentos paus que ela tinha, afinal, me surrupiado antes de entrar na cama enquanto eu dormia, deixando na minha carteira um bilhetinho singelo que só fui descobrir ao pagar o sanduba de calabresa lá no Fazendão: "Valeu pelos 400, Zeca. Te pago assim que puder". Ou seja, jamé de nevermor que eu vou ver a cor daquela grana. Meio caro por uma gozadinha nas coxas. Mas como costuma dizer o famoso outro, foda-se.

Em Porangatuba, deixei o carro na vila e pedi informações sobre a casa do senador Meirelles, marco de referência. Acabei chegando aqui depois de uma escalada de morro que por pouco não me fez os pulmões saírem pela boca. A chave estava debaixo do anão no primeiro patamar da escada de dois lances. O Nissim tinha, afinal, ligado pra caseira, que, aliás, não conheci ainda. Sentado num degrau de tijolo limoso demorei um bom tempo até juntar fôlego para completar a subida e ganhar a varanda. Daqui só sairia pro nirvana, me prometi, de onde me sentia bem mais próximo agora.

# <19>

A noite acabou de chegar em Porangatuba. Não sei bem de onde veio, mas trouxe a escuridão com ela. Incrível como a noite é escura por aqui. Em São Paulo você não vê noites escuras assim, há um fantasma de neon permanente rondando cada canto da cidade. Ok, é uma constatação óbvia essa, mas na solidão extrema o ser humano se distrai com obviedades. Enfim, o que acho que estou querendo dizer é que vou acabar virando um poeta bucólico aqui nesse mato--praia anunciando que a noite chegou, que o dia nasceu, que chove, que faz sol, que as maritacas acabaram de passar ralhando umas com as outras, e que a folhagem da Mata Atlântica farfalha ao sabor da ventania, e que eu vejo todo dia um tiê-sangue solitário que deve morar por aqui, e tudo mais. Em Sampa, meu dia começava pra valer quando o sol já ia tirando o time de campo. Eu tratava de me aprumar no tempo, no espaço e em mim mesmo, refeito da última ressaca. Se tinha algum vídeo pra editar, me enfiava na ilha com uma garrafa de uísque e umas carreirinhas e só saía com o dia raiando, ou um pouco antes, em tempo de dar uma esticadinha no Bitch. Se não tinha nada pra fazer, situação rotineira nos últimos tempos, ficava na minha sala administrando imeios, caçando pornografia na internet, dando tapas num roteiro qualquer, e mandando todas. Ler, lia pouco, que os birinaites e a puta da ansiedade não me deixavam muito espaço pra isso.

Aqui, não. Aqui existo de dia. Acordo com as maritacas, desço pra nadar, leio um monte, escrevo, cochilo, como, bebo, soco umas e vou dormir, fundo e pesado, toda noite. Acho que só varei aquela madrugada em que devorei o Portnoy. Uma hora dessas, por exemplo, sete e meia da noite, já fiz coisa pra cacete, mesmo que nenhuma dessas coisas entre no cômputo geral do PIB.

Confesso que tem seu encanto essa rotina de pegar carona no sol às 6 da matina e seguir com ele até o fim do dia. Sou agora como todo mundo: sinto o tempo passar. É meio inacreditável, mas quem vive à noite se esquece de que as mudanças gradativas na luz natural é que demarcam a passagem do tempo, como qualquer rã do brejo ou diretor de fotografia sabe muito bem. Com a noite é diferente. À noite rola um efeito fotodramático paralisante que torna todas as cenas estáticas. Se você filmar uma seqüência numa só locação ao longo de uma noite inteira, o espectador vai ter a impressão de que tudo está rolando no mesmo imóvel e saturado instante. E não adianta inserir o relógio marcando as horas. Aí é que a porra do tempo não passa mesmo. Porque o marcador do relógio avança, mas o tempo continua parado na percepção do espectador, gerando desconforto cognitivo. Nego que cheira pó, por exemplo, odeia relógio. De madrugada, você ali na função, rebocando a napa, só existe o espaço. Mas aí vem o sol e traz de volta o filhadaputa do corrosivo, impositivo, punitivo, aflitivo tempo.

> A gente bebe
> a gente cheira
> a gente vive
> na batida divertida
> da gandaia e da zoeira,
> que é pra não ver o tempo passar
> que é pra não ver a vida passar,
> passar e passar,
> pra sempre
> perdida.

Se você estivesse aqui comigo, brindaríamos ao tempo com pinga curtida no mel, o famoso *pinguel*, que o Quinho vende lá no bar dele a dé real o litro. Tem que agitar antes de servir, porque o mel fica todo depositado no fundo. Viciei nessa porra. Foda vai ser quando a maconha acabar. Com maconha você bebe menos. Sem maconha, viro mais alcoólatra do que já sou. E onde descolar fumo por aqui? O Nissim tinha razão: não dá mesmo pra sair perguntando por maconha e subs pra esses pescadores, muitos deles com nomes bíblicos, Abdias, Jeová, Enoque, Abraão, Salomão, Daniel, Esaú — o Velho Testamento em peso embarcado nessas chalupas, voadeiras e canoas que vão todos os dias catar peixe no oceano. Todo mundo milita na Congregação Pentecostal do Reino Celestial da Nova Luz Divina, quase em frente ao bar do Quinho, que vive abarrotada de gente cantando de sexta a domingo. Nesse último sábado, o segundo que passei aqui, eu saía do Quinho empanturrado de caipiras com cerveja e camarão frito, quando ouvi o pastor exortando a galera: "Só a oração aplaca a tentação!". Cê acredita que me bateu um tesão difuso só de ouvir a palavra *tentação*? Vontade imediata de pegar um pó, ir pra Augusta e passar a noite toda zoando com a mulherada — a 300 quilômetros daqui. *Só a meteção aplaca a tentação*, é o que vou acabar pichando no muro dos bíblias, se ficar aqui mais um tempo. Talvez acrescente embaixo: (*Um bom boquete também quebra um galhão*).

Se não há sinal de drogas em Porangatuba, de buceta, então, nem é bom falar que é pra não me deprimir. Quer dizer, mulher gostosa você ainda vê uma ou outra, se não estiver imbuído de um nível de exigência de body hunter de agência internacional de modelos. As filhas dos pescadores, por exemplo. Elas andam por aí de shortinho exibindo as coxas bombadas no sobe e desce pelos morros. Mas não são abordáveis por um tiozão da minha laia. Pelo menos até agora não vi brecha nenhuma pra isso.

Reparei como a natureza tenta ocupar o lugar que era da mulher no meu horizonte particular. Aqui de cima, conforme a direção do vento, além de ver posso também ouvir o mar batendo no continente. Passo horas vendo e ouvindo o mar. Quando dou por mim, tô de pau duro. Digo a mim mesmo: *Ah, o mar...* E soco uma aqui na rede. Mas isso não rola sempre, não. Às vezes me ver cercado de natureza só me traz tédio e uma vaga melancolia. Aí desando a pensar na Lia e no Pedrinho. Quase me bate saudade da Lia, o que eu tento esconjurar no ato. Do Pedrinho tenho saudade a toda hora, e até gosto de ter. Me sinto, sei lá, mais humano. Agora, ficar puxando saudade de mulher, amigos, lugares, não é comigo. Não guardo fotos de nada nem de ninguém. Por isso que o meu cinema só fala de coisas que não existem e, portanto, não deixarão saudades. Pega o Holisticofrenia, por exemplo. Só tem cenas e personagens sem referência a nenhuma realidade diferente da que somente elas e eles instauram na tela

E já que estou a ruminar sobre as rotas e derrotas de mi bida fudida, percebo agora que ela, mi bida fudida, deu uma bela encalhada aqui em Porangatuba. Isso é boa notícia pra quem, como eu, via a vida disparar em alta velocidade pra lugar nenhum. Pelo menos fui encalhar numa casa no morro com varanda, rede e vista pro mar e pro mato. Que mais se pode querer da vida?

Buceta. Mas não vamos falar nisso de novo, pelamordideus.

Hoje de manhã, saindo do mar, fui tomar uma ducha na Chapéu-de-sol. A Rejane não estava. O Leno, factotum da pousada, tipo esquivo que não me desce muito bem, me deu uma toalha e ligou a tevê pra mim. Tive uma gana repentina de espiar a quantas anda o mundo. Botei num canal de notícias e fiquei me aborrecendo com as novidades. Sargentos da aeronáutica que operam o caótico controle de voo dos aeroportos peitaram o brigadeiro não sei das quantas, entraram em greve e foram presos. "Apagão aéreo", dizia a matéria, que trazia imagens de passageiros dormindo em Congonhas e no Galeão. Me pareceu que estavam mais seguros ali do que trancados num Boeing a 10 mil pés de altitude. Quando acordarem, estarão todos vivos e com os pés no chão.

Dei uma zapeada. Filmes, propaganda, programas de auditório, de culinária, reprise de novela. Na TVE um crítico literário míope feito uma topeira explicava pro entrevistador que "a literatura é uma velha arte que tá de saída". Escritores e leitores vão virar um clubinho dos 500, sendo que, no final, tudo se resumirá a uns tantos escritores e poetas batalhando para serem lidos por outros escritores e poetas. O mesmo vai acabar acontecendo com o cinema não hollywoodiano, dizia o crítico. Que se fodam, escritores, poetas, críticos e cineastas não hollywoodianos, decretei eu, dando um zap no controle. Escapei pros canais abertos e estacionei no SBT, que dava mais noticiário. Uma autoridade de gravata garantia que o PCC "está sob controle na capital, seis meses passados da onda de ataques de maio". Lembrei do Nissim falando que era o PCC em ação na rua Alagoas, na desgraçada madrugada em que o Miro foi morto. Aqueles malas atirando na polícia de dentro duma Pajero roubada não tinham sido avisados de que estavam sob controle. Desliguei a porra da tevê ao mesmo tempo em que flagrei o Leno me espionando por uma janela que comunicava com o pátio interno da pousada. Ele sumiu de vista num passe de corte seco.

Cada vez gosto menos desse cara, e sinto total reciprocidade da parte dele nisso. As antipatias gratuitas são as mais profundas. E perigosas. Ele ataca em todas as posições, o Leno: recepcionista, mordomo, garçom, maître, barman, segurança, motorista, faxineiro, e sei lá se também não passa a vara na patroa nas noites em que a menopausa dela entra em *pause* e volta-lhe algum fogo no rabo. Invoquei com esse caiçara de pele acaboclada, feições caucasianas e cabelo escorrido de índio. O pai deve ser branco, a mãe cabocla. Os genes paternos entraram num acordo separatista com os genes maternos, gerando uma justaposição de traços físicos, mais do que um mix étnico. A genética do branco construiu a fisionomia, a da cabocla se incumbiu da cor da pele. A lisura do cabelo só pode ter sido obra do índio embutido no caboclo. O servilismo ressentido deve ter vindo do negro, de onde mais? Mas isso tudo não passa de caraminholagem subetnográfica e superpreconceituosa da minha parte. Em todo caso, que se foda o Leno junto com as raízes étnicas lá dele.

Resolvi ler meus imeios, me valendo da gentileza da Rejane, que já me havia franqueado o acesso ao computador da pousada. (Ela me franquearia muito mais que isso, se eu pedisse, mas tô fora, mora.) Por isso, sem pedir licença ao Leno, nem à estalajadeira, que não estava à vista, me encaminhei pro escritório, que é um charme, com janelas francesas se abrindo pro jardim fronteiriço e pra enseada adiante. A conexão é discada, dos tempos pré-cabralinos. Parece que deu pau na banda larga e a Rejane não teve nenhuma pressa em chamar a assistência técnica. Ela me disse que acha melhor assim. Com banda larga e roteador, em todos os cantos da pousada se vê gente de cara afundada num notebook, e isso não combina com o estilão *rustic* do lugar — rustic a 600 paus a diária de casal, bem entendido. Ela prefere atrair pessoas interessadas em se desconectar da rotina urbana e imergir no microcosmo local — mar e Mata Atlântica — como eu, aliás. Se pudesse, ela proibia até o uso de celular nas dependências comuns da pousada. Tá certa ela. Não tem nada pior que ficar num restaurante ouvindo um cretino da mesa ao lado discutindo em voz alta detalhes cretinos da sua vida cretina com outro cretino ou cretina a muitos quilômetros de distância dali.

Tinha um caralhão de imeios na caixa de correio da web, como era previsível, e cada vez que eu clicava numa mensagem demorava um século pra entrar. Lia, Zuba, Nissim, Terezinha, Leco e a Madame AAA, que vem a ser uma vampira sexual que eu traço de vez em quando. Tinha até dois imeios da Nina, com quem nunca troquei figurinhas pela internet. Fora isso, só os spams de praxe, propaganda de çaite de putaria, Viagra pelo correio, cura da psoríase, aparelho pra aumentar o pênis por sucção, empréstimo sem fiador e a porra da igreja universal, que todo santo dia me entope a caixa postal com salmos tirados de alguma tradução anarfa do Novo Testamento, tipo "Aquele que tem plantado a boa semente, vos aliviará o Senhor". Um dia fiz a cagada de responder a um imeio desses escrevendo em letrais garrafais "O Senhor é meu credor, tudo me cobrará". O resultado foi que os spams dos bíblias quintuplicaram na minha caixa de correio, todos pesadíssimos, com animação e música. Por isso, mesmo em casa ou na produtora, prefiro abrir meu correio na web, que só informa o assunto e onde é bem mais fácil de limar as porcarias.

Abri o imeio mais recente do Zuba me cobrando os 2 paus de adiantamento pelo job da Itaquerambu. Não respondi. Só murmurei um vai-tomá-no-cu que a internet não deve ter captado, e apaguei os outros imeios anteriores dele. Daí abri um da Lia me pedindo grana. Limei também. Movido por uma comichão peniano, abri o da Madame AAA me perguntando se eu podia jantar com ela "na quinta". Que quinta? Sei lá, já era. Ela deve ter dado pra outro cara na tal da quinta. O último dos imeios do Nissim, enviado depois da nossa recente conversa telefônica, me instruía a deixar as chaves da casa debaixo do anão quando fosse embora, o que eu, de resto, devia fazer "já". Não respondi nada pra ninguém. Desencanei dos imeios e pulei pro Google. Digitei no campo da busca: rua alagoas tiroteio miro. Topei de cara com uma chamada — *Achando balas perdidas* — na Net News.

Era uma notícia sobre a "chacina do Pacaembu". Um promotor chamado Valber dos Santos Velhinho lembrava que, além dos feirantes mortos e outros tantos feridos a bala em frente ao estádio, a perseguição ao bando do pcc tinha feito outra vítima minutos antes: o ex-presidiário Miro de Lucca, atingido por uma bala perdida na rua Alagoas, em Higienópolis, na rota da perseguição, ao que tudo indica disparada pelos policiais. Já ouvi falar desse promotor. Faz tempo que o cara tá no pé da polícia por causa de execuções sumárias e balas perdidas.

Mas aí vinha o tal delegado da dhpp, o Roquete Paiva, o mesmo que interrogou o Nissim, contra-argumentando que os feirantes tinham morrido pelas balas dos bandidos e a vítima alvejada na rua Alagoas, na verdade um notório traficante, pode ter sido morto por um "comparsa", segundo uma testemunha, e não por bala perdida. A tese do delegado é que o suposto comparsa, morador do bairro elegante, se valeu da coincidência do tiroteio, saiu do carro logo em seguida, deu a volta e atirou no Miro pela janela do motorista. Quando isso se comprovar, ficará mais patente a "campanha persecutória" do promotor Velhinho e de "segmentos privilegiados da população" contra a polícia paulista. O delega terminava perguntando como é que o promotor e as pessoas em geral esperam que a polícia enfrente a bandidagem organizada? "Com apito?", ele dizia. "E como a polícia vai defender o cidadão, se ela não puder se defender a si mesma em primeiro lugar?"

Delegado filho da puta, com esse nome de pulp-fiction à brasileira: Roquete Paiva. Vá se foder, ele e os apitos dele. E que testemunha é essa que ele foi arranjar, caralho? Cliquei no X do canto superior direito da página e saí da internet com a sensação de que a merda tava no ar. E não só no ar, mas também em terra firme, e caminhando a passos rápidos na minha direção.

Do lado do computador tinha um telefone, tinha um telefone do lado do computador. Passei a mão nele e liguei pro celular da Terezinha, que não devia estar grampeado. Se estivesse, foda-se. Foi quase com alegria que ouvi a voz da japa do outro lado. Nem me deu bom--dia, já foi perguntando pelo salário dela e informando que as contas da produtora não foram pagas. Qualquer hora cortam tudo ali, sendo que o síndico mandou um comunicado ameaçando com "medidas judiciais" se o condomínio em atraso não for saldado até o fim do mês. Já o Leco se negou a cobrir de novo as despesas, argumentando que, se eu embolsei o dinheiro, o problema era meu. Pra completar, o Zuba, como era previsível, cansou de ligar pra lá exigindo a devolução do adiantamento pelo institucional que eu não fiz.

"Não fiz o caralho", gritei pra Terezinha. "Foi aquele viado do Zuba que recusou o meu roteiro. Não quis mostrar pra Itaquerambu, o puto."

Silêncio do outro lado. Meus palavrões sempre deixam a Terezinha desorientada. Jurei que na próxima semana o dinheiro estaria na mão dela, e perguntei pelas boas novidades, se é que havia alguma. Ignorando o "boas novidades", a Terezinha perguntou se eu estava sabendo de um tiroteio e de um assassinato que tinham ocorrido bem na frente da produtora, no fim da semana retrasada. Eu disse que não, que não sabia de nada. Ela contou que a polícia tinha aparecido várias vezes com perguntas sobre o caso.

"Cacete!", soltei, como se tivesse ouvido uma assombrosa novidade. "Que perguntas?"

"Da primeira vez, queriam saber se eu tinha visto alguma coisa. Falei que não sabia de nada, né. Que saí do trabalho às seis da tarde naquela sexta e só voltei às nove e meia da segunda. Aí perguntaram de você."

"De mim?"

"É. Eu disse que você costumava ficar até tarde trabalhando, mas que não tinha mais te visto desde então."

"E eles?"

"Me mandaram avisar quando eu tivesse notícias suas."

"Bom, não avisa que eu liguei, tá?"

"Não?"

"Não."

"Por que não?"

"Porque não."

"Eles deixaram uma intimação pra você ir na delegacia. Deixaram também na sua casa, parece. E pediram pra confirmar seu celular."

"Caralho."

"Quê?"

"Caralho!"

"Ah."
Ficou um silêncio. Daí ela disse:
"Zeca?"
"Há?"
"Você tava aqui na hora do tiroteio?"
"Não. Saí antes."

Logo percebi o passo em falso: se eu não estava na produtora, e até agora não sabia de nada, como é que eu podia afirmar ter saído antes do bangue-bangue? Mas a Terezinha não estava lá muito aristotélica àquela hora da manhã e não pareceu reparar nisso.

"Onde cê tá, Zeca?"
"Aqui, falando com você."

Ela pareceu satisfeita com a explicação e completou a lista dos mortíferos mortais que andaram querendo falar comigo nesses dias: Nissim, Lia, Madame AAA, Gaúcha, delegado Roquete Paiva e o Edson, grande Edson, meu mecânico que a cada três meses mais ou menos realiza a proeza de ressuscitar o Monzão. Tô devendo uma graninha razoável pra ele. Mas o Monzão, por ora, vai bem, obrigado, dentro de um abrigo de canoas lá embaixo, no Portinho. Nem eu nem ele precisamos do Edson agora.

Me despedi da Terezinha, não sem antes ouvir dela pela undécima vez:

"Deposita meu salário, pelo amor de Deus, Zeca."
"Se Deus não depositar, eu deposito. Pode deixar."

Ouvi uma bufada forte no fone. Antes de desligar, a Terezinha perguntou outra vez onde eu estava. Dei uma de migué:

"Outro pra você, Terezinha. *Ba-ai!*"

E desliguei, pensando, *tô fudido*, bem na hora que a Rejane estacionava a picápi Toyota Hilux dela na frente da pousada, visível pelas janelas francesas. Inda bem que o meu bólido decrépito não estava ali pra sofrer comparação humilhante com o 4x4 importado da estalajadeira, sem falar nas carangas dos hóspedes. O Monzão, como disse, repousa mocozado numa cabana de bambu de frente pro mar, junto com as canoas do seu Heleno. Combinei de pagar um galo por cada quinze dias de estacionamento. Oitenta, se ficar o mês inteiro. Caiçara lazarento. Quer dizer, é uma figuraça, o seu Heleno, mas é aproveitador que só ele. No dia que fui negociar a estadia pro Monza, ouvi o cara dizer: "Mar hoje tá um jazigo. Ruim pa pêxe. Bão pa passeiá". E quis me vender um passeio de barco pelas ilhas, que recusei. Não gosto muito de *passeiá*.

Ainda na direção, a Rejane me viu no escritório e acenou, sorrindo. Devolvi o cumprimento na mesma moeda, aceno e sorriso, antes de sair pela relva bem aparada do jardim pra ir ter com ela e suas sacolas de compras. Tô gostando cada vez mais da figura. Simpaticona, a cabelama meio crespa à solta, com todos os prováveis fios brancos pintados de um castanho-avermelhado, envergando um daqueles camisolões estampados de algodãozinho fino que ela usa quase todo dia.

Ela tirou os óculos escuros e trocamos beijinhos protocolares, mas nem por isso menos afetuosos. Ela quis saber se eu tinha falado com São Paulo, como estava a família, e tal.

"Como chama mesmo o seu menino? Me lembro tão bem dele. Uma gracinha!"

Respondi meio seco que o menino se chama Pedro e que "a família vai bem, obrigado". A Rejane me deu um olhar por dentro do olhar, perguntando-se na certa se entendera bem o recado. Estaria o cavalheiro sinalizando que seu casamento tinha ido pras picas e não pretendia voltar de lá tão cedo?

Em seguida, quis saber como andava o meu trabalho. Eu já tinha contado que estava aqui em busca de sombra e sossego pra trabalhar numa série de roteiros pra televisão, sem entrar em detalhes. Antes do beijinho de despedida, ela disse que ia mandar o Leno abrir uma conta em meu nome na pousada, pra eu comer e beber quando e quanto quisesse sem ter de enfiar a mão no bolso a toda hora. E tornou a insistir pra que eu ficasse à vontade na pousada, como um hóspede. Eis o que eu chamaria de um coringa na cueca. De fome não morro nessa praia.

O que tá pegando mesmo é esse papo de polícia no meu pé em São Paulo. E a falta de buceta em Porangatuba — buceta em idade reprodutiva, digo. Depois de sei lá quantos dias sem ver a cor dessa entidade suprema da natureza tô começando a pirar de tesão, cara. A cocaína é uma rainha exigente e impositiva, mas se você estiver longe da possibilidade de obtê-la, a desgraçada não te faz a menor falta. Pelo contrário, é a típica ausência que preenche uma grande lacuna. Agora, buceta, não, buceta faz falta o tempo todo, antes, durante e depois das punhetas. O libidão não sossega, fica aprontando o tempo todo na sua cabeça, desperta ou adormecida. Você se pilha jogando olhares pra cima dumas tipas que pelamordideus, feito uma das camareiras lá da pousada, de saião evangélico e lenço na cabeça, brancarana com cara de cuíca espantada, mas cuma bunda promissora. Daria perfeitamente pra comer aquilo por trás, rapidinho. Já o resto do staff feminino, as faxineiras, a cozinheira e suas ajudantes, melhor esquecer. Qualquer vassoura gasta dá mais caldo erótico que aquilo. Agora, é a tal história, mais uns dez dias aqui no toco e acabo propondo pra camareira da bunda promissora que venha aqui em cima pra dar uma varridinha na casa. Varridinha, espanadinha, chupadinha, enfiadinha...

Outras gurias dignas de nota por aqui são as três filhas do Quinho, pescador e dono do melhor bar à beira-mar do pedaço. Mara, Mári e Marieta. Branquelas para os padrões locais, vão numa escadinha etária dos 16 aos 19 anos, por aí, totosinhas demais em seus shortinhos de bundinha trotando pra lá e pra cá. As três partilham o mesmo ar entojado de novarriquinhas locais. O Quinho encheu as burras vendendo pra turistada uns terrenos que tinha na orla, e abriu o búti-restô, que é também uma peixaria, onde a mulher comanda a cozinha. Comprou também uma traineira de pesca e uma escuna de turismo. Virou um magnata local, mas continua levando vida de caiçara. Sai pra pescar todo dia, limpa o peixe que vai ser usado no restaurante, e tudo mais. Só que roda de camionete C-20 novinha e deve ter uma conta cetácea no banco. A mais nova e mais branquinha das filhas dele, a Marieta, é de longe a mais tesuda. (De perto é mais ainda.)

Dia desses, sentado no Quinho a mamar uma cervícola de frente pra inútil paisagem marinha, tentei engatar um papinho folgazão com a guria quando ela trouxe a minha porção de sete-barba no alho. Gosta daqui? Tá pensando em morar fora? Sua mãe te ensinou a cozinhar que nem ela? Rola muito bailinho de fim de semana? Cê estuda? Namora? A guria começou respondendo às minhas perguntas com monossílabos desanimadores: é, hã?, não, sim, hum, tá, tô, foi, fui, gosto. E eu só pensando em lamber aqueles peitinhos, chupar aquela bucetinha, enfiar o dedo naquele cuzinho e fazer ela gemer pedindo mais, mais, mais, tio! Até que ela foi tolerante com a minha lábia. Uma hora lá, abandonou o perfil monossilábico e me contou que faz um curso de inglês em Ubatuba. Aproveitei a deixa pra dizer que sou craque no inglês, e que se ela precisar de "um reforço", é só falar comigo, a gente marca umas aulas de conversação — de graça, lógico.

O lero-lero acabou quando o pater Quinho assomou à porta da cozinha, de avental de plástico e um facão na mão sujo de escamas de peixe, chamando a guria pra dentro. Me cumprimentou com um sorriso comercial e um "Ôp, tud'báo?" A menina passou rápido pras internas do bar e eu fiquei na minha saboreando o camarãozinho frito e olhando a barra da enseada, a ver se a armada inglesa não apontava ali de repente pra me ajudar a enfrentar aquele facão afiado do homem. Pena que o Quinho não estava em alto-mar naquela hora. Eu e a filhinha dele poderíamos ter ensaiado uma aulinha de conversação:

"Lesson number one. Repeat with me: 'I want to see your big cock. Do you want do see my little cunt?'"

Só me restou rabiscar num guardanapo de papel um consolo poético pra minha solidão sexual tratada a camarãozinho frito, cerveja gelada e batida de pitanga:

>
> não me basto na punheta
> quero um rabo de ninfeta
> seja santa ou espiroqueta
> quero branca, quero preta
> Mara, Mári ou Marieta
> se for fêmea, tendo teta
> eu encaro qualquer treta
> seja rabo de cometa
> seja tiro de escopeta
> seja toque de corneta
> — mas eu quero uma buceta!

Sim, claro, tem a Rejane. Vinte anos mais velha que eu, no mínimo. Ali é só chegar que tá tudo à mão: peitões, banhas, pelancas, estrias, rugas, celulite, pintas, manchas dérmicas. E buceta. Em que estado estará aquela "víscera oca"? (Li isso outro dia num çaite científico: *víscera oca*. Pode?) Se os ovários e o útero não estiverem mais lá, a buceta em si deve estar. As bucetas não têm pra onde ir. Ficam por lá, encarapitadas na confluência das coxas com o baixo ventre das mutchôlas e vão pra cova com elas.

Caraca, mais uma noite cheia de porra nenhuma pra fazer. E o delegado Roquete Pinto lá em São Paulo querendo a minha pele para tamborim. E a Lia saindo pra jantar com o amiguinho dela. E a grana das despesas da Khmer minguando no meu bolso. E o caralhaquatro.

# <20>

Abro os olhos para o dia claro e para o presente do indicativo, onde todo mundo mora, à exceção dos mineiros do Ingo (ou do Marsicano?), que só existem no passado. Ligo, pois, minha câmera narrativa em modo presente, o único que as câmeras reconhecem. Estou na rede e o sol de tocaia atrás da montanha se prepara para o ataque maciço com lança--chamas sobre os tristes trópicos. Sempre achei que "atrás da montanha" devia ser o poente, ficando o nascente pras bandas do mar, ao menos na costa brasileira. Mas aqui é o contrário. O desgraçado do leste deve ter trocado de lugar com o oeste enquanto eu dormia. Cato o "Poesias Inéditas", do Pessoa, debaixo do abaulado que a minha bunda faz na rede. Está aberto na página que eu lia ontem, antes de pegar no sono. Dou de cara com um poema assinalado a caneta com letras garrafais: *DU CARALHO!!!!* Tem uns versos que dizem: "Boa é a vida, mas é melhor o vinho. O amor é bom, mas é melhor o sono". Aquela rabiscaiada só pode ser coisa do Nissim em efusão poética deflagrada por alguma infusão etílica. Ele adora o Fernando Pessoa, o Nissa, em quem só vê um defeito: não ter nascido em Minas Gerais. A vida, o vinho, o amor e o sono. Tá tudo aí. Eu só trocaria o amor pelo sexo, e incluiria um fuminho e um pó. Vou sugerir isso ao seu Pessoa quando o encontrar.

Há quantos dias estou sem ver uma buceta? O mesmo número de dias que levo encafuado nesse morro. Quantos? Quinze? Dezessete? Vinte dias? Dezesseis, catorze? Dezoito? Sei lá. O tempo aqui virou uma qualidade, não uma quantidade. Sensação esquisita de nunca ter vivido em outro lugar. Virei um caiçara solitário e ocioso, tendo por grandes companheiros o mar lá embaixo e a Mata Atlântica aqui atrás, tudo sob a cobertura do azul do céu em alternância com o cinza--enfezado das nuvens que carregam a próxima tempestade tropical. (Cadê minha Sony, porra?!)

Seja a leste ou oeste, o sol enfim se desentoca da coxia montanhosa e dá de chapa na minha fuça. Hora de levantar. Jogo as pernas pra fora da rede, à minha esquerda. O primeiro pé a tocar o chão também é o esquerdo. Penso se não deveria reiniciar a operação saindo da rede pelo lado direito e tacando primeiro o destro no chão. Mas dou uma banana pra superstição idiota e tento assumir minha condição de *Homo erectus*, já que a de *Homo sapiens* vai demorar a se estabelecer na praça do meu ser. Meu pau já acordou erectus, como acontece todo dia, não importa com quantas punhetas eu tenha procurado aplacar minha solidão sexual antes de dormir. Essa voga de solidão sexual começa a ficar ridícula. Podia voltar pra rede e enfrentar esse pau duro fazendo mais uma vez justiça com a própria mão. A vontade de mijar, porém, fala mais alto e eu subo na mureta da varanda que dá pra ruela lá embaixo, me agarro a um galho de manacá florido pra me equilibrar, e lanço o jato de ouro líquido sobre a paisagem. Me sinto senhor absoluto da terra, mar e ar. A bexiga cheia e o pau duro projetam a urina para bem longe, ruela acima, num trecho que não consigo enxergar. Ouço latidos ferozes de um cachorrão injuriado. Porra, será que o mijo pegou nele?, me pergunto, achando divertida a hipótese. Se pegou, o desgraçado do canídeo vai atrair toda a cachorrada local, as cadelas sobretudo, que entrarão em cio espontâneo ao sentir meus feromônios de macho carente na pelama do vira-lata. Faça bom proveito do xibiu das cadelinhas, cachorrão, já que pra mim elas não dão a menor pelota.

Depois de uma bela cagada e de uma aguada fria e revigorante na ducha atrás da casa, tomo um copo de suco de tomate temperado, de uma garrafa de um litro, Heinz, coisa fina, importada, que a Rejane me deu de presente. A ideia era eu preparar bloody marys aqui em cima, mas acabei matando no bico a garrafa de vodka cercada de um manto ártico que tinha no congelador, e não rolou fucking mary nenhum. Por isso ando tomando no café da manhã esse suquinho de tomate salgado que me dá uma vontade imediata de fumar e beber álcool. Ponho uma dose de pinguel gelado num copinho de cachaça, acendo um cigarro e volto pra rede. Cato o notebook, disposto a registrar os últimos quinze minutos da história da humanidade, vistos do meu ângulo pessoal. Sete horas. É cedo ainda. Para o homem, digo. Para o ser continua sendo irremediavelmente tarde, como diz o garotinho na "Chinesa", do Godard, citando um filósofo alemão, o Heidegger, acho. Se não for o Heidegger deve ser o Steinhager.

Sete horas e um minuto agora no relógio digital do note, horário de verão.

O tempo passa.

7:03... o tiê-sangue dá seu pequeno concerto de trinados no mesmo galho do manacá onde me segurei pra soltar o mijo, agora há pouco... 7:04... ligaram um rádio ao longe, música de sanfona, forró matinal... 7:05... o cachorrão desanda a latir de novo lá embaixo. Deve estar percebendo o quanto pode feder o mijo humano... 7:06... sopra um vento quente, prenunciando um sol de rachar o dia inteiro... 7:07...

Ôpa, sete-zero-sete parece um sinal criptocinematográfico anunciando o agente Roquete Paiva incumbido de caçar o "comparsa" fugitivo que matou o Miro. Antevejo o helicóptero saindo de trás do morro e pairando em voo estacionário sobre a casa, com o tira de capuz ninja descendo de rapel na varanda pra me enquadrar na mira da Uzi.

O que tenho de fazer agora é formular um desejo instantâneo, antes que o marcador saia do 7:07. Se eu conseguir isso, o desejo será realizado. Tenho menos de 15 segundos pra ter um desejo. Me dá um branco. Dez segundos. Cinco segundos. Que desejo, porra, que desejo?...

"Buceeeetaaa!", berro bem alto pra toda mata ouvir, e também a rodovia em cima do morro e o oceano lá embaixo.

7:08.

Outros minutos, outras horas virão. Não tenho ideia do rumo a tomar quando sair daqui. Me sinto como um velho bispo de xadrez perdido entre obscuros pontos cardeais, acossado por peões famintos, fugindo de reis sádicos e rainhas loucas, acoitado — ah, coitado! — no alto dessa montanha mágica que esconde o leste atrás dela, enquanto o oeste morre afogado no mar. Desbucetado e desbussolado o mundo está, e eu com ele.

De volta ao passado, resolvi descer pra dar uma nadada no Pontal, na extrema direita da enseada pra quem olha o mar de frente. Passando em frente à Chapéu-de-sol, me sai de lá o Leno, na vula — "Zé Carlos! Zé Carlos!" —, avisando que o Nissim deixou recado pra ligar urgente, o número tava ali anotado num pedaço de papel. É ainda o número daquele outro celular que o Nissim anda usando pra evitar o suposto grampo em cima das nossas linhas habituais. "Não quer ligar da pousada?", ele me ofereceu, sem um pingo de gentileza na voz. Agradeci, sem um pingo de gratidão na minha voz, e continuei meu caminho em direção ao Pontal, que passa pelo orelhão azul da Vila. O orelhão me ofereceu abençoado abrigo contra a torrefação solar. Liguei a cobrar:

"Fala que eu te escuto, irmão", comecei.

"Qualé, Zeca? Já tá doidão a essa hora da manhã, viado?"

"Desembucha logo, Nissim. Tem um mar aqui na frente me esperando."

"Porra, cê ainda tá na casa do cunhado da Nina, Zeca?"

"Não", menti sem a menor convicção. "Tô na pousada da Rejane."

"Mentira. A caseira me contou que cê tá na casa."

"A caseira? Não vi nenhuma caseira."

"Mas ela te viu."

"Caralho. Ela se disfarça do quê, essa mulher? De maritaca?"

"Bitchô, guarda a tua verve impagável pra bolar um bom epitáfio procê, falô? Negócio tá complicando cada vez mais. Os tiras foram de novo lá em casa. Sete da madrugada. Eu ferrado no sono, a campainha disparando."

"E?"

Foi só o que eu disse, me coçando de vontade de largar o fone pendurado no fio e correr pro mar.

"*E* o quê, porra?", explodiu o porquêra do mineiro.

"Num fica nervoso, Nissim. Quê que os home queriam?"

"Cê não vai acreditar."

"Ih..."

"Sabe a dona Niéde, a véia do bichon frisé?"

"Quê que tem a véia do bichon frisé?"

"Disse pro síndico que acordou com o tiroteio naquela noite, sintonizou o circuito interno na tevê dela e te viu."

"Me viu?! Não acredito!"

"Te viu entrando na garagem pela porta da Itacolomi."

"Puta merda."

"Bota merda nessa puta."

"Que velha escrota."

"Claro que o síndico foi correndo bater pro delegado."

"Mas por que ela demorou tanto pra lembrar disso? Ninguém vai dar trela pruma véia gagá, vai?"

"Já deram. O delega mandou dois investigadores me interrogarem de novo. Queriam me levar outra vez pra delegacia, mas eu liguei pra Cecília, a minha advogada, e a conversa rolou em casa mesmo. Um deles, o bad cop, deixou bem claro que eles tinham puxado a minha capivara. E a sua também. Viram nossos rolos com droga."

"*Querem acabar comigo... isso eu não vou deixar...*", entoei.

"Pode agradecer o teu amigo Ingo por ter vomitado no cachorro da véia. Ela deve tá adorando pôr na sua bunda. E na minha também, por tabela."

Tomei uma golfada de ar, que me parecia de repente escasso à beira-mar.

"Bom, e daí que a velha me viu na garagem? Se ela passa a noite espionando o movimento do prédio já deve ter me visto muito por lá. Qual o problema?"

"O problema, Zeca, é que a barra tá pesando pa caraio." Daí, ele mudou para um tom mais sombrio: "Tá sabendo que apareceu um vizinho da rua dizendo que viu alguém saindo do carro do Miro depois do tiroteio?"

"Li na internet. E daí?"

"Daí que, agora, com o depoimento da véia, esse alguém virou você. E o delegado acha que esse alguém, ou seja, você, apagou o Miro."

"Também li o delega dizendo isso. Esse cara pirou."

"A minha advogada acha que você virou pivô da briga do delegado contra um promotor aí que quer pôr na bunda da polícia por causa de bala perdida. Se o delegado provar que você matou o Miro, ele desmoraliza o promotor, morô? Vai dizer: 'Tá vendo? Vagabundo de classe média faz o serviço e a polícia que leva a culpa.'"

"Que merda. Não fosse isso, ninguém tava nem aí pra morte do Miro."

"Igual você, né, viado?"

"Exatamente. O Miro morreu porque era um cuzão. E por muito pouco não me leva junto. Nissim, você sabe muito bem que eu não tenho nada a ver com a morte do Miro. Vai ser muito fácil provar isso. Pra quê eu ia matar um merdinha dum traficante, me diga? Pra roubar o pó dele?"

"Por exemplo."

"Vai se fudê, Nissim. Você e o delegado e o promotor e aquela véia filha da puta e o viado do bichon frisé dela. Caralho!"

"Bitchô, se liga. Alguém na rua viu uma pessoa saindo do carro do Miro. Daí chega a véia e diz que te viu entrando a pé na garagem. Tudo na mesma hora, depois do fuzuê. Até uma minhoca é capaz de juntar uma coisa com a outra."

"Simples: digo que eu tava na Itacolomi voltando a pé dum bar quando estourou o rolo na Alagoas. No susto, corri pra garagem. Normal. Por que é que eu tinha que ser o mesmo cara que saiu do Corsa na Alagoas?"

"Zeca, a polícia vai querer saber que bar era esse, quem tava com você, e tudo mais. Em dois tempos desarmam a tua história."

Fiquei quieto ouvindo a respiração pesada do Nissim do outro lado da linha. Pensei comigo: só faltava a véia ter me visto também escondendo o pó na caixa do hidrante. Mas se ela tivesse visto, já teria contado pros tiras. E o hidrante fica atrás duma coluna da garagem, fora do alcance da câmera. Tô achando que essa não foi a melhor ideia que eu já tive na vida. Mas foda-se. Em todo caso, achei melhor não tocar no assunto com o paranoico do mineiro. O bagulho tá bem guardado, e com um pouco de sorte, vai ficar onde está esperando a minha volta, que há de ser comemorada em grande estilo com uma bela cocainada lá no Bitch.

"Cê disse o que pros home, afinal?", perguntei.

"Que eu continuo sem saber de você. Mas tá cada vez mais difícil sustentar isso. Aliás, Zeca, a Estelinha me contou que cruzou com você um dia antes daquela zorra. E que você, o Ingo e a Sossô foram numa cerimônia iogue, hindu, sei lá que porra. Ô, Zeca, que ideia de jerico foi essa? Hein, seu viado?"

"Era uma apresentação de cítara do Ingo, chata pra dedéu. A Sossô tava lá na produtora — levada pela sua filha, aliás — e quis ir junto. Eu ia impedir? Não sou pai dela. Sou?"

"Porra, Zeca, cê é foda. O Miro morre do seu lado na frente do nosso prédio e você não me conta nada. Um dia antes, sai com a Sossô e não me diz um A."

Minha mente acrescentou no automático: *E como a xereca da sua mulher e também não falo um B.*

"A Sossô é uma fedelha, Nissim. Metida a radicalzinha, e o caralho, mas não passa duma fedelha. Você que é um véio tarado."

"Fedelha. Sei. Fodelha, você quer dizer."

Caí na gargalhada. O Nissim, apesar de 16 anos mais velho que eu, aprendeu a nobre arte do trocadalho comigo, como ele mesmo reconhece quando bêbado. Daí, deu um tempo e não resisti:

"Comeu?"

"Quem?"

"A Sossô, porra."

Não consegui evitar aquela risadinha traidora.

"Magina, Nissim."

"Comeu, né, filho da puta? Confessa!"

"Quem sou eu, quem sou eu. A tal da cerimônia foi uma pentelhação. Uma riponga véia falando sobre nirvana, meditação, relaxamento, encarnação, esse papo do além, num porão abafado cheirando a incenso e chulé. E o Ingo tocando aquela cítara sonífera. Deixei a Sossô lá e me mandei antes do final, se você quiser saber."

"Mentira. A Sossô disse pra Estela que trouxe você de volta pra rua Alagoas."

"Jura? Putz. Tá vendo? Não lembro de nada. É que a gente tomou um ácido antes de sair da produtora."

Puta, por que eu fui dizer isso?

"Ca-ra-lho! Vocês deram um ácido pra amiga da minha filha?! Zeca, vai tomá no seu cu! Se você e o Ingo deram, ou derem, ácido pra Estelinha, eu capo ocês, bitchô!"

"Nissim, cê acha que a Estelinha, a Sossô, ou qualquer aluna do Plataforma precisa de mim ou do Ingo pra tomar ácido? Os carinhas tão mandando coisa que você nem sabe que existe, *bitchô*.

Tipo combustível de foguete misturado com anestesia pra elefante. Se liga, mano."

"Puta vida. Caraio."

"Relaxa, Nissim. O problema agora não é esse, é?"

"Não acredito que você não lembrava de ter voltado com a Sossô. Impossível esquecer a Sossô."

Verdade isso. Outro claro indício de que deve ter rolado afinal a saideira com a Sossô no sofá da Khmer.

"Cara, pior que eu não lembrava mesmo", eu disse.

Ouvi um suspirão irritado do outro lado e resolvi me calar. Pelo menos o Nissim esqueceu a Sossô e logo voltou à vaca fria. Quer dizer, quente:

"Bom, Zeca, se liga, bitchô. A preta tá coisa, e vice-versa."

Forcei uma risada pra bajular o Nissim, que adora quando eu rio das tiradinhas sem graça dele.

"Vem cá, Nissa, você falou pros caras que me viu no Bitch naquela noite?"

"Não falei nada. Cê acha?"

"Porra, sempre era um álibi pra mim."

"Nem mencionei que fui no Bitch. Disse que fiquei dormindo em casa, e como o meu apê é de fundo, eu e a Nina mal ouvimos o tiroteio na rua. A Nina, claro, confirmou isso pros home."

"Porra, Nissim..."

"Além do quê a velha te viu na garagem, Zeca. Deixa o Bitch e a Gaúcha fora disso. E eu também, pelamordideus."

"Nissim, vem cá: será que ninguém te viu chegando no prédio naquela manhã? O Adermilson, o Mané? Algum vizinho?"

"Não."

"Como é que você sabe que não?"

"Porque eu não voltei pra casa depois do Bitch."

"Como não?"

"Fui pro Joy Story, peguei uma puta, levei pro Savoy, dei uma bimba pra relaxar e dormi até as três da tarde. Aí é que eu voltei pra casa. Aliás, a primeira coisa que eu fiz quando cheguei lá foi ligar pra caseira e pedir pra ela te deixar a chave da casa de Porangatuba, seu puto."

"Porra, e a Nina não cortou teu pinto quando você chegou?"

"Não, porque, na verdade, eu tava indo pra casa quando saí do Bitch. Mas resolvi ligar pra Nina dum orelhão, pra sentir o clima. Ela disse que não queria ver minha cara bêbada e cheirada nem fudendo, e que eu tratasse de ficar sóbrio antes de voltar pra lá. Foi o que eu fiz. Quando cheguei, ela já tava mansinha. Disse pra ela que eu tinha dormido na marcenaria."

Eu sabia por que ela tava mansinha: já tinha se vingado do velho maluco.

"Cê é um cara de sorte, Nissim", foi só o que eu disse.

"É que lá em casa sou eu que pago as contas. Isso melhora bem as chances de ser perdoado pela patroa."

"Há-hã", eu fiz. E me calei, pensando no turbilhão de contas não pagas que me acossavam dia e noite.

"E aí, Zeca? Quando é que cê vai se mandar daí? Hoje, né? Agora!"

"Nissim, calma, véio. Vamo pensar um pouco como a gente faz pra sair dessa lama."

"Acho bom *você* pensar nisso, que a lama é toda sua. Mas pensa longe daí."

Fiquei uns segundos pensando. Lembrei da Terezinha. E mudei de pato a ganso:

"Nissim, sabe a minha japa?"

"Que japa? A Terezinha?"

"É, a Terezinha. Seguinte: joga novecentas pilas na mão dela por mim."

"Cuma?"

"É o salário dela, que eu tô devendo."

"Não acredito no que eu tô ouvindo."

"Tá pra entrar uma grana boa na produtora", cascateei. "Ni qui entrar, faço um depósito na tua conta. Questão de dois, três dias, no máximo."

"Zeca, cê tem coragem de me pedir dinheiro pra pagar a *tua* secretária? Faça-me o favor, bitchô. Já basta o risco que eu tô correndo com você aí em Porangatuba, e eu mentindo pra polícia que não sei de você, e o caralho. Virei o quê, agora? Teu pai?"

"Que tal 'amigo'? E acho que a gente precisa da cumplicidade da Terezinha."

"A gente, quem, cara-pálida? Quê qui eu tenho a ver com a Terezinha?"

"Ela já te viu na produtora uma pá de vezes, não viu? Inclusive de manhã, viradaço. O que ela disser contra mim vai respingar em você. E olha que ela tá puta comigo."

"Também! Cê garfou o salário dela!"

"Quem te disse isso?"

"Ela!"

"Essa é a versão dela."

O Nissim soltou uma gargalhada.

"Claro que é a versão dela! A versão e o salário."

"Paiê, descola novecentão pra Terezinha, vai? Eu sempre paguei as granas que te pedi emprestado, não paguei?"

"Não. Nunca."

"Põe na conta. Daqui a uma semana, dez dias no máximo, eu te pago."

"Não eram dois, três dias?"

"Arredondei."

O Nissim riu de novo. Bom sinal. Depois dum silêncio respiratório, ele disse, ignorando o assunto grana:

"Caralho, Zeca, óia a merda de bosta em que cê foi me meter. E não sô só eu. Você não sabe como a Nina e a Estelinha tão preocupadas com essa história. Ninguém mais dorme direito lá em casa."

"Vou dar um jeito nisso, Nissim. Quando for a hora, eu me apresento e esclareço tudo, não se preocupe. E o promotor também tá lá trabalhando do lado dele. O cara vai provar que o Miro foi morto por uma bala da polícia. Não vai dar outra."

"Zeca, chega de lero. Faz tua troxinha e cai na estrada. Tô te falando, bitchô. Não demora muito, cê roda aí. E eu aqui por te dar guarida."

"Ninguém falou em me prender, falou? Você tá se precipitando."

"Precipitando o caralho. Tenho família, um negócio, empregados que dependem de mim. E essa merda tá sujando legal a minha barra. Puta que pariu, Zeca. Se manda daí. Deixa a chave no anão, que a caseira pega."

"No anão. Tá."

"E não liga pros meus números! Nem pra esse um que você ligou agora. Vou devolver o celular pra pessoa que me emprestou. Vai pra outro canto, arruma um advogado, se vira. Ou então se apresenta duma vez pra polícia. É o melhor que cê tem a fazer."

Desligou sem dizer nem tchau. Que escrotinho tá me saindo esse Nissim. Confio mais no anão da escada do que nele.

Do lado de fora do orelhão, o sol calcinava a paisagem. Saí correndo pra me consolar no mar. Deliciosa, a água, no ponto, sem aquele choque térmico inaugural que eu odeio. Me entreguei à minha envolvente e benfazeja amante líquida. O mar me encheu de tesão. Saquei a pila pra fora da bermuda e soquei uma poderosa, engomando os domínios de Netuno.

Thalassa! Depois, segui a nado até o Pontal margeando a praia, cheio de uma energia que eu extraía da minha própria contrariedade.

# <21>

cadê sossô?
sem sossô
meu coração
s
o
ç
o
b
r
a

    À falta de uma Sossô pra chamar de minha, tenho me consolado com qualquer coisa à mão, inclusive a própria mão. A revista Caras, por exemplo, tem sido uma mão na roda — no eixo, pra ser mais exato. Num número do século passado, por exemplo, sintonizei a bundinha apetecível da Enny Sampaio, aquela televagaba loirosa, de minibiquíni e um panô fazendo de ultraminissaia em torno da cintura, óculos escuros, bandana na cabeça, havaianas nos pezinhos, subindo num helicóptero que veio apanhá-la na ilha de Caras, como informava a legenda. Perna direita erguida, pé no estribo do helicóptero, ela dava a mão prum sujeito que içava aquele corpão a bordo. O fotógrafo fez a foto de baixo pra cima, num contraplongê interessante que mostrava a tanguinha do biquini sendo sugada pelo rego. Dava pra ver uns pentelhinhos e uma nesga da carne escura da buceta da "celebridade". Deixei a revista aberta nessa página, mó de socar uma pra ela daqui a pouco, na cama, local mais aprazível que a rede para a prática do onanismo neoclássico com musas inspiradoras semienvoltas nos lençóis revoltos, seguida do tradicional sono bronho-induzido.

Enny Sampaio. Ela não perde por esperar, se aquele helicóptero não tiver levantado voo antes levando seu bucetão pelos ares.

><br>não te vás, Enny Sampaio
>ficaqui, chupaqui
>o meu caraio

 Anteontem de manhã, depois de falar com o Nissim no orelhão e bater uma pro mar, fui assuntar meus imeios na pousada, com olhos de vampiro maconheiro por causa do sal marinho, pois esqueci a porra dos oclinhos em casa. A Rejane não estava. Já vi que ela usa as manhãs para providenciar coisas em Ubatuba ou Paraty. Tomei uma ducha e a água de um coco que o Leno me abriu a facão (é o que ele gostaria de fazer com a minha cabeça, aposto) e fui pro escritório da pousada. O computador já estava conectado, gastando os pulsos da linha telefônica que pelo menos é exclusiva pra internet. Quem podia ter deixado o negócio on-line? O Leno, claro, que devia estar se deleitando com sacanagens na internet momentos antes. Comecei ignorando o Zuba ("DEVOLUÇÃO DO ADIANTAMENTO!!!"), e também o Nissim ("URGENTE!!!"), com quem eu acabara de falar. Ignorei democraticamente os demais arautos da realidade, como a Lia, o Leco e a Terezinha. Tinha um imeio da Nina ("sem assunto"). Estranhei. No imeio anterior, que não respondi, constava *urgente*. Agora era *sem assunto*, como se alguma grave encrenca que pedia rápida decisão tivesse, de um jeito ou de outro, se resolvido. Tentei afastar da cabeça uma hipótese paranoica mas plausível sobre que tipo de encrenca seria essa, que nem vou mencionar por óbvia. Bom, pensei, se não abri o primeiro, também não abro esse. E não abri nenhum, de ninguém. Nem sei por que fui entrar no webmail, pra começo de conversa. Pra arranjar mais treta na minha vida? Já chega a polícia no meu pé e o Nissim querendo me expulsar do nirvana praiano. As novas merdas vão ter que pegar senha e esperar sentadas.
 Me pus a imaginar onde poderia arranjar um advogado e, sobretudo, com que grana eu iria pagar o filhadaputa. Lembrei do cartão do Margarido, que estava na minha carteira, aqui em cima, e me propus a ligar pra ele no dia seguinte. Acabei ligando só hoje.

Mas calma aí. Tenho muito que contar antes. Impressionantre como, mesmo descolado do meu mundinho cotidiano, as coisas continuam acontecendo comigo. As coisas não param de acontecer. Nem a morte estanca o fluxo das coisas. Ela só impede que o morto se dê conta das coisas, que continuam fluindo à volta e por dentro da matéria que um dia foi seu corpo vivo.

O que caía bem agora era um Red Label nas pedras e um pozinho pra distrair essa puta ansiedade turbinada a tédio e carência sexual. Caraca, por que diacho fui deixar todo o pó do Miro naquele hidrante, a trezentos quilômetros daqui? Podia ter trazido duas ou três petequinhas. Quatro, vai. (Cinco, e não se fala mais nisso.) Claro que eu teria cheirado todas nos primeiros dias e aprontado alguma grande merda por aí, e o caralho. Isso se elas já não tivessem se acabado lá no Bitch mesmo, naquele sabadão. A voz da razão é categórica: melhor o pó lá e eu aqui.

Cada vez me convenço mais de que a saída de emergência da sinuca de bico em que me encontro vai ser a Rejane da pousada. Já dei uns passos nessa direção. Anteontem, por exemplo, eu mal tinha acabado de desligar o computador no escritório, matutando sobre que catso fazer da puta da vida, quando ela me entra lá de repente. Usava óculos de grau, que tirou tão logo me viu, decerto para ficar com a faccia mais leve. Educada como sempre, pediu desculpas pela intromissão, me cumprimentando com um beijo protocolar de bochecha, mas de jeito a roçar o canto dos seus lábios nos meus. Me olhou preocupada e perguntou se estava tudo bem comigo. "Na medida do impossível", respondi, macambúzio. Demorei algum tempo para perceber que ela estava estranhando meus olhos irritados pela água salgada, achando, talvez, que eu tinha chorado. Ponto pra mim, se ela for dessas mulheres que gostam de homem que chora — e acho que a Rejane leva todo jeito de ser uma delas.

"E você? Tudo bem?", eu falei, como quem, por vergonha das próprias emoções, se esforça pra sair da berlinda. Ela disse que estava numa correria louca, organizando o próximo fim de semana da pousada, que vai estar lotada. Pegou um envelope pardo numa gaveta e saiu rebolando a bunda embrulhada num saião florido, não sem antes me oferecer qualquer ajuda que estivesse ao seu alcance e um beijo bochechudo. De olho naquele bundão algumas ideias me vieram à cabeça do pau. Ou melhor, uma só: fodê-la. O fato concreto e palpável é que a bunda e os peitos da taverneira começam a crescer de importância na paisagem, conforme meus dias vão passando aqui em brancas nuvens espermáticas. Aquela deve ter sido uma das mais aplaudidas bundas do seu tempo de juventude. Fico tentando disfarçar pra mim mesmo a vontade cada vez maior de ver aquilo nu e cru, só por curiosidade, sem compromisso. Nada mais que uma conferidinha, de leve.

Daí, olhei o mar em frente pelas janelas francesas do escritório e me deu um ímpeto de cair nele outra vez, mó de me lavar das novas cracas que vêm grudando no casco da minha vida, justo agora que adquiri alguma coisa parecida com forma física depois de tantos dias descocainados e atléticos (natação e montanhismo, esse último por conta da subida diária do morro a caminho aqui de casa). Até cigarro diminuí bem. Quase que só fumo tabaco enrolado com maconha agora. Levei, então, meu bem-estar físico prum novo mergulho no Atlântico Sul. Depois, fiquei assando o couro deitado na areia vazia de banhistas, mas não de cachorros molambentos, um dos quais veio lamber minha cara pra ver que gosto tinha.

Me lavei de novo na ducha externa da pousada, e já me dispunha a praticar meu alpinismozinho pirambeira acima, quando cruzo de novo com a Rejane (acho que ela anda providenciando esses encontros "casuais" comigo). "Taqui ainda?! Que bom!", ela disse, tapando o bocal do sem fio no qual falava com alguém. Ela quase nunca larga aquele sem fio, no qual dispara e recebe ligações sem parar, na maioria de hóspedes fazendo reserva na pousada.

Nem era preciso eu ser o narcisista e megalômano que sou pra me reconhecer como o espécime masculino mais interessante aos olhos da Rejane num raio de alguns quilômetros em torno de Porangatuba. Talvez muitos quilômetros. Já notei também como ela se esforça em não parecer oferecida, sem, no entanto, conseguir esconder as cintilâncias galantes no olhar quando me vê. Ninguém, em idade alguma, é de ferro. A gente entende essas coisas. Se viver mais 20 anos, chegarei à idade atual da Rejane babando nas pelancas de tesão pelas mocinhas.

"Pô, Rejane, me desculpa", eu disse, quando ela desligou. "Como cê pode ver, tô tendo certa dificuldade de desgrudar da sua casa."

"Mi casa es tu casa, bonitón."

"Gracias."

Eu sorri, ela também. A mulé sabe das coisas. E eu, que também sei algumas coisas das coisas, começava a cutucar a libido da véia com vara curta, insinuando que poderia cutucá-la com vara média num momento propício.

"Vem cá", ela convidou, me atraindo pro pátio interno da pousada, um quadrilátero sombreado com teto de carramanchão e plantas ornamentais por toda parte.

"Senta aí um pouco", ela convidou, apontando uma das duas poltronas de vime separadas por uma mesinha redonda, onde depositou o sem fio, sentando-se na outra poltrona.

"Tô molhado, Rejane."

Temi que ela respondesse o que eu responderia se fosse ela: *Eu também!* Mas ela só fez apanhar o sem fio, que era também um interfone, no qual teclou um botão e comandou: "Leno, me traz uma toalha, uma cerveja e dois copos aqui no pátio". E emendou, pra mim: "O Nissim deixou um recado pra você de manhã. O Leno te falou?".

"Falou, falou, já liguei."

"Vixe, o Nissim tá apaixonado por você, não tá? Toda hora mandando recado! Seu celular tá com problema?"

"O dono do celular é que tá com problema", eu disse, enigmático.

A mulher ficou me olhando, mas eu não disse mais nada, nem ela ousou perguntar. Tava na cara que ela farejava algo no ar, além do aroma de peixe frito que vinha da cozinha.

"Não quer almoçar comigo?", ela convidou. "Tá saindo."

Mal disse isso, passou por nós, indo em direção ao restaurante, um casal de hóspedes pançudos e bundudos de meia-idade, ambos baixos e atarracados. Devem ter chegado hoje cedo ou ontem à noite. Homem e mulher de sandálias de couro idênticas, bermudas cáqui, camisetas brancas impecáveis. Eram o retrato vivo de um afluente e bem nutrido matrimônio simbiótico. Só podia ser deles o Mitsubishi Endeavour estacionado na frente da pousada. O cara, careca e grisalho, cum jeitão tosco de boiadeiro que virou fazendeiro, disse pra Rejane, depois de me cumprimentar com um meneio cerimonioso:

"Tô sentindo o cheirinho! É pêxe?"

"Manjuba. Cês gostam de manjuba?"

"Sou louca por manjuba!", saltitou a coroa.

"Ê! Quê qui é isso, Lu? Olha o respeito! Ruárruárruárruá!"

"Hahahahá!", ecoou Rejane.

"Hńhńhńhńhń", fiz eu, me esforçando pra que parecesse uma risada.

Madame barrica me deu um sorrisinho boçal que eu não estou muito certo de ter retribuído, e logo ficamos de novo sozinhos, eu e a Rejane.

"Que peça!", a Rejane sussurrou.

"E a mulher louquinha por uma manjuba", ressussurrei eu.

Quaquaquamos, eu e ela. Quando paramos de rir, ela começou, com jeitinho:

"Desculpe perguntar, mas... agora há pouco, lá no escritório.... cê tava chorando?"

"Eu?!"

"Desculpe. Tô invadindo sua intimidade."

"Magina. É que eu tava vendo umas fotos do meu moleque, que a Lia mandou pela internet, e me bateu uma saudade forte dele", inventei na hora.

Golpe de mestre. Rejane se desmilinguiu diante da minha *sensibilidade*:

"Ohhh, que fofo! Quisera eu ter um pai que chorasse de saudade de mim! Que menino adorável, o seu filho. Paulinho, né?"

"Pedrinho."

"Pedrinho! Um querido! Você precisa trazer ele aqui de novo."

"Com certeza", respondi, sorrindo. E emendei: "E você? Tem quantos?".

"Filhos? Tenho cara de ter quantos filhos?"

"Sei lá. Três?"

"Tenho cara de ter três filhos?"

"Você tem uma cara generosa. Podia ter vinte filhos. Todos seriam felizes."

"Ah, me bajula que eu gosto!"

"Quantos?"

"Meu mesmo, um só. E garanto que ele é feliz."

Não duvidei disso. Qualquer idiota pode ser feliz. Ela contou que tem também um enteado e uma enteada, filhos do finado Franklin, seu segundo marido, já grandes, casados. Conviveu com eles da segunda infância à adolescência, mas agora pouco vê os dois. Seu "tesouro" são os netos consanguíneos, a guria de quatro e o menino de seis, filhos do filho único. Os dois devem vir com a nora pro fim de semana, na sexta ou no sábado.

"Você ainda vai tá por aqui, não vai?"

"Acho que sim."

"Sua mulher não tá com saudades suas, não?"

"Nãhn... sei lá. Mas ela tá bem," informei, deixando entrever meu desconforto com o tema.

"Ela faz o quê, mesmo?"

"Minha mulher? Dá aula de teoria política nas ciências sociais da USP, orienta umas teses, toca uma ONG de imigrantes sem-teto, sem-terra, sem-porra-nenhuma. Coisa de socióloga de esquerda."

Rejane deu risada. Me senti meio escroto debochando da minha própria mulher. O Leno, silencioso como uma jararaca, trouxe a cerveja e os copos, que depositou na mesinha entre as poltronas, e uma toalha, que me estendeu com aquela expressão de neutra hostilidade, pirulitando-se rapidinho.

"Se eu não tivesse feito geografia, teria feito ciências sociais", ela disse, olhando eu me enxugar.

"Sorte sua não ter virado socióloga. Nem presidente da república", mandei, dobrando a toalha em almofada no assento da poltrona, antes de me sentar.

Ela riu. Aquilo tava indo rápido demais, achei. Enquanto eu buscava um desvio prudente pra conduzir a conversa, tocou o sem fio. A Rejane atendeu, disse há-há, hum-hum, não, não, tá, tá, e desligou. Daí, largou o aparelho na mesinha, fincou as mãos nos braços da poltrona e se ergueu. Fiz menção de me levantar também, mas ela ordenou:

"Fica aí, fica aí. Vou na cozinha ver o almoço e já volto. Toma a sua cervejinha em paz."

"Legal", eu disse, me servindo da loira espumante.

Mal ela saiu, enxuguei o copo, que tornei a encher até a boca. Catei, daí, o sem fio na mesinha. Apertei o zero e puxei uma linha.

Senti o impulso moleque de ligar pro telefone grampeado da produtora e levar um lero doido com a Terezinha: "E aí, Terê, chegou a heroína da Birmânia? E o pó da Colômbia? E a maconha do Paraguai? Manda a conta do bagulho pro Leco, tá? Ele encomendou, ele paga. E pode mocozar a bagulhêra no apartamento da dona Niéde aí do prédio, que ela é a nossa fiel depositária. Aliás, sabia que a dona Niéde entucha cápsulas de heroína no cu do cachorro dela pra fazer as entregas? Pois é, menina. E, ó: diz pro síndico, aquele pistoleiro zarolho, pegar a doze e dar um pipôco na cara do delegado Roquete Paiva, que é pra ele parar de encher meu saco, tá?"

Queria só ver a cara do ratão na escuta do grampo. Ia ser gozado. Em vez disso, liguei mais uma vez pro celular da Terezinha.

"Pronto?"

A Terezinha deve ser a última pessoa no Brasil que ainda diz "Pronto?" ao telefone.

"Fala, Terezinha", comecei, preparado para uma nova rodada de cobranças e reclamações salariais. Ia ser um saco, mas eu precisava testar os humores da japa e conferir a quantas andava a produtora.

"Zeca?! Coincidência! Acabei de deixar recado na sua caixa postal pra agradecer!"

"Quê? Repete."

Achei que a japa exercitava sua escassa capacidade de cometer ironias. Mas logo veio a explicação, assombrosa, exclamativa:

"Legal você pedir pro Nissim me pagar! Seu amigo até me deu cem a mais, de Natal! Muito bom!"

"O-o Nissim te deu a grana?", tartamudeei, achando difícil acreditar que aquele unha de fome do mineiro tinha se deixado esfaquear por mim mais uma vez, e ainda por cima largando cem paus de bônus natalino na mão da japa! Devia tá bêbado e cheirado o filhadaputa.

"Em dinheiro!", ela confirmou.

"Tá vendo, Terezinha? Eu sempre acabo dando um jeito nas coisas."

Ela produziu seu risinho oriental semissarcástico, e mandou:

"Só não deu jeito no roteiro do frango, né. Pena."

"Pelo menos pena combina com frango."

Ela deu outra risadinha chué que, nela, equivalia a uma estrondosa gargalhada do Louis Armstrong. Depois ficou séria. Sombria, até:

"Zé Carlos?"

Lá vinha merda.

"Fala, Terezinha."

"A polícia veio aqui de novo."

"De novo? Caralho. Desculpe. Puta que pariu."

"Queriam saber de você, como das outras vezes. O que você fazia profissionalmente, e pra quem. Pediram pra dar uma olhada na produtora. Deixei, né. Só olharam mesmo, não mexeram em nada."

"Porra. E aí?"

"Aí, nada. Eu disse de novo que não tinha notícia nenhuma sua, eles foram embora."

Ela deu uma pausa e mandou:

"Onde você tá afinal, Zé Carlos?"

"Longe."

"Fazendo o quê?"

"Trabalhando."

"Posso te dar um conselho?", ela disse, quase doce. Lá vinha mais uma pérola Seicho-No-Ie.

"Manda."

"Esteja onde estiver, evite garrafa, porcaria e mulher."

Agora eu é que caí na risada. *Porcaria* era bagulho, claro. E *estiver* rimou gostoso com *mulher*. Claro que ela se referia a outra mulher que não minha legítima esposa.

"Terezinha, tu és uma poeta!"

E repeti no telefone o conselho dela, arranjando as palavras na cabeça em forma de verso:

> *esteja*
> *onde*
> *estiver*
> *evite*
> *garrafa*
> *porcaria*
> *e*
> *mulher*

"É o samba do asceta misógino, Terezinha. Genial!"

"Você continua muito louco, né, Zé Carlos?"

"As pessoas têm essa tendência a continuar sendo quem são, meu amor."

"Pelo menos fica longe da garrafa. Já é alguma coisa."

"Não fala mal da garrafa. A garrafa é fiel."

"Fiel? A garrafa?! Muito fiel! Vai de mão dada com você até a cova, né."

Tava espirituosa a japa. Bom sinal. O Nissim me salvou a vida dando aquela grana pra ela. Minha japa de estimação encerrou a conversa com um inacreditável:

"Te cuida, Zeca. Um beijo."

Holy shit! Um beijo?! From Terezinha?! Aquilo era absoluta e subversiva novidade no nosso relacionamento. Fiquei ali mamando o resto da cerveja, tentando esquecer aquele papo de polícia no meu pé. Rejane logo voltou trazendo ela mesma outra Bohemia, um cálice minúsculo e uma garrafa de Maria Isabel, a melhor cachaça de Paraty, que eu já tinha experimentado ali mesmo na pousada.

"Pra abrir o apetite", ela anunciou, sorridente.

Enchi o copito de cachaça, que trescalava o aroma de todo um canavial ceifado, e ofereci a primeira bicada à minha anfitriã. Ela recebeu aristocraticamente o minicálice mantendo seu mindinho levantado. Deu só uma beijoca na bebida, seus olhos fixos nos meus. Não era difícil imaginar que tipo de apetite ela esperava abrir em mim com aquilo — e nela também. Mas quando a pinga lhe escorreu pela garganta, botou uma careta de azia:

"Arre! Isso aqui abre e fecha o apetite na mesma hora."

"Dá mais um gole que passa a ardência", recomendei.

Ela deu mais uma bicadinha na pinga, que dessa vez lhe desceu melhor.

"Hummm....", ela fez, estalando a língua. "É mesmo. Amainou a queimação."

"A segunda talagada sempre desce mais fácil", pontifiquei. "A primeira abre o caminho, por isso arranha."

"Como tudo na vida", ela comentou, com um dedo de malícia. Ou dois.

"É o que dizem", eu disse, pegando o cálice que ela me oferecia. Virei tudo numa só talagada, bem matcho man. Me bateu uma euforia imediata. Ô cachaça boa. Servi dois copos de cerveja, brindamos e metemos o beiço na espuma.

"Cerveja e cachaça, o par ideal", sentenciei.

"É tudo que eu quero na vida: um par ideal", ela mandou, decidida a puxar todas as brasas pra sardinha dela.

Brindamos de novo. Tornei a encher o cálice de pinga, que ela recusou dessa vez. Acachacei-me sozinho, feliz da vida, a essa altura. Pelo menos um problema — o salário da Terezinha — estava resolvido. A Rejane não conseguia se impedir de me devorar com os olhos. Acho que estava a um passo de me dar um bote fatal. Não parecia tão má ideia assim. A madame du Chapeau-de-soleil tinha muitos atrativos: bom humor, cachaça premium, uma culinária matadora e aquele bangalô de bwana-de-fim-de-semana, excelente locação pro exercício do ócio com dignidade. Daí, pinga vai, cervejinha vem, a Rejane me contou que é viúva. Duas vezes.

"Acho que sou muito tóxica pro comum dos maridos."

"Sempre achei que marido é que fazia mal pra saúde das mulheres", eu disse, exercitando um feminismo de ocasião.

Ela pegou o calicinho de cachaça da mesa e deu outra bicada, de olho em mim, se segurando pra não se derreter toda. Sustentei o olhar, tentando não passar do cortês. Caralho, pensei. Eu tinha que ir devagar ali. A galanteria nem sempre desce ao pau, e dar um broxão ca véia seria o meu fim na Chapéu-de-sol. Fiquei na minha, pois, alternando golinhos de pinga com sorvidas na cerveja, a ouvir a mulher desenrolar sua minibiografia, parte da qual eu já conhecia. Trabalhou trinta anos como geógrafa na Secretaria do Planejamento, da qual é aposentada. Comprou a pousada, que já existia, depois de enviuvar do segundo marido. E vai muito bem, obrigada.

"Parei de pensar em casamento", confessou, "e resolvi ganhar dinheiro."

"Dinheiro é mais divertido que marido, isso é fato. Até dentista é mais divertido que marido, se você não for casada com um deles."

"Falô e disse!", ela cravou, antiquada. "Casamento tá com nada. Que ideia essa de buscar a felicidade numa instituição do código civil. É que nem procurar o orgasmo na lista telefônica."

"Se bem que na lista telefônica tem muita gente capaz de te levar ao orgasmo. Problema é saber quem exatamente."

"O jeito é ir tentando, um a um."

Caímos na gargalhada, rendidos ao besteirol acachaçado. Tive a certeza de que bastaria relar o dedo na véia pra fazer aquelas carnes antigas se abrirem feito o mar da Galileia pro meu desterrado profeta careca.

"Pô, Rejane, sabe que eu tenho inveja desses caras que casaram com você? Juro. Devem ter morrido felizes da vida."

"Felizes por quê?! Por se verem livres de mim?"

"Nããão! Por terem vivido com você. Eram homens felizes quando foram chutados da vida pra morte. Isso que eu quis dizer."

"Não precisa ficar com inveja de ninguém, não, que eu ainda não pendurei as sapatilhas."

Ichi, e agora?

"Claro, também não foi isso que eu quis dizer", retruquei, tentando negar o que eu de fato tinha querido dizer: que ela deve ter sido muito gostosa num passado tão morto e enterrado quanto seus dois maridos. A véia tocou em frente, animadíssima:

"Até outro dia eu tava de namorado a tiracolo", ela informou.

"Jura? E cadê o figura? Bateu com as dez também?"

"Não. Descobri que o crápula tava de caso com uma amiga minha, sendo que a coisa toda começou aqui mesmo na pousada, debaixo dos meus chifres!"

"Que merda", exalei, solidário. "Isso é amiga que se apresente?"

"Pois é, meu filho. Mais jovem que eu. Como diz o ditado, amiga boa é amiga feia. E velha."

Um véu de leve rancor toldou seu rosto. Mas a própria Rejane tratou de encerrar o assunto:

"Foi foda, mas já passou. Graças a Deus! Tô mais em idade pra aguentar corno de velho gaiteiro, não."

"Pelo menos não era marido, o Conde Crápula."

"Fosse marido, eu punha ele na linha. Vocês são todos iguais. Se não são no começo, vão ficando iguais com o passar do tempo. Olha, quer saber? Marido bom é marido morto. Hahahahahá!"

"Pomba", eu disse. "Depois dessa, nunca mais me caso na vida."

"Se for comigo, tudo bem. O raio não vai cair duas vezes no mesmo lugar. Aliás, três."

Sorri um sorriso besta sem achar o que dizer. Um zepelim de chumbo pairou no silêncio. Daí ela explodiu numa gargalhada artificial:

"HAHAHÁ! Você precisava ver a tua cara agora! Foi só falar em casamento, ficou branco de morte!"

"E-eu?..."

"Brincando, menino. Mas vai saber, né? Pra casar e morrer, basta estar vivo", ela disse. Daí, comandou: "Vamos almoçar! Beber de estômago vazio não dá certo. A gente acaba falando o que não deve."

"Deculpaí se eu faltei com o respeito."

"Você? De jeito nenhum! Tô falando de mim. Você só me diz coisas agradáveis, interessantes. Eu é que viro uma boquirrota quando bebo. Vamo lá, que tem manjubinhas fritas de entrada e um maravilhoso robalo ao molho de camarão esperando a gente."

*Slurp*. Aquilo ecoou bem no pavilhão vazio do meu estômago. Só não queria era ter de encarar a Rejane de sobremesa. Ainda não, pelo menos. Não me sentia preparado pra façanha.

"Tava pensando em ir na tal da ilha das Rocas depois do almoço", eu disse, me prevenindo, enquanto seguia a mulher em direção ao restaurante.

"Vai, que vale a pena. Qualquer pescador te leva de voadeira em vinte minutos. É um minipáraíso, não pode construir nada lá, é tudo preservado. Tem só um quiosque de cerveja e petisco. Tudo virgem na ilha. Menos as turistas francesas. Hahahahá!"

Fiz coro na gargalhada. Tava gostando do humor da garotona, que a rejuvenescia um pouco. Sei lá onde isso vai dar, viu. Em todo caso, a Rejane previu que eu não iria a nenhuma ilha das Rocas depois do almoço, debaixo daquele sol infame, e sim para uma das redes do pátio interno, lugar mais fresco da pousada, onde capotaria em boa paz digestiva por um par de horas. Dito e feito. Ê vidão.

Quando eu me for de Porangatuba, vou precisar duns quinze dias ininterruptos de orgias junko-putanescas até recuperar minha velha forma enfermiça e sorumbática, sem a qual não consigo me reconhecer em mim mesmo nem ter uma única ideia que preste.

Quero de volta as tremendas cefaleias matinais, as gastrites infernais, as caganeiras atrozes, a confusão mental e aquela suave vontade de me matar no rescaldo duma esbórnia químio-sexual. Quero a minha vida de volta, porra.

# <22>

Acordei daquele sonecão pós-peixada nadando em suor, com uma vaga dor de cabeça e soltando petardos genocidas. Meu corpo sozinho me levou ao mar. Eu já tinha dado duas nadadas antes do almoço, a primeira de uma hora singrando as águas piscinosas do Pontal, pra além da arrebentação forte que tem lá, numa trajetória mais ou menos paralela à praia. A segunda tinha sido ali mesmo, na frente da Chapéu-de-sol. Mas nada como um mar depois do outro. Nadei e boiei de papo pro ar, abandonado àquela mornidão placentária, no embalo das vagas, mirando um céu que já tinha sido bem mais azul de manhã. Me sentia pleno — pleno de peixe, camarão, cerveja e cachaça. Tive também uma aguda urgência urinária e dei uma bela mijada dentro d'água. Da água vieste, à água retornarás. Sentia os músculos ainda repuxentos da natação matinal, mas depois de alguns minutos me bateu um repentino ânimo olímpico e desatei em braçadas enérgicas mar adentro como se fugisse da bocarra de um tubarão ou fosse ao encontro duma sereia a me acenar do fundo da enseada. Quando dei por mim, tava eu lá no fundão, longe da praia.

Logo ficou claro que eu devia era ter ficado ali pelo rasinho mesmo, boiando ao sabor das marolas refrescantes, esquecido da vida. É isso que eu devia ter feito. Quando vi, porém, já tinha ultrapassado a raia imaginária onde eu tinha nadado pela manhã, a uns cem metros da rebentação, talvez duzentos, sei lá, é difícil calcular distâncias no mar, o metro ali flutua, cresce, encurta, dança e serpenteia ao sabor das vagas, e, se você embarca numa correnteza rumo ao mar aberto, acabam sobrando muitos metros debaixo do seu metro. Eu devia ter voltado assim que cheguei ao fundão. Em vez disso, e para me convencer de que eu poderia nadar até o fim do mundo, dei mais umas vigorosas braçadas em direção à África ocidental. Comecei, então, a me esbodegar pra valer. Aí parei. Parei, boiei, respirei e logo constatei que a correnteza me arrastava pra direita, pra depois do Pontal, ou seja, pro "mar de fora", como eles dizem aqui. Um pouco mais, estaria fora do âmbito da enseada de Porangatuba, bem longe da terra. Achei melhor me livrar logo daquela correnteza-expresso a caminho de Cabo Verde e sentei os braços no mar de novo pra retornar. Só que o caminho de volta no mar é sempre mais longo que o de ida, se você não é uma tartaruga marinha. Logo vi que não ia ser fácil a empreitada. Estava exausto. As braçadas de crawl me saíam cada vez mais fracas e eram ignoradas pela correnteza, que continuava me arrastando pra casa do caralho de Netuno. Tava na cara que eu ia precisar de mais força que aquilo pra me tracionar na água. Se eu parasse pra boiar e relaxar, ia ser arrastado pra longe e acabar dando uma cabeçada num petroleiro em alto-mar. Tentei compensar a tibieza dos braços com umas pernadas vigorosas. Tão vigorosas que — CRAU!

Cãimbra. Puta cãimbra do caralho.

Soltei um berro ouvido apenas pelos vagalhões que me cercavam de todos os lados, abutres líquidos rodeando a carniça extenuada.

A porra da cãimbra era epicentrada na batata da perna esquerda e se irradiava em estilingadas de dor para baixo, até a planta do pé, e, pra cima, pela traseira da coxa, até o glúteo. Passei a mão na panturrilha encaroçada. Algum íncubo filho da puta me beliscava as carnes por dentro com uma tenaz em brasa. Procurei alongar a musculatura puxando a ponta do pé para trás, com a perna esticada, o que se revelou ainda mais doloroso e pouco prático, pois me fazia perder a sustentação na água e afundar de costas. A cada afundada eu engolia meio Atlântico até conseguir emergir de novo em busca de oxigênio. Se um tubarão me arrancasse a perna naquela hora eu lhe agradeceria o favor. A sensação de estar sendo derrotado pelo mar ia se impondo ao meu encharcado entendimento. Eu não sabia o que fazer. Em poucos minutos, me vi sem forças pra sequer piscar o cu de medo.

Rapaz, era uma dor infame aquela, e só piorava a cada minuto. A reforma atlética que eu fizera no meu corpo nesses dias de spa litorâneo não dava mais pro gasto de me locomover pra fora daquela estrada fluida que me lançava no mar aberto, sendo que a cãimbra me puxava pro fundo. Já não era nada fácil me manter à tona. Me deixei levar, pensando em nada mais que permanecer vivo o maior tempo possível. Eu era um náufrago de navio nenhum: era a minha vida que tinha afundado de vez e me abandonado à sanha das águas. A cãimbra não dava sinal de amainar. Depois de um tempinho boiando, com a perna ruim solta no fundo, comecei de alguma maneira a me acostumar com a porra da dor. Me baixou um Buda conformista com sua sabedoria de bolso. O negócio é o seguinte, eu me dizia: essa dor é minha, ela veio pra ficar. A minha vida e a dor da cãimbra eram inseparáveis naquele momento. O jeito era nadar só no braço, deixando a perna entregue ao próprio sofrimento.

Quando tentei me mexer de novo, a dor recrudesceu. Foda-se, recomendei-me com estoicismo. Respirar é preciso. Respirar e nadar contra a corrente, contra a dor, contra o medo e contra a morte. E fui que fui, aos gritos, às talagadas de mar puro que eu ingeria nas afundadinhas. Cada braçada que eu dava, tão heroica quanto inútil, só me conduzia à percepção pânica de que eu não chegaria vivo a lugar nenhum daquele jeito. Dali a uns dias meu corpo bateria em alguma praia nirvânica daquela costa, semidevorado pelos peixes e sem mim dentro dele. Foi pensando nisso que parei de nadar pra vomitar o robalo ao molho de camarões que tinha acabado de traçar no almoço. Ao mar o que é do mar. O vômito ficou boiando à minha volta durante um bom tempo. Se eu morresse afogado ali iria engolir parte do meu próprio vômito, num processo de autorreciclagem digno de algum prêmio ambientalista internacional.

Além de ter perdido todo o pouco avanço conquistado com a nadada, o vento ainda resolveu soprar forte da praia pro mar, deixando claro que a natureza queria me expulsar de qualquer maneira da terra firme. No entanto, ou até mesmo por causa disso, começaram a surgir uns megavagalhões que pareciam decididos a surfar na contramão da correnteza e do vento em direção à praia. Me ocorreu que estava neles a minha salvação. Problema é que os vagalhôncios não paravam de treinar embaixadas comigo, me quicando pra cima e pra baixo. Mas a verdade é que, a horas tantas, eu me vi um pouco mais próximo da costa. A cãimbra, no entanto, não dava trégua à minha perna. Eu já não tinha mais força nem pra gesticular meu desespero a alguém da costa que pudesse me ajudar. Se eu estivesse batendo uma punheta, fumando um beque, ou mesmo estrangulando uma loira, como o barbudo Guará naquele filme do Bressane, aí, sim, com certeza, alguém me veria. Mas eu ali, morrendo afogado, disso ninguém se tocava.

Àquela altura minhas braçadas eram não muito mais que simbólicas, servindo apenas à precaríssima flutuação do meu cadáver adiado neste mar que já foi português e tentava agora ser meu túmulo brasileiro.

       nado
       nado
       e nada!

— é o que eu poderia ter declamado ali, se o mar estivesse pra haicais. Várias certezas me vieram à cabeça, junto com a espuma formada pelo entrechoque dos vagalhões. A principal delas era: se a estratégia de pegar carona nos vagalhões não desse certo eu tava fodido. Desisti das braçadas, procurando só mesmo boiar de batráquio, barriga pra baixo, ao sabor dos corcoveios dos vagalhões, tarefa muito dificultada pela perna avariada que atuava como lastro. Mas eu não estava disposto a deixar uma reles perna me passar a perna, como não posso deixar de fazer agora esse trocadalho do carilho. Mandei a perna se foder, tentando cortá-la das minhas cogitações, e juntei forças prum sprint radical rumo à praia. Ou chegava logo aonde dava pé, ou me faltaria gás até pra boiar depois. Acho que o meu empenho convenceu os vagalhões a seguirem me empurrando devagarinho em direção à vida. Quando vi, a areia estava bem mais perto. Eu não ia ter outra chance igual àquela. A cada palmo que eu percorria, o refluxo das vagas me fazia perder um naco do avanço, fora a água que continuava a engolir comprometendo o pouco fôlego que me restava.

É doce morrer no mar o caralho. É salgado pra cacete. Cheguei a achar que não ia dar, depois que ia, depois que não ia mesmo. Foi quando esbarrei a ponta do pé da perna caimbrada no chão. Berrei de dor. Mas, porra, amice, com dor e tudo nunca foi tão bom tocar o solo da mãe gentil, puta que me pariu. Dei uma mijada na bermuda de pura alegria. Passei a dar braçadas submersas de clássico agora, como quem revolve a água de uma bacia com as duas mãos em movimentos divergentes. Dois ou três vagalhões depois, eu já conseguia assentar a planta do pé da perna boa na areia do fundo, com água me batendo pelo queixo. Dali fui cavando caminho na água até pegar um jacaré numa ondinha maneira que me depositou na areia molhada. A perna ruim se deixou rebocar latejando suas dores infiltradas. Vomitei mais um pouco, só água agora, e tombei de costas, com um batimento cardíaco de drum&bass que fazia a praia toda tremer debaixo do meu corpo. A cãimbra, sentindo frustrado seu intento de me matar, foi aos poucos cedendo sozinha. Eu estava tecnicamente morto. Nunca tinha feito tanto esforço físico na vida. De olhos fechados pro universo, fiquei esperando coração e pulmões decidirem se iam estourar, ou o quê. Quando todos os ponteiros do organismo saíram por fim do vermelho, e na perna lesada só latiam resquícios da maldita cãimbra, foi me dando uma euforia, um orgasmo cósmico que nem as melhores trepadas, nem as mais doidas viagens de ácido — nem as melhores trepadas durante as mais doidas viagens de ácido — tinham jamais me proporcionado. É estúpido e piegas dizer isso que vou dizer agora, mas, deitado naquela areia, debaixo do sol já mais domesticado das cinco e pico da tarde a me espiar pelas frestas das nuvens cinzas, com a brisa do mar me arrepiando a pele molhada, senti imensa alegria por estar, com o perdão da má palavra, vivo. Respirar era sublime. Minhas narinas, lavadas e enxaguadas à náusea com água e sal, acolhiam cada prise de ar como uma dádiva a ser fruída em êxtase religioso.

O sol escorregava pros confins do horizonte depois de assistir à minha agonia, sem ter movido um só raio pra me ajudar. A natureza é foda, meu. Ela tá cagando e andando pra você a maior parte do tempo, mas tem lá suas vantagens. Por exemplo, senti meu pau acordando dentro da cueca de poliéster furadinho do meu bermudão. Era uma sensação natural, aquela. Fazia parte do pacote "retorno à vida". No meio da briga contra mar e cãimbra, de nada tinha me valido a piroca, que nem sabe flutuar, a desgraçada. Dizem que os enforcados morrem de pau duro cuspindo porra. Os afogados, não. Morrem de pau mole e engruvinhado. Mas, agora, safo da procela, mesmo sem eu estar sendo enforcado nem nada, o apêndice recreativo dava o ar da graça. Peguei nele por dentro da bermuda. Ah, meu pau! Ou seja: EU!

Fiquei pensando se batia uma punheta comemorativa ali na areia molhada. Enquanto pensava, com as mãos agora entrelaçadas atrás da cabeça, constatei que o sol morria sem apelação naquele falso oeste, ou falso leste, sei lá. Eu continuo vivo, o sol já era, me rejubilei. Era a minha pequena vingança contra a grande estrela diurna. No céu, um urubu geômetra descrevia círculos concêntricos em cima da minha ereção. Desisti da punheta.

Quando me senti capaz de enfrentar de novo a gravidade, me pus de pé e toquei mancando morro acima. A perna ruim ainda se ressentia da cãibra, mas deu conta de me trazer até em casa. Quando me vi aqui na rede, muitos metros acima do mar sacana, não pude deixar de cometer um haicai ressentido:

> Amo o mar
> mas o mar
> quis me matar

Foi a última coisa que pensei antes de entrar em coma profundo de cansaço terminal.

# <23>

Passei o dia inteiro aqui, ontem, me refazendo daquela hora de pugilato contra o mar no dia anterior. Acordei de manhã sentindo o corpo todo moído e com a batata da perna ainda repuxando um pouco. Fiquei com medo de ter outra crise de cãimbra e me afogar nos lençóis. Me levantei mancando, passei pra rede e acabou sendo um agradável dia de profundo far niente. Devia ter descido pra contatar o Margarido e ver se ele não pode me defender nesse rolo que o delegado tá armando contra mim lá em São Paulo. Mas não tive saco nem forças pra isso. Me dividi entre cochilos, leituras, miojo com salsicha e cerveja, e a anotação dos recentes desacontecimentos de mi bida de Don Juan pró-senil e náufrago indômito. À noitinha, larguei a rede e fui pra cama, tocado por uma brisa fria que prenunciava a chuva que deveras veio. Como era previsível, depois de ter dormido a maior parte das últimas 24 horas, acordei no meio da madrugada sem sono, mas de pau duro. Era a isso que eu estava reduzido: um homem sozinho na cama de pau duro. Melhor que um corpo à deriva no mar. E o que fazer com a porra do pau duro, perguntava-me eu. O único sexo disponível era o meu próprio sexo que só queria saber de sexo.

No total foram duas punhetas com um intervalo de uma horinha entre elas. Na segunda, usei a canhota pra variar. Mas não recomendo: com a direita, o automatismo dos movimentos te faz esquecer da mão e você fica mais à vontade pra fantasiar e comer dúzias de Giselles e Priscilas e Anapaulas, do jeito que quiser. Com a canhota, se você é destro, a sensação é de estar sendo masturbado por um senhor enfadonho de 42 anos de idade, sem sono e sem mulher, num morro ermo do litoral. Em todo caso, deixei a porra cair, as duas vezes, sobre páginas diferentes de uma edição da Caras de 1995, velha de mais de uma década, portanto, que eu deixo ao lado da cama pra isso mesmo, pra me inspirar e esporrar em cima. Galei primeiro a Caroline de Mônaco, quarentona na época, e viúva recente tomando sol nos peitos num iate na Grécia. O marido dela tinha morrido num acidente com uma lancha de corrida. Não ia chupar mais aqueles peitinhos ainda bastante interessantes, nem iria se importar que eu me valesse deles aqui em Porangatuba pruma rápida gozada.

    Na sequência, foi a vez da Arielle Villanova, já que a página da Enny Sampaio embarcando a buceta num helicóptero ficou impraticável depois das duas belas homenageadas que eu tinha dado em cima dela um dia antes. A loira Arielle, outra modelo, atriz e apresentadora de tevê, hoje meio sumida, nunca foi princesa de nenhum paraíso fiscal europeu, mas também era viúva como a Caroline — e como a Rejane, por falar nisso. Tava lá na revista, a celebridade, seu corpo mais fora que dentro de um biquíni cavadão, fazendo ar tristinho no alto dum promontório rochoso à beira-mar, na tal da "Ilha de Caras". Segundo a legenda, Arielle pensava naquele momento, com doída saudade, no último amor da sua vida, Pepê Baiano, o genial atacante recém-falecido num desastre de jatinho, vindo de Salvador para o Rio. Segundo a legenda da foto, Arielle estava concluindo um livro sobre o seu relacionamento com o finado deus da bola que prometia reconduzir a seleção brasileira aos píncaros do futebol mundial. Hoje sabemos que o livro saiu mesmo, redigido por um jornalista, enchendo de grana aquele rabo sarado da Arielle. Grande Arielle. Foi bem razoável, no fim das contas, a bronha canhoteira que eu dediquei a ela. A coisa que mais me excitou na Arielle não foi o rabo ou seus peitões petroquímicos, e sim, pasme, as pestanas. Que pestanas. Tremendas pestanas. Toda mulher pestanuda como a Arielle tem um puta matagal cobrindo a xota e adora foder. Essa é a minha refinada teoria, que acaba de nascer. Aquelas pestanas da Arielle eram uma buceta excêntrica desdobrada em duas linhas peludas. Um boquete da Arielle deve proporcionar ao agraciado a sensação de foder uma buceta facial de olhos verdes. Foi nisso mesmo que pensei durante o punhetaço. La pugneta è cosa mentale, diria Leonardo da Vinci punhetando na Capela Sistina.

    Acho que vou deixar esse número esporrado da Caras na cesta de revistas velhas da sala, que é pra Nina ou a Estelinha acharem da próxima vez que vierem pra cá. Posso ver o escândalo enojado na cara delas ao tentarem desgrudar as páginas, já formulando no fundo da consciência uma forte hipótese para explicar aquele fenômeno e seu mais que provável causador.

Hoje de manhã, bem cedo, depois da estonteante noite de amor com Caroline e Arielle, desci pra dar uma nadada e me reconciliar com o oceano que anteontem quis me deglutir. O céu estava ficando preto, o vento soprando mais forte, os vagalhões encrespados. Fiquei com água pela cintura e tentei dar umas braçadas e umas fracas pernadas. Senti a panturrilha repuxar, mandando seu aviso: nada de tentar bater recordes olímpicos hoje, garotão. Pena, porque eu me sentia estalando de saúde. Onde tanta saúde vai me levar, não faço ideia. Quer dizer, até faço: ao Bitch, quando voltar a São Paulo, onde pretendo passar 48 horas cheirando, bebendo e fodendo a Gaúcha e a Melina. Elas ficarão pasmas diante do fôlego do tiozão aqui. *Aiooooou, Silver!* De todo modo, fiz uns dez minutos de crawl com as pernas quase imóveis, margeando a praia no rasinho, o que não tem um por cento da graça de uma investida mar adentro, mas deu pra aliviar um pouco a minha estase física e espiritual, antes do vasto café da manhã na pousada, com creme de papaia e tapioca na chapa.

Enquanto me locupletava com o banquetinho matinal, a Rejane apareceu pra dar o recado: o Nissim tinha ligado de novo ontem à noite perguntando se eu ainda estava instalado aqui em cima e avisando que tentaria falar comigo hoje às onze da manhã, depois às três da tarde, às seis e, por fim, às nove da noite.

"Por que ele não liga direto pro teu celular?", ela voltou a especular, rompendo com sua habitual discrição.

Antes que eu atinasse com uma resposta plausível, ela própria me salvou:

"Esquece. Os rapazes e seus segredinhos!"

Ficamos ali mais um pouco num papo lúdico, gags, boutades, trocadilhos, até que, uns vinte minutos depois, o Leno veio anunciar o Nissim na linha.

"Peguei a ligação no escritório, mas querendo, pode atender aqui. É só apertar o cinco", ele informou, apontando o aparelho do restaurante em cima do balcão. Era uma solicitude sacana aquela, pois ele devia intuir que só podia ser encrenca ao telefone, e, na certa, seria constrangedor pra mim falar ali, à vista da patroa.

"Vai atender no escritório", a própria Rejane sugeriu, dando um aperto amigo no meu braço.

Dei uma secada no Leno, que virou a cara e foi embora. No escritório, apanhei o fone e logo senti uma presença humana do lado de lá da cortina de estática. A presença humana também me pressentiu:

"Zeca?"

"Fala", respondi, já antevendo o tédio mórbido que aquela nova conversa com o Nissim iria me causar.

"Zeca, é o seguinte", começou o Nissa.

"Já sei."

"Pois é. Você realmente precisa sair daí, cara. Já, nesse instante. O cerco tá fechando, bitchô. O Mané me contou que os tiras voltaram a interrogar ele no prédio."

"E aí?"

"E aí que ele contou que eu costumo viajar pra Ubatuba."

"Caralho. Mó mané, esse Mané. Lacaio do síndico e da velha do cabelo azul. Dedo-duro, escroto."

"Cara, o Mané é o zelador do prédio, não é o Hunter Thompson, tá ligado?"

"Bom, e daí? Se os home grampearam a gente, já sabem que eu tô no município de Ubatuba pelo código de área, não sabem?"

"Porra, Zeca, você falou com alguém pelo celular desde que chegou aí?"

"Falei. Com a Lia."

"Caralho. Eu disse pra você não usar o celular, porra."

"Usei uma vez só, rapidinho."

"Merda! E falou pra Lia onde cê tava?"

"Só que tava na praia, acho. Mas ela sabe onde eu tô. Você não disse pra ela?"

"Puta que pariu, Zeca. Isso vai me complicar ainda mais a vida."

"Mas, vem cá, o Mané falou que eu tô em Porangatuba? Eu posso estar na Vermelha, no Lázaro, na Lagoinha, na Maranduba. Ubatuba tem milhões de praias."

"Isso ele não disse. Os tiras perguntaram pra onde eu ia em Ubatuba, mas ele achava que Ubatuba era uma praia só."

"Santíssima e abençoada ignorância."

"Eles tão chegando muito perto, Zeca. Minha advogada falou que se os tiras te pegam aí, vou ser indiciado por *homiziar suspeito de homicídio*. Dá cana isso, sabia?"

"Eu vou sair daqui, Nissim. Tô saindo. Só preciso de mais um tempinho. Nenhum tira tá vindo aqui me pegar. Cê acha?"

"Zeca, não me fode mais ainda, pelamordideus, bitchô. Cai fora já, meu."

"E se eu armar uma barraca no mato atrás da casa? Qualquer coisa, digo que não tô na tua casa, tô na barraca. Que só tô indo à sua casa pra usar o banheiro, sem você saber, e/"

"Cara, cê é um débil mental", cortou o Nissim.

"Você só diz isso porque é meu amigo."

"Zeca, arranja um advogado e se manda prum lugar seguro. Aliás, o contrário: se manda primeiro!"

"Será que a sua advogada não podia me/"

"Tá louco, Zeca? Eu aqui tentando me livrar da sua pessoa, e você quer que a *minha* advogada te defenda?"

"Nissim?"

"Ahn."

"Valeu pela grana que você deu pra Terezinha. Ela me contou."

"Bitchô, aquele foi o último dinheiro que você tirou do meu bolso na puta dessa vida. E pode entregar a chave pra caseira. Vou mandar ela passar lá pra pegar. Bota debaixo do anão da escada."

"Claro, o velho e bom anão da escada. (...) Nissim?"

Já era. Ele tinha desligado. No ato, peguei o cartão do Margarido, que eu tinha posto no bolso da bermuda, a mesma com a qual eu tinha acabado de nadar. O número do celular, anotado a caneta pelo Margarido no verso do cartão, tinha se diluído por completo. Mas o número impresso, do escritório dele, ainda se mostrava legível.

"Borghetti, Alvarenga e Margarido, Advogados Associados, bom dia", despejou num só e bem treinado fôlego a secretária. Em dez segundos o Margarido me saudava:

"Meu querido cineasta marginal! Como vai?"

"Tirando os problemas, tudo bem", repliquei.

O Margarido acionou a gargalhada untuosa dele. Já fiz essa piadelha gasta mil vezes, e o babaca ainda ri dela.

"Fala, meu querido. Posso te ajudar em alguma coisa?"

Esse "meu querido" do Marga é foda. E a voz risonha dele, *de bem com a vida*, é de amargar. Mas naquela hora ela me soava como a voz da salvação. Não a salvação dos problemas em si, mas do tédio que é administrá-los.

"Margarido, me meti numa treta aí. Me meteram, aliás. Cê tem um minutinho?"

"Quantos minutinhos você quiser, meu querido. O Nissim me falou alguma coisa a respeito lá no Bitch, outro dia. Não quer dar um pulinho aqui no escritório pra gente conversar pessoalmente?"

Contei que eu não estava em São Paulo, sem entrar em detalhes. Resumi que tinha um delegado querendo me enquadrar pela morte do Miro, e que um vizinho da rua viu alguém saindo do carro do finado, e que a minha vizinha de prédio, uma velha escrota, tinha me visto na garagem pelo circuito interno de tevê minutos depois, e que os meus números de telefone estavam no celular do Miro, como também os do Nissim, e tudo mais e o caralho. O Margarido, já por dentro da treta, comentou que o caso tinha virado "uma arena política para o promotor e o delegado se confrontarem sob os holofotes da mídia". Tava na cara que ele leu isso no jornal. Arena política. Holofotes da mídia. Como é ridículo, esse Margarido. O que importa é que ele aceitou me defender, sem mencionar honorários, me pedindo nome completo, CPF e RG, e avisando que em cinco minutos me enviaria pela internet uma procuração preu imprimir, assinar e reenviar a ele pelo correio. A procuração o constituiria meu advogado, depois de reconhecida a minha firma em cartório.

Grande Margarido, circulando com desenvoltura por cartórios, repartições e tribunais, distribuindo propinas e "meu querido" e "minha querida" pra escrivães e meirinhos, secretárias e outros advogados, promotores e juízes, oficiais de justiça e jurispicaretas de todo naipe. Daí, veio com um papo tranquilizador, dizendo que talvez eu estivesse apenas sendo intimado a prestar declarações em juízo. É o que ele iria apurar na seqüência. Na opinião dele, podia nem rolar mandado de prisão nenhum contra mim. Afinal, não tinha havido flagrante nem existiam, até onde se sabe, provas concretas a me incriminar, só *indícios*. Em todo caso, era bom mesmo eu "submergir" até as coisas se definirem. Ele também disse que vai, por via das dúvidas, entrar com um pedido de habeas corpus preventivo, que poderá ou não ser concedido pelo juiz. Quanto aos meus telefones, era muito provável que estivessem de fato grampeados, e também meu endereço eletrônico na internet, embora isso não fosse um problema, desde que eu não desse bandeira do meu paradeiro nos imeios.

"O país vive hoje uma epidemia de grampos", ele disse, citando outra frase lapidar.

"Mas que merda, porra."

"Fica frio, meu querido, que vai dar tudo certo."

"Margarido, você está sendo um pai e uma mãe pra mim."

"Mãe não, só pai."

Gracinha. O nosso metrossexual atacando de machão. Fofo.

"Ah, e calcula aí seus honorários, Marga. Na volta, acerto com você."

"Não esquenta, Zeca. Só me manda por Sedex a procuração assinada. O endereço taí no meu cartão. Meu celular também, não tá?"

"Tava, mas apagou. Me dá de novo."

Enquanto eu anotava o número, a Rejane entrou pela porta do escritório, que eu tinha deixado entreaberta. Ao topar comigo ao telefone, fez meia-volta, mas eu tive um repente e disse:

"Fica!"

"Quê?", perguntou meu interlocutor telefônico.

"Falei com uma pessoa aqui. Tão tá, Marga. Você é meu anjo defensor. Depois a gente vê seus honorários."

"Magina, meu querido. Nos falamos. Qualquer coisa eu ligo pra esse número que tá aqui no meu bina, certo?"

Nos despedimos, ele me mandando "um beijinho" metrossexual. Desliguei. Rejane notou minha cara de estudada preocupação.

"Desculpe, eu esqueci que você tava no telefone."

"Eu é que peço desculpas por ficar invadindo o teu espaço a toda hora."

"Que *invadindo meu espaço*, que nada. A casa é sua. E, sem querer me meter, mas já me metendo, aconteceu alguma coisa, Zeca?"

"Sempre acontece alguma coisa comigo."
"Não tem nada que eu possa fazer? É só falar..."
"'Que tu bida se llene de abogados y ex-mujeres.'"
"Quê?"
"É uma antiga praga mexicana que caiu na minha cabeça."
"Mexicana. Sei."
Dei um riso fungado, na linha "rir pra não chorar". Ela riu também e — puta merda — passou a mão no meu cabelo. Cafunezão explícito. Pior é que essa mulher tem a manha de ganhar um cara. Versada nas coisas da vida, solidária, generosa. Dona de uma boa pousada numa bela praia. De fato, tem muitos atrativos essa Rejane, ainda que juventude não seja um deles.
"Mas o que foi, conta?"
"Problemas. Uma cachoeira de problemas", eu disse, exalando um suspiro grave no final.
"Se for problema com solução, a gente resolve."
A gente? A véia já se alinhava assim, de minha parceira?
"Problemas técnicos", comecei, fingindo que tentava disfarçar outra ordem de problemas, mais profunda, mais dramática.
"Problemas técnicos", ela repetiu, fingindo que fingia acreditar.
"Pior é que é verdade. Já foram problemas de relacionamento humano. Agora são técnicos mesmo. Jurídico-policialescos, pra ser mais exato. Barra."
"Tô vendo pela sua cara."
Soltei a pérola, que se formou naquele instante no meu espírito inventivo:
"Separação já é complicado pra cabeça. Quando a ex-mulher saca o código penal contra o ex-marido, aí é foda."
"Ah, é isso?!", ela pontuou, mal contendo júbilo por me saber desimpedido, apesar de encrencado.
"Infelizmente. Não paguei a pensão durante uns meses por falta de grana. E agora a ex tá no meu pé", fabriquei.
"Sorte dos meus dois maridos, que morreram antes do casamento desandar. Senão eles iam ver só o que é bom pra tosse!"
"Sorte mesmo. Não ter que aturar ex-mulher é uma bênção divina."

"Meu segundo marido tinha ex-mulher. Coitado, era um inferno. A megera nunca digeriu a separação. Atormentava o Franklin o quanto podia. Só me chamava de 'aquela puta'. Sendo que ele tinha largado a doida muito antes de me conhecer."

"Essa era do time da Lia, então. A fofa quer me arrancar o couro da alma. Exigiu uma pensão impagável no processo de divórcio, e o merda do juiz, achando que eu sou o Spilberg, concedeu. Resumo da ópera: tô ferrado. Posso até ser preso."

"Minino! Toma cuidado com isso, que dá cadeia mesmo. Tenho um primo que foi preso por atraso na pensão. Ficou três meses em cana numa cela abarrotada de bandido."

"Tô sabendo. Até o Paulo César Pereio entrou em cana por causa disso. Sabe o Pereio, aquele ator?"

"Sei. Num brinca que ele foi preso!"

"Ficou um mês na gaiola. Podia ter sido currado, podia ter pego aids, podia ter morrido numa rebelião, podia ter enlouquecido."

A Rejane parecia assustada agora, temendo pela minha integridade anal e mental. Percebi que eu começava a dar um golpe de mestre na véia.

"Bom, acabei de arrumar outro advogado, que o primeiro era um bundão", cascateei. "Aliás, o cara vai me mandar pela internet uma procuração preu assinar. Tem correio por aqui?"

"Só em Ubatuba ou Paraty. Mas o Leno vai pra Uba daqui a pouco pagar umas contas pra mim e põe a tua procuração no correio. Entra na internet e vê se já chegou."

Tinha chegado. O texto do documento era genérico, não se referia a tiroteio, traficante morto, suspeita de homicídio, nem nada. Rejane imprimiu duas cópias. Assinei as duas e o Leno foi chamado para se desincumbir da tarefa de postar o envelope. Antes que saísse do escritório, dei-lhe uma grana e a chave da casa do morro, pedindo pra ele providenciar uma cópia.

"Amanhã essa procuração tá na mão do seu advogado", garantiu a Rejane, já assumindo a minha vida prática. "Ele é bom mesmo, esse advogado novo?"

"É meio gay."

"Então deve ser bom. Gays e mulheres têm que se esforçar mais que os machões pra vencer na profissão", pontificou a Rejane.

"Por isso, então, que até hoje não fiquei rico e famoso: não sou gay nem mulher."

Ela riu. Porra, cara, aquilo com trinta aninhos a menos devia ser traçabilíssima. Tá com um pé e meio na velhice agora, mas não é uma *velha*, entende? Quer dizer, é o tipo da pessoa que jamais se conformará com a velhice clássica e vai tentar sempre alguma manobra pra se colocar numa faixa trans-supra-pós-etária, ajudada por cirurgiões plásticos, personal trainers, estilistas, esteticistas, dermatologistas, endocrinologistas e psiquiatras. A taverneira age como se fosse uma coroa de 40, sendo que aos 40 devia agir como se fosse uma balzaca no auge dos 30, e assim por diante — ou pra trás.

Quer dizer, puta merda, já estou procurando um jeito de achar a Rejane "jovial" e, portanto, comível. Vou ver se te mando uma foto da fera procê ver. Mas, sabe a Dina Sfat, aquela atriz linda e carismática dos anos sessenta, setenta, que fez o Macunaíma no cinema, e tal? Claro que você conhece a Dina Sfat. Foi musa da sua geração. Tinha um rostinho atrevido, de nariz arrebitado, olhos negros, uma gata. Se não tivesse morrido tão cedo, com menos de 50, acho, teria a cara da Rejane hoje.

Me convidou pra almoçar.

"Que horas?", respondi.

"A hora que você quiser. Dependendo da companhia, almoço até de noite."

"Legal."

"E você pode ficar trabalhando o quanto quiser no meu computador. É seu."

Beleza. Foi o que pensei e foi também o que eu disse a ela:

"Beleza, Rejane. Brigado."

"Magina", ela respondeu com uma cara de "Brigado o cacete, pode ir abaixando a cueca e apresentando a benga aqui pra vovó".

Daí, pensei melhor e expliquei a ela que não daria mesmo pra gente almoçar, pois o meu plano era dar um pulo na ilha das Rocas na voadeira do Fioca. Ia sair dali a pouco e só voltaria no fim da tarde, já tinha combinado com ele. Ela deu força pro meu plano, sem deixar de lançar outra isca:

"Boa. Faz isso mesmo, que vale a pena. Vai nas Roca, como eles falam aqui. Come uns beliscos por lá, depois vem jantar comigo. Mando caprichar."

"Feito", eu disse erguendo minha mão em palmatória pra estalar contra a dela. Uns raios trovejaram lá fora celebrando a nossa intimidade.

Saí da pousada, andei cinquenta metros pela praia do Portinho, que fica defronte da pousada, e vi chegar a voadeira do Fioca. Ir pras Roca com o Fioca não era solução pra nada, mas era uma rima curiosa. O caiçara embicou o bote de alumínio na areia, o motor empinado pra hélice não tocar o fundo. Me acenou sob mais trovoadas. No céu se adensavam toneladas de gotas d'água só esperando alguém puxar a descarga celestial. Achei melhor desistir das Rocas e subir pra cá antes do toró. Dei um aceno pro Fioca, apontando o céu e sacudindo o dedão pra baixo. Gritei: "Amanhã!" Ele me devolveu um ok, puxou a voadeira de volta pro mar e se mandou, impulsionado por aquela batedeira de bolo atada à popa.

Tive o breve impulso de voltar pra pousada, tomar mais algumas marisabéis e mostrar pra Rejane com quantos paus se traça uma coroa. De repente, eu podia me *homiziar* por lá mesmo. Porque a verdade verdadeira é que eu não queria sair de Porangatuba. Primeiro, que não tenho pra onde ir. Não posso torrar o milão e pico que me restam no bolso pagando pousada furreca por aí. Se bem que eu queria mesmo era ficar aqui em cima, fruindo a varanda, a rede, a paisagem, as maritacas, o sossego, a ducha do quintal, as celebridades de biquíni da Caras. De todo modo, lá embaixo, além de toda a mordomia, continuarei dispondo do piscinão marítimo, sem ter que descer e depois subir ladeira. Não está nada mal como opção, vamos e vortemos. Era só o que faltava pro meu currículo: uma sexygenária!

Os primeiros medalhões de água já despencavam no chão, grandes como ovos de codorna. Com chuva, as pirambeiras desse morro viram verdadeiras cachoeiras e corredeiras. Dá pra fazer rafting nelas. E subir pode se tornar impossível no auge do toró. Eu continuava vacilando entre voltar aqui pra cima ou retornar à pousada, isto é, aos braços da Rejane, quando vi passar a camareira da Chapéu-de-sol, aquela cara-de-cuíca que me joga olhares. Pedi pra ela avisar a dona

Rejane que muito obrigado, mas eu talvez não fosse jantar lá hoje. A mulher me jogou aquele olhar assustado permanente dela e seguiu caminho em seu passo curto e rápido. Não é que a desgraçada tem mesmo uma bunda boa? Certas mulheres nunca deveriam ficar de frente pros homens, eis uma das verdades absolutas dessa vida relativa.

Daí, girei os calcanhares e disparei pela ruela estreita entre a lateral de um restaurante fechado e um galpão para barcos. Logo a ruela virou escarpa de morro, e lá vim eu esbanjando fôlego. Quando cheguei aqui e olhei pro mar, vi que o céu tinha baixado tanto que parecia relar nos vagalhões cinzentos que agitavam a enseada. Tive uma crise de sentimentalismo, que expresso agora nestas pobres redondilhas lusófilas:

> Ó mar de Porangatuba,
> tão redondo e pequenino,
> que vasta saudade sinto
> de mim, antigo menino,
> e do eterno feminino
> — e também, ora, não minto,
> de cair numa suruba
> regada a pó e absinto.

# <24>

Tirando os memoráveis peixes e frutos do mar com que tenho me regalado na pousada da Rejane, a culinária de bordo deste ameno exílio tem-se baseado mesmo no miojo com salsicha e ovo cozido. É bem verdade que há pequenas variações nesse cardápio, como nescafé, suco de tomate, bolachas de água e sal barradas com uma margarina que deve estar comemorando algum sesquicentenário nessa geladeira sem ter, contudo, perdido sua essencial margarinidade petroquímica, mas a base é essa. Quinhentos milhões de solitários estão agora comendo miojo com salsicha e ovo cozido no mundo todo, e cerca de 0,5% desse contingente está escrevendo sobre a experiência de passar a miojo com salsicha e ovo cozido, o que dá cerca de dois milhões e meio de relatos sobre comer miojo com salsicha e ovo cozido a cada nova geração, desde que inventaram o miojo e a sua consequente combinação com ovo e salsicha. Meu toque de originalidade está em que rêgo esse banquete com azeite de oliva duma lata de Carbonell roída pela maresia. Aquilo deve ter virado um criatório de bactérias, espanholas, no caso, mas conserva um gostinho oliveiro e mediterrâneo que me faz sentir em Taormina, na Sicília, pra onde quase fui uma vez, convidado pruma amostra paralela do festival de cinema da cidade. Diziam que o Holisticofrenia passaria num telão no anfiteatro grego de Taormina, de mais de 2 mil anos. Me animei: um clássico da marginália passar numa arena ao ar livre destinada aos clássicos da antiguidade só tornaria a minha obra ainda mais *atual*. Só que os caras não pagavam passagem, estadia, diárias, nada. Convidado paralelo tinha que pagar pra entrar na festa. Va fan cullo, agradeci, e escapei da paralela pela tangente.

    A parte espiritual da minha fome vou matando com literatura, que é cinema de pobre, sem imagens, só lero-lero, sendo que, no ritmo que ando traçando a livraiada, se ficar aqui mais uns dias vou acabar encarando esse Lobsang Rampa com um monge careca na capa. O desgraçado do monge tem um olho no meio da testa, vê se pode. Dando uma bola antes, capaz de ser uma leitura engraçada. O fato é que o meu cérebro anda atrofiando à míngua de imagens. Quando vim pra cá da primeira vez, tinha um velho VCR e um pequeno acervo de fitas. Lembro de "Janela indiscreta", "No tempo das diligências", "Dr. Strangelove" (que eu mesmo tinha dado de presente pro Nissim), filmes que eu poderia rever uma dúzia de vezes, na boa, se não tivesse sumido tudo. Deve ter um ladrãozinho cinéfilo encafuado num desses barracos clandestinos que a gente vê aí pelo mato.

De modo que, sem imagens numa tela pra aplacar meu desejo de viver em outra realidade, vou de letras mesmo. Ando dando uns tapas na primeira parte do "Du Côté de Chez Swann". Pulei as páginas muito ruminativas, sem nenhuma ação dramática, que, se for ver, devem ser a maioria e as mais importantes da obra, mas ninguém notou, de modo que posso sair pelos inexistentes salões literários de Porangatuba pontificando sobre Proust a quem quiser me ouvir, no caso, pernilongos, borrachudos, pererecas e os bebuns locais. Achei a maior graça num colega do narrador, o judeu Bloch, um adolescente metido a dândi, delicioso de pedante. "Eu não me deixo nunca influenciar pelas perturbações da atmosfera", ele proclama, "nem pelas divisões convencionais do tempo. Reabilitaria de bom grado o hábito da pipa de ópio e do kriss malaio, mas ignoro o uso contumaz desses instrumentos infinitamente mais perniciosos, além de obviamente burgueses, que são o relógio e o guarda-chuva". Pódis crê, mora.

A propósito de nada, ando pensando de novo em te mandar minhas escrevinhações. Digo isso porque andei pensando antes em não mandar. Achei que não tinha nada a ver, que era bobeira narcisista da minha parte te sugerir uma partilha multimídia dessa minha história, você se ocupando de escrevê-la, eu de filmá-la. Mas fico mudando toda hora de ideia em relação a isso, e agora volta a me seduzir o projeto de tirar um livro e um filme dessa joça. Então, vou mandar, vou mandar. Nesse momento, pelo menos, acho que vou. Mas primeiro vamos só ver no que vai dar essa treta com a polícia. Aí eu mando. Pelo andar da viatura, não vai demorar muito.

O fato, ineludível fato, é que, apesar de estar aproveitando à larga e à grande esse retiro terapêutico à beira-mar, ando me entediando legal por aqui. Porque, vamos à verdade: dar um tempo na zoeira faz bem à saúde, é necessário, fundamental até, mas depois de uns dias acaba enchendo o saco. Faz tempo que eu não sentia tédio pra valer. Já deu pra sacar que viver aqui, seja na casa do Nissa ou em qualquer outro canto desse remanso ecoexistencial litorâneo, é de enlouquecer uma ostra. É só onda que vai, onda que vem, ladeira que sobe, ladeira que desce, pinga com mel, leituras, punhetas, peixe, camarão, as incomíveis filhas do Quinho, a véia gaiteira da Chapéu-de-sol — tudo isso contra o pano de fundo dessa armação oportunista dum delega desocupado pra cima de mim, como se o filho da puta não tivesse nada mais importante a fazer naquela delegacia em São Paulo.

Caceta.

Mudando de assunto — e de treta —, e a Lia, hein? Porra, a Lia. Cadê a Lia? Dando prum boçal de óculos, na certa. Sim, um cretino míope, um teórico caspento, um sabichão pós-graduado capaz de nefandas ereções diante de quarentonas intelectuais pós-marxistas malcasadas. Que se foda. Pó comê a véia a vonts, seja quem for. Tá liberada. Já me fartei daquilo. Quer dizer, eu bem que traçava a dona Lia agora, se ela me caísse do teto em cima do pau duro, de manhã, de preferência, quando a taxa de testosterona está mais alta no sangue e, portanto, a ereção é menos seletiva. O que eu não suportaria nem por um minuto é ficar discutindo o maldito relacionamento com ela. Já fiz muito isso. Chega.

Como não tem Lia nem meia Lia aqui, sigo na minha toada porangatubana: tédio, Caroline de Mônaco, tédio, Arielle Villanova, tédio, Enny Sampaio, tédio, livros, tédio, miojo, tédio, pinguel com maconha, tédio, restô da pousada, tédio, tédio, tédio. E chuva, muita chuva, todo dia, em geral à tarde e de madrugada. Hoje, porém, choveu desde cedo. Chove e para, chove e para. Quero filmar muita chuva no meu filme. Chuva de verdade. Num filme, se você acreditar na chuva, acreditará em todo o resto, trama, interpretação dos atores, cenografia, tudo. Se a chuva não for crível, nada cola.

Estranho planeta molhado deve parecer a Terra a quem está chegando em Porangatuba vindo de alguma pedra-pomes sulfurosa do cosmo, Marte ou Júpiter, por exemplo. Pensa bem: a água brota das nascentes, que brotam da terra, e os rios se formam e correm de encontro a outros rios, que por sua vez vão despejar sua água doce no mar de água salgada, que depois se evapora e se condensa no céu, onde fica pendurada esperando a hora de voltar à terra sob a forma de chuva doce. O esquema básico é esse: água salgada que sobe, água doce que desce. Êta vida moiada do caraio. (Êta falta de assunto do cacete.)

Foda, ficar sem assunto e cheio de tempo pra esbanjar. Podia esbanjá-lo tocando banjo. Ou cítara indiana. Ou, ainda, corne inglês, aproveitando minha atual condição de corno brasileiro. Como seria bom, de fato, tocar um instrumentú, como disse o bardo Veloso. Nisso que dá passar tanto tempo metido consigo mesmo. O sujeito cogita, cogita, e regurgita metafísica barata. Se eu soubesse alemão, cogitaria nessa língua filosofal. Alles bläu? Liebe ist gesund. Arbeit macht frei. Achtung!

Uma coisa que eu tô cogitando agora, em português mesmo, a contemplar o mar lá embaixo, assoalho de verniz verde-muco riscado neste exato momento pelo rastro em leque branco de uma traineira a caminho de qualquer oriente (*Slow boat to China*), é que há meros dois dias, ou três, sei lá, fui ali, naquele mesmo marzão, um "náufrago entregue ao fluxo forte da morte", como li numa antologia do Vinícius que achei aqui. Ou seja, podia estar morto uma hora dessa. 10:31 da noite, e eu morto, impossibilitado de cogitar o que quer que fosse.

Até aí também morreu o Neves: todo mundo podia estar morto a uma hora dessa, ou em qualquer outra hora, a exemplo do pobre Neves, que em algum tempo e lugar esteve vivo fazendo sabe-se lá o quê da vida, o desgraçado, até que, de repente, num fatídico *aí*, veio a falecer. Fosse *ali* estaria vivo, quem sabe até hoje, o Neves. E as pessoas diriam: "Até ali *não* morreu o Neves." Pode ter morrido depois, mas até *ali*, não. Sei que é um raciocínio abstruso e dispensável, esse, mas, porra, foi só mesmo por um bendito triz que eu não me afoguei naquela enseada há meros dois ou três dias. Até ali não morreu o Zeca. Acho que a fatura emocional desse trauma tá me chegando só agora. Alguém já disse que o homem e a mulher são os únicos seres mortais que existem, pois são os únicos que sabem que vão morrer.

Esse mesmo alguém que disse isso já deve ter morrido há muito tempo, aliás. Caralho, tô com a morte entalada na garganta. *Rrrãágrrch...ptu!*

Foda-se. E viva Antônio Maria, autor do bolerão preferido da minha mãe, que ela cantava sempre que o velho não estava por perto, mas que parou de cantar quando ele morreu:

*Se eu morrer amanhã de manhã, não faria falta a ninguém...*

Eu talvez fizesse alguma falta ao Pedrinho, meu filho, durante um mês ou dois. Ou nem isso, pois aquele cavalo que o Leco vai lhe dar no Natal com certeza acabará ocupando meu lugar no coração do moleque. A Lia é que não sentiria nem cinco minutos a minha falta, à qual está mais do que habituada. Aliás, essa é uma velha lição da sabedoria oriental: habituar os seres amados à sua ausência para que eles não sofram muito quando ela for definitiva. O que a esposinha faria, ao saber da minha morte, é se levantar a contragosto da cama do seu mais do que provável amante pra ir ao meu enterro com os olhos secos sob os óculos escuros e receber os pêsames burocráticos de meia dúzia de gatos pingando álcool pelos poros e muco branco pelo nariz — a trempe do Bitch —, antes de voltar correndo pra cama, onde o filho da puta do amante dela estaria a esperá-la lendo jornal, peidando à vontade, cutucando o nariz e botando a meleca debaixo da *minha* cama, onde haveria de roçar o dedo nas minhas próprias melecas secas.

Por isso, e por tudo mais, acho que não vou esperar pelo epílogo dessa história pra te passar o arquivão. Pensando bem, a história pode muito bem acabar aqui. O personagem sai do palco antes que se cumpra o seu destino, feito um herói trágico que dorme até mais tarde na cama duma hetaira gostosa, acorda de ressaca de hidromel — ou de pinguel —, dá uma mijada, uma cagada, toma um jarro d'água, chuta o cachorro, come a bunda da hetaira e embarca de novo no sono lembrando vagamente de que tinha uma porra qualquer pra fazer, o assédio a uma fortaleza na Trácia — ou seria em Troia? —, algo assim, mas foda-se, ele murmura pra si mesmo, deixa pra lá, vamo puxá mais um ronco, que ninguém é de bronze, porra.

Quando sair em definitivo aqui do meu refúgio atlântico, boto um ponto-final na bagaça e desço com o note na mochila. Aí te passo o arquivão lá da Rejane, combinado? Amanhã de manhã, por exemplo, antes que outra cãimbra ou bala perdida dê por encerrado meu expediente na face da Terra. Porque, se eu bato com as dez de repente, o que seria do meu HP? Nas mãos de quem cairia? Se nas da Lia, a filhadaputa dava uma espiada no textão, deletava tudo e oferecia a máquina de presente pro viadinho do amante, pra ele escrever lindos imeios de amor pra ela ou uma tese idiota qualquer. O mais provável, porém, era o meu computinha acabar caindo no colo do Nissim. Aí era foda. Eu ia dar graças a Deus por estar morto quando o Nissim lesse sobre o meu chupofodante entrevero com a excelentíssima senhora esposa dele naquela já antiga madrugada paulistana. O mineiro tomaria um porre mortal, encheria a Nina de porrada e jogaria meu notebook no rio Pinheiros do alto da ponte, dando uma cusparada e uma mijada por cima. Seria o réquiem para o filho da puta do amigo morto.

Então, cumpadre, presta atenção. Você vai receber esse arquivão logo mais, certo? Vou mandar pro imeio da tua editora, que eu tenho aqui. Se tu não me conhece, dá um Google que vai aparecer alguma coisa sobre mim e o meu filme. Aí, a bola estará no teu pé. Voltando àquela minha ideia do livro & filme tirados do mesmo material, o que eu gostaria é que você fizesse o seguinte, se não ouvir mais falar da minha pessoa nos próximos seis meses, ou se bater nos teus ouvidos a notícia de que fui em cana ou abotoei o paletó de madeira. E o seguinte é o seguinte: leia isso tudo de cabo a rabo (e olha que sobra rabo aqui, hahahá...), dê uma boa guaribada no texto, e pense num jeito — qualquer jeito — de publicar o negócio. Em livro, de preferência. Mas pode ser num blog também. Não importa o veículo, publique do jeito que der. Mas ó: NÃO BOTE O MEU NOME NESSA PORRA! Invente um pseudônimo. Ou tasque seu próprio nome, se quiser. Por mim, tudo bem. Só não quero ver meu nome associado a livro nenhum. Seria admitir o fracasso de toda uma vida dedicada ao cinema. (Dedicada ao alcoolismo e à putaria, também, mas deixa pra lá.) Além do quê, desconheço o métier de escrevinhador. E não pretendo acabar meus dias mofando numa estante de casa de veraneio ao lado do Lobsang Rampa, submetido à terceira visão daquele maluco.

Outra coisa, meio óbvia, mas que vou dizer assim mesmo: vê se substitui os nomes de todas as pessoas mencionadas aqui, pelamordideus. Não quero nego amaldiçoando a minha alma quando ela estiver a caminho do nirvana ou do nada absoluto. Outra coisa:

não me vá botar nenhum aviso na folha de rosto, do tipo: "Romance inspirado numa história real". Se quiser, bote: "Romance real por ser uma história inspirada".

Quanto à guaribada que você deverá providenciar aqui nos meus garranchos eletrônicos, deixo isso por sua conta. Vai ser meio foda, eu sei. Tá uma barafunda do caralho isso aqui, enxame de ideias soltas, textão corrido quase sem parágrafos, os diálogos enfiados de qualquer jeito no meio dos períodos, nem sempre se sabe quem fala o quê pra quem, ou quando e onde, tudo solto, misturado, o tempo querendo ocupar o lugar do espaço, e vice-versa. Sem contar a minha digitação de parkinsoniano epilético. Neste quesito, aliás, a regra é a seguinte: o que você não conseguir decifrar, deleta, na boa. Ou inventa. Simples assim. Portanto, pode mexer à vontade, mas deixa a coisa de um jeito que pareça *verdadeira*, manja? Não basta só confiar na verdade do que estou contando aqui. Tem que parecer verossímil na forma final. E precisa ter a minha cara — a *minha*, que protagonizo a minha própria história, não a sua, cabrón. Veja lá, hein?

Ou seja, seu trabalho é só dar forma literária ao meu narrador e seus personagens. O desafio aqui é fazer essas figuras nebulosas e mal-esboçadas do meu texto resultarem em pessoas únicas, idiossincráticas, palpáveis, tributáveis, lambíveis e chupáveis, como acontece mais ou menos na vida real, ou deveria acontecer, pelo menos. O velho esquemão naturalista, manja? Falando nisso, li uma frase interessante do Thomas Pynchon numa New Yorker que alguém deixou lá na pousada da Rejane e eu passei a mão: "If it is not the world, it's what the world might be with a minor adjustment or two. According to some, this is one of the main purposes of fiction". Escreva isso numa tira de papel e grude na testa do seu monitor: "Se não é o mundo, é o que o mundo poderia ser com um pequeno ajuste ou dois. Segundo alguns, esse é um dos principais objetivos da ficção".

Quanto a palavrões, chulices e toda e qualquer manifestação de cinismo, machismo, sexismo, racismo, classismo, niilismo, solipsismo e birutismo que você encontrar aqui, pode deixar como está. Respeite meu baixo nível, é o alto favor que lhe peço. Faça da minha vulgaridade um parque pras suas diversões. Vai fundo nas *cenash obscenash*, como ouvi de um crítico de cinema carioca sobre as mais floridas sequências sexuais do Holisticofrenia. Evite lirismos lambisgoias, insights psicossociológicos modorrentos e, sobretudo, morais-da-história digestivas ao gosto do distinto público de classe média de shopping. Mesmo os neologismos vagabas e as palavras-valise-sem-alça, sem falar nas badalhocas trocadilhescas, pode limar numa boa, se te parecerem muito bestoides. Só deixa o que você achar mais engraçado e esdrúxulo, digamos. Sei que não precisava te dizer isso, mas descreva com rapidez, e só o necessário. E tente se divertir escrevinhando, que é pra bosta sair dançando, como mais ou menos apregoa aquele famoso grafite de porta de privada. Uns goles de uísque te ajudarão bastante na tarefa. Um charo e umas carreirinhas também. Cê sabe disso tão bem quanto eu, não sabe?

Veja, é um trabalho intensivo que se requer aqui, mas nem é tanta coisa. Até agora são 98 páginas de Word, corpo 14, espaço 2. Nada além de 132.678 caracteres com espaço. Você lê em duas sentadas, ou numa só, a depender do tamanho e maciez do assento da sua cadeira — e da sua bunda. Num mês, dois no máximo, você dá conta da copidescagem.

Mais um pedido: quando for dividir esse palavrório em períodos e parágrafos, não os deixe nem muito curtos nem descabeladamente longos. Nada de estilo "telegráfico", ao gosto de futuristas de pince-nez, nem daquelas frases compridíssimas do Proust, que você bate uma punheta, dá uma cagada, tira uma soneca, e a frase ainda tá lá, longe do ponto-final. Não quero, em suma, parecer profuuundo nem modernista. Se quiser, pode também dividir o troço em blocos narrativos. Ou "grandes unidades sintagmáticas", como diria um concretista de pijama. Ou ainda capítulos, como diria qualquer um na rua, com ou sem pijama. Mas nada de titular os capítulos. Invoco com título de capítulo que anuncia o que está por vir, mesmo de forma oblíqua e — pior — *poética*.

Que mais?

Ah: desculpe dizer isso, mas tente não deturpar muito as minhas ideias, no caso de encontrar alguma aqui. Gruda no espírito do meu texto. A base é essa que taqui. Você entra com o prumo e a régua, eu com a gororoba orgânica informe que os antigos chamavam de conteúdo. Confio em você. Tu é o cara.

A propósito de nada, ou de tudo, li uma coisa engraçada aqui sobre o ofício de escrever. Tá no "Jacques, o Fatalista e seu Amo". O Jacques é um fiel escudeiro que acompanha seu senhor numa viagem a cavalo pela França. Vão batendo altos papos no caminho. Uma hora lá, rola o seguinte diálogo entre os dois:
"*A verdade tem seus lados instigantes, que todo escritor apreende quando tem talento*", diz o Amo.
"*Sim, quando tem talento*", retruca o Jacques. "*E quando não tem?*"
"*Quando não tem, não deveria escrever*", encerra o Amo.
Sigo o conselho do Amo: não quero virar escritor. Mais do que talento, me faltam saco e coluna vertebral pro ofício. Meu negócio é cinema, a exemplo do Robert Bresson, que, por sinal, filmou em 1945 um trecho do *Jacques* no "Les Dames du Bois de Bologne", filme delicioso. Cinema e buceta. Mais buceta que cinema. Fomos feitos um pro outro, eu e o cinema, digo, eu e as bucetas, digo, o cinema e as bucetas, redigo. E lá vai mais um poemelho pra sua coleção:

*movies*
1.
o olho mora
dentro
do momento
2.
o verbo é lento
perde o tempo
do movimento

Aliás, você já reparou — e se não tinha reparado, repare agora — que esse meu sestro haicaico vem do fato de que o haicai é um fotograma de filme, um instantâneo visual, o mais perto que a linguagem verbal consegue se aproximar do cinema. Portanto, tente conservar meus haicaizinhos no seu texto final, pelamordedeus. Pra encerrar o papo, se você estiver achando essas diretivas por demais babaquaras, como dizem aqui os caiçaras, use o bom senso. E se não quiser ou não puder usar o bom senso, use um ralador, uma britadeira, um telescópio.
Vire-se.

# <25>

"Filho da puta!"

Em condições normais, o Nissim me dizer isso ao vivo ou ao telefone não necessariamente configuraria uma agressão. No caso, configurava. Necessariamente. Inda bem que eu tava bem endorfinado da minha nadada matinal. Ajudou a aguentar o coice.

"Nissim..."

"Nissim, o caralho! Sabe de onde eu tô vindo agora, arrancado da cama às sete da manhã? Da polícia!"

"De novo?!"

"Já entregou a chave pra caseira, Zeca? Já, filho da puta? Responde, viado!"

"Já", menti, sentindo a chave da casa no bolso esquerdo da bermuda e a cópia que o Leno me trouxe de Ubatuba no direito. Era patente que mais merda fresca tinha sido lançada no grande ventilador dos fados, além, muito além daquela serra.

Depois de cuspir na minha pessoa mais um punhado de insultos, o desgraçado do mineiro se acalmou o suficiente pra me contar o novo lance do folhetim policial de quinta categoria em que nós dois figuramos de involuntários personagens. Aconteceu que o Adermilson, porteiro noturno do notório edifício Paris, foi preso passando petecas de pó num bar da avenida Angélica. Interrogado na delegacia, contou que tinha achado a droga na garagem do prédio onde trabalhava. O bagulho tava mocozado dentro da caixa do hidrante, escondido atrás da mangueira. Como sempre ouviu falar que droga vale ouro, resolveu levantar um troco com a mercadoria, e foi à luta. Rodou no segundo dia de traficância.

"Caralho", foi tudo que eu tinha a dizer, e disse.

Na delegacia, o Roquetão botou na fuça do Nissim o saco de veludo que o mineiro conhecia tão bem quanto eu. De dentro do saco, tirou umas petecas de pó, idênticas à que estava na mão do Miro quando foi achado morto dentro do Corsa preto — a peteca que seria minha se o bosta tivesse me passado logo o bagulho: trouxinhas de plástico branco de sacola de supermercado lacradas com uma fita adesiva azul. Além disso, o roxinho claro do veludo exibia manchas vermelho-amarronzadas que, tudo levava a crer, só podiam ser de sangue seco. Uma amostra do pano manchado estava agora no IML para análise. Ou seja, quando ficar comprovado que aquilo era mesmo sangue, e do Miro, tudo vai se complicar mais ainda pro meu lado. Porque, como o diligente delega lembrou, várias coincidências tramavam contra mim: meu telefone estava arquivado no celular do Miro — e também o do Nissim, aliás. Um vizinho de rua tinha visto alguém que, pela descrição, poderia ser eu saindo do carro da vítima. E logo em seguida eu tinha sido flagrado por uma vizinha do prédio rondando a mesma garagem onde o Adermilson tinha achado a droga. O delegado falou que era bom ele insistir comigo pra eu me apresentar à polícia em companhia de um advogado, dando de barato que estamos em contato. Caso contrário, a situação dele, Nissim, ia se complicar muito mais, pois poderia ser indiciado como suspeito de "associação" com um traficante — eu — também suspeito de homicídio.

Quer dizer, o filho da puta do delegado enfiou na cabeça do mineiro que é melhor eu botar logo o meu pescocinho na guilhotina, senão quem vai se fuder é ele. O duro-de-matar tá pra lá de convencido de que apertei o gatilho dum berro e detonei à queima-roupa a mioleira do Miro pra surrupiar a pozeira, me valendo do inesperado tiroteio para acorbertar meu crime e jogar a culpa na polícia. Daí, com medo de levar umas porradas, o Nissim acabou contando que frequenta uma casa do concunhado dele na praia de Porangatuba, onde eu já estive duas vezes com minha família, a última na Páscoa deste ano. Mas jurou de pé junto que não a emprestou pra mim. E que se, por acaso, eu fosse achado lá, ou seja, aqui, é porque invadi a casa sem permissão.

"Porra, Nissim! Você foi falar isso pros caras?"

"Porra é o que você tem dentro da cabeça, viado. Que ódio que eu tô docê, Zeca. Cê num sabe. Inda tive de ligar pra caseira e dizer que, se alguém perguntar, é pra ela confirmar que eu não te emprestei chave nenhuma. Ela não entendeu nada. Se a fulana der com a língua nos dentes, tô fudido."

"Esse Adermilson é um débil mental", eu disse, tentando desviar o foco da ira nissiniana.

"Ele, né? E você, viado? Como é que aquele pó foi parar no hidrante do prédio, me conta. Hein? Hein, seu...?!"

"Tirei do colo do Miro e escondi no hidrante quando entrei na garagem. Na hora, achei que era o melhor a fazer."

"E por que não escondeu no teu rabo, filho da puta?"

"Achei mais cômodo no hidrante."

"Puta merda, Zé Carlos. Puta merda!"

"Nissim, eu não estava num momento de profunda calma e serena reflexão, como você pode imaginar. O Miro tinha acabado de levar um petardo na cabeça, do meu lado. Ainda tinha pedacinho dele grudado em mim."

"Jogasse aquela merda na privada! Ou levasse pro Bitch, porra."

"Você talvez tivesse feito isso. Já eu preferi não deixar na produtora, nem sair com a bagulhêra na rua, com toda a polícia da cidade rondando Higienópolis. Escondi o pó no hidrante pensando em pegar no dia seguinte. Só que no dia seguinte, quer dizer, naquele mesmo sábado, eu vim pra cá. Fiz tudo na base do instinto."

"Instinto de jegue com merda na cabeça."

"Pelo menos minha cabeça tá inteira, com merda ou sem merda dentro."

O Nissim soltou um longo suspiro, menos bufante agora.

"Porra, Zeca, esconder o bagulho num lugar onde todo mundo tem acesso? Pensa um pouco. Tava chamando zica."

"Dona Zica tarda mas não falha."

"Alguém vai ter que te internar num hospício qualquer dia, Zé Carlos. Antes que você arruíne a vida de todo mundo ao teu redor."

"Nissim, tudo bem que você tá puto comigo. Mas não fui eu que acertei aquele balaço na cabeça do Miro, fui? Também não fui eu que resolvi vender o pó do Miro na esquina."

"Por que você não me avisou do pó, seu puto? Era tão simples! Eu ia lá, tirava o bagulho do hidrante, jogava num bueiro, levava pro Bitch, qualquer coisa, porra. Menos deixar naquele lugar bandeiroso."

"Nissim, como eu podia imaginar que o filho duma puta do Adermilson ia fuçar na caixa do hidrante, porra? Pegou fogo no prédio por acaso?"
"Ele deve ter visto você pelo monitor, sua besta."
"O hidrante fica atrás de uma coluna. Não dá pra ver pelo monitor."
"E daí? Ele deve ter visto você fuçando por ali, e foi conferir."
"Negativo. Quando eu subi pro térreo, depois de mocozar o pó, dei uma espiada no hall. O Adermilson tava com a cara na porta de vidro, espiando a rua."
"Isso é você quem tá dizendo."
"Porra, Nissa, tinha acabado de rolar um puta tiroteio na rua. Cê acha que o porteiro ia ficar sentadinho na cadeira dele assistindo monitor de circuito interno?"
"Mas, então, que é que ele tinha que ir lá mexer na mangueira de incêndio, caralho?"
"E eu é que sei?"
"Zé Carlos?..."
"Ao seu dispor."
"Eu podia tá preso uma hora dessa, sabia? Não fosse a Cecília ir lá na delegacia levar um lero com o homem, é o que teria acontecido. Quase tive que pagar fiança pra sair de lá."
"Mea-culpa, mea-culpa, mea maxima culpa."
"Imbecil."
"Ok, Nissim. Você podia estar preso. E eu morto, se aquela bala desviasse um milímetro pra direita. Já pensou nisso?"
Nissim não pensou nem deixou de pensar nisso ou naquilo. Seguiu deduzindo desastres:
"Zeca, se o Adermilson de fato não te viu fuçando na garagem, aquele delegado lá vai fazer ele falar que viu. Porque é isso que ele quer ouvir. Eu falei com o homem, vi que ele sabe muito bem que não era eu lá naquele carro com o Miro. Mas, enquanto não te achar, o cara vai ficar no meu pé."
"Eu só não entendi até agora por que você não contou que passou aquela madrugada no Bitch."
"Porque eu não ia falar que frequento um muquifo junky supermanjado onde o Miro ia quase toda noite, como eles logo iriam descobrir. E ainda ia foder a Gaúcha e todo mundo, por tabela."

Foder a Gaúcha. Me deu saudade disso. Ficamos em silêncio. Um pouco menos raivoso agora, o Nissim exalou:

"Porra, Zeca..."

"Véio, desculpe. Prometo que nunca mas vou ficar na rota de fuga de bandido perseguido pela polícia. Da próxima vez que eu pressentir isso, nem saio da cama."

"Zeca, chega de lero. Você já saiu da casa? Mesmo? A caseira me disse que a chave não tava no anão."

"Vai ver que o anão engoliu a chave. Anão é foda."

"Zeca, putaqueopariu, se liga, bitchô. Você virou traficante e suspeito de assassinato. Devia tá no Paraguai uma hora dessa."

"Não assassinei ninguém e não sou traficante, porra."

"Isso você vai ter que explicar pra polícia, não pra mim."

"Pau na minha bunda, então? É isso que você tá me dizendo?"

"Isso mesmo. Melhor na sua do que na minha."

Depois de me fazer jurar pela alma da minha mãe que eu ia me mandar de Porangatuba naquele instante, o mineiro desligou na minha cara, sem um reles tchau. Bati o fone na base, puto da vida.

"Vai se catá", berrei pro telefone. "Viado. Amigo da onça. Mineiro filho da puta!"

Uma voz soou atrás de mim.

"Tá bravo com o telefone, Zeca? Ele não é mineiro. Que eu saiba, é chinês."

Fiz girar as rodinhas da cadeira e dei com a Rejane na porta do escritório.

"Desculpe. Perdi as estribeiras aqui com o puto do... dane-se."

"Posso ajudar em alguma coisa? Quem é o 'dane-se'?"

"Um corno idiota."

Rejane riu e se aproximou de mim, toda mater-fraternal. Ela estava louca pra me ajudar, me defender, me salvar, me tudo. Big Mamma. Enquanto eu pensava no melhor jeito de capitalizar esse samaritanismo de fundo sexual dela, o telefone tocou de novo. Rejane olhou na telinha do bina:

"São Paulo."

Ela atendeu. Disse o alô e ficou ouvindo a demanda do outro lado. "Um momento, que eu vou ver", respondeu. Tapou o bocal

pra me avisar: "Doutor Margarido. Cê atende?" Fiz que sim, sussurrando:
"*É o meu advogado.*"
"Ele já vai atender", ela disse ao aparelho.
Peguei o fone tapando o bocal.
"É o rolo da pensão judicial. A coisa tá feia", menti. Quer dizer, menti numas. A coisa tava feia pra caralho mesmo, tendendo ao horripilante. A estalajadeira içou as sobrancelhas, mordeu o lábio inferior e apertou meu ombro, apreensiva e solidária. Comecei:
"Alô? Margarido? (...) Tudo. Quer dizer, tudo mais ou menos, né?"
Minha protetora, sempre discreta, saiu de fininho e fechou a porta, enquanto o Marga, que já sabia da prisão do Adermilson, foi logo abrindo o jogo. Além da intimação para prestar depoimento na delegacia, havia um mais do que provável mandado de prisão contra mim a caminho.
"Porque, veja bem", o Margarido foi explicando, "o seu caso, no caso, virou outro caso".
"Meu caso, no caso, virou outro caso, por obra do acaso — cazzo!"
"Você é um poeta, Zeca. Mas a gente vai precisar de mais do que poesia pra te tirar dessa."
"Tipo o quê? Uma metranca? Mísseis? Um terremoto?"
"Por enquanto, um habeas corpus. E não vai ser fácil."
"Não? Por que não? Tá cheio de político ladrão, de empresário escroque, de bacana assassino com habeas corpus no bolso do paletó. Por que não eu, que não fiz porra nenhuma?"
"Você não é político, não é empresário, não é bacana. E está sendo acusado de latrocínio: matou pra roubar a droga do traficante. Essa é a acusação."
Meu querido advogado metrossexual ficou em silêncio. Mau sinal, pensei. Advogado fala. Quem fica em silêncio é psicanalista.
"E aí, Margarido? E agora?"
"Bom...", ele começou, num tom que me deu vontade de estar mesmo no Paraguai. Pra resumir, ele disse que o próximo passo seria tentar de qualquer maneira um habeas corpus preventivo, alegando insuficiência e precariedade das provas arroladas pelo Roquete Paiva.

O mandado de prisão deve estar na gaveta dele, assinado pelo juiz e com data em aberto, pra ele tirar de lá assim que colher mais indícios e testemunhos e evidências contra mim, antes de me engaiolar, derrubando assim qualquer possibilidade de um habeas. Talvez por isso eu não tenha sido preso ainda.

"E eu faço o quê, Margarido? Fico aqui esperando o Roquete me pendurar pelo saco?"

"Já te falei, meu querido. Leva o teu saco prum lugar seguro. Daqui uns dez, doze dias, tão saindo os laudos, o balístico e o forense. Vamo vê que bicho dá. Problema é que a bala que matou o Miro não foi achada. Ou, se a técnica achou, sumiu com ela. Ali é tudo rato, eles se protegem."

"Sacanagem."

"O termo certo é corporativismo. E tem também os vestígios do sangue do Miro naquele saco de petecas que você escondeu na garagem — *né, meu querido?* —, em vez de levar pra gente no Bitch."

Ignorei essa observação e soltei:

"Mas e os laudos, Marga? Não vai me servir pra nada essa merda? Não existe nenhum recurso a meu favor, caralho? Porra! Não existe ninguém nesse mundo competente o bastante pra me tirar dessa?!"

O Marga botou uma aresta na voz:

"Fica frio, tá, Zeca? O balístico só vai apontar a trajetória da bala. Eles podem até levantar umas hipóteses sobre o tipo da arma que disparou e a quem pertencia. Mas serão nada mais que hipóteses. Agora, começar com chilique não vai melhorar em nada a tua situação, meu querido."

"Porra, Margarido, desculpe. Tô aqui soltando labareda, mas não é com você, lógico que não. É com esse mundo lá fora que, de repente, resolveu meter uma trolha no meu rabo. Releva, dottore. A gente é amigo ou num é?"

Toquei o coração da bicha:

"Claro que é, Zeca. Mas, ó, já vou te avisando: esse Roquete Paiva é jogo duro. Ele tá conseguindo inverter o ônus da prova, sacou? A coisa tá num ponto em que não cabe mais a ele provar que você fez. É você que precisa provar que não fez. Não vai ser mole, Zeca."

Desabei, de repente:

"Mas como é que eu ia dar um tiro em alguém, Margarido? Nem arma eu tenho, nunca tive."

"Pode deixar que eles providenciam um berro de calibre compatível com o estrago na cabeça do Miro e acham ele na tua produtora. Nem sei como não fizeram isso ainda."

"Viados!"

"Calma. Vamo vê o que dizem os laudos primeiro. Problema é esse rolo com o pó. Isso aí fodeu tudo."

"Aquele Adermilson é um cuzão. Olha a ideia do cara: passar pó no bar da esquina como se fosse bilhete de loteria, devedê pirata, amendoim torrado!"

"Foi mal, da parte dele. E da sua também. Mas olha aqui: eu conheço um delegado auxiliar na DHPP, meu colega na faculdade. O cara tá de olho no caso pra mim. Se o porteiro cantar que te viu mocozando o bagulho, fico sabendo de prima."

"Claro que o Adermilson vai cantar. Já deve ter cantado a "Traviata" inteira pendurado num pau de arara."

"Vamos ver. Tô no controle da situação, em contato com o meu amigo da polícia, com o Nissim, com a advogada dele, e tudo mais. Aliás, sabia que essa doutora Cecília foi minha professora na faculdade?"

"Sério?"

"Não é uma puta coincidência?"

"Cara, tô de saco cheio de puta-coincidências na minha vida. Só me fodem, as puta-coincidências."

O Margarido riu fraquinho. E voltou a um tom mais otimista:

"Pelo menos o Nissim tá em boas mãos. Se ele for indiciado, a doutora Cecília vai montar a defesa dele de modo a não te prejudicar. Foi o que ela mesma me disse. Sangue bom, a mulher."

"Sangue bom, e virou advogada?"

Ele riu mais forte agora. Eu disse:

"Aliás, Margarido, já te falei, mas falo de novo: depois a gente acerta os teus honorários, falô?"

"Também já te falei pra não esquentar, Zequinha. Negócio agora é você ficar na sua, mas longe daí. Ja sei onde você tá. O Nissim bateu pra mim."

"E pros tiras também."

"Ele não tinha opção. Os caras iam descobrir cedo ou tarde."

"Margarido, cê acha que os home tão vindo pra cá? Agora, nesse minuto?"

"Não sei. Como o Nissim abriu o jogo, pode ser que o delegado deduza que você não está mais aí. Seria o mais lógico. Mas, talvez, por via das dúvidas, ele tenha enviado uma carta precatória pra polícia de Ubatuba pedindo pra eles irem aí em Porongatuva te procurar."

"Poronga é o que tão tentando botar na minha bunda."

"Quê?"

"É Poranga, Marga. Porangatuba." Botei um tom mais grave pra perguntar: "Margarido, my bró, me diga com sinceridade: eu vou ser preso?"

"Ó: fica com o teu celular no bolso. Não tira nem pra dormir. Não faz mal que teja grampeado. Qualquer coisa, me liga no ato, que eu vejo o que dá pra fazer."

"Quer dizer que eu *vou* ser preso."

"A gente vai dar um jeito nisso, Zeca", replicou o Marga, dando sinais de cansaço daquela conversa. "Fica esperto, meu querido. Sem nóia, sem pânico. E área, velho!"

"Falô, Marga."

"Beijinho!"

E desligou. Beijinho. Será que ele manda beijinho também pro delegado, pro juiz, pros jurados, pro ministro da Justiça? Lá fora, o dia nublado cedia umas brechas pro sol. Me deu gana de sair nadando por aquele mar afora até o arquipélago de Tonga, subir numa palmeira e não descer nunca mais. Ficava lá, vivendo de coco e de brisa. Com o tempo, arranjava uma macaca não muito peluda pra foder quando desse vontade.

Agora, cá entre nós, como o bosta do Adermilson foi achar o maldito pó naquele hidrante? Isso é que tá me esfolando o entendimento. Vai ver o puto lava a garagem com a mangueira de incêndio. A água deve sair forte pra caralho, num minuto ele arranca o óleo daquele chão. Pode ser isso. Pelo menos agora o desgraçado vai poder dormir bem à noite, deitado num confortável colchonete roído e rançoso de cadeia, e não no cadeirão neomedieval da portaria do prédio. E em silêncio, descontando uns gritos eventuais de alguém tomando choque no saco ou tendo as unhas arrancadas com alicate. Nada que se compare ao inferno da funilaria em Parelheiros durante o dia.

O fato é que depois daquela conversa com o Marga me vi diante da possibilidade concreta de ser preso a qualquer instante e ir parar na mesma cela do Adermilson. Seria outra puta coincidência de merda na minha vida. Já pensou? O sinhozinho e o escravo juntos na mesma enxovia, um cheirando o suor azedo, o chulé, os peidos de feijão de cadeia do outro?

Taqueopariu. Melhor, em todo caso, do que repartir a geladeira com o Miro, no IML.

Nisso, ouvi a voz da Rejane através da porta fechada do escritório. Ela dava umas ordens pro Leno. Pouco depois, ouço a porta da Hilux sendo aberta na frente da pousada. Corri pro jardim a fim de ter um encontro casual com a véia, que desistiu de entrar na picápi ao me ver. A claridade do dia me atacava as pupilas dilatadas pela penumbra do escritório. Água brotou dos meus olhos.

"Tá chorando, Zequinha?"

Enxuguei as lágrimas com as costas da mão. Ficamos cara a cara, a dela com um cânion de preocupação dividindo a testa ao meio.

"Más notícias?", perguntou, tirando o cabelo da minha testa.

"Já tive melhores", respondi.

"Que aconteceu, menino?!"

"Parece que rolou um mandado de prisão contra mim."

"Ô-ôu!"

"Meu advogado tá correndo atrás de um habeas corpus, mas não sabe se vai conseguir."

"Aiaiaiaiaiai!"

"Ex-mulher é o animal mais peçonhento da natureza. Deixa a coral no chinelo."

"Desculpa falar, mas a sua ex pirou", ela disse, se indignando.

"Quando o casamento expira, a ex pira. É assim que funciona."

Ela deixou escapar uma risadinha. Daí, tomou e apertou a minha mão.

"É isso aí, Zeca. Negócio é não perder o bom humor. Nem a cabeça. O resto a gente dá um jeito."

"Tá difícil dar um jeito. Eu vou ter é que dar no pé."

"Sua mulher sabe que você tá aqui?"

"Pior que sabe. A polícia também."

Ela aspirou numa só golfada todo o ar da manhã. Depois soltou num longo assobio. E disse:

"Jura, Zeca? E agora?"

"Se o meu advogado não conseguir um habeas corpus, bye bye Porangatuba."

"Pra onde cê vai?"

"That's the question."

Ela encostou as duas palmas das mãos nas minhas bochechas lixentas da barba de três dias. Achei que vinha um beijo. Ela deve ter achado a mesma coisa. Mas ninguém beijou ninguém.

"Vamos pensar um pouco", ela disse, mirando o chão arenoso, como se esperasse encontrar ali a solução pros meus problemas, ao lado de uma bituca de cigarro, quem sabe, ou duma tampinha de cerveja.

"O pior é que essa merda toda tá rolando justo agora que eu tô na boca de fechar um puta contrato pruma série de vídeos. Se tudo der certo, vou entupir de grana o cu daquela vaca, se me permite a licença poética."

"Licença concedida, poeta."

"Em euros, ainda por cima. Só que, se eu for em cana, fodeu tudo. Vou ficar fazendo cinzeiro de latinha de alumínio na cadeia pra vender a cinco centavos a unidade."

"Que absurdo! Será que a sua mulher não vê isso, meu Deus do céu?"

"Ela tá cega de raiva. Não quer perder a chance de me ver atrás das grades."

"Você precisa sair daquela casa, e é já. Por enquanto, vem pra cá. Depois a gente vê o que fazer. O pessoal aqui é ponta firme. Se eu disser que você não tá aqui, você não tá, nunca esteve aqui, entendeu?"

"Cê é dez, Rejane. E a gente mal se conhece."

A taverneira nem tentou disfarçar a satisfação ao ouvir isso. Abriu um sorriso ginecológico que lhe ocupou a cara toda.

"Magina. Vou pedir pro Leno ajudar a descer suas coisas."

"Mas você não disse que a pousada vai tá lotada nesse finde?"

"O tempo tá virando, umas pessoas desistiram, outras não sabem se vêm."

"Mas tá saindo o sol de novo."

"Deixa o sol pra lá. A gente vai dar um jeito nisso."

Eu podia imaginar que jeito seria esse: eu peladão na cama dela à mercê daquele bucetão sexagenário.

"Só não quero complicar a sua vida, Rejane. A polícia tá no meu pé. Isso é um fato."

"Tô nem aí pra polícia. Tô devendo alguma coisa pra alguém? Sou dona da pousada e do meu nariz, hospedo quem eu quiser. Sou lá obrigada a saber da situação jurídica dos meus hóspedes? Relaxa. Aproveita que o tempo abriu e vai passear lá nas Rocas."

"Será?"

"Lá ninguém vai te achar. Na volta, vem direto pra cá. Vou mandar o Leno pegar tuas coisas lá em cima. Cadê a chave?"

"Não precisa. O Leno não vai saber o que é meu, o que não é. Eu pego tudo à noite. Nenhuma polícia vai aparecer aqui à noite, vai?"

"E o teu computador?"

"Sempre escondo quando eu saio. Não vão achar."

"Certeza, menino? Olha lá, hein?"

"Tudo bem, Rejane. Não devo ser a prioridade número um da polícia de São Paulo, né? Inda mais agora, com o PCC botando pra quebrar por lá."

"Vai saber. A que hora cê volta do passeio?"

"Lá pelas seis."

"Puxa, tivesse tempo, eu ia com você. É linda a ilha das Rocas, cê vai adorar."

"Vamo? O Leno cuida da pousada."

"Que o quê! A pousada sou eu, meu filho. Te espero pro jantar."

Me deu um beijinho de lado, daqueles de comissura roçando comissura. Senti na pele dela um perfume mesclado de sabonete, colônia, desodorante e hormônios redivivos. A Vênus vovó saindo do banho numa renascença tardia. Entrou na picápi, deu a partida, engatou a marcha a ré e disse pela janela:

"Aproveita o passeio. E não some!"

Voltei pro escritório da pousada. Eu precisava pesquisar saídas praquele imbroglio. Liguei o computador. Merda de conexão discada. Saí de novo pra mijar num canto recluso do jardim, enquanto a porra se conectava ao provedor. Na volta, dei um Google no meu nome. Lá estavam as poucas referências de praxe ao prêmio especial da crítica que o Holisticofrenia conquistou em Cartagena, em 96, e os comentários ao meu filme nos fanzines eletrônicos de cinema e nos blogs de cinéfilos malucos que veneram minha obra "maldita". Tinha uma novidade também: meu nome constava de um resultado remetendo a uma notícia do Estadão, com as reticências de praxe: "Valber dos Santos Velhinho... Prossegue a polêmica sobre o massacre no Pacaembu.... O cineasta José Carlos Ribeiro..." Mas não deu pra ler a matéria, porque o acesso ao çaite do jornal é exclusivo pra assinantes. Caralho, rosnei. Até então, ninguém tinha batido pra imprensa que eu era suspeito de assassinato e tráfico de drogas. Eu já tinha feito várias pesquisas associando meu nome a cocaína, tiroteio, polícia, suspeito, crime, Miro, Alagoas etc., e não tinha vindo nada. Mas, agora, lá estava meu nome no Estadão.

Na caixa postal, como sempre, um monte de spam. Entre os imeios pessoais, havia dois da Lia, um seguido do outro. Por associação antagônica, pensei em como seria bom receber um imeio da Sossô. Ela bem que podia vir cabular aula nos meus braços fortes de nadador diário, experimentando as delícias do meu renovado fôlego pulmonar e sexual. Mas como descobrir o imeio dela? Tentei umas combinações de palavras no Google e achei um punhado de Sossôs que não tinham nada a ver.

Bateram na porta do escritório. Mandei entrar. Era o Leno com cerveja e copo numa bandeja.

"Dona Rejane deixou ordem pra servir ao senhor", ele disse, seco-servil, deixando claro que, por ele, não me serviria nem água de torneira.

Muito bom. Cervejinha de bandeja, por ordem da patroa. Assim que eu gosto. Eu ia ter que dar alguma coisa em troca praquela mulher, alguma coisa com uma consistência mínima, e não ia demorar muito. Antes de sair, o Leno teve a boa lembrança de ligar o ventilador do teto, contando, talvez, com a probabilidade da hélice cair e me decapitar. A cerveja e a brisa das pás de madeira girando sobre a minha cabeça desceram refrescantes, uma por dentro, a outra por fora do meu acalorado ser.

Foi quando dei com mais uma entrada no Google associada a *Sosso*: "Sosso-Bala, instrumento musical sagrado dos mandingas, da Guiné... plataforma virtual... África...". A palavra *plataforma* me deu um estalo: Colégio Plataforma, onde a Estelinha e a Sossô estudam! Graaande Mister Google!

Botei *colégio plataforma* no campo da pesquisa e logo novos bites se arrastavam pela linha telefônica negociando a entrada da página do Plata, que caía aos tranquinhos de cima pra baixo na tela. Era uma colagem de fotos de alunos de várias idades, crianças a adolescentes, envolvidos nas atividades da escola: vôlei na quadra, aula na classe, experiências no laboratório, discussões em grupo, leitura na biblioteca. Faltou só a galerinha do fundão fumando seu beque, cheirando pó, fodendo no banheiro, quebrando o pau no recreio, entre outras atividades extracurriculares do corpinho discente do velho Plata, bastião da esquerda liberal pós-tropicalista de São Paulo. Um botão clicável me atraiu a atenção: *Folha do Plata*, com a fonte imitando o logo da Folha de S.Paulo. Era o jornalzinho eletrônico do colegial da escola escrito pelos alunos. Cliquei e entrei numa edição de 2 de novembro, a última disponível. Dei de cara com uma coluna, *Minha profissão*, com chamada clicável para a colunista convidada: *Sonora Kassowski, 3º col.-B*. Cliquei. Entrou a capa escaneada do livro do Cesário Verde que eu tinha emprestado a ela no dia da saudosa surubrâmane, junto com sua carinha de islandesa sorridente, e o texto da crônica intitulada: "Cesário e eu".

Porra, vamo combiná que essa mina é foda. O texto falava da sua escolha universitária: letras. O Cesário Verde entrava na história porque esse poeta português "genial", que ela tinha recém-descoberto — na Khmer VideoFilmes, faltou ela dizer —, também tinha feito um *Curso Superior de Letras*, onde ingressou no ano de 1873, em Lisboa, conforme explicava na crônica. "Só espero não morrer como ele, aos 31 anos, de tuberculose!" No mais, a autora dava uma bela cozinhada em algum verbete da Wikipedia, falando da "modernidade decadentista" da poesia do Cesário, que era agora seu "poeta de cabeceira". Gracinha.

No final do artigo, tinha um link para o imeio dela: *sosso@vetor.com.br*. Voilá! Antes de pular pro webmail, li no pé da crônica, em corpo minúsculo, uma mensagem da jovem colunista: *"Aviso aos colegas: quem estiver em São Paulo no dia 13 de dezembro, quarta-feira, está convidado para o meu aníver de 17 anos. Vai ser na casa do Juninho"*. E vinha o endereço e telefone do sortudo do Juninho que ia abrir sua casa pra Sossô, que, em retribuição, talvez lhe abrisse as lindas perninhas brancas.

Puta que me pariu..., pensei. Quer dizer que a Sossô tinha só 16 aninhos quando a conheci?! Vai ser precoce assim na ponta do meu cacete. Essa vai longe. Quer dizer, já foi, faz tempo.

Lasquei um caprichado imeio pra guria, onde, entre outras coisas, pedia pra me enviar fotos em que aparecesse "o mais à vontade possível, pra iluminar minha solidão cavernosa e clandestina". A essa altura, calculo, ela já deve saber da cagada toda envolvendo o Miro, via Estelinha. Calculei que o meu novo status criminal devia ter provocado algum frisson marginaloide em sua libido transgressora. Mandei "beijinhos castos no piercing secreto" e dei um enviar. Cantata jacta est!

Fiquei decidindo depois se abria ou não os dois imeios consecutivos da Lia, e também um de Madame AAA que tinha acabado de chegar. A Madame AAA não tem nada a ver com nada aqui, mas é uma figurinha carimbada que valeria a pena você conhecer um dia. Se ela for com a tua cara, e você suportar a conversa executiva dela, tu tem um fodão mensal garantido, e com a conta da noitada paga "no cartão" por madame. Dei a ela esse apelido porque acho a mulher de algum jeito parecida com aquelas pilhas menores e finas: pequenina, esbelta, totosinha e reluzente. Se você botar bunda e peitos numa pilha AAA, e colocar a pilha em cima de um sapato de salto alto da Barbie, terá um esboço conceitual da figura. Ela e o maridão publicitário encheram o cu de grana com campanhas políticas e vitórias seriais em concorrências públicas pra fazer a propaganda de governo da turma que eles ajudaram a eleger. Tem cérebro de raposa e alma de galinha, e adora trepar, de tudo quanto é jeito. Chegadíssima num pó também. Conheci a figura fazendo um trabalho pra Zênith, a produtora deles. Logo descobrimos a nossa afinidade nasal, que, em seguida, estendemos à genital. Dou umas comparecidas ali a cada dois meses, mais ou menos, porque, além de gostosa, a mulher me passa de vez em quando uns frilas na produtora dela que costumam me salvar la patrie.

"tá em sp?", indagava o imeio dela, no estilo caixa baixa. "me liga. bjk. (não some!)"

Pelo visto ela não sabia ainda dos meus rolos. Respondi com um "tô viajando, quando voltar, ligo sim, saudade", sentindo umas fribilações penianas. Daí, tomei fôlego, exauri todo o ar dos pulmões num longuíssimo suspiro e resolvi encarar os imeios da Lia. Comecei pelo último: "Zeca: se você leu o primeiro imeio que eu te mandei, já tá sabendo de tudo. Foi um deslize involuntário, acredite. Coisas da internet e do inconsciente feminino. Desculpe, de qualquer maneira".

Caralho, do que aquela escrotinha tava falando? Continuei a ler: "Aconteceu o seguinte: eu ia dar um *responder* num email do Júlio, mas resolvi escrever antes pra você. Aí, em vez de criar um email novo, escrevi no dele e substituí o endereço do Júlio pelo seu. Só que acabei esquecendo de apagar as mensagens que já estavam lá no email anterior. *Cagada*, como você costuma dizer. Acontece, como você também costuma dizer. Se quiser saber a missa completa, lá vai: o Júlio é editor da Revista de Ciências Sociais da faculdade. Tem 32 anos, exatamente dez a menos que você. Bebe civilizadamente, não se droga, é um intelectual brilhante e tem uma promissora carreira na universidade. E me ama. E eu amo ele. Fim da história. Outra coisa: o Leco vai mesmo dar o cavalo pro Pedrinho. Pelo menos compensa um pouco a ausência do pai. Feliz Natal."

Ah, *l'ivresse de blesser*, prerrogativa feminina por excelência. Filha da puta. Resolvi nem abrir o primeiro imeio pra não ver a tal *cagada* eletrônica que ela tinha cometido. Que bosta, né? A dona Lia, em São Paulo, na lambança com o promissor intelectual brilhante dela, de 32 anos, e eu aqui às voltas com delegado, advogado, promotor, ameaça de prisão iminente, véia tarada louca pra me embucetar, vida profissional indo pro espaço, e o caralho. Porra, isso não é justo. Levantei puto da vida e saí de novo pro jardim pisando duro na grama mole. O mar em frente debochava em ondinhas irônicas da minha cornitude. O sol feroz de verão não era páreo pros meus cornos em brasa. Vontade de arrancar os olhos daquela vaca e enfiar um no cu, o outro na buça dela, e pendurar o Júlio pelo saco num bungee jump em cima de um tanque cheio de crocodilos australianos.

"Filhaaa da putaaa!", bradei pra quem quisesse ouvir.

"Olha essa boca!", uma voz ecoou na vizinhança, talvez a mesma voz que costuma ecoar em todas as vizinhanças quando você se excede em decibéis e grossura.

Voltei pro escritório decidido a abrir o primeiro imeio da Lia. Cliquei com tanta raiva que quase arrebentei o mouse. Logo vi que era um desses imeios que contêm uma fieira de imeios anteriores, respostas a respostas, compondo um bate-papo encadeado, de baixo pra cima. Corri a página até embaixo e vim subindo:

ELA: 8:30 aqui em casa hoje?

———

ELE: na tua casa não, amor. e se o maridão voltar? vc não disse que ele é maluco, imprevisível? remember mallarmé: um coup de dés n'abolira jamais l'hazard.

———

ELA: não volta. nem ele, nem o mallarmé. a polícia tá na cola dele.

———

ELE: do mallarmé?

———

ELA: *rs rs rs!* relaxa. o zeca é maluco, mas não do tipo que enfia a cabeça na jaula do leão.

———

ELE: ele anda armado?

———

ELA: não.

———

ELE: certeza? vc disse que ele tinha virado um estranho pra você.

———

ELA: não esquenta. ele é só um bezerrão bêbado e covarde.

———

ELE: um bezerro injuriado de porre pode se meter a touro brabo.

———

ELA: esquece. vem aqui hoje, vem? tô cansada de motel.

ELE: mas, e o teu filho?

ELA: tá com a minha mãe. empregada, só na segunda. a costa tá livre. meu coração também — só pra você.

ELE: mesmo?

ELA: quero seu pau.

ELE: é seu.

ELA: vou te comer todinho. não vai sobrar nada pra mais ninguém.

ELE: devagar com o andor, cruella cruel. não vai fazer como da última vez...

ELA: eu?!?! que foi que eu fiz, neguinho? sou tão boazinha com você...

ELE: vc sabe. um é bom, dois é demais...

ELA: *kkkkk!* pediu, levou.

ELE: pedi. mas só um. dois foi demais.

ELA: é, mas vc me deu um belo troco, hein, seu malvado? passei desconforto o dia inteiro. tive que dar aula de pé. Ui!

ELE: *modestamente...*

ELA: que hora vc sai da editora?

ELE: não antes das 9. hoje é dia de fechamento.

ELA: vou fazer um maca bem gostoso pra gente. vc gosta de anchova?

ELE: o que vc fizer tá bom. levo o vinho.

ELA: vinho tem aqui. é a única coisa que o zeca nunca deixou faltar em casa. traz só esse teu corpinho. quero tudo, a noite inteira.

ELE: ôpa. tem viagra aí? e vaselina?

ELA: *rs rs rs!* bobo. tava falando de amor e carinho.

ELE: carinho e sacanagem.

ELA: vem logo. bjs bjs bjs bjs bjs bjs bjs bjs bjs bjs bjs bjs bjs bjs bjs... e mais bjs!

ELE: splish splash!

 Mas não são uns fofos? E que casalzinho mais chique, minha gente! Mallarmé, e tudo mais. Até imprimi pra poder citar direitinho aqui. *Splish-splash*! Mas que viadinho de marca maior a dona Lia foi arrumar. E vai acabar com o vinho, viado — o *meu* vinho, bebida que só tomo em casa, aliás. A piranha enfiou DOIS dedos no cu dele. Tadinho. Mas depois ele "deu o troco". Sim senhor. E, se aquela vaca se deu o trabalho de exagerar as consequências do troco — "tive que dar aula de pé" —, só pode ter sido pra inflar o ego de um proprietário de pinto pequeno. Lógico: pinto pequeno e cuzão lasseado, pra acomodar os dois dedos. Chamou a Lia de Cruella Cruel, mas nem deve ter sentido, o boiolão. Esse ainda chega no fist-fucking, e não vai demorar muito. Quero ver a dona Lia com o braço enterrado até o cotovelo no cu do *Júlio*, que na certa estará recitando Mallarmé aos berros. Que se fodam. Caguei.

 O problema, sejamos sinceros, não é o "Júlio" estar comendo o rabicó da minha ainda legítima esposa e tomando todo o meu vinho. O problema é eu não estar comendo ninguém aqui nessa Porangachuva assexuada.

Chega, decidi. Vou pra ilha das Rocas esfriar a cornualha. É do que eu precisava naquela hora: mar e sol, mato e borrachudo. E uma turista francesa doidinha por um affaire tropical atrás dum biombo de samambaias selvagens. Pô, eu bem que merecia, depois daquele imeio da Lia.

Durante a minha leitura do idílio proctológico entre a Lia e o famoso editor da Revista de Ciências Sociais, tinha entrado mais um imeio, "urgente", da Nina. Tive um calafrio. Quer dizer que a coisa, seja que coisa fosse, voltava a se tornar urgente? Cacete. Com a minha decrescente e pouco sorridente sorte recente, no mínimo ela está grávida e querendo ter o nenê. Só não teve ainda com o Nissim porque o mineiro não é grande entusiasta da ideia. Talvez um pouco por isso o bundão viva na rua, evitando doar seus espermatozoides pra fêmea reprodutora. A Nina com certeza não vai querer passar a vida cuidando dos filhos dos outros na escolinha dela.

Puta merda. Será o Benedito? (Ou Benedita?) Ou nada disso? Vai ver ela só queria reforçar o pedido do Nissim pra eu sair logo daqui. Sei lá. Foda-se. Não só não abri como deletei a porra do imeio "urgente" da Nina, limando o danado também da lixeira.

Já ia desligar o computador quando vi que tinha acabado de entrar um imeio que me deu uma descarga elétrica de mil volts na genitália: Sossô! Cliquei no envelopinho amarelo, esperando ansioso a mensagem se materializar na tela: "Oi Zeca. Acabei de ver seu e-mail. Entra no MSN hoje à noite. Me adiciona: sos.sso@yahoo.com. Meu nick: SOROKA. E o seu?".

Holy shit! O que era aquilo?! Mandei-lhe meu endereço no MSN e meu nick: PIPISTRELO, que pretende sugerir à mulherada que o meu pipi faz ver estrelas. Fiquei esperando uns quinze minutos por uma réplica que não veio. O que ela queria comigo à noite no MSN? Único jeito de saber era estar lá naquela hora, trancado no escritório, diante do computador da Rejane, e sem a véia por perto. Missão quase impossível. Eu ia ter que tirar do cu com pauzinho uma desculpa criativa pra taverneira. Teria também que passar a noite na pousada e dar um comão na véia.

A vida é uma joça complicada pra caralho. Mas também pode ser sórdida pra quem souber aproveitar, como diria o Marcelo Mirisola.

# <26>

No comando do Johnson de 15 HP que propelia a voadeira de alumínio, o Fioca, apontando o mar à nossa frente, me dava informações que o zumbido do motor tornava inaudíveis. A vida aos poucos se reconciliava consigo mesma sobre o espelho arrepiado do mar. A gente tocava em diagonal em direção ao flanco direito da enseada, o costão rochoso do Pontal, que logo dobramos pra ganhar o mar de fora. Pensar que poucos dias antes eu tinha quase me afogado ali me deu uma euforia súbita, a mesma que Lázaro deve ter sentido quando saiu da escuridão daquela tumba na Galileia e percebeu que estava de novo entre os vivos, podendo voltar a beber, comer, foder e demais atividades que os vivos gostam de praticar quando estão acordados. Sentado no meio do barco, eu via a massa d'água sendo engolida pela proa do barquinho. De vez em quando eu me voltava pra trás e via a terra indo embora, junto com todos os meus problemas.

A Rejane tinha me dito que lá nas Rocas era provável eu topar com essa estrangeirada que de uns anos pra cá tem invadido Porangatuba e outras praias vizinhas, e que eu já vi por aí, só baranga branquela de biquíni e maiô horrorosos, todas de coroa pra velhusca e com algum grau de obesidade, prova de que o tal do Primeiro Mundo não faz muito bem à saúde nem preserva a juventude de ninguém. De modo que eu não nutria grandes esperanças sexuais sobre o passeio, além daquele mínimo incontrolável que mina nos grotões da cabeça ociosa de um homem solteiro quando ele vai sozinho a uma ilha tropical depois de séculos sem buceta, sabendo que sua mulher tá dando a bunda prum bostinha chamado Júlio em São Paulo. Se eu conseguisse alguma privacidade pra dar umas bolas, ler um pouco, nadar e tocar uma punhetinha na água morna já me dava por satisfeito. Com umas brejas, caipirinhas e camarões fritos, e sem telefone e internet pra me trazer más notícias, a ilha das Rocas poderia se revelar uma versão razoável e provisória do nirvana. Na volta, se não fosse preso, eu ia ter de encarar a taverneira na cama. Já estava conformado com isso. Uma espécie de libélula pairava em voo estacionário pouco acima da minha cabeça, acompanhando o deslocamento da voadeira. Eu não conseguia entender como é que um inseto consegue voar na mesma velocidade que um barco a motor se deslocando a uns 30 ou 40 quilômetros por hora. Deve ter a ver com a inércia, ou com qualquer outro fenômeno banal da natureza. Olhei pra trás e vi o Fioca, que controlava o acelerador e o leme na mesma haste do motor de popa enquanto coçava distraído o dedão do pé com uma tampinha de Skol. Dei um sorriso e um meneio pra ele, que ficou balançando a cabeça pra mim como se a gente estivesse de pleno acordo em relação a alguma coisa — que coisa, não importava. Tentei estapear a libélula com uma cortada de vôlei, a ver o que acontecia. O bicho sumiu por uns instantes pra logo reaparecer acima da minha cabeça, helicoleóptero renitente, cagando e voando pras minhas escassas e confusas noções de física elementar. O que aquele mosquitão me dizia ali é que você não consegue deixar de ser quem é nem de estar na mesma merda de sempre só porque entrou num barquinho a motor e está rumando pruma ilha perdida.

Bueno, perdida, a ilha não estava, pois em pouco menos de meia hora a gente deu com ela, anunciada primeiro por um monte de detritos civilizatórios boiando n'água: restos de comida, inclusive uma boa dúzia de cebolas e laranjas podres, saco plástico de supermercado, garrafa PET, embalagem de salgadinho e demais coisas atiradas pelos caiçaras e pelos bárbaros das escunas turísticas que fazem aquele percurso. Depois, avistei um morrete ao longe. No ar, aves graúdas exibiam a envergadura das asas sobre nossas cabeças: gaivotas, deviam ser, se não fossem albatrozes, petréis, atobás, fragatas, biguás e sei lá que outros pássaros marinhos escalados para compor a paisagem pictórica na minha chegada à ilha. O morrete foi crescendo à nossa frente, revelando rochedos intercalados com mato e árvores baixas. Logo nos abraçava uma microenseada que fazia Porangatuba parecer Copacabana, onde aportamos ao lado de uma escuna — *Celebrity II* — que tinha trazido um carregamento de unieuropeus.

A gringaiada (ouvi italiano, francês, alemão e até aquela língua esquisita que eles falam lá no condado portucalense) se espojava nas águas infantis da enseadinha, ou languescia na areia sob o sol, em cima de esteiras e toalhas, ou à sombra de guarda-sóis coloridos com os nomes das pousadas: *Coqueiral, Paradis, Amarante*. Ou ainda se aboletava nas mesas e cadeiras de plástico branco ao lado de um quiosque rústico de madeira com teto de sapé plantado numa ligeira elevação arenosa do terreno, debaixo da galhada de umas árvores baixas e folhudas que davam sombra à freguesia. Uma placa de madeira anunciava: *luladorê – isca de peixes – camarao fritos – ôstra*. Embora não tivesse nenhuma criança à vista, me lembrei do Pedrinho e pensei no quanto ele gostaria de estar chapinando naquele marzinho com o papai. Filho é foda. Bicho feito sob medida pra dar saudade e culpa na gente.

Assim que desci da voadeira pro raso da fraquíssima rebentação, combinei com o Fioca meu resgate pras 5 da tarde, e, erguendo minha mochila acima da água tépida que me batia pelo saco, divisei atrás do balcão do quiosque uma jovem e uma coroa trabalhando. A girl me olhou de volta, e nossos olhares se cruzaram sob um forte cheiro de fritura que vinha bater ali na franja do mar, de onde eu acabava de me arrancar aos joelhaços contra a água cristalina. Eu podia ver a criatura somente da cintura para cima a partir da linha do balcão, seu cabelo preto apanhado num rabo de cavalo selvagem que lhe deixava várias madeixas encaracoladas a esvoaçar em torno dum rosto triangular e zigomático, os peitos altos e duros empurrando pra fora o peitoril da camiseta por dentro do sutiã, toda ela enxuta e rija, uma atleta do proletariado caiçara. De olho esquivo em mim, e muito da graçola, a caiçara — eu tinha decidido que se tratava de uma legítima caiçara — tentava na certa definir alguns parâmetros sobre a minha pessoa: idade, nacionalidade, sexualidade, solvabilidade e outras peculiaridades da minha rimável identidade.

Rumei pra uma das mesas mais distantes do quiosque e do burburinho da turistada, onde me abanquei numa cadeira com braços junto a uma mesa. Os pés traseiros da cadeira-poltrona se afundaram na areia sob o meu peso, propiciando-me uma posição confortável de poltrona de dentista. Joguei a mochila na cadeira ao lado e me preparei para enfrentar com serenidade o tédio que me aguardava nas próximas cinco horas de degredo voluntário na ilha das Rocas, em companhia apenas do "Jacques, le fataliste", talvez o item mais precioso e cinematográfico da biblioteca praiana do Nissim. Tinha trazido também um beque zero-bala que eu pretendia acender em breve em algum lugar mais reservado. Maconha é sempre a melhor companhia em todos os lugares e ocasiões, na ilha, no continente, no ar, no mar, e no espaço sideral, onde me pergunto se já não terá sido fumada por algum astronauta spaced out ouvindo Hendrix sob gravidade zero.

Enquanto eu decidia se alumiava logo o beque ou tomava primeiro uma breja bem gelada, contemplando distraído uma provável estrangeira que dava braçadas elegantes na água, bem perto da areia, ouvi uma voz macia ao meu lado:

"Senhor vai querer alguma coisa?"

Era a caiçara do quiosque, de pernas nuas pra fora de um shortérrimo apertadíssimo que algum dia tinha sido uma calça jeans. As pernas da caiçara, vou te contar, que pernas, cara. Torneadas no dia a dia da ladeirama braba daqueles morros do continente, pele acobreada e tão lisa que era um pecado não ser permitido a qualquer mortal passar a mão nelas à vontade, ao menos pra dar sorte. Era um pouco mais alta e esguia que a média das morenas locais e não devia comer as frituras engordativas que preparava e vendia junto com a outra mulher, sua presumível mãe, ou irmã mais velha, difícil dizer. As unhas dos pés descalços eram pintadas de um vermelho muito vivo, mas não as das mãos, curtas e sem sinal de esmalte, o que não deixava de ser curioso. O que destoava um pouco de seus traços de Iracema do Alencar eram os dentes de coelha levemente encavalados no frontispício do teclado alvo e saudável, sem janelas banguelas ou cáries visíveis. Era uma bonequinha caiçara, de um tostex-light, nariz meio achatado, mas com um leve arrebite na ponta, lábios grossos sem batom e grandes argolas douradas a fisgar seus lóbulos. E não é que o mais desejável dos seres da ilha das Rocas vinha me perguntar se eu queria alguma coisa? O que responder sem faltar à verdade e ao respeito? Tantas coisas eu queria ali, a começar pelas carninhas todas da própria autora da pergunta.

Pretendia abrir os trabalhos com uma frase espirituosa, mas o que consegui de melhor foi:

"A lula tá fresquinha?"

Não, meu senhor, a lula tá podre, roída de vermes, a coisa mais repugnante que o senhor terá comido em toda a sua já não tão curta vida — eis o que ela poderia ter me respondido. Mas disse outra coisa:

"Meu pai pegou de madrugada. Fresquinha."

"Seu pai é pescador?"

Não, meu senhor, meu pai é astronauta. A nave que ele tripulava caiu no mar e ao sair dela seu traje espacial se encheu de lulas — poderia ter dito aquela boca apetitosa, ao invés de um simples:

"É."

"Cês são de Porangatuba mesmo?"

"Eu nasci em Ubatuba. Meu pai é de longe, de Iguape. Minha mãe, de Paraty."

"Iguape, é? Iguape. Legal Iguape."

"Senhor conhece Iguape?"

"Não."

Ela sufocou um risinho no diafragma.

Evitei o quanto pude olhar praquelas pernocas, ali, ao alcance de um afago, de uma mordida. Ela tentava ignorar o indisfarçável efeito que suas gâmbias causavam na minha percepção carentona. Vista assim de perto, era ainda mais apetitosa que de longe, ao contrário da maioria das fêmeas humanas deste planeta visual.

"E aí?", ela perguntou, um tanto impaciente, mas ainda simpática. "Senhor vai querer a lula?"

"É à dorée, né?"

"É."

"Lula no bafo não tem?"

"Não, só frita."

"Ok, me vê uma porção. Bem sequinha, tá?"

"Tá."

"E uma cerveja."

"Certo. Mais alguma coisa?"

"Uma caipirinha."

"Sim, senhor."

"De pinga. Com pouco açúcar."
"Certo. Mais alguma coisa?"
"Não precisa me chamar de senhor."
Achei que ela ia repetir o *Certo. Mais alguma coisa?* Mas ela não disse nada, indiferente à cantada vulgar, do tipo que ela já devia ter ouvido umas cem vezes só ali naquela mesa. Péssimo lance, reconheço. Eu andava meio sem prática, depois de tantos dias fora de circulação sociolibidinal. Mesmo sacando isso tudo, não conseguia me impedir de olhar pra ela de um jeito, digamos, pouco cerimonioso.
"Dá licença", ela disse, calma, girando o corpo pra voltar ao quiosque.
"Só falta saber seu nome", mandei, sem cerimônia, com a caiçara já de costas e bundinha pra mim.
"Josilene", ela respondeu, por cima do ombro.
Não notei nenhuma censura naquele tom de voz. Não era seco, era cool, quase simpático. Achei que um joguinho se armava ali. Eu apostava como ela também tinha achado algum interesse ludolúbrico na minha escancarada disponibilidade pro que desse e viesse. Além disso, a mera presença de Josilene na paisagem me ajudava a tirar da cabeça as pentelhações macabras que fermentavam contra mim num certo planalto distante dali. Se aquilo não era a paz, era pelo menos uma bela trégua nas rudes batalhas que eu vinha enfrentando na porra da vida.
De modo que filar as coxas e a bundinha da caiçara naquele shortinho me-fode-papito, enquanto ela se afastava, me deixou pensando que se a felicidade estava em algum lugar, era ali mesmo que ela estava, na ilha das Rocas, encarnada naquela fritadora de lulas. A caminho do quiosque, Josilene devia imaginar que eu estava frigindo suas carnes singelas com meu olhar lança-chamas. Me senti tentado a seguir aquelas pernas morenas até o fim do mundo, mas achei mais sensato correr pra água e esfriar um pouco o facho, pra não sair queimando etapas e o meu filme junto. Eu tinha muito tempo pela frente.
Em poucas braçadas ultrapassei a *Celebrity II* ancorada na boca da enseadinha. Queria que a minha caiçara visse o quão bem o tiozinho aqui sabe nadar, e com que destemor, arrostando os perigos do mar profundo.

Lembrei da Rejane comentando, a propósito das minhas nadadas matinais, que os caiçaras, em geral, nadam mal ou nem sabem nadar. Se caírem n'água sem boia, afundam direto. Um caiçara se vê perdido no mar sem seu barco ou canoa. Não é raro afogamento de caiçara por esse litoral afora. Por isso, achei que a Josilene não deixaria de admirar minha destreza natatória.

Me afastando ainda mais da praia, tirei o pau por baixo da perna do calção e mijei na água, sentindo o calor do mijo nas coxas. Daí, com os olhos ardendo de sal, pois tinha esquecido de novo a porra dos oclinhos, voltei pra areia num espalhafatoso nado borboleta. Josilene, a ilhoa boa, devia estar pasma de me ver borboleteando sobre o mar, qual um ente anfíbio e alado da mitologia indígena litorânea — o *passaralhalbatroz*. Torci pra não ser acometido por uma recidiva da cãimbra na panturrilha, que ainda não estava 100% boa. Começar a me contorcer aos berros naquele marzinho maneiro não ia contar muitos pontos a meu favor.

Já adentrando o raso, numa das últimas borboletadas, senti que a minha mão direita relou forte num corpo, provocando um grito instantâneo de mulher: "*Aucci!*", ou porra assim. Me pus de pé, com água pelos joelhos, e vi a bacalhoa estranja na qual eu tinha tocado, a mesma que eu tinha visto nadando pouco antes. Era uma ruiva fogaréu sarapintada de sardas, talvez mais alta que eu, como constatava agora sob o sol a pino, envergando um maiô convencional, preto. Ela levantou os oclinhos sobre a testa, revelando olhos um tanto amendoados, apesar da brancura estridente da pele, enquanto alisava a coxa onde mal se via um arranhãozinho de nada. A mulher não estava tendo uma hemorragia galopante nem corria o risco de perder a perna, nem porra nenhuma. Era pura frescura ne-me-touches-pas de estrangeira "civilizada" em meio à barbárie do terceiro mundo. Sei lá por quê, achei que ela podia ser italiana e mandei um "Scusa," sem nenhuma repercussão em seu sistema cognitivo. Irritadinha, a mulher me disse duas ou três coisas de sonoridade pouco amistosa numa língua que seria entendida nos Balcás, quem sabe, ou no Cáucaso, nos Cárpatos, nos Alpes dialetais da Suíça, nos Tatras poloneses, ou até mesmo em algum *stão* asiático — mas não na ilha das Rocas, e menos ainda por mim. Um branquelo dentro d'água, não longe dali, gritou algo pra mulher, na mesma língua. Soava como: "Tudo bem, Svetlana? O nativo está a importuná-la?".

Era um barrigudinho troncudo, de ombro tatuado, dono de um cachaço de estivador e de um chapéu de palha que me pareceu esconder uma calva. Estava com outro branquelo, magro esse, debaixo dum chapéu de palha idêntico, mas com uma cabelama farta jorrando por baixo da aba. O chapéu, com certeza, era do modelo único fornecido pela pousada em que estavam hospedados. O magro cabeludo tinha na cara uns óculos escuros de playboy anos 50 que lhe davam uma tremenda pinta de gângster de cinema independente do leste europeu, ou merda assim.

Cara, juro que me bateu um certo cagaço de que aquele povinho fosse mesmo um bando de gângsteres, tchetchenos talvez, da mais sangüinária máfia de Grosny, sendo aquela barata descascada na qual eu tinha esbarrado nada menos que a zinha do capo, que devia ser o magrelo mascarado. Eles tinham acabado de assaltar o Banco Central da Tchetchênia e estavam começando a vida boa pelo Brasil, quando venho eu e cometo aquele atentado a unha serrilhada contra a coxa da mina do chefão. Sujeira.

"I'm sorry, I'm sorry", repeti à ruiva injuriada.

"Uatxarred, uatxarred", dizia a mulher, apontando com dois dedos abertos em V para os próprios olhos e espetando-os em seguida à frente. Repetiu várias vezes esse gesto, me acusando de cegueta que não via um palmo diante do nariz. O que era "uatxarred?" Seria *watch ahead*? Jamais saberei. Dei-lhe um sorriso de porteiro de restaurante e saí da água, murmurando um "Vai se catá, sua vaca".

Ao dar uma banda pela curta prainha, cruzei com um garoto duns quinze anos vestindo uma camiseta da seleção — "ROMÁRIO 10" — e portando um tabuleiro de doces pendurado por uma cordinha no pescoço. O carinha, que eu já tinha visto em Porangatuba, apregoava com uma voz franzina:

"Olha o bolo de chocolate, fubá, milho cozido. Olha a cuca, tapioca, pão de mel, arroz doce, cocada, canjica, sagu, bom-bocado, brigadeiro. Olha o quindim, paçoquinha, pé de moleque, doce de leite!"

Catei um quindim profilático por conta das laricas futuras e voltei pra mesa, onde já me aguardava a cerveja, entuchada num casulo de isopor encardido e meio roído, ao lado de uma caipirinha num copo americano. O doceiro foi ter comigo na mesa pra receber sua grana, *dôi real*. Quando ele me deu as costas, mordi o quindim pra experimentar. Hiperdoce e meio rançoso. Comer qualquer coisa feita de ovo naquele calorão era suicídio intestinal, ponderei. Lavei a boca de quindim na cerveja e na capirinha, que era puro açúcar umedecido com pinga de quinta e suco de limão. E isso porque eu tinha pedido com pouco açúcar. Me voltei pro quiosque e ergui um ok de agradecimento pra caiçara. Aí ela fez o que não devia: deixou escapar seu sorriso de coelha. O sorriso atravessou os trinta metros que nos separavam e nos uniu, quem sabe para sempre, pensei, num rasgo de romantismo açucarado pelo quindim e pela caipirinha. Catei, então, o isqueiro e o charo, ambos enfiados numa caixinha de Marlboro junto com os cigarros, e fui caminhando em direção à extremidade oposta da prainha, me embrenhando por entre as pedras — as rocas — que a delimitavam daquele lado. Longe dos olhares da União Europeia, dei umas bolas no meu beque atabacado, lançando a fumaça contra o céu azul. Constatei que o vento conduzia a fumaça pras bandas da enseadinha. Mas com o cheiro das frituras, ninguém ia sacar nada. E se sacasse, sacado estava, ora.

Devidamente bem bolado, voltei pra minha mesa onde hidratei o tubo gástrico com a cerva gelada. Nem sinal das minhas lulas. Não muito longe de mim, a suposta máfia tchetchena — os dois branquelos que estavam na água havia pouco, mais um terceiro, de bigode, com o mesmo chapéu de palha dos outros dois — tinha se abancado a uma mesa cheia de garrafas de cerveja e pratinhos com restos de quitutes fritos. De pé, junto à mesa, a bacalhoa ruiva se enxugava, exibindo sob o elegante maiô preto um porte de top model que sua bunda um tanto chapada não ajudava a valorizar. Pena, aquela bunda chapada. Enfim, talvez ela faça sucesso lá nos Montes Uretrais, ou seja lá de onde ela vem. Depois de se enxugar, a minha vítima botou uns óculos de sol de lentes quadradas e beijou na boca o terceiro homem de chapéu de palha, o de bigode, derrubando a minha tese de que seria amante do magrelo de óculos escuros.

Não demorou muito, e um rapazote magérrimo, sem camisa, apontou na enseada cavalgando uma canoa comprida equipada com um motor de centro velhusco e barulhento, capaz de produzir muito mais fumaça negra que potência pra hélice. Sentado na popa, o jovem barqueiro controlava o leme da chalupa. O que se seguiu à sua chegada acabou atraindo minha atenção, embora, em si, não fosse nada de excepcional.

Ele apenas cortou o motor, pulou fora da canoa, e deixou a proa encalhar na areia. Daí, tirou lá de dentro um botijão de gás que levou nas costas até o quiosque. Suas pernas esqueléticas pareciam a ponto de se esfacelar como dois canudos de biju torrado sob o peso da carga. Lá chegando, trocou informações e acho que também alguns insultos com a minha caiçara, de quem devia ser irmão, e com a mulher mais velha, que ouvi o garoto chamar de mãe. O da perna seca logo voltou pra canoa com um botijão vazio às costas — razão evidente do atraso da minha luladorê —, seguido pela mãe e Josilene, ambas carregando várias caixas de isopor vazias sem parar de bater boca com o rapaz, que, além de atrasado, parecia ter se esquecido de trazer alguma coisa. O botijão, as caixas de isopor e a véia (na real, devia ter a minha idade) se acomodaram na canoa, que o jovem canoeiro desencalhou da praia antes de pular pra dentro dela.

Depois de várias tentativas de acionar o motor, puxando com vigor uma cordinha encardida, o garoto enfim fez funcionar a geringonça, e a precária embarcação se deslocou lenta e ruidosa pela enseada afora, a soltar baforadas de gasolina e óleo queimado. O fumacê pestilento suscitou imprecações e tosses dos banhistas mais próximos. O saldo positivo dessa movimentação toda é que agora a minha caiçara voltava sozinha para o quiosque, carregando uma caixa de isopor com alguma coisa pesada dentro.

Tentando parecer prestativo, fui levar o casco de cerveja e o copo de caipirinha vazios até o quiosque, a pretexto de poupar trabalho à solitária mantenedora do estabelecimento. Uns tocos de árvore serviam de banquetas junto ao balcão formado por tábuas nuas carcomidas pelo tempo, herança talvez de algum velho galeão do século 16 destroçado contra as rocas da ilha num dia de tempestade. Me aboletei num toco daqueles, imaginando se não teria vindo daí a expressão "estar no toco", aplicável a um cara sem mulher, grana ou futuro que resolve se sentar num toco de árvore junto a um quiosque numa ilha deserta à espera de alguma mudança favorável na direção dos ventos.

A caiçara, de costas pra mim, golpeava um bloco de gelo dentro da caixa de isopor com uma estaca de ferro pontuda, tentando reduzi-lo a lascas. Fiquei admirando as bochechinhas daquela bunda popular brasileira que sobressaíam pelas pernas cavadas do shortinho jeans, e também as coxas poderosas que sustentavam a bundinha. Dentro do quiosque não cabia muito mais que as caixas de isopor, o botijão de gás e um fogareiro de duas bocas que aqueciam duas frigideiras carcomidas, uma com camarões, a outra com rodelinhas de lula passadas na farinha de trigo. Deviam ser as minhas lulas, que, sob fogo forte agora, frigiam felizes no óleo velho, expelindo novelos de fumaça rançosa.

Numa bancada precária, feita de pedaços de caixote, descansava uma bacia de alumínio amassada e meio enegrecida que deve ter sido trocada com os índios por pau-brasil há 500 anos. Dentro da bacia, descansava em paz um punhado de lulas limpas à espera de serem reduzidas a rodelas pela faca afiada da Josilene. Uma das lulas maiores, de corpo tubular oblongo e luzidio, seria capaz de abrigar um caralho médio, estimei. Uma vagina sem a mulher, eis o que me sugeria aquilo. Considerei por alguns minutos a possibilidade de esticar o braço, surrupiar uma lulona daquelas, tirar o pau pra fora do calção e necrofilizar o bicho enquanto admirava as carnes vivas da caiçara. Esse projeto não parecia assim tão lunático e irrealizável, uma vez que a moça, de costas pra mim e ocupada em picar gelo pras caipirinhas, não dava sinais de ter percebido a minha presença no balcão. Eu e a lula gozaríamos rápido e em silêncio, despercebidos de todos.

Estar no toco é foda, amigo. Só te vêm à cabeça merdas como essa, e outras ainda piores. Foder uma lula, vê se pode. Devia ser influência daquela cena do fígado cru estuprado pelo jovem Portnoy no livro do Philip Roth.

"O-oi", comecei, para atrair a atenção daquelas pernas. Josilene se assustou — "Ai!" — e derrubou o espeto de ferro no chão de areia, quase acertando seu pé.

"Desculpe!", exclamei, mãos na cabeça.

"Nada não", ela respondeu, controlando sua vontade de me mandar tomar no cu e já abaixando pra apanhar o quebra-gelo. "Sua lula já vai sair. É que tava sem gás aqui."
"Não esquenta. Quer dizer, só a lula."
Ela esboçou um sorrisinho condescendente de "porra, cada pentelho que me aparece pela frente", enquanto, com uma caneca, jogava água de um balde na ponta do ferro pra tirar a areia.
"Cê me arrumava outra cerveja?", pedi.
"Eu levo lá."
"Posso tomar no balcão? A vista daqui é mais legal", eu disse, girando o corpo e escrutinando o mar à minha frente como um velho capitão dos sete mares calhordas.
Sem dizer nada, a gata do quiosque se inclinou sobre o isopor das cervejas e eu filei de relance seus peitos pelo decote da camiseta. Quer dizer, vi uns pedaços de peito dentro do sutiã, nada demais. De todo modo, a vista ali do quiosque era de fato bem mais interessante que lá da mesa. Fiquei sonhando com os peitos que aquele sutiã idiota escondia. Pra que sutiã nesse calor? — foi o que me deu gana de perguntar pra quiosqueira. Talvez a mãe dela fosse uma carola encardida que proibia a filha de deixar as peitolas ao léu dentro da camiseta de pano fininho e branco, sem mangas, que lhe exibia a beleza funcional dos braços fortes. Enfim, a visão daqueles peitos sustenidos, reagindo com a caipirinha, a cerveja e a cannabis, me fez cair do toco, cuja base solta dançava na areia. Josilene riu diante do pastelão que eu protagonizava. Daí, abriu a cerveja, me deu um copo limpo, isto é, lavado na água pardacenta do balde, e foi cuidar das minhas rodelinhas de lula e dos camarões com uma escumadeira.
"Desculpe, esqueci seu nome...", joguei, no tom mais relax que pude fabricar.
"Josilene. O povo me chama de Jôsi."
"Jôsi. Chique, esse apelido."
"Chique?! Magina", ela disse.
"Muito legal o seu quiosque. Charmoso."
"Bregada. Pena que tá sem som. Meu irmão sisqueceu de trazê o aparêio."
"Que sorte."

"Por quê? Senhor num gosta de música?"

"Prefiro a música do mar, dos passarinhos... da sua voz..."

Ela desviou o olhar. Apontei a bacia de lulas e mudei de assunto rapidinho:

"Cê me venderia umas lulas? Das grandes?"

"Num posso. As lula é pra servi aqui."

"Só uma. Aquela ali, ó. A maior."

"Tem que falá ca mãe. Ela já volta."

"Tá bom", respondi, torcendo praquela canoa virar pelo caminho e a véia e o irmão acabarem no bucho de algum tubarão-lixa esfomeado.

Jôsi deu um tempo. Daí, contemporizou:

"Se a mãe vender, vai cobrar a preço de tira-gosto. Lá em Porangatuba o senhor acha mais barato."

"Mas é que eu fui com a cara daquela lula lá, a maior, tá vendo? Lula lá! Lula lá!"

Ela riu.

"Senhor é engraçado."

"Você, por favor."

Ela não disse nada.

"Ó: põe a minha lula no gelo até sua mãe chegar. Daí a gente vê com ela."

"Ponho. Mas, se for levar, tem que comer logo. A lula é fresca, mas com esse calor..."

"Tudo bem", eu disse, já me sentindo dono da lula, e sonhando com a vagina da guria.

"Vai fritá a lula?", ela perguntou, de repente.

"Rechear."

"Ah, vai? Senhor sabe cozinhar?"

"Me viro."

"Ah."

Beleza. Tínhamos uma conversinha entabulada.

"Que tipo de peixe seu pai pesca por aqui?"

"De tudo: robalo, tainha, corvina, garoupa, caranha, savelha, cação, mero, parati, manjuba. Lula, polvo, camarão."

"Caiu na rede é peixe, né?", comentei, insinuando que, se ela caísse na minha rede finória, seria descamada, eventrada e saboreada por mim da cabeça aos pés.

"É", disse ela no automático, jogando gelo picado por cima das lulas que estavam na bacia.

"Nossa, até me deu gana de comer uma caldeirada com isso tudo aí que você falou."

Ela só abanou a cabeça, sem grande interesse pelos meus desejos culinários. Nem pelos de outra natureza. Fui em frente:

"Cê gosta de caldeirada, Jôsi?"

"Gosto de azul-marinho. Já comeu?"

"Não. O que é azul-marinho? Peixe temperado com anil?"

A caiçara explicou, paciente:

"Não, não. A gente cozinha o peixe com banana meio verde e bastante tempero: salsinha, coentro, cebola, tudo. Tem que ser na panela de barro, das velha. A banana puxa pro azul no final."

"É mesmo? Que lindo."

Devagarinho, eu ia chegando na periferia da intimidade da bela do quiosque. Joguei o verdão:

"Queria experimentar esse azul-marinho. Gostei da ideia de comer uma cor."

"É bom. Minha mãe faz."

"Só em casa, ou...?"

"Só em casa."

"Pena. Quem será que me faria um azul-marinho lá em Porangatuba?"

"Qualquer posada, se pedir, faz."

"É? Onde mais?"

"Lá em Ubatuba tem um monte de restaurante que serve. Tem até um que chama Peixe com Banana. Esse é famoso."

"Ah, mas comida de pousada e restaurante não tem graça. Queria um azul-marinho caseiro. Cê não sabe fazer, não?"

"Se tiver que fazer, faço."

"Faz gostoso?", deixei escapar. Mas a sacanagem passou batida.

"Isso eu já não sei. Vai de gosto, né?"

"Eu tenho certeza que ia adorar se você fizesse pra mim."

"Num dá. Aqui é só tira-gosto."
Mirei, disparei:
"E na casa que eu tô hospedado, em Porangatuba? Tô sozinho lá. Você leva as coisas, a panela de barro da sua mãe, o peixe, a banana, os temperos. E faz pra mim. Bem gostoso. E eu te pago, o quanto você cobrar. Mais dez por cento."

"Posso não", ela disse, olhando pra mesa da máfia tchetchena. O cabeludo dos óculos escuros, que agora me parecia meio gay, acenava pro quiosque com uma garrafa de cerveja vazia e um *Êlô-ô!*, fazendo com a outra mão um V, indicando que queria duas garrafas, enquanto o barrigudo a seu lado fotografava a bacalhoa e seu macho bigodudo, abraçados os dois de cadeira a cadeira, a erguer seus copos de cerveja pra objetiva. O fotógrafo guardou em seguida a máquina na mochila que descansava a seu lado na areia, mas sem passar o zíper. Reparei como a longa correia da Canon tinha ficado pra fora da mochila, como uma serpente negra coleando na areia.

Nesse instante, o moleque dos doces se aproximou da mesa deles pra oferecer sua muamba açucarada, mas o gringo troncudo logo o descartou espanando o ar com a mão. O doceiro desguiou, mas não muito. Ficou a uns passos da mesa, de olho enviesado nos gringos.

Jôsi apanhou duas garrafas de Brahma num isopor e foi saindo por debaixo do balcão.

"Dá licença", ela disse.

E seguiu na direção da máfia acionando o delicioso maquinismo de quadris, glúteos e pernas que a boa sorte genética tinha lhe fornecido pra se locomover nas passarelas da vida. Quando ela vinha voltando, depois de depositar sua carga na mesa dos gringos, flagrei o carinha de óculos escuros e o Shreck tatuado de olho na bunda da caiçara, enquanto a bacalhoa e o do bigode se devoravam num beijo cinetropical.

Eu via, pois, a caiçara vindo em linha reta para o quiosque, na minha direção, num rasta-pé indolente na areia, com várias garrafas de cerveja vazias enforcadas entre os dedos, e pensava: meu Deus do céu, que tesão de mulher. Vi também, atrás dela, o guri dos doces puxar com o pé a correia da Canon numa manobra rápida e precisa. A máquina saiu fácil da mochila aberta e deslizou pela areia. Era um momento único aquele, com todos os olhos da mesa postos em outras partes, inclusive nas partes íntimas da caiçara, enquanto que o jovem larápio, habilíssimo, se agachava, fazendo o tabuleiro de doces de biombo pra ocultar seu butim. Daí, desguiou pra água, onde o esperava a canoinha com um motorzeco de popa.

*Roubar um equipamento e saber usar...* poderia cantar a Gal Costa, comentando a cena que tinha acabado de rolar na areia. Aliás, se eu encontrar esse moleque por aí vou lhe oferecer 300 paus por aquela Canon que vale no mínimo três ou quatro mil.

O doceiro já se escafedia pelo Atlântico afora, quando Josilene reassumiu seu posto no quiosque. Nosso papo seguiu aos trancos, pois a cada cinco minutos, em média, ela tinha de sair a campo pra entregar ou pegar pedidos nas mesas. Mas eu tava adorando aquele balcão do mais agradável boteco do Brasil. Regava meu ócio com cerveja e caipirinha aguada — nenhum gelo era páreo praquele calorão —, distraindo a larica com rodelas de luladorê.

Juntando os fragmentos da nossa conversa truncada, deu pra vislumbrar um quadro mais ou menos abrangente da história da Josilene e seus 21 anos vividos naquele litoral — a metade exata da minha idade, como não deixei de notar. Mas que tem isso? Pra quem semanas antes tinha traçado uma girl de 16, mesmo ela tendo dito que tinha 18, a caiçara parecia madura o suficiente pra encarar uma encrenca comigo.

Minha caiçara, como fiquei sabendo, era filha de Josimar, o pescador e dono do quiosque, e de Marlene, donde Josilene. Tem o primeiro grau completo, mas parou de estudar porque escola com colegial só em Ubatuba ou Paraty, e ela precisa trabalhar pra ajudar a família. Sua utopia particular, me confessou, era virar dançarina de programa de auditório, mas só mesmo pra pôr os pés na tevê. Depois tentaria uma vaga de atriz de novela. Mas acho que até ela sabia que isso nunca iria acontecer. O sonho de meteórica ascensão social mais plausível que ela poderia acalentar era lhe aparecer algum turista alemão-batata, abastado proprietário de uma salsicharia em Wupertal, pra arrebatar sua morenice dos tristes trópicos e levá-la à Europa. O mais certo, porém, era ela acabar se casando com um filho de pescador e passar o resto da vida cozinhando, lavando roupa, fritando lulas pros turistas e tendo um filho atrás do outro até virar uma cadelona disforme e alquebrada aos 30 anos de idade.

Ao cabo de meia dúzia de caipirinhas eu já estava perdidamente apaixonado pela Josilene. Certas manchas de pele, o português paupérrimo, as mãos rudes de fazedora diária de coisas práticas, tudo me parecia exalar a mais fina sensualidade naquela menina, até mesmo sua dentuça de Pernalonga. Uma hora lá, perguntei na lata se ela não queria ir a Ubatuba comigo à noite pra comer um azul-marinho no tal do Peixe com Banana.

"Do restaurante, a gente vai direto pruma pousada à beira-mar, pra fazer a digestão", propus, com essa língua de trapo que Deus me deu.

"Capaz!", ela fez, rindo.

"Por quê? É uma proposta honesta."

"Num dá. Tenho que estudar."

"Estudar? Sábado à noite?"

"É."

"Mas você não disse que tinha largado a escola?"

"Faço curso de informática em Ubatuba, duas veiz por semana, à noite. Vou ter prova, semana que vem."

"Eu posso levar meu notebook e te dar umas aulas de informática."

"Posso não", ela disse.

"E amanhã?", insisti.

"Amanhã é domingo."

"Pé de cachimbo."

Ela sorriu.

"Então? Fechado amanhã?"

"Dá não. Trabalho aqui o dia inteiro, amanhã."

"E à noite?"

Encabulada, demorou alguns segundos pra responder, baixando os olhos:

"Meu namorado vem aí."

"Não sou ciumento."

"Mas ele é!"

Perguntei sobre o namorado. A resposta não foi das mais animadoras: o cara é PM em Ubatuba.

"De fim de semana, quando tá de folga, ele vem ajudá nóis no quiosque."
"Que sorte a minha!"
"Sorte?"
"É. Seu namorado deve tá de plantão hoje."
Ela fez aquela cara de vergonha enfarada, e eu continuei:
"E como é que você foi namorar justo um PM, minha filha?"
"Pois é."
"Conta aí. Como é que cê conheceu a figura?"
"Ele prendeu eu."
"Quê?!"
"Eu e minha amiga Maremília."
"Gente! O PM te prende e você vai e namora o cara?"
"É...", respondeu a Jôsi, olhando acanhada pro mar.

Mas logo desacanhou e se pôs a contar que o negócio todo começou numa praia vizinha, a Ubatumirim, mais ao sul e maior que Porangatuba. Um parquinho de diversões tinha se instalado ali, num terreno rente ao cemitério local. O pessoal das praias vizinhas ia em peso à noite no parquinho, que virou point de patotas e de namorados.

"Mas eu ia só por causa da roda-gigante", explicou a caiçara, com o jeitinho mais safado desse mundo.
"Sei, sei. Roda-gigante, né?"
"Eu amo roda-gigante."

E eu amo as suas coxinhas, minha filha, tive ganas de lhe dizer, enquanto ela seguia contando que tudo começou lá mesmo na roda-gigante, com a amiga. Acomodaram-se as duas na gôndola e foram subindo pro céu. Lá em cima, a roda parou para entrar mais gente.

"É a parte que dá mais medo. Vixe! Você lá em cima, aquele negócio balangando. Se cair, já era. Inda mais que o muro do cimitério era colado na roda. Deu um arrepio!"
"Nossa! Fico arrepiado só de pensar em você arrepiada."

Aparentando indiferença diante das minhas investidas cada vez menos sutis, a garota contou que a amiga deixou cair um pé de havaiana lá embaixo, por uma fresta no assoalho da gôndola. O pé de havaiana quicou em alguma trave da roda e foi parar dentro do cemitério. Acontece que a Maremília não ia voltar pra casa com um pé descalço, de jeito nenhum, além do que as havaianas eram novinhas. Quando a roda parou pra elas descerem, as duas correram pro portão do cemitério, fechado com corrente e cadeado àquela hora da noite. Elas do lado de fora, o pé perdido da havaiana do lado dos mortos. As duas se puseram, então, a chacoalhar o portão e a corrente e a chamar pelo vigia. Mas nenhum vigia se alevantou do campo-santo pra atendê-las.

"Nóis achamo que o vigia num tava e resolvemo pulá o portão, que não era muito alto e não tinha espeto em cima. Aí pulemo, a Maremília se borrando de medo dos defunto."

"E você?"

"Eu lá tenho medo de defunto? Tenho medo é dos vivo."

"É verdade, morto é tudo gente boa."

"Num é? Fui eu na frente, a Maremília atrás, se tremendo toda. Aí, procuremo que procuremo, e cabô que achamo a sandália atrás dum túmulo."

"Não serviu no defunto, ele devolveu."

Ela riu. Ótimo!

"É. Daí, ni qui nóis pulemo de volta o portão, ó o azar: passô uma viatura. Passô e parô."

"Sujô."

"Mai nem. Os PM saíram do carro, ca mão nos revólvi. Eram dois. O mais bravo falou assim: 'Que qui cês tão aí robando o cimitério, hein?' E nóis: 'Tamo robando nada, não, seu guarda. A gente só viemo pegar a sandália da minha amiga que caiu lá dentro.' O outro PM, mais bonitinho, disse que era pra eu contá essa pro delegado. E levaram nóis presa no carro."

"Moral da história: o bonitinho virou seu namorado."

"É", confessou a Jôsi, num acanhamento tão brejeiro que eu podia saltar aquele balcão e comer a piaba ali mesmo, em meio às lulas e camarões e Brahmas geladas, ela de quatro na areia, eu de joelhos carcando o robalo nela por trás.

"E aí? Cês foram pra delegacia?"

"Eles começaram querendo levá nóis. Mas eu e a Maremília, nóis chorava no banco de trás e jurava que tinha pulado o portão só pa catá o pé de sandália. O quê qui a gente ia querer roubar em cimitério de pobre, me diga? Foi o que eu disse pros guarda. Tudo gente que nunca teve nada quando viva, inda mais morta!"

"Boa, Jôsi. Cê teve a manha de dizer isso pros home?"

"Ah, pois o quê. Falei memo. Daí, um mandô o outro largá nóis em Porangatuba."

"Eles não tentaram nada com vocês, não?"

"Como assim?"

"Ué? Duas garotas bonitas numa viatura com dois PMs, à noite. Os caras podiam ter umas idéias."

Aquela morenice afro-luso-ameríndia corou a céu aberto na minha frente. Dava pra fritar um ovo numa daquelas bochechas.

"Tiveram não", ela respondeu. "Eram direito. Tanto que depois, outra noite, eu encontrei aquele PM no mesmo parquinho, ele à paisana. E a gente acabô ficando."

"Ficando só?"

"Ficando namorando", ela disse, enquanto voltava os olhos prum gringo numa mesa a bater um garfo na garrafa vazia, clamando por mais cerveja.

PM filhadaputa. Papou a tostex na moral. Agora, essa história da sandália que caiu da roda-gigante pro *cimitério* é do grande caralho, né? Vou botar isso no meu filme. De repente podem pintar também uns zumbis que catam as duas e mandam a mandioca putrefata nas coitadas em cima dumas lápides. Josilene e Maremíla vão se zumbificando também durante a trepada até a cena atingir um clímax necroapoteótico, com sangue, órgãos, membros e tripas voando pra todo lado.

Enfim, me esbaldei com as histórias da Jôsi. Falei eu outro tanto da minha vida de cineasta em São Paulo. Ela quis saber o que fazia um *cineasta*, e acabou dando um belo gás no meu ego ao dizer que eu devia mais era ser ator. Não sei onde aquilo ia parar, não fosse a dona Marlene e o irmão dela voltarem na canoa motorizada, trazendo mais caixas de isopor cheias de peixe, frutos do mar e gelo. E também um desgraçado dum aparelho de som. A Jôsi foi ajudar com os trecos. Voltei rapidinho pra minha mesa. Não tava muito a fim de conhecer dona Marlene nem o irmão da Jôsi. Catei minha toalha e fui estendê-la na areia à sombra de uma árvore que, se calhar, era um autêntico chapéu-de-sol. Apoiei a cabeça nas minhas havaianas e embarquei numa soneca profunda, ouvindo um CD estridular ao longe que *a solidão é meu pior castigo...*

Eu acho que sonhava com sereias em alegre surubrâmane submarina quando o Fioca veio me cutucar:

"Ô! Ô! Acorda! Cinco e meia. Tô aqui."

Abri um olho e vi que era verdade, ele estava ali. Falava comigo. Isso queria dizer que eu também estava ali, diante dele. Tudo parecia real. A escuna já tinha ido embora com a gringaiada, menos a câmera digital do mafioso tchetcheno que já devia estar no fundo de um barraco no alto do morro, em Porangatuba, esperando a hora certa de ser passada nos cobres. Aliás, que merda teria dado aquele caso?, me perguntei. Mesmo zonzo e ressacado, não deixei de ponderar que seria impossível o dono da Canon não ter dado por sua falta na hora de partir.

A voadeira do Fioca boiava logo em frente com o bico roçando a areia da praia. Meu cérebro era uma uva-passa à solta numa caixa vazia de panetone. E doía. Malditas caipirinhas de pinga vagabunda. Pelo menos tinham desligado o som no quiosque, onde a Jôsi e a mãe desmontavam e guardavam comidas e apetrechos, encerrando o expediente. O irmão já carregava nas costas o botijão de volta pra canoa.

"Oi", comecei.

"Sim senhor", repicou a Jôsi, formal. Decerto não queria demonstrar intimidade comigo diante da mãe.

"Me vê a continha?", pedi.

Marlenão me apresentou um pedaço de papel de pão onde já estavam discriminados meus gastos. Com uma Bic somou tudo, com certa dificuldade, e chegou ao número 39. Enganchou a tampa da esferográfica no papel pra não voar. Deixei duas de vinte, que a véia logo apanhou pra ir guardar numa carteira dentro de um saco plástico.

"Tá certo", eu disse, magnânimo, abdicando do troco de um real.

"A mãe deixou vender a lula fresca", lembrou de me dizer a Jôsi, com uma cara fechada que eu não entendia se era destinada a mim, à mãe ou às lulas. "O senhor é gente boa", minha caiçarinha continuou, pra meu alívio. "Num é que nem esses gringo que enfia as coisa num sabe aonde, e depois vem chamá nóis de ladrão."

"Mas o que é que houve?", perguntei, na santa inocência.

"Roubaram a máquina de fotografá dum gringo aí", ela respondeu. Marlenão, carrancuda, entrou na conversa, arremedando o gringo: "'Iú rob mi! Iú rob mi!', que ês gritava. O home da escuna veio dizê que conhecia nóis, que nóis num era ladrão nem nada, mas o desgramado do gringo não sussegava. Eu disse que ês podiam entrá aqui e vê se tinha mané máquina nenhuma de ninguém. E ês entraram mesmo, fuçaram, reviraram tudo. Aí, uma hora me enchi e toquei tudo pa fora. Quase saí no tapa cum lá, o dono da máquina. O gringo só berrava: 'Num-sei-que-lá, num-sei-que-lá, pulice! Blá-blá-blá, blá-blá-blá, pulice! Pulice! Pulice!' E foram simbora sem pagá a conta. Bando de sem-vregonha."

"Mexeram até na sua mochila enquanto o senhor dormia", me informou a Jôsi. "Senhor não percebeu?"

"Graças a Deus, tava apagadão. Sol e caipirinha me tiram do ar."

"Que o diabo leve ês tudo pros quinto dos inferno das Europa. Deus que me perdoe", rosnou Marlenão. "Que gente!"

"Mas que fim levou a máquina do homem?", perguntei por perguntar.

"Sei lá", disse a Jôsi, que devia ter alguma ideia a respeito.

"Vai ver foi outro gringo da escuna que pegou", aventei, me arvorando em defensor das caiçaras.

"Só pode!", explodiu a Jôsi, aprovando com ênfase a minha hipótese. "Os otro gringo eles num revistaram."

"Esquece", decretou Marlenão pra filha. "Já foi." E, virando-se pra mim: "Minha filha falô que o senhor queria uma lula só. Vai fazê o quê com uma lula só? Leva três, das graúda. É pra quantos?"

"Só pra mim."

A Jôsi trouxe a minha lula reservada numa pequena bacia de plástico cheia de gelo em vias de derretimento. Minha possível futura sogra, que tinha um jeito simpaticão, afinal de contas, com seus braços inchados de gordura que me fizeram temer pelo futuro shape da filha, catou de dentro de um isopor mais duas nédias e viscuentas lulas cujos tentáculos lhe escorriam por entre os dedos. "Faço essa uma que o senhor escolheu, mais essas duas baita aqui, ó, por doze real."

"Pode embrulhar", eu disse.

"Melhor comê logo, viu. Se ponhá logo na geladeira, dá pra comê até amanhã. Vou limpar as outra pro senhor."

"Precisa não. Gosto de limpar lula."

Jôsi brecou um risinho nos lábios e desviou o olhar do meu, mas sem muita pressa.

Dei quinze paus pra mãe e, de novo, abdiquei do troco, agora com perdulária generosidade: três paus de gorja! Mas tudo bem. Queria sinalizar pra minha caiçara que dinheiro aqui era mato. Eu não tinha um berro na cinta, como o PM dela, mas era dono de uma carteira recheada. A mãe foi guardar a grana, enquanto Jôsi jogava as lulas da bacia pra dentro de um saco plástico transparente, que depois envolveu em jornal, metendo esse embrulho numa sacola de supermercado. A véia saiu do quiosque arrastando um sacão preto abarrotado de lixo e gritou pras bandas do mar, onde boiava o barco deles:

"Edelço! Ô Edelço! Vem qui ajudá, muleque lesado!"

Mas o Edelço jogou a mão no ar, mandando a mulher pro diabo, e continuou a fuçar no motor do barco, ajustando alguma coisa. Marlenão foi arrastando sua carga pra beira do mar, soltando mais pragas contra o filho. Aproveitei a deixa e rabisquei o número do meu celular nas costas do pedaço de papel de pão da conta, precedido do 11, e garatujei um mapinha. Expliquei que a principal referência era a casa do senador Meirelles, a de telhado amarelo, que todo mundo conhecia em Porangatuba. Assinalei meu paradeiro no desenho com um coraçãozinho. Daí, me inclinando sobre o balcão, cochichei pra minha sereia do quiosque, ao mesmo tempo que encaixava o pedaço de papel na mão dela:

"Me liga a cobrar. Cê me deve um azul-marinho."

"Eu?! Devo por quê?", ela reagiu, dando meio passo pra trás e enfiando o papelucho no bolso do shortinho, depois de alguma hesitação.

"Por que você me deu água na boca", mandei, antes de girar nos calcanhares e descer com a minha mochila ao encontro do Fioca, que já tinha acionado o Johnson na voadeira, produzindo uma fumaça adocicada. Apostava, como ainda aposto, que a minha frase ficou girando feito roda-gigante dentro da cabecinha da miss caiçara. Com o barquinho já avançando mare nostrum adentro, joguei um beijo pra ela, que me observava do quiosque. A mãe não viu nada, ocupada em esculhambar o Edelço, que recolhia o lixo das mãos dela pra acomodá-lo no barco. Acho que ele também não viu meu gesto.

Josilene, porém, não me acenou de volta.

Edelço. Ô muleque lesado.

# <27>

Quando entramos de novo na calma traiçoeira das águas de Porangatuba, um epílogo de crepúsculo vigorava na paisagem, belo, pra todos os efeitos pictóricos, cheio daqueles matizes cromáticos com nomes gostosos que você encontrava nas bulas de filmes fotográficos: magenta, que é um amarelo metido a vermelho, ciano, uma espécie de azul gentil diluído em cândida, e uns fiapos de violeta, aquele azul gótico também chamado de roxo. A fortaleza da serra do Mar, coroada de nuvens púrpuras, ia escurecendo sem o spot do sol, que era agora só um clarão esmaecendo no horizonte tutti-frutti. (É foda narrar com uma ideia na cabeça e um dicionário na mão. Meu reino virtual por uma câmera digital!)
    Me sentia voltando de um tour pela sucursal terrena do nirvana. Nada de mau podia acontecer comigo, pensei, logo me arrependendo de ter pensado, pois se tem coisa que dá um azar filhadaputa é esse otimismo deixa-comigo a bordo do qual já me fodi várias vezes. Tanto me arrependi que, ao desembarcar em frente à pousada da Rejane, a porra do otimismo já fazia água por mil furos de balas da metranca paranóica que trago aninhada na cabeça. Até aquele crepúsculo de folhinha me parecia de repente sombrio e ameaçador, evocando uma paisagem pós-nuclear saturada de radiações letais. Voltei a pensar nas merdas que policiais, juízes e síndicos deviam estar cozinhando contra mim no caldeirão da bruxa paulista. (*Paulista, nem a prazo nem à vista*, me disse uma vez uma documentarista pérrnambucana que eu tentava levar pro hotel no festival de cinema de Brasília.) Quem sabe se eu já não encontraria dois investigadores à minha espera na Chapéu-de--sol. A essa altura, que se foda, disse pra mim mesmo, sem acreditar muito nesse conformismo fatalista que eu procurava impor à minha consciência. Querendo pegar de novo o otimismo pelo rabo, considerei

que, porra, era sábado, a noite já estreava no hemisfério sul, não seria crível imaginar que um par de tiras de São Paulo ou de Ubatuba, nada mais que funcionários públicos mal remunerados — ainda que com um berro na cintura —, fossem se dar o trabalho de vir até aqui me procurar e me prender. Iam deixar o serviço pra segunda de manhã, provavelmente. Isso se sobrasse gasolina suficiente na viatura.

Arrastei, pois, meu otimismo esfarrapado por mais alguns metros até a pousada, onde não vi tira nem meio tira. Sentei meu alívio num tronco transformado em banco rústico de jardim e evoquei a figura da caiçara do quiosque. Ela trazia o número do meu celular no bolso do shortinho, a milímetros da xota. Se ela ia me ligar, ninguém sabia, nem ela própria. Mas podia apostar que, ao se deitar à noite num daqueles casebres de pescador encarapitados no morro, a Jôsi ia pensar em mim, o coroa safado que tinha passado a tarde de xaveco em sua orelha. O figura tinha olhos azuis, que iam se dissolver feito duas pastilhas de Alka-Seltzer nas águas profundas do inconsciente da moça, fazendo o trabalho de sapa de suas barreiras morais, com destaque pra cláusula de fidelidade ao namorado PM. Grande invenção do dr. Freud, o inconsciente. Na versão feminina, é o principal aliado dos don juans em todos os tempos e lugares.

O sempre esquivo Leno veio me informar que o Nissim tinha ligado, perguntando se eu ainda estava em Porangatuba. Ele disse que achava que sim, e o Nissa, então, mandou dizer que era pra eu deixar a chave da casa no lugar combinado. O Leno parecia intuir que eu estava sendo despejado e era evidente que se deliciava em ser portador de más notícias pra mim. Daí veio com outro recado:

"Doutor Margarido também ligou e deixou uma senha pra você."

"Senha? Que senha?"

"Eu anotei, taqui. Pra você ligar quando chegasse."

No papel que o Leno me deu tinha um número de telefone e a tal senha: BDUNF 7886. Porra, que viadagem era aquela do Margarido? BDUNF? Bdunf era o cu metrossexual dele, rosnei comigo.

"Mas, ô Leno, o doutor Margarido não explicou o que é preu fazer com a senha?"

"Isso ele não disse, não", encerrou o petimetre, fazendo menção de se mandar.

"Cadê a Rejane?", perguntei, irritado, retardando sua partida.

"Na casa dela", informou o lacaio, que se negava a me chamar de senhor.

O merdinha estourava de impaciência de sair da minha frente antes que eu me lembrasse de lhe pedir alguma coisa. Pedi:

"Me vê uma toalha. Vou pegar uma ducha aqui fora depois de telefonar. O escritório tá aberto?"

"Tá sempre aberto. Vou deixar a toalha pendurada na árvore ao lado da ducha. Falô?"

"*Falô*", remedei, sem dó. "E ó: bota isso aqui no congelador pra mim."

Ele pegou a sacola das lulas, sem comentários. Vai saber qual é a desse cara. Óbvio que morre de ciúme de mim, das intimidades e imunidades que eu venho conquistando nos domínios da taverneira.

Com a pele peguenta de sal e sol, fui pro escritório de janelas escancaradas pra noite que vinha chegando, e liguei pro Margarido. Voz gravada de secretária: "Borghetti, Alvarenga e Margarido, Advogados Associados. Por favor, deixe seu recado ou digite sua senha num teclado alfanumérico". Digitei o assombroso BDUNF 7886 no próprio fone, muito desconfiado de que *bdunf*, em gaélico — se não fosse em sânscrito —, queria dizer encrenca. Da grossa. Lembrei do "Jacques, le Fataliste": "Meu amo, a vida se passa entre as encrencas da vida".

Mas não foi o Diderot quem atendeu. Entrou outra gravação, dessa vez do próprio Margarido: "Zé Carlos, meu querido, hoje é sábado, dia dezenove, dezesseis e trinta. Por enquanto maré mansa. O mandado de prisão foi expedido mesmo, mas, até onde o meu contato na DHPP tá sabendo, o Roquete ainda não ordenou nenhuma diligência contra você. Mas isso não deve demorar pra acontecer. Se você tá ouvindo esse recado é porque ainda tá aí em Porangatuba. Se for o caso, se manda já daí, meu querido. Um beijinho."

Desliguei sentindo um calor difuso de alívio e contentamento por conta daquele "Por enquanto maré mansa" do Margarido, que me autorizava a deixar as paranoias no freezer até segunda, a despeito do mandado de prisão. Segunda é o dia universal das diligências, providências e pentelhências em geral. Eu tinha, pois, mais algum tempo de

Poranga: toda a noite de sábado (ontem) e um domingão inteirinho, hoje, dia em que estou registrando minhas peripécias sabatinas, às seis da tarde em ponto neste instante, se lhe interessa saber.

Tô achando que o Roquete, seguindo a lógica, deu mesmo de barato que não estou mais aqui. Quem sabe se não apareceu outra *testemunha* que me viu num rodeio em Barretos, digamos. Ou num jogo de críquete em Islamabad. Tô brincando com fogo, eu sei, mas foda-se. Não tenho bala pra viver na clandestinidade. E não vou começar uma carreira de mendigo errante com essa idade. Se for preso, chego lá no home e canto pra ele, batucando numa caixa de fósforo: *seu delegado, o senhor está equivocado, comigo / eu já fui malandro, hoje estou regenerado...* Hahahá. Mas quer apostar quanto que eu NÃO vou ser preso porra nenhuma. Nem hoje, nem segunda, nem nunca. Uma maritaca futuróloga acabou de me soprar isso.

Cara, uma porrada de coisa rolou desde que eu cheguei ontem daquele passeio na ilha das Rocas. Só agora tento digerir tudo isso, aqui no meu posto avançado no morro, corpo na rede, notebook na barriga, o domingo morrendo sem alarde à minha volta, a maré subindo lá embaixo, a mata quietinha aí atrás, as nuvens penduradas no varal do firmamento sem pressa de ir a lugar nenhum, ao contrário das maritacas em urgência permanente no céu. Vai ser difícil largar esse vidão. Casei com essa casa. Vou sentir falta até da pirambeira que eu tenho que vencer todos os dias pra chegar aqui, e também da solidão, do tédio, dos pernilongos, do miojo com salsicha e ovo, das velhas edições da revista Caras e suas celebridades tão complacentes com os meus desejos solitários. Da rede, da ducha, da paisagem.

Enfim, depois de ouvir o recado do Margarido, ontem, me meti na ducha externa da pousada, um disco voador do tamanho de uma pizza brotinho cheio de furos na base a despejar um dilúvio de grossos filetes d'água sobre a minha pele melada de ócio marinho e tesão pela Josilene. Quando fui pegar a toalha, cadê? Não estava mais pendurada no galho da árvore, e sim na mão da Rejane, que a estendia pra mim.

"Tó", ela disse, com um sorriso de 30 anos na cara de 60, apreciando o material rodante aqui do narrador. Véia assanhada.

"Brigado", eu disse, apanhando a toalha e trocando um olhar molhado com ela.

"Bela cor cê pegou lá nas Rocas, hein, menino?"
"Foi meu dia mais solar, desde que cheguei aqui."
"Não quer um creminho pra hidratar?"
"Não sou muito chegado em creminho, brigado."
"Não vai me dizer que você é desses ogros que acham creme coisa de viado."
"Não acho, não. Claro que não. Mas que é coisa de viado, é."
Ela riu gostoso. Qualquer merda que eu falo, a véia ri.
"E aí? Gostou do passeio?"
"Um paraíso à dorê com cerveja e caipirinha. Fantástico. Arranhei a perna duma perua estranja e quase fui morto pela máfia tchetchena. Emocionante."
"Quê?!"
"Acho que é o lugar mais lindo que eu já fui na vida."
"Cê não viu nada, Zeca. Ainda vou te levar em cada canto por aí que você não vai acreditar."
"Legal", respondi, terminando de me enxugar, não sem algum exibicionismo fisioculturista pra deleite da véia.
"Não quer uma muda de roupa limpa?", ela ofereceu, mãezona. "Vamos lá em cima que eu te vejo alguma coisa", ela convidou.

*Lá em cima* é a casa dela, um loft no topo de uma torre quadrada de dois andares com acesso por uma escadaria externa. O pé da escada fica em pleno restaurante da pousada, por algum capricho do arquiteto ou por falta de opções no terreno. Todo mundo que está ali comendo vê quem sobe, quem desce. Privacidade zero — ou controle total, vendo pelo ângulo da taverneira.

"Precisa não, Rejane. Minha bermuda tá ok, não entrei na água com ela."
"Cê vai trazer suas coisas hoje, não vai? O Leno te ajuda."
"Também não carece. Sou o cara mais portátil do mundo. Minha vida toda cabe numa mochila. E não tô mais com essa pressa toda."
"Mas, Zeca, você não disse que a polícia pode estourar por aí a qualquer hora?"
"Tá tudo dominado até segunda", cascateei, mais pra mim mesmo do que pra ela, talvez. "Foi o recado que eu recebi do meu advogado. 'Maré mansa', ele disse."

"Olha lá, hein. Maré mansa não dura muito. Melhor você dormir aqui a partir de hoje. Se a minha nora não vier de São Paulo, tem um quarto sobrando na pousada. Você fica lá sossegado. Se ela vier, minha casa tá às suas ordens. Terei o maior prazer."

Era o que ela queria: ter o maior prazer. E eu é que ia ter de providenciar esse prazer, por supuesto.

"Valeu, Rejane", respondi, unindo as mãos com os dedos esticados para cima, numa reverência Fu-Manchu-Bhagadhagadhoga. "Té mais tarde."

"Te espero pro jantar. Providenciei um escondidinho de camarão com purê de mandioca que, modéstia à parte, o pessoal costuma aplaudir de pé."

"Escondidinho de camarão, é?", eu disse, sentindo um rebote da larica. "Nunca experimentei."

"Parece um bobó, só que diferente. Mandei fazer em sua homenagem", ela galanteou.

"Um escondidinho pra homenagear o outro."

O Leno passou por nós, evitando me olhar.

"Leno, cê pega a sacola das lulas na geladeira pra mim?", pedi.

Ele deu um quase imperceptível meneio de cabeça e desguiou pra cozinha.

"Lulas? Cê comprou lulas?"

"Comprei. Lindas lulas. Foi amor à primeira vista."

"Quer que eu mande preparar uma porção? Com uma cervejinha cai bem agora."

"Brigado, mas eu tenho que subir pra acabar de escrever meus roteirinhos."

"Traz pra cá. Escreve aqui."

"Já tô instalado lá. Mas eu volto, não se preocupe", prometi com sinceridade. Aquele escondidinho de camarão parecia promissor.

"Não come muita lula pra não estragar o apetite", ela cravou. "Tô te esperando, hein?"

"Beleza. Vou dar uma capotadinha, uma trabalhadinha, e já desço", arrematei.

Ao chegar em casa, caí na rede e apaguei direto. Acordei boiando em suor e fui tomar uma ducha de cara pro escuro da mata, ecoprivilégio sem igual que tenho aqui. Debaixo da água, que saía abundante e forte do cano vertical, me entreguei à evocação dos melhores momentos do meu idílio com a caiçara da ilha, os peitos no sutiã, o mini-shortinho, as coxas fortes, a bundinha atrevida, os olhos negros pré-cabralinos, a história da roda gigante. Quando vi, já tava batendo uma punheta. Experimentei substituir a Jôsi pela Rejane no foco da fantasia, numa espécie de exercício de autodisciplina erótica, mas o tesão arrefeceu a olhos e dedos vistos. Mau sinal. E foi só trazer a caiçara de volta que o negócio enfezou de novo. Podia ver a lua sobre o mar. E a lua sobre o mar podia me ver agitando o croquete. Do alto do meu tesão enluarado, lasquei um haicai que escrevi na brisa com a ponta do pau:

> ô lua avara
> cadê, me dê
> minha caiçara

Acabei perdendo o ponto da punheta, sem, no entanto, perder a ereção. Ducha tomada, me enxuguei e pendurei a toalha molhada no pau, que pagou de cabide numa boa, e me exibi desse jeito assim pros bichos ocultos na Mata Atlântica. Já dentro de casa, dei uns pegas num bambolino e mandei uns goles de pinguel on the rocks pra rebater o pilequinho da tarde, sempre peladão.

Foi quando me lembrei das minhas lulas no congelador. Estavam lá, cadavéricas. Catei a lula maior, pálida, semicongelada, a única decapitada e limpa. O bicho, mesmo gelado, cheirava a buceta. Encanei que a xotinha da filha do pescador só podia emanar aquele perfume excitante de mar mijado. Tesei de novo. A lula na minha mão era um tubo abaulado com uma aleta na cauda. Cheirei mais uma vez: bucetão. Apalpei com volúpia aquele corpo frio e borrachudo. Abri a torneira da pia e deixei a água enxaguar o tubo por dentro. A carne viscosa da lula se abrandou na minha mão. Fechei a torneira, virei a lulagina de boca pra baixo, deixando escoar toda a água, e entalei a desgraçada na minha rola ainda túrgida. Era a vagina solitária, a buceta sem mulher, pronta para ser instalada em qualquer fantasia. Num minuto minha parceira já se punha toda complacente e lânguida, e até mesmo coquete, a safada. *Choc-choc-choc*, eu fazia dentro dela, de bunda apoiada na pia da cozinha, fodendo a lula com um sentimento nada menos que oceânico. Um resquício do visgo natural nas paredes internas do bicho exerca uma competente ação lubrificante, fazendo a coisa ainda mais parecida com uma vagina apaixonada.

Atrás da pia, a ampla janela de vidro fixo da cozinha se abria pra mata noturna lá fora. Se algum bugio de dentro da escuridão me flagrasse naquela atividade lulonanista teria certa dificuldade em acreditar em seus olhos arregalados. "Puta merda!", ele diria. "Um bicho-homem fodendo uma lula morta! Foi nisso que deu a evolução da espécie?! Ô lôco, mano! Quero morrer macaco!"

Minutos antes de gozar, com a Jôsi reinando absoluta na minha reverie masturbatória, me veio de novo a ideia de trocá-la pela Rejane. Eu tinha que ir me acostumando à ideia de trepar ca véia. Feito slides se substituindo aos trancos num velho projetor, a beldade caiçara cedeu lugar à velha estalajadeira. Me forcei a convencionar que pertencia agora à Rejane aquela vagina avulsa na minha mão, e a ninguém mais. Me concentrei. A nudez da véia, tal como desenhada pela minha imaginação, ia aos poucos se tornando aceitável, e daí pro desejável bastaram mais umas chacoalhadas. Não era uma tarefa simples. Às vezes me vinha um ser híbrido, com tronco, peitões e cabeça da Rejane, mas com bundinha e pernas da Jôsi. E vice-versa. Esquisito. De qualquer forma, depois de muitas estocadas na lula, eu já me achava na soleira do gozo.

Deixei rolar o ejaculão. De olhos fechados, gozando forte e fundo dentro da lula, me veio de repente à cabeça, adivinha quem? Nem Rejane, nem Jôsi, mas a ruiva tchetchena da ilha das Rocas, com aquelas coxas branquérrimas, uma das quais eu tinha arranhado no mar. Recheei a buceta da gringa de porra, mora. Acho que a lula teve orgasmos múltiplos na minha mão, mesmo mortinha e decapitada daquele jeito. A má notícia é que eu não estava conseguindo fixar a Rejane no telão onanístico. Ainda vou precisar de muita prática pra chegar lá, eis o fato a encarar, matutei.

Findo o conúbio calamarino, joguei aquele cadáver esporrado na cuba da pia, lavei a mão e me entreguei à rede, satisfeito e exaurido. Nem precisei sacar depois o famigerado *Foi bom pra você?*, fumando um Marlboro pós-coito. Com uma lula morta você pode pular essa parte. Fiquei fumando e contemplando a enseada lá embaixo. Era reconfortante pensar que naquele exato momento todo um contingente de vaginas-do-mar nadava debaixo daquele espelho prateado pelo luar só esperando pelo meu amor.

Tão altas considerações foram interrompidas por umas palmas que soaram lá fora. Depois de um minuto de silêncio, ouvi novas palmas. Pelado e a passo de Chuck Berry pra não ser visto da cintura pra baixo, fui espiar por cima da mureta baixa da varanda quem era o fã que tanto me aplaudia. Seria o bugio da mata? Não, era uma mulher de lenço na cabeça, baixota, metida num saião evangélico, mal alumiada pelo poste de luz que fica mais abaixo na ladeira.

"Oi!", me anunciei.

Ela ergueu o rosto e me viu de torso nu. Até aí, tudo bem. Muito homem anda sem camisa por aí o dia inteiro. Se ela dispusesse de uma simples visão de raio-X, porém, teria flagrado através da mureta meu pau demi-bombê balangando feliz e melado de porra com gosma de lula.

"O sinhô qui é o-o..."

"Sou. E a senhora é a..."

"Dedé. Caseira do dotô Fernando, cunhado da dona Nina do seu Nissim."

"Muito prazer, dona Dedé."

"Pois", ela disse, abrindo um sorrisinho chué.

Eu não conhecia ainda a dona Dedé. Ela já tinha me deixado os recados do Nissim com letra e ortografia abomináveis. Acho que era ela também que andou batendo palmas um par de vezes aí na frente, semana passada, em geral quando eu estava cochilando ou torporoso demais de maconha com pinguel pra atender.

"Seu Nissim disse que tratô co sinhor de me adevorvê a chave da casa...?"

"É verdade. Quer subir, dona Dedé?"

"Quero não, bregada."

"Já desço, então. Eu tava de saída mesmo. Um minutinho."

"À vontade", ela replicou sem me olhar.

Fui ao banheiro, fiz a barba em um minuto e meio, passei uma água rápida no pau com o chuveirinho do box, sem sabonete, pra não irritar a fina e rica pelica da pica, um tanto assada pelo meu friccionante idílio com a lula, e, ao me enxugar, olhei pelo vitrô o céu estrelado, sentindo uns repiques de tesão e a certeza de que, naquela noite, o que viesse era lucro. A minha estratégia de autodisciplina erótica tinha que dar certo. Escolhi minha melhor roupa entre as duas mudas que eu trouxe pra cá: um jeans e uma camisa de riscas azuis verticais, limpinha e de boa qualidade, presente da Lia, claro. É o que eu tinha achado na produtora quando saí de lá na vula, já nem sei mais há quanto tempo — uma década e meia, me parecia. Calcei também meu par de tênis, sem meia. Se a Rejane quiser trepar comigo, deliberei, ia ter que cheirar um pouco de chulé. Tem mulher que acha excitante chulé de macho. De qualquer jeito, pensei, o que a Rejane queria de mim não estava exatamente nos pés, com ou sem chulé.

Completei meu enxoval pescando uma nota de 50 da minha esquálida e minguante fortuna escondida no fundo de uma gaveta do armário embutido. Daí, catei a lula esporrada da pia, tasquei a desgraçada dentro do saco plástico transparente, onde a esperavam as outras duas, ainda virgens de piroca humana, botei o saco na sacola de super, sem o jornal, e baixei pela escada em Z, pisando com cuidado o limo escorregadio dos degraus de tijolo. Passei pelo anão na última curva do Z, montando guarda de cara voltada pro portãozinho de ferro carcomido de ferrugem que não deixou de emitir seu clássico rangido quando o abri. Lá estava dona Dedé e seu rosto multiétnico rabiscado de rugas precoces e emoldurado pelo pano da cabeça preso com um nó debaixo do queixo pontudo de bruxa coroca. Ni qui eu saí pra ruela, a mulher deu um passo pra trás e já foi se explicando:

"Vim de dia vê debaxo do anão, mai num achei a chave. Aí, arresorvi vim de noite."

Ignorando a observação da mulher, estendi pra ela o saco de lulas.
"A senhora gosta de lula, dona Dedé?"
"Ô!", ela replicou de pronto, de olho no saco plástico que eu lhe estendia.
"Então toma aqui pra senhora. Melhor fazer hoje mesmo, viu."
Dona Dedé fingiu certa relutância em aceitar o presente, até que, de repente, deu um bote no saco, bisoiando lá dentro:

"Ói só! Cada baita!"

"Foi o Josimar que pegou. Sabe o Josimar pescador?"

"Conheço. Sei quem é. Conheço. O Josimar."

"Como é que a senhora gosta de fazer lula, dona Dedé?"

"Todo jeito é bão, né? As grande assim custumo di fazê recheada."

"E a senhora recheia com quê?", perguntei, me lembrando do meu recém-desenvolvido método de rechear lulas.

"Uma farofinha de sete-barba miudim com coentro vai bem, né? Mai carqué recheio fica bão numa lulona dessa."

"É verdade, dona Dedé, qualquer recheio fica bão", concordei plenamente.

Aí fui ao ponto:

"Agora, o negócio da chave, dona Dedé, é o seguinte. Na segunda, o mais tardar, eu tiro minhas coisas daqui. E deixo o molho de chaves debaixo do anão pra senhora, tá?"

"Se num for incomodá."

"Só espero que não chova. Depois de um fim de semana de sol costuma vir chuva. E sair daqui carregando as tralha com chuva é ruim, né?"

"É ruim, é ruim."

"A senhora acha que vai chover, dona Dedé?"

"Óia, tá minguando a lua. Lua minguando, o tempo muda. Pó vê", disse ela, apontando o céu iluminado por uma ex-lua cheia roída na borda superior. "Já tem nuve correndo o céu praquelas banda. Isso é chuva que vem."

"A lua é poderosa por aqui, né, dona Dedé?", desguiei de novo.

"Ô! A lua governa tudo. O mar, os peixe, as pranta."

"É? As planta também?"

"Mai nem! Que nem o sinhor vai panhá taquara pra fazê uma cerca, um jirau, carqué coisa? Tem que sê na lua minguante, senão a taquara fica bichada."

"E a senhora mora onde, dona Dedé?"

"Aí no caminho do morro. Sabe o caminho do morro?"

"Tem muito caminho aí nesse morro, num tem?"

"É esse que o povo pega pra subi inté a rodovia. Começa ali, ó", ela apontou para o último poste na ruela. "No poste, senhor quebra de ansim, pa riba. E vai. Minha casa fica pertim, pertim. Andando um pouco mais, já dá no asfarto lá em cima, do ladim do pon'de ônibus."

"É mesmo? Num sabia. E, dona Dedé, me diga uma coisa: Porangatuba tá mais perto de Ubatuba ou de Paraty?"

"Paraty. Ô. Bem mais. Quarenta minuto de ônibus. Pa Ubatuba dá uma hora. É."

Puxei a nota de cinquenta do bolso, que ela devorou com aqueles zoinho miúdo dela.

"Sabe, dona Dedé, eu achava bom o Nissim não saber desse arranjo nosso. Esse, da segunda-feira..."

"Ara, num isquenta. Vai sabê, não. Se num vinhé ninguém lá do seu Nissim, da dona Nina..."

"Não vem, não."

"Tamém acho que num vem. Quando ês vem, ês avisa nóis, né?"

"Bom, então tá, dona Dedé. Vou deixar esse dinheirinho aqui pra senhora, tá?"

"Ara! Precisa disso, não."

Insisti. Ela pegou a nota com inconvincente relutância, dobrou e meteu por dentro da cintura da saia.

"Segunda, a chave taí no anão, dona Dedé", eu disse. Mas aí tive uma ideia: "Ou melhor, pera aí!"

Zuni escada acima, abri a casa, peguei em cima da mesa a cópia das chaves que o Leno tinha mandado fazer em Ubatuba, botei no bolso, desci a escada, espalmei a cabeça do anão pra dar sorte e logo estava entregando na mão da caseira o molho de chaves original, num chaveiro que tinha um minicincerro pendendo na ponta de uma tira de couro.

"Mai, i o sinhor? Vai ficar sem chave?"

Bati no bolso fazendo tilintar as cópias de chaves e respondi: "Não."

"Ah."

"Ó, dona Dedé: quando o Nissim ligar pra senhora, toca o badalinho no telefone pra ele ver que a senhora tá com as chaves."

Ela deu uma badaladinha no cincerro minúsculo junto com uma risadelha marota. Pronto, essa tá no meu bolso. Ê Brasilzão véio de guerra.

"Fiquemo assim, intão. Eu venho na segunda cedo limpá a casa."

"Dá pra vir de tarde, dona Dedé?"

"Dá. De tarde. Dá."

Dona Dedé subiu com as lulas e eu desci pra pousada imaginando o belo jantar de lulas recheadas que a família da caseira ia degustar logo mais. Toda a minha herança genética, misturada com carne de lula e farofa de camarão, ia ser deglutida, digerida e expelida em breve por uma autêntica família caiçara. Toda gente se iguala na morte e na bosta, já deve ter dito algum materialista amargurado. Em outras palavras, o destino dá muitas voltas. O intestino também.

# <28>

Mitsubishi, Toyota, Hyundai, BMW, Volvo, Peugeot, Audi, Honda, Porsche, entre as marcas que eu me lembro, quase todos com placas de São Paulo ou Rio, se alinhavam em três fileiras no grid primeiro--mundista diante da Chapéu-de-sol, obrigando pedestres e veículos que transitam na tosca e estreita via à beira-mar a se apertarem junto à areia de modo a contornar aquele aglomerado de latas de luxo. Dois postes art-nouveau fincados no jardim fronteiriço da pousada conferiam uma pátina de luz amarelada ao cenário, calculada pra dar o toque rustic-romantic-chic ao lugar.

 Já tomando fôlego pra meter os peitos pela porteira adentro, passando por debaixo duma canga de parelha de bois à guisa de pórtico, com *Chapéu-de-sol* pirografado em caligrafia cursiva, fui abordado por um bebum local chamado Tatá, o mais notório idiota da aldeia de Porangatuba. Me disse a Rejane que, além de doido, ele é feiticeiro, poeta e alcoólatra terminal do tipo que não termina nunca. Faz uns 20 anos que ele tá terminando. Fala um pouco de inglês e francês, e já esteve no Togo e no Benin. Aprendeu por lá o dialeto mina-euê, numa viagem paga por uma antropóloga canadense que esteve aqui e mais ou menos o adotou como material didático pruma pesquisa sobre os quilombos remanescentes nesse trecho da Mata Atlântica.

 Tatá é o quilombola que virou tese. Mas quando a pesquisa acabou, foi despachado de novo pra Porangatuba com uma merreca indenizatória no bolso, oferecida pela antropóloga. O maluco deve ter investido toda a grana numas mil garrafas de Fogacho, uma típica "pinga de cabeça", a mais barata e mais saturada de bagulhos tóxicos que há, segundo me informou o Quinho. Apesar de ter muitos parentes aqui, Tatá foi morar mesmo é na casa da cachaça, que fica no meio da rua — de qualquer rua de qualquer lugar. Hoje vive de guardar e lavar carro da turistada, além de carregar volumes morro acima e abaixo pros donos das casas e das pousadas. Isso quando não está enchendo o saco dos passantes com suas histórias delirantes e sua mendicância visgosa, ou entabulando colóquios em mina-euê com os espíritos que marulham e farfalham entre o mar e o mato. Já tropecei no infeliz várias vezes por aí, ocasiões em que escutei um pouco da sua arenga e deixei-me extorquir nuns pichulés. Outro dia, saí mais bêbado que o usual do Quinho e fiz a cagada de lhe dar dé real. Agora o filhadamãe não pode me ver que já vem abanando o rabo imundo pro meu lado, como ontem à noite.

"Ô! Amegá, amegá! Amê ekê me nyá nya i le tso", me disse o Tatá, ao me ver abrindo a porteira da pousada.

"Pra você também, Tatá. Tchau."

"Grã-sinhô, grã-sinhô!", ele atalhou, supostamente traduzindo aquela algaravia. "'Ninguém sabe o dia de amanhã.' Hrahrahrahrá!"

E arreganhava seu sítio arqueodontológico de ruínas dentárias numa risada que mais parecia rosnado de hiena velha ou estertor de tuberculoso moribundo, se escorando na porteira pra não cair.

"É isso aí, Tatá. Ninguém sabe o dia de amanhã. Se for um novo dia, pra mim já é lucro."

"Ô, se é! Ô! Ô!", ficou fazendo o birutão

"Licencinha", eu disse, já do lado de dentro da pousada, tentando fechar a porteira com ele pendurado nela.

Tatá quase caiu pra trás, capenga que só ele.

"Vai jantá na dona Rejane?", ele mandou, lambendo em seguida os beiços, esfregando a barriga e patolando as pudendas, numa pantomima híbrida de fome de comida e sexo.

"Vou, por quê?", respondi, sem saco pra esticar o papo.

"Dona Rejane! Comida gostosa!", disse ele, babando sua malícia sifilítica e quase cuspindo seus parcos dentes bichados numa gargalhada estuporante de belzebebum. Daí, mandou mais uma pérola no mina-euê dele:

"Ô! Gôto lôto! Dona Rejane! Gôto lôto! Gôto lôto!"

Ele repetia isso modelando uma bunda no ar. Não resisti e caí na risada. *Gôto lôto* é demais.

"Mais respeito com o gôto lôto da madame, Tatá", eu disse.

Ele continuou com suas gargantadeas medonhas exalando um bafo de desamparo crônico tratado a caninha barata. Aí, esticou a mão pra mim, palma virada pra cima, o pedinte clássico.

"Vê uma coisinha aí pa nóis tomá uma cachaça, meu branco. Sem cachaça num tem quem guente essa miséria", gemelhicou.

Fucei nos bolsos do jeans e tudo que achei foi uma esquecida moedinha de cinco centavos na algibeira que deixei cair na palma da mão dele evitando o toque de peles. Tatá aproximou a carantonha desgrenhada da rodelinha de metal acobreado e franziu o cenho. Não lhe valia nem meio trago de cachaça aquela parte subatômica da renda nacional bruta. Daí, na minha cara, esfregou da mão a sujeirinha humilhante, que voou pra escuridão, me deu as costas, injuriado, e se afastou em seu passo cambaio, a vociferar impropérios na língua dos cafres que na certa achincalhava o ventre da minha mãe e me augurava morte violenta e dolorosa.

No restaurante da pousada, onde se repoltreavam os donos dos carrões importados, sentei numa banqueta junto ao balcão, onde o Leno, do lado de dentro, operava ao mesmo tempo várias caipirinhas. Pedi uma de pitanga e uma long neck, e fiquei observando a malta. O basicão eram famílias reluzentes de banho tomado e roupa nova, com crianças e adolescentes saudosos de coisas que pudessem ser ligadas na tomada para produzir imagens velozes e ruídos demenciais. Tinha também alguns casais sem filhos, sozinhos ou em pequenos grupos. Eram todos da classe média "bem" de São Paulo e Rio, todo mundo uniformizado em shoppings idênticos, da Barra da Tijuca ao Morumbi.

Localizei uma única mulher desparelhada, de uns 30 anos, o melhor exemplar feminino daquela monótona sociedade. Com ela na mesa estava um casal de crianças, uns 4 anos a menina, uns 7 o garoto, seus filhos, parecia. A mamãe possuía belas pernas cremosas que saíam de dentro de um short social de pano preto. O garoto, um gordinho bochechudo, não parava de encher o saco da irmã, tipinha miúda que abria um berreiro forçado a cada dois minutos e meio por conta das provocações do irmão. Sorte do meu Pedroca não ter irmãos — ainda. Pelo andar da sacanagem, não é improvável que o *Júlio* venha a fazer um ou dois filhos na Lia logo mais. Quer dizer, se os dois

pararem um pouco com suas devoções anais, dois dedos, "trocos", e o caralho no cu a quatro. O Leno deve ter visto meu olhar passeando pelas coxas da mulher e soltou, com aquele ar sonso-malévolo dele:
"É dona Regina, nora de dona Rejane."
Quase respondi: E eu perguntei alguma coisa, animal?
"Sério?", foi o que eu disse. "O filho da Rejane arranjou logo uma Regina pra casar?"
"É", balbuciou o bostinha do Leno, indiferente à coincidência edipiana.
"Me vê logo essa cerveja, vai", ordenei, tentando soar íntimo e despachado, mas resultando, de fato, grosseiro e autoritário. Não sei por quê, mas esse cara consegue extrair o que há de pior em mim.
Ele puxou a long neck da geladeira horizontal, girou a tampinha, botou a loirinha no balcão pra mim e voltou às caipirinhas de limão que preparava. Minha caipirinha de pitanga, pelo visto, ia demorar pra sair. Fiquei mamando a breja no bico e dando umas retinadas nas coxas da nora da patroa, que envergava uma camiseta amarelo-ovo de manga cavada coladinha no tronco enxuto com peitos pequenos mas expressivos e livres de sutiã. Sentada de ladinho na cadeira, pernas cruzadas, parecia alheia ao esporro dos filhos, entretida num papo com uma mulher da mesa ao lado. As coxas eram o que ela tinha de melhor, de fato.
"E cadê a Rejane?", perguntei pro Leno.
"Dona Rejane subiu, mas já vai descer", ele respondeu, terminando de preparar a última de três caipiras de limão alinhadas à sua frente.
"Tudo que sobe acaba descendo", sentenciei. "Mas nem tudo que desce volta a subir."
Enquanto o paspalho tentava decifrar aquela merda que eu tinha acabado de dizer, estendi o braço por cima do balcão e dei um bote num dos cálices bojudos com gelo, limão, cachaça da boa e açúcar, prontos pra serem levados a quem de direito nas mesas. O Leno não gostou.
"Você não queria de pitanga?", ele disse, omitindo o *seu filho da puta*.
"A segunda você faz de pitanga", arrematei, metendo os beiços na caipirinha.

Ele abanou a cabeça numa espécie de assentimento sinistro, tipo *deixa estar, jacaré*. Por ele, minha próxima caipirinha seria de cicuta com estricnina.

"E tem mais", insisti, só pra encher-lhe o saco, enquanto preparava às pressas mais uma caipirinha de limão. "Se for ver, nem tudo que sobe desce. Tem muito alpinista soterrado lá no alto do Everest, por exemplo. Manja o Everest? Eles morrem tentando escalar aquela porra e ficam por lá mesmo, a oito mil metros de altura, debaixo de toneladas de gelo, até o fim dos tempos. Não vão descer nunca mais. Quer dizer, só no dia em que o aquecimento global acabar com todas as geleiras do mundo. Aí os cadáveres congelados escorregarão até o pé da montanha. E apodrecerão. E serão devorados pelos abutres. Mas, nesse dia, todas as terras estarão alagadas. Se não for o fim da humanidade, será pelo menos o da civilização. Entendeu?"

"Sim", respondeu o Leno, sinalizando que não estava mais prestando nenhuma atenção em mim e na minha sabedoria montanhista.

Dei uma panorâmica no salão. Quando meu olhar voltou pro Leno, pilhei o desgraçado me espionando com seu olhar reptiliano. Sobe, desce, sobe e não desce, alpinistas congelados, aquecimento global, abutres devorando cadáveres, que porra de papo era aquele? Num tá vendo que eu tenho mais o que fazer aqui?, era o que o olhar dele sinalizava. O putinho depositou as caipiras numa bandeja e saiu com elas pro salão. É definitivo: não vou com a cara desse cara, talvez pelo forte motivo de que ele também não vai com a minha. Nem o aquecimento global derreteria esse gelo entre nós.

Saboreando minha caipirinha, percebi cabeças se voltando para o primeiro lance de degraus da escadaria que leva ao topo da torre onde reside a rainha-mãe do reino unido de Chapéu-de-sol y Porangatuba. Ali do balcão, eu podia ver apenas os primeiros degraus sendo invadidos de cima pra baixo por um par de pernas lentas de mulher a jorrar nuas e grossas de uma saia de bainha frufru, um pouco mais curta e juvenil do que a idade das pernas recomendaria, em princípio. Mas eram pernas bronzeadas de caminhante diária, sem varizes aparentes, tratadas, com certeza, a cremes finos, lama medicinal, gel esfoliante, massagens linfáticas, aplicações de colágeno e o caralho. Aparentavam uns 48 anos aquelas pernas, eu diria, apesar das dobrinhas de pelanca sobre os joelhos. As pernas traziam a Rejane, que, de blusa decotada de alcinha encobrindo os petchones à solta lá dentro, já cumprimentava com festas e beijos os hóspedes mais íntimos. Fazia figura a figuraça, tirando todo o proveito possível da boa estampa daquelas pernas que sabiam correr do tempo. Era a primeira vez que eu via as pernas da mulher. Me perguntava por que razão ela tinha escondido aquele rico patrimônio até agora. Quem sabe pra valorizar seu trunfo, exibindo-o somente em ocasiões especiais, como o dono de um Picasso ou Matisse que só pendura a valiosa tela na parede da sala em determinados jantares e reuniões. Lembrei do Bukowski exaltando esse tipo de pernas prodigiosas, muito mais jovens que suas donas. "Legs go last", dizia o velho cafajeste lírico ao falar de suas amigas velhuscas abandonadas por maridos e filhos, que de vez em quando apareciam em seu apartamento pra tomar vinho e dar uma eventual trepada. "As pernas se vão por último." Grande Buk. Deve estar agora devorando pernas femininas flambadas em bourbon num bar da zona do meretrício celestial.

Elas vinham na minha direção, as pernas, mas achei que iam parar primeiro na mesa da nora que, de costas pra escada, não tinha ainda percebido sua chegada. Mas a Rejane, depois de distribuir mais alguns beijos e sorrisos de passagem, rumou direto pra mim.

"Você deu azar", ela disse, depois de depositar dois beijinhos castos nas minhas bochechas. "Ou sorte."

"Eu?", perguntei, ressabiado. Do que ela estava falando?

"Minha nora chegou. E a pousada lotou."

"Ah...", eu fiz, ainda sem entender picas.

Ela riu.

"Não lembra do que eu te disse hoje mesmo quando você voltou das Rocas?"

"Hmn... não."

"Eu disse que, se a minha nora viesse pro fim de semana e a pousada lotasse, você teria que dormir na minha casa", ela explicou, cândida como uma velha sucuri carente.

"Ah...", exalei, sacando a armadilha em que tinha acabado de cair. Mas não me fiz de rogado e atirei pra matar:

"Esse é o tipo do azar que eu queria dar mais vezes na vida."

Bingo. A mulher se acendeu feito tocha olímpica a gás. *Slosh!* Seus ovários, se ainda estavam lá, liberaram quanto estrógeno e progesterona ainda tinham de reserva. Passado o baque inicial, ela deixou as feições se arregaçarem num sorriso de outdoor, exibindo o bom trabalho do dentista. Daí, tomou da minha mão e me rebocou até a mesa da nora, apresentando-me como se eu fosse seu noivo, ou merda assim, enquanto o casal de netinhos disputava a tapas sua atenção, "Vovó! Vovó! Vovó!".

Ao cumprimentar a nora Regina cedi a um ímpeto besta de cavalheirismo old school e tasquei-lhe um selinho nas costas perfumadas da mão que ela me oferecia, de dedos ultradelicados, suaves veias azuis sob a pele branca, unhas pintadas de um rosa discreto. Bonitinha, a Reginora, com seu rosto redondo, nariz afilado de asas fechadas, que pode ou não ter passado por uma plástica, cabelo castanho liso orçando pelo pescoço num Chanel dois dedos mais longo que o da Louise Brooks.

Sentamos na mesa dela, eu e a Rejane, o netinho e a netinha escalando o colo da vovó e reclamando que não podiam ver um vídeo na tevê porque tinha gente assistindo novela no único aparelho da pousada.

"Tiago, Manu! Pó pará de amolar a vovó", decretou a Regina.

Mas a vovó respondeu ao neto:

"E quê qui eu posso fazer, se eles querem ver televisão, Tiago? São meus hóspedes."

"Puxa eles pela orelha!", sugeriu o Tiago.

Rejane riu.

"Eu não posso fazer isso, né, Tiago?"

"Por que não?", apartou a menina. "Eles não têm orelha?"

Todos riram. Até eu.

"Eles têm orelha, Manu, mas se eu for lá puxar a orelha deles vai dar o maior rolo. Eles podem acabar puxando a *minha* orelha", explicou a vovó.

"Xô! Vão dar uma voltinha, vão", enxotou a nora-mãe. "Mas só aqui dentro da pousada, hein? Se saírem lá fora, vai ter."

"E não me vão atrapalhar o pessoal que tá vendo novela", advertiu a Rejane. "Senão eles arrancam a orelha da vovó!"

"Ai, Rejane!", fez a nora. "Que horror!"

"Se eles rancarem a sua orelha, eu mato eles com a minha espada superpoderosa! *Ptchiu! Ptchiu!*", bravateou o gordinho, cortando o ar com uma espada imaginária, antes de chispar da nossa frente, seguido pela irmã. Putz, que alívio. As crianças pertencem ao futuro, não ao presente.

Na mesa jaziam os pratos convulsionados dos netinhos, que a Rejane logo sinalizou pro Leno tirar. Foi o que ele fez em sua rancorosa solicitude, trazendo depois toalha limpa e novos pratos, taças e talheres, enquanto o papo se entabulava entre mim e as duas mulheres. Quer dizer, se entabulava numas. A conversa ia se arrastando torporosa no ar abafado que os ventiladores do teto e a brisa que entrava pelo janelório lateral do restaurante não davam conta de refrescar inteiramente. Os minutos iam ficando cada vez mais distantes uns dos outros. Sentia o suor me lavando a cara. O tempo tropeçava em si mesmo, recusando-se a fluir.

Só no fascinante relato do brilhante desempenho das crianças na escola, o "Madrinha", tema suscitado pela Regina, foram gastos uns 20 minutos. Talvez 25. Tive que falar um pouco, eu também, da atual escolinha do Pedro, metida a alternativa e tal, mas que custa os olhos da cara. Preço de escolinha passou, então, a vigorar como tema da conversa por outros 20 minutos. A Rejane desfiou as lembranças empoeiradas de seus tempos de Caetano de Campos, a velha escola estadual da praça da República, "época em que um pai ainda podia entregar a educação do filho à rede pública neste país. Eu, por exemplo, saí da Caetano direto pra USP, sem nem passar por cursinho".

"Mas isso faz tempo, né, Rejane", rebateu a nora, chamando a sogrinha de velha na cara dela, e sem se dar conta disso.

"E daí que faz tempo?", abespinhou-se a Rejane. "Onde é que tá escrito que a educação pública tinha que piorar nesse país? Por que não podia ter melhorado?"

"Vai perguntar isso pro Lula", respondeu a Reginora, inaugurando o tópico seguinte do simpósio: a política degradada e degradante do país, "o aparelhamento das estatais", o mensalão, a rendição do país aos banqueiros e aos traficantes. "Somos governados pelo PCC agora! Os bandidos acabaram de provar que são capazes de decretar toque de recolher em São Paulo inteira." E por aí seguiu a lenga-lenga, da qual fui em grande parte salvo pelo estupendo escondidinho de camarão da Rejane e pelas garrafas da Nora da Neve, 2001, branco, feito em Rías Baixas, Espanha, segundo o rótulo, e que, além de um excelente vinho, era mais uma dessas coincidências anódinas que vêm se acumulando na minha vida recente: tomar um Nora na companhia de uma nora, ora ora.

Nora de Neve. Por que não *de la nieve*, em se tratando de vinho espanhol? E por que Rías Baixas e não *Bajas*? Sabrá Diós. Em todo caso, estava lá: *Producido en España*. Uvas *Albariño*. Coincidências à parte, devo ter entornado sozinho duas Nora da Neve, das três que vieram à mesa, enquanto as duas contraparentas, a sogra morena e a nívea nora, discutiam em detalhes quase artísticos de tão desinteressantes os avanços e dilemas profissionais da sólida carreira do Renato na Petrobras, sendo esse Renato o filho geólogo da Rejane que não devia ser muito mais jovem que eu, se é que não era mais velho. Renato, Rejane, Regina — eram tantas e tão óbvias as *re*corrências onomásticas que Freud deixaria prum estagiário o trabalho de analisar o fenômeno.

O Renato petroleiro vivia o drama de ter que abdicar de seu apaixonante trabalho de campo na prospecção de óleo cru na costa brasileira por um alto posto administrativo e burocrático na empresa, com salário duplicado "e caminho aberto para o segundo escalão já no ano que vem. Talvez até uma subdiretoria técnica", segundo a Reginora nos confidenciou jubilosa.

"Pro Renato, que ama cheiro de petróleo, isso vai ser um sofrimento, coitado. Mas o que ele vai fazer? Recusar uma promoção dessas não dá, né? A carreira técnica não evolui tanto quanto a administrativa na Petrobras. Essa é a questão."

Eu só balançava a minha cabeça cheia de Nora de Neve, o que parecia estimular a Reginora a seguir tecendo loas ao sucesso profissional do maridão, o que a sogra corujosamente pontilhava de comentários exaltando a inteligência do filho, manifesta desde o berço. Durante as intervenções da Rejane, eu abanava a cabeça na direção dela, voltando a abanar pra nora quando a coxudinha retomava a palavra. Enquanto abanava a cabeça, aproveitava pra mastigar os nédios pedaços de camarão-pistola escondidos sob o creme de mandioca.

"E você faz o que mesmo?", me perguntou a Reginora, quando achou que já tinha enaltecido o suficiente seu amado geólogo e futuro subdiretor da Petrobras.

A Rejane se antecipou:

"Cineasta, minha filha. Já ganhou prêmio até no Peru!"

"Na Colômbia", corrigi, de boca cheia. "Mas isso foi há milênios. O cinema nem tinha sido inventado ainda."

Rejane riu. Mas Reginora ficou me olhando com um vago ar de interrogação. Até que perguntou:

"Você chama João Carlos de que mesmo?"

"José Carlos."

"Desculpe", ela replicou, tocando a testa com dois dedos. "Tenho dificuldade de guardar o nome das pessoas da primeira vez. Minha memória deve tá patinando."

"Magina", eu disse, sem declinar meu sobrenome. "A minha parece um time de hóquei no gelo."

Rejane parecia ter notado o estranhamento da nora, que continuava me olhando intrigada. É como se eu estivesse encafuado na memória dela em algum aposento com as luzes temporariamente apagadas.

"Não é possível que você tenha visto o filme dele, Rê", disse a sogra.

"Como chama o filme?", Reginora perguntou.

Eu não estava gostando daquilo. Essa não é uma boa época para ser reconhecido por estranhos. Mas não dava pra mentir. Reginora era do tipo que correria até o computador mais próximo pra fuçar tudo sobre mim e meu filme na internet. Era melhor eu matar logo a curiosidade dela e encerrar o assunto.

"Holisticofrenia", respondi.

"Quê?!", ela fez.

Rejane soltou uma risada um tanto briaca.

"Holisticofrenia", repeti.

"Será que eu vi isso?", encafifou-se a mulher, que jamais na putana da vida dela veria um filme udigrúdi, e com esse nome esquifoso ainda por cima.

"Viu coisa nenhuma", se divertia a Rejane.

"Gozado. A sua cara não me é estranha", ruminou a Regina.

"Claro que não é estranha", atalhou a sogra. "Estranha é a cara do Severino Cavalcanti. A cara do Zeca é linda!"

Dito isso, Rejane ergueu à minha frente sua taça de branco gelado. Ergui a minha também e brindei com ela, que passou a mão na minha faccia escanhoada.

Devolvi-lhe o galanteio com um sorriso simpático e modesto, ou pelo menos foi essa a minha intenção. E, pra encerrar aquela conversa perigosa, me botei de pé, passei um guardanapo na boca, virei-me pras duas e mandei:

"Com a devida vênia das ilustres senhôras, vou até a praia soltar uns puns e já volto."

Rejane cacarejou uma risada galhofenta. "Mas é um moleque!", disse, sem esconder sua evidente ansiedade pelo pau do moleque. Me pareceu que a Reginora e suas belas pernas também não achariam de todo má a ideia de tirar uma casquinha aqui do cineasta premiado na Colômbia. Era só um palpite meu, dos que não costumam falhar em 77,8% das vezes. Só que ali não tinha como tentar nada. Além disso, mais cinco minutos escutando a conversinha daquela mulher me fariam entrar em catalepsia profunda, estado em que costumo ser bem menos sedutor.

"Volta, hein!", a Rejane me ordenou. "Te esperamos pro aperitivo."

Na praia semienluarada, chutei pro ar com toda força os pés de tênis sem ver onde tinham caído e me sentei na areia úmida, a duas braças e meia do mar, na estimativa de um náufrago quinhentista. Acendi uma bela ponta que eu trazia dentro de uma caixa de fósforos — foi foda de acender com aquele ventinho antidrogas soprando sem parar —, e fiquei pensando. Ou melhor, me preparando pra pensar. Era o que eu sentia necessidade de fazer naquele momento: pensar. Sentar e pensar, enquanto o mar à minha frente tramava suas peixadas, esconditinhos de camarão, luladorês e afogamentos em geral, além de se aproximar cada vez mas de mim, insidioso, tentando outra vez me aliciar pras suas profundezas.

Comecei pensando no que diabos eu haveria de pensar, de cara pra maré montante e à luz da lua, situação propícia a devaneios românticos ou mesmo a introspecções metafísicas, caso o pensador se anime a pensar o pensamento. Se bem que metafísica ali, com aqueles pernilongos empíricos sedentos de sangue, era impraticável. Acabei decidindo não pensar em nada e só ficar olhando o mar à minha frente, tirando uma de cineasta zen. Isso durou até me entrar em quadro um siri do tamanho de uma caranguejeira obesa andando de lado na areia com seus olhos periscópicos sacando a praia em volta. O bicho se eriçou em alerta máximo quando deu comigo, suas pinças abertas em posição defensiva, esgueirando-se pras bandas do mar. Joguei um punhetaço de areia na cara dele, que sumiu soltando um chiado de raiva.

    O mar boiava em si mesmo, quase vazio de embarcações. As chalupas, traineiras, voadeiras e canoas tinham saído todas pra pescar. Numa delas devia estar o valoroso Josimar, pai de Josilene, a caiçara gostosa que não tinha me ligado — como, aliás, não ligou até agora, a viadinha. Desejei boa pescaria ao Josimar, mas não queria mais saber das fornicáveis lulas que ele traria em sua rede de manhãzinha. Queria mais era a coisa-em-si da filha dele. Obtê-la-ia?, mesoclisei debaixo das estrelas.

    Me deu ganas de tirar a roupa e me jogar na água, mó de me aliviar das picadas dos pernilongos e da urticante libido que não me dava sossego. Mas lembrei do meu estômago forrado de camarão com creme de mandioca e vinho, que me tornava candidato a uma bela congestão seguida de afogamento. Me deu também receio de entrar pelado na água e vir algum peixe ou siri faminto abocanhar meu pinto. Porra, veja você, nem tinha ainda comido a Jocasta da pousada e já estava tendo fantasias de castração. Na dúvida, voltei a me jogar na areia, deitado de costas, barriga cheia pra cima, de cara pras vagas estrelas que se deixavam ver através do véu de bruma prateada pelo luar. Vi também meu pé esquerdo do tênis ao alcance da mão. O direito não estava à vista. Improvisei o tênis de travesseiro, de modo a contemplar o infinito com um pouco mais de conforto pro pescoço.

    Senti o planeta girando rápido. Lembrei de ter lido, dia desses, que o sol um belo dia entrará em colapso, virando um buraco negro ávido por corpos celestes. Seu primeiro petisco será o planetinha sobre o qual eu estava deitado agora. O que podia um cara sozinho contra a voragem do cosmo em desencanto? Se conseguisse não ser preso já tava de bom tamanho, por ora. Foi aí que uma nuvem se postou sem cerimônia na frente da lua, me dando a pala pra mais um filosofante haicai que cá vai:

> o brilho da lua
> a nuvem escondeu
> quem sou eu?

Agora, acentuada a escuridão da noite, achei que tinha identificado o Cruzeiro do Sul. Lembrei que a estrela no pé do cruzeiro apontava para o sul — se aquela era a constelação certa. Eu podia não ter um norte na vida, mas agora tinha um sul. O sul era o meu norte, o que fazia todo sentido numa praia em que o leste tinha trocado de lado com o oeste. Pensando nisso, e em coisas ainda mais descartáves que isso, fui caindo numa soneca profunda. Lembro de ter sonhado com uma surubinha em companhia da trinca Sossô, Wyrna e Jôsi, todo mundo nu, só que não no porão do zebu pirocudo, mas na enseadinha da ilha das Rocas, flutufornicando no raso do mar, nós quatro rodeados por arraias-jamantas adejantes, cavalos-marinhos a relinchar borbulhas iridescentes, plânctons fantasmáticos, algas bruxuleantes e esqueletos bailarinos de náufragos antigos.

Minha revêrie marítima durou até que uma voz rachada e cusparenta começou a vazar pra dentro do meu cérebro, vinda da realidade. Abri uma fresta de olho e enquadrei em contra-plongê uma forma semi-humana que aos poucos foi se revelando em toda seu festivo miserê: era o Tatá, tortaço como sempre, com uma garrafa na mão, vertendo sua arenga de preto véio. A arenga começava a tomar forma nos meus ouvidos:

"... polícia, sordado, fuzilêro, tudo fiadaputa. Médico, enfermêro, farmacêtico, bando de fiadaputa. Prefeito, deputado, senadô e presidente, só fiadaputa..."

Ele fazia uma pausa pra sua tosse tísica seguida de um gole no bico da Fogacho, e continuava:

"Dono de traineira, de barco de arrasto, de peixaria, ê gentinha fiadaputa. Camioneiro, fazendeiro, dono de posto de gasolina, de pousada, de boteco, de armazém, de padaria, um mai fiadaputa que o otro. Adivogado, professô, padre, pastor e crente, é fiadaputa que num acaba mais. Por isso que esse mundo num vai pa frente."

"E mulher, então?", provoquei, me pondo de pé e tirando a camisa.

"Ichi! Pió que cachaça, muié. Ô bicho fiadaputa de ruim."

"Pode crê, Tatá. Sendo que o barato da muié dura uns minutinhos só, e o barato da cachaça dura dez, quinze horas", argumentei, depois de tirar a calça.

Indiferente à minha nudez descuecada, o afrocaiçara se desmilinguia de rir.

"É isso aí!", ele disse. "Pra mim, cachaça dá barato o dia intêro. Muié, comigo, é metê e remetê. Num dêxo buceta isquentá lugar do meu lado, não. Di jeito ninhum!"

"É isso ai, Tatá. Abaixo a mulher, viva a cachaça!", eu disse, num brado forte, retumbante, já disparando pro mar.

Eu precisava acordar duma vez por todas. A digestão que fizesse uma pausa. Logo ao emergir do primeiro mergulho, ainda no raso, me senti novo. Sentei braçadas fortes n'água fria, dando pernadas que não pouparam a perna cãimbrável. Acabou que eu fiquei sóbrio às raias da mania. Isso vinha a calhar diante da formidável missão que me esperava no alto daquela torre: foder a taverneira. Não ia ser fácil. Negócio era me concentrar nas pernas dela, o item mais convincente de sua anatomia. Depois trataria de encarar os peitão. Pernas, peitaria, buceta — aquilo era uma mulher, afinal de contas. Comecei a ficar de pau duro no mar. Achei naquela hora que meu zebuh interior, assim como o exterior, iam dar pro gasto de encarar a sexagenária. Ainda estava de pau meio duro quando saí da água. Por sorte, o Tatá já tinha se mandado imprecando rimbaudianamente contra todos os métiers. Apontei meu pau pra lua que mais uma vez se oferecia plena e luminosa ao meu exuberante despudor.

## <29>

Na volta pro restaurante, de camisa e calça molhadas, e um pé de tênis na mão — não consegui achar o outro, roubado, talvez, pelo maldito siri, em conluio com a maré —, achei Rejane y su nora nevada ainda à mesa, nos mesmos lugares.

"Não falei que ele ia nadar?", ela disse, prorrompendo em palminhas e risotas, enquanto eu dava umas bicadas em sua taça de vinho.

Reginora sorria de um jeito meio vago, como se prestes a decifrar um enigma — o enigma do cineasta molhado.

"Se Maomé não vai ao mar, a maré vem a Maomé", declamei pras duas madames irrigadas de vinho branco, bem mais a sogra do que a nora. Elas me brindaram com novas risalhotas.

"Nem vou perguntar o que aconteceu com o outro pé do seu tênis", comentou a Rejane.

"Dei de presente a Iemanjá", respondi. "Se ela atender meu pedido, amanhã dou o outro pé. Que nem político sertanejo."

"Que pedido, podemos saber?", perguntou a Rejane, dando erguidinhas de sobrancelhas.

Botei um ar de educada sacanagem pra responder à sogra, tentando não olhar pras coxas da nora:

"Isso eu não posso dizer diante de senhoras."

"Ah! Oh! Uh!", as duas ulularam.

Daí, a Rejane ficou séria e comandou, indicando com o dedão a torre atrás dela:

"Vai tomar um banho no banheiro do meu quarto, vai. É só subir a escada até o fim. A porta tá aberta. O chuveiro é turbinado, a água sai forte, uma delícia. Tem toalha limpa no armário de cortina branca, e tudo mais que você precisar. Só não tem ar-condicionado, que me dá rinite e me fecha os brônquios. Quer que eu suba com você?"

Ela já fazia menção de se levantar da cadeira, mas descansei a mão em seu ombro abortando a tentativa.

"Precisa não, Rejane", eu disse. "Pode não parecer, mas aprendi a tomar banho sozinho. Não faz muito tempo, mas aprendi."

Rejane riu. Reginora deu só um sorriso meio malicioso. Ou inteiro malicioso, talvez.

"Tá bom", falô a Rejane. "Depois, se enrola numa toalha que eu já subo lá pra te ver umas roupas do Renato."

"Espero que o seu filho não se importe", eu disse, de besta.

"Se importar com o quê?!", estranhou a Rejane.

"De eu usar as roupas dele, ué." E também de comer a senhora sua mãe daqui a pouco, pensei, e de estar de botuca nas coxas tesudas de sua legítima e gostosíssima esposa.

"Cê acha, Zé Carlos?! É tudo roupa velha que o Renato deixou aí há anos e nem serve mais nele. Minha nora fez meu filho engordar vinte quilos desde que se casaram."

"É, felicidade conjugal engorda", soltei.

"Verdade", apoiou Reginora. "Finalmente um homem que entende o casamento."

Rejane trocou um olhar comigo e soltou:

"Faltou entender um pouquinho mais em proveito próprio, né, Zeca?"

"Nada. Entendi até demais", repliquei, vendo uma interrogação se desenhar na cara da nora, que podia ou não estar sabendo pela Rejane do meu alegado cu-de-boi matrimonial-policialesco.

Reginora acendeu um cigarro. Pedi-lhe outro, e ela me deu o que tinha acabado de acender. Agradeci com um sorrisinho safardana que não pude evitar. Não fosse pela Rejane, eu já teria caído em cima da Reginora de britadeira em punho. Ela puxou outro ciga do maço e o acendeu pra si.

"Té já então", eu disse, louco pra dar uma piscadinha pra Regina, o que consegui me impedir de fazer.

"Bom banho, bonitão", mandou a estalajadeira, ela sim liberando uma ostensiva piscadelona.

Rejane se exibia à nora, demonstrando que ainda era capaz de fazer um homem vinte anos mais novo subir ao seu quarto pra tomar banho, com ordens expressas de esperá-la, limpinho e nu debaixo de uma toalha. De pernas cruzadas, Reginora balançava um pé descalço no ar, puxando fumaça do cigarro e me dando aquele olhar de longínquo reconhecimento. Eita porra, pensei. Dei uma derradeira lambida ocular naqueles cotchones dos quais, pelo jeito, só os pernilongos desfrutariam naquela noite. Ela percebeu a secada e descruzou as pernas, encaixando o pé na havaiana branca, como se esse gesto restabelecesse a moral vigente.

Ora ora, pensei, a caminho da escada, deixando nora e sogra pra trás. Tudo que eu tinha a fazer era relaxar. Pelo menos até a hora de apresentar uma ereção operacional à minha hospedeira. Podia sentir nas costas os olhares perfurantes das duas. De fato, aquela Reginora era um tesão de mulher. Mas eu teria que seccionar suas cordas vocais antes de meter-lhe a vara, pois não ia suportar por muito tempo sua prosa broxante. Se for ver, a lula morta que eu tinha fodido horas antes era bem mais interessante como companhia que ela.

A escada da torre desembocava numa varanda em U que circundava a torre. Tinha uns cadeirões de vime em torno de uma mesinha de centro, onde a patronne devia tomar seu café da manhã, imaginei. Uma porta pintada de vermelho-tentação se abria pruma bela e ampla suíte, naquele estilão tropical rustic da pousada, com vigas de madeira envernizada no teto, plantas por toda parte, uma arara de bambu num canto sustentando vestidões coloridos, luz indireta fornecida por luminárias orientais e ocidentais, e umas velharias chiques, como o cabide de madeira, a escrivaninha de amanuense, com tampo de granito polido, e o espelho oval.

Cumprindo à risca as instruções da patroa, me meti na ducha morninha, escolhendo um xampu verde natureba e um condicionador importado entre a frascaria de plástico à disposição na prateleira do boxe. Pelado sob a cascatinha aconchegante, me entreguei a um enredo onanista no qual eu me infiltrava de madrugada no quarto da Reginora, amarrava os braços dela na cabeceira da cama, amordaçava a infeliz e atochava-lhe a poronga na buceta cheirosa que o geólogo da Petrobras já devia estar cansado de prospectar.

Quase gozei na mão ensaboada. Mas tive a lucidez de guardar fôlego e seiva pra logo mais. Já bastava o que eu tinha gasto com a lula aqui em cima, horas antes. Me enxuguei com um toalhão que daria pra fazer duas togas de imperador romano, onde se lia na etiqueta: *Mansour Inc. 100% egyptian cotton.* Coisa fina. Nunca me senti tão enxuto na vida. Pra enrolar a toalha na cintura, tive que dobrá-la em duas metades, e, ainda assim, a saia ficou roçando no chão. Me olhei no espelho sobre a bancada da pia. Aprumei a espinha, inflei o peito, expandi as omoplatas. Eu era um majestoso faraó egípcio à espera da múmia nubente.

De volta ao quarto, me alonguei na cama extralarga de cana-da--índia, costas apoiadas num conglomerado de almofadas coloridas apoiadas contra a cabeceira. Tirei calça e camisa molhadas de cima da cama e joguei tudo no chão, do meu lado, onde já estava um Estadão que algum hóspede devia ter trazido de São Paulo — a Reginora, talvez. Tinha um abajur de cada lado da cama, de campânula quadrada feita de tecido rústico amarelado que atenuava a luminosidade da lâmpada e caramelizava o ambiente. No criado-mudo descansava um livro com um marcador despontando do meio das páginas, "O caçador de pipas", típico item de biblioteca de pousada. As pás de madeira do ventilador giravam no teto, reforçando a refrescância proporcionada pelo vento que soprava pelos janelões ao redor do quarto.

O vento fresco no meu corpo quente do banho me provocou um espirrão. Assoei o nariz numa ponta de lençol e abaixei a zero o dimmer do ventilador. O giro das pás foi amainando, nhec-nhec, clec-clec-clé... até a imobilidade. Uma sanfona de forró harmonizava ao longe, num dueto com o marulho manso da enseada. Toda uma força aérea de pernilongos evoluía à minha volta. Catei um no ar, mas ao abrir a mão o putinho fugiu zumbindo seu deboche.

Peguei a caixa de fósforo no bolso da camisa e acendi a baga ainda assaz carburável. O quarto se defumou de marigonga. Achei que a fumaça canábica ia espantar os pernilongos, mas o efeito foi o contrário. Os putos devem ter desenvolvido uma larica galopante que só fez redobrar sua sanha vampírica. Mas eu não queria passar o Off que tinha visto no banheiro, ao lado de uns remédios, entre os quais Zoloft, Frontal e Rivotril. Meu negócio era atrair, não repelir ninguém.

Peguei um caderno do Estadão, o de cultura, e fiquei apreciando umas anoréxicas de biquíni a desfilar na passarela. Uma das manecas envergava um conjunto de tapa-xota e peitos líberos. Me lembrei da alucinação que eu tinha tido em São Paulo com uma maneca daquelas, que se transformava lisergicamente na Sossô. A mágica, porém, não se repetiu. Se eu tomasse um coquetel daqueles remédios de tarja negra no banheiro da Rejane, quem sabe conseguisse um efeito semelhante. Bem que eu encarava uma meleca mais forte, depois de tantos dias de virgindade química. Cheguei a pensar nisso, mas desisti. Vai que eu endoidasse de vez e saísse de pau pra fora pela pousada, oferecendo meus préstimos sexuais à distinta clientela — pra nora de neve em primeiro lugar. Fiquei me divertindo com essa ideia, o que acabou por me acordar o gigantinho Adamastor. Só saí daquele estado de enleio masturbatório quando a brasa do charo quicou na minha barriga. Soltei um *Ai, caralho!* e me apressei a catar a brasa, que, no entanto, já tinha feito um duplo furo em duas dobras do lençol antes de se apagar sozinha. Guardei a bituca de volta na caixa de fósforos e dei mais umas lambidas visuais na top model de topless do jornal com quem eu gostaria tanto de praticar um top-top-top ali-alora.

 Numa outra folha do caderno tinha um anúncio de meia página do *Forever Depil Center*, com uma graça de morena roliça num biquíni sumário. A semipelada e depilada beldade estava sentada na proa de uma lancha branca exibindo a lisura das glabras coxas contra o azul do mar ao fundo, em evidente photoshopagem. De fato, não se via sombra de pelo naquela morenice exuberante, razão evidente pela qual o dono da lancha, fascinado por tamanha depilosidade, convidara a gata pro passeio virtual. Taí um luxo ao qual eu cederia de bom grado: ter um barcão daqueles onde morenas depiladas navegassem comigo entre brindes de champanhe e sacanagens de alto bordo. Essa fantaziazinha, reforçada pela foto colorida, fez o Adamastor se erguer de vez. O negócio tava que tava, cônscio da tarefa que tinha pela frente. Devolvi ao chão a folha de jornal com a morenaça do *Forever Depil Center* bem visível sob a luz do abajur, caso eu necessitasse de inspiração no meio do entrevero com a Rejane. Um homem prevenido vale por dois: se um broxar, o outro resolve a parada.

 Foi quando me bateu a lembrança daquela entrada do Google com o meu nome que remetia a uma notícia no Estadão. Passei a vasculhar o caderno de Cidades. Surto de dengue, ônibus que rolou a ribanceira e matou quinze, o novo julgamento da loirinha gostosa que mandou o namorado esmagar os crânios do pai e da mãe dela com uma barra de ferro. Eis que meus olhos bateram numa foto colorida dum cabeludo atrás de uma pequena tribuna erguendo no ar uma estatueta dourada de índia nua. Tinha acabado de ganhar um prêmio, o idiota, com aquele cabelo desgrenhado a lhe cair pelos ombros, barba bíblica e um sorriso da mais cabotina felicidade.

"O cineasta José Carlos Ribeiro, suspeito de tráfico de drogas e de assassinato do traficante Miro de Lucca, ao receber o prêmio da crítica em Cartagena por seu longa Holisticofrenia", dizia a legenda da foto, assinada por Irwin Lescowitz, da Associated Press. A foto era velha: 18/09/1996. Porra, há dez anos eu era um promissor cineasta premiado. Maldito, mas premiado. Cabeludo, barbudo, maluco, durango, mas premiado e com um par de olhos azuis bem destacados na foto. Ninguém me chamava de assassino nem de traficante então. Achei que a Reginora devia ter batido o olho naquela matéria, e, ao topar comigo no restaurante, veio-lhe a tênue lembrança de ter-me visto em algum lugar. Cineasta. Suspeito de tráfico e assassinato — eu.

*Puta merda*, sussurrei pro jornal, de modo a não ser ouvido pelos lençóis.

O foco da matéria era o número alarmante de inocentes baleados em confrontos entre polícia e bandidagem nas cidades brasileiras, Rio e São Paulo à frente. Tinha uma entrevista com o tal promotor, Valber dos Santos Velhinho, que vem apresentando uma série de denúncias contra policiais civis e militares envolvidos nessas cagadas. Ele citava outra vez a "chacina do Pacaembu", em que três feirantes foram mortos e muitos outros ficaram feridos na troca de tiros entre polícia e bandidos, além de um suspeito de tráfico, o ex-presidiário Miro de Lucca, atingido pouco antes na rua Alagoas, em Higienópolis, durante a mesma perseguição que desaguou na feira.

Como não podia deixar de ser, lá estava também o delegado Roquete Paiva com aquele papinho infeliz de que as únicas vítimas inocentes tinham sido as do Pacaembu, acertadas pelo chumbo do PCC, não da polícia. O homem encontrado morto na rua Alagoas, que estava em liberdade condicional, tinha sido assassinado por um comparsa, que mais de uma testemunha afirma ter visto saindo do carro da vítima. O suspeito pelo crime, já com a prisão preventiva decretada, é ninguém menos que o "cineasta foragido José Carlos Ribeiro", sócio da Khmer VideoFilmes, instalada no térreo de um prédio "de alto padrão" bem na frente da cena do crime.

Aí, veja só, eles entrevistam "o advogado do suspeito", André Renato Margarido de Paula, que nega as acusações do delegado e diz ter protocolado em juízo um depoimento explicando que sou dependente de cocaína e estava apenas adquirindo a droga no carro do elemento baleado na hora do tiroteio. Cacete. "Dependente de cocaína." Queimou geral meu filme. Bom, foda-se. Que outra coisa o Marga podia inventar a essa altura do campeonato? Meu depoimento foi anexado ao pedido de habeas corpus a meu favor, informava o texto da matéria, que fechava com o promotor Velhinho lembrando que os laudos balístico e forense iriam demonstrar a verdade: a bala fatal que atingiu Miro de Lucca na rua Alagoas partiu das armas da polícia em meio a uma perseguição irresponsável por ruas e locais públicos, colocando mais uma vez em risco a vida de "cidadãos inocentes, pouco importa se ex-presidiários ou não". No caso da chacina do Pacaembu, ocorrida logo a seguir, quando os bandidos, depois de bater o carro, se infiltraram a pé no meio dos feirantes que montavam suas barracas, "a incúria dos policiais", que foram atrás dos malas cuspindo bala, tinha sido "nada menos que criminosa".

Apoiado, muito bem. Belas palavras que tiveram o condão de jogar os home contra mim, tentando provar que pelo menos a morte da rua Alagoas tinha sido um crime comum, resultante de um confronto entre traficantes, o que ajudaria a puxar o tapete moral do promotor. Gostei, em todo caso, do epíteto que o Estadão me pespegou: "cineasta foragido". Vou mandar fazer um cartão de visitas: "José Carlos Ribeiro — cineasta foragido". Pronto, taí o título do meu próximo filme: "Confissões de um cineasta foragido". Se eu conseguir um habeas corpus, me valendo de algum advogado um pouco menos metrossexual e mais bem relacionado que o Margarido, e conseguir financiamento pra botar logo o filme na lata, aproveito essa onda em torno do meu nome e ainda faturo uma bela grana. Porra, se não.

Tava eu ali na cama decidindo o que pensar daquela merda toda quando ouço o saltinho da sandália da Rejane na escada. Lá vinha a Rapunzel pra sua torre, bebinha e doida pra castigar minha nudez com uma bela surra de buceta. Amassei a página dupla com a matéria e me abalei pro banheiro, onde afundei a maçaroca de jornal na lata de lixo ao lado da privada. Corri, então, de volta pra cama e me larguei de costas nas almofadas da cabeceira, eu e minha saia-toalha faraônica. Os saltinhos, em ritmo bem mais lento agora, já estavam a ponto de completar a escalada do último lance da escada. A véia tava sem fôlego, coitada. Tinha começado bem a subida, mas não tinha segurado o pique no segundo lance. De todo jeito, logo entraria ali.

    De olhos fechados e braço largado pra fora da cama, mão pendendo sobre o jornal no chão, a simular uma fajutérrima soneca, ouvi o estalido da maçaneta e o suave rangido da porta se abrindo. Depois de algum tec-tec de sandália, veio um silêncio de pés nus palmilhando as pranchas de madeira encerada. Ouvi também um tilintar de vidros finos, um baque surdo de peso depositado sobre alguma superfície dura, novas passadas de pés pelados, e a porta da frente se fechando macia, como se feita de algodão prensado. Na sequência, o abajur do meu lado da cama se apagou. Dois compassos depois, foi a vez do outro. As demais luminárias também se extinguiram. Restou só o clarão que vinha pela porta aberta do banheiro. Para lá rumaram os pés, que apenas massageavam a madeira do piso. A penumbra imperou quando a porta do banheiro foi fechada.

    Abri um olho. Aproveitando o ensejo, abri o outro também. Vi que não estava tão escuro, afinal. Entrava uma aragem de fótons pelos janelões, soprada pelo luar e pelos postes do jardim fronteiriço. Sobre o tampo de mármore da escrivaninha de antiquário repousava uma bandeja com duas taças e um balde de gelo, do qual despontava o pescoço de uma garrafa de vinho branco, equipamento que a noiva tinha carregado no muque escada acima, dispensando os préstimos do Leno, pelo que desde logo lhe agradeci. Por isso que a véia tinha dado aquele prego no final da subida: arcava com aquele considerável sobrepeso, tadinha. De qualquer forma, um gole de vinho branco naquela hora seria uma bênção pra minha boca seca de maconha.

    · Do banheiro, vinha um murmúrio de água esguichando. Saltei da cama pra mesa, onde desencalhei a garrafa já aberta de dentro dos rolinhos de gelo furados que a cercavam e dei um largo, longo e lindo gole no branco gelado, direto no bico. Nora de neve, delícia de todos os santos. Matei um quarto do vinho naquele golaço. Recoloquei a garrafa no gelo, enxuguei a boca na barra do meu saião e voltei à minha posição de efebo balzaco desfalecido na cama do boudoir da Madame du Chapeau-de-soleil. Nesse instante, cessou o ruído aquático no banheiro. Segundos depois, escutei um *fss-fss* de spray e logo a seguir uns estalidos secos da embalagem de algum remédio sendo aberta. Fechei os olhos e fiquei tentando imaginar que remédio seria. Antes que a minha mente sórdida aventasse as mais cabulosas hipóteses, a porta do banheiro se abriu e a luz que vinha de lá foi apagada. Seja lá que merda for rolar, pensei, vai rolar agora.

Aquela encenação toda, mais a talagada clandestina de branco gelado, estavam me propiciando um tesãozinho promissor. Senti que um peso quente e perfumado se alongava ao meu lado na cama. Uns dedos se insinuaram pela fresta do meu saião e a mão de uma mulher pousou na minha coxa, por onde subiu até achar meu pau já em estado interessante, ocupando-se em fazer sua pele solta subir e descer devagarinho.

"*..hmf...*", soltei, baixinho, querendo dizer com isso que era isso aí mesmo.

Em seguida, a mão invasora agarrou a coisa pela rama e uma ávida mucosa molhada e cálida me abocanhou a chapeleta já fora da gola rulê.

"*FFFFF...*", eu fiz agora.

Enfiei meus dedos pela cabelama da amável vamp chupinteira e passei a estocar-lhe a boca, assumindo o controle da função. E num é que tava bão? Naquela toada eu ia acabar na dentadura da véia, mora. Mas a Rejane cortou essa possibilidade forçando a cabeça pra cima e desembocando do meu pau.

"Hummm!", fez minha assaltante sexual. "Cheirinho bom de pescador."

Aquele "cheirinho de pescador" devia correr por conta do meu recente entrevero sexual com a lula, achei. A nhaca lulina se entranhara a fundo no meninão, a despeito dos banhos posteriores. O pescador, no caso, não disse nada. Seu pau empinado dizia tudo. Rejane caiu de boca mais uma vez no manjubão, retomando o controle do ball-

-cat. Tudo ia bem mas, eis, porém, que, de repente, como no velho samba, senti o pau desemboqueteado e vi de relance a carantonha da taverneira avultando sobre as minhas fuças. Veio o beijo de língua sabor minhápica, com ela montada em mim, ajeitando o santantônio da sela pra dentro da racha peluda — como diria, digamos, Buffallo Bill. Por sorte ela não me veio com camisinha. Nem deve ter pensado nisso. A turma da época dela não era muito chegada num látex, pra alegria dos aborteiros. Melhor assim. Dar um stop na função pra emborrachar o mandrová ia arruinar aquele momento *eroico,* em que Eros exibia todo o seu heroísmo. A boa lubrificação que encontrei na vagina da minha hospedeira não provinha só da saliva que sua própria boca tinha largado na minha pica. O mais provável, pensei, é que ela tivesse providenciado também um KY com aplicador vaginal no banheiro, o que me fez lembrar da Samayana e seu prodígio de cu azeitado. Boa lembrança, essa da saudosa surubrâmane, que só me fez reforçar a tesudez. O bicho escorregava legal lá dentro. Boa buceta, não muito folgada. Bem acima das minhas expectativas, em todo caso. Dava umas contraídas, não deixava o desgraçado se sentir solto e solitário dentro dela. Rejane subia e descia a bunda, num fuque-fuque convencional mas eficiente, cujo ritmo eu tentava reduzir de modo a não esguichar muito cedo dentro dela. Farejei com prazer um cheirinho remoto de buceta antiga que veio bem a calhar. Sou da velha teoria de que buceta tem que ter cheiro de buceta, e não de plástico perfumado, caso de não poucas xavascas higienizadas por aí.

    Manipulei o par de peitões que se despejavam fartos sobre mim. Me pareceram um tanto assimétricos. Não era improvável, cogitei na hora, que ela tivesse raspado o miolo de uma teta pra se livrar de um câncer. Normal. De qualquer forma, eram peitos de mulher, e estavam ali à minha disposição, moles, macios, não muito flácidos, bons de apalpar. E ainda cumpriam a função de anteparo visual, me impedindo de visualizar o barrigão da véia, que não devia ser um espetáculo muito estimulante.

    O corpão da Rejane crescia sobre mim feito um tsunami de carne quente, emitindo relinchinhos excitados. A véia mandava bem no fuque-fuque. Não deixei por menos: dei umas carcadas fortes, que a deixaram um tanto alarmada no começo. Mas depois entrou numas e curtiu. Animado, deixei a ponta do anular escorregar-lhe pelo rêgo até tocar um botão rugoso que um cego não hesitaria em identificar como a porta de entrada de um cu. Sim, era um cu — o cu dela. Estava no lugar em que os cu-delas costumam se situar, bem no meio da bunda. Enfiei lá dentro a clássica pontinha da falangeta, no más. Ela respondeu à carícia com um rangido de gogó. Mas aí fiquei num impasse. Não me animei a enterrar o resto do dedo lá dentro. Ao mesmo tempo, seria indelicado tirar de chofre. Fiquei só dando umas chuchadinhas, de leve. Aí, tirei.

Ela fez *oh!*, antes de cair de boca na minha boca. Observando melhor agora, tive a boa surpresa de constatar que, assim, de caras coladas, e na semiobscuridade do quarto, minha parceira aparentava ser bem mais jovem do que sob o dia pleno. Naquela hora, eu lhe daria uns cinquentinha. 49, vai.

Agora, escrevendo isso, penso se essa percepção não terá tido a colaboração de uma certa presbiopia que começa a me acometer, e que só faz se acentuar quando a maconha me dilata a pupila. Meu cristalino começou a dar pau há uns dois anos já. Tá vazando, secando, atrofiando, sei lá que merda acontece com a calotinha líquida. Eu ainda consigo ler sem óculos, na boa, mas somente sob luz direta do sol ou de um bom abajur. Acho que a minha vista cansou de ver o mundo de perto e tá usando o velho truque de desfocar tudo aquilo que ousa se aproximar demais, impondo distância aos seres e às coisas.

A língua que eu remexia na boca da biviúva era salivosa e receptiva, bem mais do que a minha, peguenta de cuspe seco. Língua de trintaninhos, eu diria naquele instante, não estivesse com a minha própria língua tão ocupada. Eu matava no peito aquelas tetas assimétricas, e alisava, amassava, acariciava-lhe as nádegas e as coxonas abertas sobre os meus flancos. Tava tudo dando certo, e eu estava feliz com isso. Tinha até que maneirar pra não gozar logo. Lembrei de uma noveleta bêsti-séler que folheei dia desses aqui em cima, dum tal de Simmel, na qual o herói romântico come a heroína numa cabana no alto de um pico nevado nos Alpes e se vê lançado no "precipício do orgasmo". Pois lá estava eu à beira do precipício do orgasmo, no alto da torre. Achei melhor não ensebar muito, e deixei-me rolar precipício abaixo.

Rejane percebeu e tentou me acompanhar, a peitaria chacoalhando por cima de mim. Senti a coisa vindo, escapando, acontecendo. Soltei a gala com tudo pra dentro daquele aparelho reprodutivo desativado. Minha amazona gemia alto o suficiente para ser ouvida lá embaixo no restaurante, se ainda houvesse alguém por lá. Acho que também de alguns dos quartos com janelas voltadas pra torre daria pra ouvir aquele alarido de mamíferos selvagens acasalando. Num deles poderia estar a gostosa e entediante Reginora, pensei. A mera probabilidade de que a mulher do geólogo em ascensão na Petrobras estivesse ouvindo aquela fodelança me rendeu mais uns segundos de gozo. Eu carcava e esporrava à vontade na sogra dela. A Reginora, se quisesse, que tocasse uma siririca pra nos acompanhar.

Rejane viajava forte a cavaleiro do macho. De olhos fechados, esmagava um lábio no outro, puxando e soltando o ar pelas narinas fibrilantes. Parecia mãe de santo recebendo um caboclo fodedor. De repente, envolveu minha cabeça em suas mãos e *AH!...aah!....AH--ah-AH-ah-AH!!!...ah...ah...AH-AH!... AAAAAHHHH!!!* E foi que foi. Depois, se largou inerte em cima de mim, melada de suor, cara esborrachada contra o meu peito. Pensei: se não morreu, gozou pra valer, a desgraçada da véia.

Eu já estudava um meio de sair de dentro e debaixo dela quando senti um líquido morno pingando no meu peito. Que catso tá rolando aqui?!, me espantei. Será possível que a mulher tá vazando porra pelos orifícios da cabeça? Mas logo vi que porra não era aquilo. Eram lágrimas.

Invoco com mulher que chora depois de gozar. A coisa descamba pro patético, fica tudo *intenso* demais, estraga a sacanagem. Mas ali a função já estava terminada. Chorasse o quanto quisesse, em mim que não sou toalha egípcia mas posso muito bem absorver umas lagriminhas emotivas de vez em quando. Fechei os olhos esperando o tempo passar. Não demorou, senti uns pingos quentes na cara. Era ela cara a cara comigo, prestes a me beijar de novo, e ainda chorando. E lá veio a porra do beijo chorado. Meu pau mole escorregou pra fora daquela xota alagada. O beijo da Rejane era a coisa mais salgada de todo o litoral norte. Só perdia pro mar. Consegui dar um discreto giro de corpo, fazendo a chorona tombar de costas ao meu lado. Ficamos os dois de barriga pra cima olhando o teto. Espiei minha parceira de esguelha. A véia parecia uma ursa abatida por um tiro certeiro dando os últimos soluços antes de expirar.

Minutos se passaram. Não impedi que passassem. Enquanto passavam, calculei que aquela trepada me valeria pelo menos uma semana classe A na pousada, com direito a vinho branco espanhol todos os dias. Achei que a Rejane ia dar uma bela apagada. Mas a véia soltou um longo assobio descendente, e exclamou:

"O, boy!"

"O, yeah", respondi, assumindo o caubói do Arizona que, pelo visto, ela fantasiava ter na cama.

Os minutos continuaram passando em fila ordenada, sem pressa. Arrisquei outra olhadela na minha companheira. Vi que ela continuava soluçando, de mansinho, exalando alguma tristeza remota que a trepada tinha despoletado na alma dela. Porque a Rejane, sem dúvida, é dessas mulheres que têm uma puta duma alma imensa e fazem questão de exibi-la a todo mundo. E a grande alma dela sofria. As almas, de um modo geral, o que fazem é isso mesmo, sofrer. E quanto maiores são, mais sofrimento são capazes de produzir pra suas donas e donos. Por isso mesmo, prefiro ignorar minhalma, se é que semelhante gás sobrenatural existe dentro de mim, do que duvido muito.

"Que q'cê tá pensando?", ela soltou, de repente, rosto voltado pra mim, buscando minha mão, que apertou forte na dela. Virei a cara pro teto de novo. Ela colou o carão molhado no meu perfil, tentando me oferecer de novo sua boca, porta de admissão a uma gruta estomacal onde frutos do mar, vinho branco, doce de abóbora com coco, café e sucos gástricos fermentavam revoltos. Meu bafôncio não tava melhor que o dela, mas pelo menos eu exalava o mardito pra cima, espantando os pernilongos.

"Fala", ela insistiu. "Tá pensando no quê, menino?"

Sim, no que eu estava pensando? No bafo briaco dela. Na forte possibilidade de não conseguir dar outra bimba igual àquela. No quanto eu ficaria muito puto se terminasse preso pela morte do Miro e por tráfico de drogas, sendo as drogas, no caso, aquelas ridículas petequinhas hipermalhadas que o desgraçado vendia nas ruas. E na Sossô. Sim, eu também pensava no quanto seria divino ter a Sossô ao meu lado naquela cama patronal, com a noite marítima lá fora a nos dar brisa e fundo musical.

Perturbada com o meu silêncio, a estalajadeira não desistia:
"É proibido saber no que você tá pensando? Fala pra mim, fala?"
"Pensando nos cristais de Maurício de Nassau."
"Quê?!?!" A véia se acabou de rir. "Donde cê tira essas doideiras, menino?!"
"De uma velha arca holandesa."
"Você é muito louco, sabia?"
"Sou. E acabei de fazer dois haicais muito loucos também. Quer ouvir?"
"Haicai? Você faz haicai?"
"Eles se fazem sozinhos na minha cabeça."
"Adoro haicai!"
"A vantagem é que acaba logo, né?"
"Melhor que soneto, que dura catroze versos. Vai, diz pra mim os haicais. Vamo vê se, além de cineasta, o mancebo leva jeito pra poeta."

Eu tinha, de fato, uns haicais rondando a mioleira. Eram antigos, mas pareciam feitos sob medida pra ocasião. Mandei o primeiro:

> nada mais lasso
> que o cansaço
> do devasso

"U-hu! Lin-dô!", ela exultou. "Cê jura que fez isso agora?"
"Esse é dedicado a mim mesmo. Ouve agora o que eu dediquei a você."

Ela escorou o tronco no cotovelo, arregalou os olhos.
"Fala!"
Larguei o segundão:

> galinha e garça
> a graça da devassa
> me ultrapassa

Aí, foi a conta:

"A-mei!", ela explodiu, aplaudindo e fazendo a cama vibrar. "Diz de novo!"

Repeti. Ela não se aguentou: montou a cavalo em cima de mim outra vez, me deu uma chave de pescoço e me beijou na boca, ela e o dragão bafento dentro dela. Tava comovida, bêbada e tonta de sexo, a filhadaputa.

"Tô me torrando de sede", eu disse, quando consegui recuperar o uso verbal da língua.

Ela saiu de cima de mim e pulamos os dois da cama, um de cada lado. Fui desentocar a garrafa de vinho do balde para encher as duas taças. Ela estranhou a garrafa não estar cheia até a boca.

"Será que eu derramei no caminho? Mas não pode ser..."

"Quem botou a garrafa no balde?"

"O Leno."

"Esse Leno tem cara de quem bebe escondido."

"Magina", ela descartou. "É um bom menino. Evangélico, não bebe nada."

"Você sabia que os maiores serial killers de todos os tempos eram evangélicos? E não bebiam nada?"

"Cê tá brincando. Onde cê leu isso?"

"Nas Seleções do Reader's Digest", inventei no ato.

"É mesmo? Poxa. Mas o Leno, não. Esse não dá pra serial killer do Reader's Digest, te garanto. É gente boa, sempre foi. Conheço ele e a família dele há mais de oito anos."

Bom menino, gente boa, o cacete. Tipo sinuoso, malino, ciumento, vingativo, traiçoeiro. Essa era a minha teoria paranoica sobre o caráter do Leno. De todo modo, a Rejane esqueceu o assunto. Brindamos ao nosso encontro.

"A esse fodão!", como ela mesma bradou, destravada pelo álcool e por algum tipo de júbilo uterino.

Fomos pra varanda, eu com o balde de vinho, ela com as taças. A essa altura, eu já tinha me enrolado de novo na saia-toalha, e ela vestido um quimono branco de um tecido fino, delicado, seda, tavez, decorado com ideogramas bordados em vermelho. Fomos recebidos pelo gorgulho da rebentação e o esporro das cigarras anunciando chuva. E também pelo incessante zumbido dos pernilongos anunciando coceiras atrozes. Rejane sentou numa chaise de vime expectorando um gemido de velha guerreira. Fiquei de pé apoiado no parapeito da balaustrada de madeira a escrutinar a praia, visível ainda sob um resto de luar. Pensei no meu pé de tênis perdido, que devia estar ali na frente, em algum lugar invisível. Comecei a formular mais um haicai na cabeça, tentando rimar tênis com pênis, mas a voz da Rejane atrapalhou minha efusão lírica:

"*Cristais de Maurício de Nassau!*", ela repetiu rindo. "Você sempre foi louco, ou um belo dia acordou e viu que tinha ficado louco?"

"Acho que nem cheguei a acordar."

Ela riu mais um bocado e depois me olhou de um jeito insuportável de terno. Sentei na outra chaise e ficamos mais um tempo nesse papinho briaco, sorvendo o branco gelado. Uma hora lá, ela disse, a propósito sei lá do quê:

"Minha nora gostou de você. Te achou muito espontâneo."

"Qualquer idiota pode ser espontâneo."

"Hahahá! Ótimo isso! Vou usar!"

"À vontade. É do Ezra Pound. Acho que ele não vai se incomodar, lá onde enterraram ele."

"Vem cá, você não tava dormindo de verdade quando eu entrei no quarto, tava?"

"Tava sonhando que eu era um rei adormecido e vinha uma fada tarada chupar meu cetro na calada da noite."

"Dito e feito!"

Ela esticou o braço e me estendeu a mão. Eu estiquei meu braço e peguei a mão dela. Porra, pensei, por que essa mulher não é a Jôsi, a Sossô, ou ela mesma trintaninhos atrás?

Lembrar da Sossô mexeu comigo. Soltei a mão da Rejane e vislumbrei no breu enluarado, pras bandas do mar, as formas sublimes da ninfodinha da surubrâmane. Daí, pá! Lembrei daquele imeio matinal da girl me convocando prum MSN à meia-noite. Que porra era aquilo? Talvez quisesse me declarar poeminhas inspirados pelo Cesário Verde, ou me ofertar um stripitísi na webcam, ou as duas coisas juntas, o que seria maravilhoso. Podia também ser grupo, paia, cascata, e ela não estaria on-line no MSN num sábado à meia-noite, nem bosta nenhuma. Mas eu tinha que checar isso. Porra, se tinha.

"Não vou mais te perguntar no que você tá pensando", disse a Rejane. "Mas se quiser me dizer espontaneamente, pode, viu?"

Me voltei pra ela, em tempo de vê-la mamando na taça de vinho, a papada tendo contrações debaixo do queixo enquanto ela deglutia a bebida, a olhar o trânsito rápido das nuvens debruadas de luar. Estavam com pressa aquelas nuvens. Tinham hora marcada pra chover em algum canto do planeta e não podiam se atrasar. Aposto como a Rejane desejou naquele instante seguir com as nuvens pros confins do oceano e chover suas lágrimas antigas sobre a imensidão salgada. Uma ruga de angústia aproximava suas sobrancelhas desenhadas pela depiladora. Enquanto ela ruminava sua melancolia, aproveitei pra fabricar uma lorota minimamente plausível que justificasse minha ida sozinho até o escritório dela à meia-noite — que, aliás, já devia estar próxima, senão passada.

Foi quando ela declamou, num tom *profuuundo*:

"'Há barcos para muitos portos, mas nenhum para a vida não doer, nem há desembarque onde se esqueça.'"

"Lindo", eu disse, impaciente. "Sá-Carneiro?"

"Fernando Pessoa."

"Certeza que não é o Sá-Carneiro?"

"Fernando Pessoa, numa carta ao Sá-Carneiro."

"Sabia que tinha Carneiro no meio."

Ela se voltou pra mim, esticando de novo o braço pra me oferecer sua mão.

"Zeca..."

Lá vinha alguma pérola de romantismo da terceira idade, temi. Era agora ou nunca. Soltei:

"CARALHO!"

"Que foi?!", se assustou Rejane, derrubando vinho na mão que segurava a taça, e quase que a própria taça.

Me botei de pé

"Que hora são, pelamordideus?!"

"Sei lá. Meia-noite? Por quê?!"

"Tenho um MSN marcado co-com... o... o... Margarido!"

"Quem?"

"Meu advogado", respondi, entrando no quarto à procura da minha calça. Ela veio atrás de mim, quando conseguiu se guindar da chaise sem ajuda do cavalheiro espavorido. O relógio digital do criado-mudo marcava 0:11.

"Advogado, à meia-noite de sábado, Zeca? No MSN?", ela disse, desentendida.

"O cara é cheio das manhas, sacumé? Precaução dele, paranoia, sei lá."

"Nossa, que louco esse cara!"

"Ele é meio maluco mesmo, mas é um puta advogado. E tá me atendendo fiado."

"Bom, corre lá, então!", ela falou, aflita. E arrematou: "Se a coisa apertar pra valer, eu acho que tenho uma solução."

"Cê tem uma solução pra minha situação, coração? Mas isso é dimais di bão!", rimei, por rimar.

"Tenho uma bermuda seca pra você também. Tira essa calça molhada. Seu piu-piu vai pegar resfriado."

"E espirrar porra pra todo lado", barbarizei.

"Só dentro de mim", ela retrucou, sem me olhar, abrindo um armário embutido de onde puxou uma gaveta da qual veio com uma bermuda estampada com palmeiras tropicais multicoloridas e um sol amarelo irradiante na bunda.

"É do Renato."

Examinei a bermuda, frente e verso.

"Ele usou isso aqui no Gala Gay do Clube Havaí?"

Ela não achou graça.

"Quer outra?"

"Brincando, Rejane. Tá ótima essa. Combina com o meu jeito estúpido de ser." Me despedi, já dentro da bermuda havagayana, com um selinho nos lábios dela, prometendo: "Já volto!".

"Me acorda se eu estiver dormindo. De um jeito bem gostoso", acrescentou, com uma piscada mole, safra 1960.

Devolvi a piscada, me despencando a seguir escada abaixo só de bermuda, ouvindo a véia gritar atrás de mim se eu não queria também uma camiseta do Renato — de lantejoulas, provavelmente. Fingi que não ouvi e continuei descendo. Lá embaixo, no restaurante, flagrei de esguelha a figura do Leno prestes a sair da cozinha, uma perna, um braço, um pedaço da cabeça pra fora. Recuou feito um iguana assustado quando me viu . Não sei se ele notou que eu tinha flagrado sua torpe manobra. Com toda certeza, o bostinha tinha ouvido os guinchos de cadelona da Rejane no alto da torre. Único homem até agora no staff da Chapéu-de-sol, tinha-lhe aparecido, de repente, um rival imbatível. Se o viadinho vai tomar alguma torva providência em relação a isso, não sei ainda, mas desconfio que sim. É bom eu ficar de olho.

    Nossa! Que puta calor tá fazendo agora! O ar parou, junto com o mundo e o tempo. Nem uma folha da Mata Atlântica se mexe. Céu carregado, abafamento máximo. Vem chuva grossa por aí. Antes que ela caia, vou pegar uma ducha de cano lá fora, que esse mormação dominical tá a me escaldar os ovos, pá.

# <30>

Pois então. Ontem, sábado, por volta da meia-noite, deixei o Leno a ruminar em paz suas perfídias, e logo me vi no escritório da minha ursa maior. O computador já estava ligado. Ni qui eu acionei o mouse, a tela do monitor foi renascendo aos poucos num crepitar de celofane amassado. O reloginho digital no canto da tela marcava 0:15. Ansioso, cliquei no ícone do provedor pra acionar a conexão discada, e fiquei ouvindo aquele ruído de óvni em pane aterrissando de barriga nas areias escaldantes do Saara. Na área de trabalho, cliquei nos bonequinhos do MSN, e caí na página inicial. Apertei o botão de entrada e os bonequinhos se puseram a dançar em rodopio, buscando contato. Entrou a página do çaite. Digitei meu endereço onde estava o da Rejane e a minha senha. E adicionei o novo contato: sos.sso@yahoo.com.

Vi que ela estava on-line. Mandei um "Oi". Esperei pernilongos e esvoaçantes minutos até chegar uma contramensagem da "Soroka" perguntando se eu aceitava a webcam dela. Cliquei no *aceitar* em azul. E enviei-lhe outra mensagem: "*Ailóviu*". Esperei, esperei, matei um pernilongo, peidei na bermuda havagayana do prospector de petróleo, emprestada pela senhora mãe dele, que eu tinha acabado de comer com grande sucesso de público e crítica, e continuei esperando.

A janelinha com a imagem transmitida pela webcam foi se materializando na minha frente, indecisa, dando chiliques eletrônicos, num slow motion epilético. O que se via era uma cama de casal com duas formas humanas se agitando em cima dela, uma black, outra white, sem som. Não precisa nem dizer quem eram aqueles dois e o que faziam naquela cama, precisa? De costas pra webcam, ou seja, de bunda pra mim, Sossô cavalgava o Melquíades, do mesmo jeito que a Rejane tinha acabado de fazer comigo e que milhões de outras fêmeas humanas pelo mundo afora estão fazendo neste exato instante com seus machos. Só que a piroca torta do negão ainda estava pra fora, encaixada no rego dela. De braço dobrado pra trás, a guria alisava a famosa "Torre de Piça" que eu, com mil demônios chifrudos, não contava ver uma segunda vez nesta encarnação. Sossô desencaixava o pau do rêgo, brincando de coçar sua nádegas com aquela verga absurda. Depois voltava a mordiscar o negócio com as polpinhas da bunda, numa das quais constava o carimbo em cruz de malta, esfregando no olho do cu a dureza palpitante daquela carne entumescida de tesão por ela. Lá estavam também, na tela branca da pele da menina, o dragão nas costas, a coroa de espinhos no braço, as chaminhas a consumir-lhe a perna, e toda a galeria sossônica de belas artes tatuadas, inclusive um ideograma na nuca que devia ser a mais recente aquisição, pois não me lembrava de ter visto aquilo na surubrâmane. Qual poderia ser o significado daquele ideograma?, me perguntei, com sincero interesse pela resposta. Imaginei algo na linha do "black cock is beautiful".

Os frames se sucediam num cinetismo errático, atribuindo à cena uma clandestinidade que só a tornava mais tesuda. Uma hora lá, o Melquíades inclinou sua careca de gênio da lâmpada pra fora do biombo-Sossô e me jogou uma piscadela ralentada — e um beijinho! Cê acredita? A bichona se derretia toda em saber que, mais uma vez, eu assistia ao vivo seu pujante desempenho sexual. Depois desses preâmbulos bicromáticos, Sossô iniciou a negociação pra ir se entalando na xota aquela jeba monumental. Milímetro a milímetro, a coisa foi que foi até pouco mais da metade, de onde não passou. Já tinha pau suficiente ali dentro pra tocar por dentro a abóbada do crânio dela, quanto mais o colo do útero. Era, de certa forma, um repeteco da cena lá da surubrâmane, mas meu ângulo de visão era outro, e os entornos, tanto quanto a situação, completamente diversos. Do mesmo jeito que a música e a comida, o sexo se atualiza a cada vez, o que não deixa de ser interessante pra quem tem de passar anos e anos vivo — e de pau duro.

A bunda da Sossô subia e descia ao longo do poste negro num slow motion parkinsoniano. Quando a bundinha ascendia cacete acima, dava pra ver a aba de carne se formando em torno da pica do gigante, como se a vagina fosse virar do avesso. Quando a bundinha abaixava sobre a tora negra, a aba sumia. Porra, pensei, agora que se acostumou com um míssil intercontinental daquele porte, a Sossô não ia mais dar pelota prum rojãozinho igual ao meu — e de 90% da humanidade masculina.

De vez em quando, eles caíam na risada e se diziam coisas que eu não podia ouvir naquela transmissão muda e socadinha — que eu vou reproduzir talequale no meu filme, aliás. Como será que aqueles dois se reencontraram? Devem ter trocado figurinhas no final da surubrâmane e eu não percebi. Imagino que foi a doidinha da Sossô que ligou pro bailarino e convidou: Bailas comigo esta noite pro Zeca ver no MSN? E o boiolão topou no ato. De todo modo, não demorou muito, eu já tava de bermuda abaixada até os pés, a manipular meu pau melado de KY com porra, resquício da minha trepada com a Rejane. Em poucos segundos, tava lá eu teso de novo. Sossô, que não podia me ver, mas deve ter intuído o meu estado peniano, resolveu prolongar a sessão e desembucetou-se do melquidiano caralho dando uma espécie de rabo de arraia por cima do negão e encaixando-se num meia-nove sobre ele.

O bom da coisa é que agora ela estava de carinha crivada de piercings voltada pra pra mim, seu privilegiado espectador, com aquela trolha negra em primeiro plano na mão dela. Sossô se esmerava em relustrar o já luzidio objeto com sua linguinha cor-de-rosa, saboreando nele o gosto de sua própria xana, a qual oferecia à cunilíngua do bailarino, fora da minha vista. A careca e os olhões globudos do cara, binoculando com despudor a webcam, sobressaíam em segundo plano na imagem por sobre a lomba da guria, feito o Moita no parapeito do muro, enquanto caía de língua no manjar à sua frente, o qual sorvia com volúpia faunesca. Esse Melquiades, de fato, é o pior viado de que já se teve notícia. O namorado americano dele não ia gostar nada de ver aquela cena.

Uma hora lá, a Sossô botou cara de quem tinha levado uma picada de seringa long-size na bunda. Só podia ser uma megadedada do hipernegão. Na surubrâmane não tinha deixado, mas agora encarava, na boa. Se bem que talvez não fosse no fiofó a intrusão, e sim na bucetinha, hipótese que me parecia mais provável. O fato é que o intrusor logo tirou o dedo, que levou ao nariz, como tinha feito da outra vez. Cheirou e sorriu — sempre de olho na webcam. Senti no ar da imaginação o mesmo aroma soxoxotal que impregnava o dedo atrevido do negão naquele instante. Mais uma vez sua astúcia osmótica me amalgamava à sua pessoa. Um virtuoso da sacanagem, esse cara, isso temos que reconhecer. Na sequênca, passou o linguão pelos beiços lúbricos e voltou a sugar com gosto a xereca à sua frente, sempre de olho em mim.

Sossô, de cara pra webcam, não cessava de sorvetear a cabeça parda do picanço negro, acariciando com seus dedinhos de fada prestimosa as gordas bolas abaixo dele acondicionadas dentro dum saco de pele preta esticada, sem pelos. Puta merda, por que não sou eu ali, santamadrediós!, praguejei, me esmerando na punheta.

De repente, o Melquíades enfiou com mais avidez e sofreguidão a cara preta na bunda branca da girl, enquanto a bem definida musculatura de suas coxas tinha espasmos atléticos. Sossô, que deve ser capaz de gozar só de ouvir um bom-dia do cara certo na rua, já devia estar no terceiro ou quarto orgasmo quando sentiu na boca o ataque do primeiro jato de porra do parceiro. Tirou o pau dele da boca melada liberando pra câmera a parte final do espetáculo vulcânico. Por conta da transmissão vagarosa, a porra ficava suspensa no ar numa sequência de frames congelados, móbile fugaz. Poético que vai ficar isso no meu filme, caralho. Tô falando sério. Com uma bela música de câmara na trilha, vai encostar no sublime.

Embora não desse pra ver muito do ambiente, o quarto em que eles estavam, algo espartano, e a cama de casal, sem cabeceira, encostando numa parede nua, com várias pilhas caóticas de livros sobre o único criado-mudo visível, não pareciam pertencer a uma garota maluquete de 17 anos recém-completados, nem a um bailarino gay. Devia ser do birutão desleixado do pai dela, aposto. Tenho uma vaga lembrança da Sossô mencionar em algum momento que seus pais eram separados e ela, filha única, se dividia entre a casa do pai e a da mãe, fugindo de uma e buscando refúgio na outra, sempre que o pai ou a mãe resolviam lhe encher o saco por algum motivo. O pappy talvez não estivesse em casa, mas, maluco-liberal do jeito que devia ser, era capaz de achar normal a filha adolescente se trancar no quarto dele com um bailarino negro pelo menos vinte anos mais velho que ela, e ficarem os dois horas e horas gemendo e rangendo lá dentro diante de um computador com webcam. E por que não acharia? A filha já votava, dirigia sem carta, viajava sozinha, pintava e bordava com Deus e o diabo, lia o divino Marquês esporrado, e tudo mais. E o parceiro da filha, no caso, era um artista estabelecido nas melhores praças internacionais. Tudo certo, portanto.

Do meu lado, onde o show corria por minha conta, não demorou muito até meu pau explodir em porra viva sobre o monitor e o teclado à minha frente, em doses bem mais modestas que o esporrão do bailarino, mas que mesmo assim me valeram uma gozada estupenda. Liberei energia orgástica suficiente pra iluminar todo o município de Ubatuba por uma noite inteira. Na imagem da tela, Sossô apertava o pirocão esporrado contra o rosto, maquiando-se de porra. Já eu, de pernas trêmulas, caí de bunda na cadeira de rodinhas, que recuou uns dois metros. Fiquei ali de pau melado na mão e coração macumbando no peito. Caraca! Que bronhão, amice.

Quando dei por mim de novo, vi que não havia nenhuma caixinha de lenço de papel, toalha, cortina, tapetinho, nem nada parecido em nenhum lugar visível pra dar um jeito naquela melequeira com que eu tinha humanizado o computador da pousada. Acabei tendo de usar pra esse fim a bermuda havaiana que estava aos meus pés no chão. Limpei do jeito que deu pra limpar. Um tanto da minha porra ficará para sempre entranhada entre as teclas e na película que reveste a tela do monitor, se é que não passou direto pro mundo virtual. Seria engraçado se os meus espermatozoides digitalizados virassem algum tipo maluco de vírus cibernético a melar os computadores mundiais — o temível CRAZY.CUM!

Vesti de novo a bermuda galada e escrevi uma mensagem pra Sossô, sentindo na ponta dos dedos as teclas visguentas:

*gulosa.*
*bj*

A doidinha ainda empunhava o paio langonhado quando saí do MSN, sem esperar pelas próximas atrações, tendo antes o cuidado de bloquear e excluir o endereço da Soroka no computador. De volta pra torre, com o pau a meia bomba dando bandeira dentro da bermuda, cortei caminho pela sala da tevê, onde dei boas-noites e sorrisos prum casal de velhos que assistia na sessão coruja da Globo àquele filme estrelado pelo Bruce Willis e o garotinho que vê gente morta. A vovozinha sorriu gélida pra mim, enquanto que o véio não fez a menor questão de disfarçar seu profundo desagrado diante do meu visual: torso nu, suadaço, descalço, metido numa bermuda de cores e padronagem aberrantes, cabeleira de Beethoven eletrocutado no chuveiro — uma assombração freak, enfim, é o que lhe aparecia pela frente, algo com que ele não contava se deparar numa pousada elegante — rustic — e cara pra chuchu como aquela.

Deixei os macróbios na companhia de um Bruce Willis às voltas com o além, e passei em boa paz pra sala de estar contígua, vazia de gente, só com sofás e poltronas, uma mesa de xadrez, outra revestida com feltro verde, e uma estante cheia de livros, a maioria de algum tipo de auto-ajuda, como não pude deixar de conferir de passagem. Se calhasse de ficar mais tempo aqui em Porangatuba eu acabaria lendo o "Os Lactobacilos e a Saúde Intestinal", "A Vida depois da Prostatectomia" e o fundamental "Os Segredos do Crochê", sem contar os cinco ou seis paulocoelhos à disposição da fome de fast-food espiritual dos hóspedes.

Ao sair dali, cruzei com um adolescente de boné enterrado ao contrário na cabeça, canelas peludas sobressaindo do bermudão comprido de mano e tênis com formato de lancha *offshore*, com quem travei um emocionante diálogo:

"Oi", eu disse.

"Falô", ele respondeu.

Era um jovem pleiba metido a mano hip-hop, filho de um daqueles carrões jetsônicos lá fora.

"Tchau", eu disse, estendendo a mão melada de porra e suor pra ele. O merdinha me olhou com cara de "Qualé a desse coroa maluco?" e, pra lá de relutante, me estendeu sua mão. Apertei forte. Sem esconder o nojo que sentiu, o guri puxou rápido sua patinha. Devia saber por experiência própria, repetida várias vezes ao dia, do que se tratava aquele meladinho na palma da minha manopla. Na certa correu pra se lavar na pia mais próxima quando lhe dei as costas.

Enveredei, então, por um corredor curto que desembocava numa espécie de galpão de telha vã, vazio de gente, onde se abrigam os jogos da pousada, pingue-pongue, pebolim, dardos — os clássicos recursos pra enganar o tédio, eles mesmos entediantes ao extremo. Dali enveredei por uma passarela de lajotas de cimento que atravessa o gramado do pátio interno e margeei as duas vidraças da sala de artesanato — argila, pintura, batik, tecelagem, conforme apregoava uma cartolina afixada na porta. Não vi o Leno em parte alguma, mas podia sentir a peçonha da sua presença por trás de cada parede, de cada porta ou janela fechada, de cada enfeite de Natal.

Atravessei o restaurante vazio e galguei a passo de galgo grogue os dois lances de escada da torre. Lá em cima, vi a porta do loft entreaberta, e já ia entrando quando tive a passagem obstruída por alguém que saía na contramão portando um balde de gelo com uma garrafa de vinho vazia emborcada lá dentro. Era o Leno, glacial e perigoso como um iceberg. Vislumbrei em cima da escrivaninha um novo balde de gelo com mais uma garrafa de Nora de Neve. Sem mover um músculo da face nem me dirigir o olhar, o merdinha deu uma chifrada curta no ar, à guisa de cumprimento, se espremeu contra o batente da porta pra passar por mim e despencou escada abaixo com sua carga, feito o coelho apressado da Alice.

Achei a Rejane na cama, reclinada nas almofadas da cabeceira, debicando o vinho de sua taça ao lado do abajur aceso. O robe desatado lhe exibia as pernas, um pouco da pentelheira e um peito. Ao me ver, ergueu a taça vacilante:

"Olha o homem aê! Ajei gue zê dinha vugido de mim!", ela saudou.

Porra, será que o Leno tinha visto a mulher seminua e briaca daquele jeito? Achei que sim. Só podia ter sido ele a encher a taça da patroa com o vinho da nova garrafa. Ou seja, devia proceder a minha hipótese de que o lacaio dá umas comidas na estalajadeira de vez em quando. Em todo caso, minha noivinha apontou com o queixo o balde de vinho.

"Zirva-ze", ela disse, numa entonação caricata de bêbada.

O que é que tinha acontecido ali durante a minha ausência? Vai ver, a desgraçada tinha aproveitado pra maquiar seu psiquismo com algum antidepressivo, ansiolítico, anarcoeuforizante, ou sei lá que porra daquelas que eu tinha visto no banheiro, e a bola potencializara o álcool vinícolo que ela trazia no sangue. Fechei a porta, enchi a minha taça e fui fazer companhia à bacante na cama.

"Dim-dim", ela fez, dando a taça a brinde e tentando depois acertar o rumo da boca.

Veja a vida como ela é: não bastasse minha própria veia boêmia, acabei arranjando também uma véia boêmia. Hahahá. Pior do que esse trocadilho, só mesmo o fato de que eu tava — tô — começando a gostar da macróbia, de um jeito, assim, como direi, de um jeito qualquer.

"E aê?", ela babujou, vendo a minha cara de preocupação.

Ergui as sombrancelhas, soltei ar pelo bico e resumi:

"Tá foda."

"Gui-gui o zeu advogado valô no eme-éze-ene?"

"Falou pra eu ficar ligado. O mandado de prisão contra mim tá rolando. Se o juiz não deferir o habeas na segunda, vou ter que enfiar meu corpus em algum buraco pra não ser preso."

"Invia no meu burago!", ela soltou, seguida de uma chasquinada briaca. Daí passou prum tom indignado:

"Izzo é o mó abzurdo! Gomo o gara vai ganhá dinheiro bra bagá a benzão da ez-mulhé, zi ele dá brêso, borra?"

"É a polícia e a justiça a serviço da sede de vingança duma perua ensandecida."

Rejane abriu uma risada debochada, mas logo ficou séria, contemplando um ponto vago no ar. Aí veio com essa:

"Ô, Zega, me diga uma goiza. Bor guê gue a zua mulher dá guerendo danto vodê gom a zua vida, hein? Guê gui zê andô abrondando? Me gonda."

"Quer saber mesmo?"

"Guero."

"Parei de amar a Lia. Foi isso que aconteceu. Nenhuma mulher perdoa não ser mais amada. Podem perdoar traição, omissão, roubo, violência. Mas desamor, não."

"É verdade. Dá vondade de gordá a garganda do zagana. *Schiuff!*"

"E, no entanto, o amor acaba, como tudo nesse mundo. Acontece todo dia com milhões de pessoas. A humanidade já devia estar acostumada."

"Eu num me agosdumo. Vigo bazada, guero morrê. Morrê e madá o vilho da buda."

"Tem gente que, ao se ver abandonada, toma um porre e compõe um blues, um soneto, ou simplesmente vomita, bate o carro, pega uma puta, se for homem, dá pro primeiro imbecil que aparecer, se for mulher, e vai dormir. Mas a Lia não. A Lia passou a mão no telefone, ligou pro advogado e mandou ele botar juiz, polícia e toda a legião dos demônios do inferno no meu pé."

Rejane deu um largo gole da taça, deixando um pouco de vinho lhe escorrer pelo queixo. Daí, depois dum arrotinho, declarou:

"Grande merda gue é o amor."

"Pode crê. Só mesmo dando a descarga", concordei, abanando a cabeça.

"Gue ze dane o amor."

"Que se foda o amor."

E brindamos à danação do amor. Ficamos um tempo lado a lado, bebendo e olhando fixo pra janela em frente. De repente, ela falou:

"Mazz i agora, Zega?"

"Agora? Sei lá. O plano A é arranjar um mocó não muito caro, ou seja, bem barato, isto é, de graça, se possível. E tem o plano B."

"Gualé o blano B?"

"Aquela solução que você disse que tinha pra minha situação. Lembra?"

"Zoluzão bra zua ziduazão?... Guando gue eu dizze izzo?"

"Antes de eu descer pra falar com o Margarido no MSN."

Deu o estalo nela:

"É verdade! Denho mezzmo. A zoluzão é uma ilha ba-ra-di-zíaga em Barady, duma amiga minha. Viúva e mi-liar-dária. A Zíndia."

"Cíntia?"

"É. Zê gonhece a Zíndia?"

"Conheço duas Cíntias, nenhuma delas miliardária, infelizmente."

"A minha Zíndia é um amor de bezzoa. Vive zozinha na ilha dela e gué maiz gue o mundo ze voda."

"Poxa, Rejane, uma ilha era tudo-de-bom, hein? Mas eu nem conheço a sua amiga Cíntia."
"Ela vai a-do-rá vozê. Vamo jundos bra lá. A gente viga uns diaz gom a Zíndia. Ze brizisar, viga mais. Ezze é o blano B."
"Ou Z."
"Guê?"
"Z, de Zíndia."
"Izzo aí. Dêja gumigo. Dá dudo agui na minha gabeza, ó", ela disse, tentando espetar o indicador na têmpora, mas acertando a orelha. "A zolução bra zua ziduazão."
Ilha em Paraty. Amiga miliardária. Se não era só uma viagem de bebum zoada, parecia deveras interessante. Deveríssimas. Servi mais vinho na taça dela, pensando lá comigo que a tal da Cíntia devia ser portadora de alguma bizarrice física ou mental, ou ambas, pra resolver se isolar assim numa ilha.
Rejane pegou minha mão. Apertou.
"Viga vrio, Zega. Vô de levá bra ilha da Zíndia. Dá resolvido!"
Daí, ela deu um soluço forte seguido de uma visível ânsia de vômito.
"Cê tá passando bem, Rejane."
"Não."
"Tá passando mal?"
"Dô pazzando mal de desão bor vozê. Vem gá, vem, bonidão..."
Dito isso, a véia me laçou num abraço enroscado, com direito a beijo linguarudo na boca. O rompante idílico fez com que a gente derramasse vinho gelado das taças em nossos corpos quentes. Eu soltei um AI!, ela soltou outro, quase em uníssono com o meu. Tirei a taça da mão dela e botei ao lado da minha no criado-mudo.
Aí, batata: a velha gata caiu de língua no meu peito peludo e molhado de Nora de Neve e suor, passando a língua por um mamilo eriçado pelo choque térmico, e daí pra barriga, já forçando a cintura da bermuda do filho dela pra baixo. Levantei um pouco a bunda pra facilitar-lhe o serviço. Com energia insuspeita, ela puxou a bermuda engomada de porra até arrancá-la de mim. Depois, agarrou e abocanhou a minha linguiça ensebada, ainda com uns 29,57% de rigidez, rescaldo da punheta no MSN, e fez sua língua trabalhar no

segundo boquete da noite. Teve uns engulhos fazendo isso. Achei que ia vomitar em cima do meu cacete. Mas nem ela vomitou, nem meu pau levantou.

Houston, temos um problema, irradiei pra mim mesmo. O foguete não quer subir. Eu já tinha feito nada menos que três punções espermáticas naquela noite: uma com a lula, outra com a própria véia e a terceira, via internet, com a Sossô, em parceria com aquele bicão do Melquíades. Precisava produzir algum tipo de milagre, urgente. Comecei acessando um software de edição de imagens mentais e me apliquei em montar um videoclip alucinante com takes da Sossô e da Wyrna Samayana peladas na surubrâmane, mais a Jôsi naquele shortinho matador dela no quiosque da ilha das Rocas. Ficou um bom clip de sacanagem, com cenas reais puxadas da memória e outras fabricadas ali na hora. Pra alguma coisa serve ter dirigido pornôs. Você concebe as maiores sacanagens como quem pisca. Acabei obtendo algum resultado palpável, chupável e enterrável ao sul do meu umbigo.

Rejane percebeu a alteração positiva na consistência da matéria e resolveu meter logo o negócio pra dentro dela antes que arrefecesse de novo, no que fez muito bem. Pra isso, montou de novo em mim, só que dessa vez me deu ganas de ficar por cima, o que logrei numa bem-sucedida rolagem de corpos, que terminou com ela de bruços, bundão largo e achatado pra cima, e eu montado sobre suas coxas rechonchudas e macias, enterrando a ripa numa xota lubrificada de porra com KY. Me pus a bater meu próprio soro naquele bucetão, sentindo-me o senhor dos anéis. E das argolas de carne.

Tudo se encaminhava para o melhor quando começou a dar tilt no meu aparato cognitivo. Me baixou uma estranheza aguda, assim, do nada. As pintas e sardas nas costas da Rejane, por exemplo, adquiriam vida própria, reencenando em câmera lenta e 3D o Big Bang primordial. Era todo um universo de afecções cutâneas em dispersão pelo espaço do loft. Tive um medo bastante real de engolir e engasgar com uma verruga voadora. Piração forte, cara. Analisando agora, vejo que eu posso ter tido uma espécie de rebote tardio daquela viagem de ácido de mais de duas semanas atrás, desencadeado, quem sabe, pela recente visão da Sossô na internet, junto com a maconha que eu tinha fumado, e o Nora de Neve branco, e a véia bêbada, e a noite quente, e os pernilongos ouriçados, e o medo de ser preso, e o cacete alucinógeno a quatro.

Rebote de ácido ou não, dei de broxar de novo, e dentro da Rejane, o que era pior. Não conheço muitas mulheres capazes de levar tamanha rejeição numa boa. Eu tava fudido. Broxar daquele jeito logo na segunda rodada não era a melhor rota pra ilha de miliardária nenhuma. Minha parceira acusou o degonflê do piroquê dentro dela e tentou umas reboladas grotescas que só pioraram a situação.

Até que...

(*Arpejo descendente de harpa e fade-out.*)

# <31>

(*Arpejo ascendente da mesma harpa do final do capítulo anterior e fade-in.*)

Scupaí. Fui dá um horripilante barrão e já vortei. Jean Renoir, Rosselini e Fritz Lang devem ter feito a mesma coisa um certo número de vezes na vida. A Grace Kelly e o Gene Kelly também, menos por terem Kelly no nome e mais por terem tido intestinos e um cu, assim como eu e, suponho, você. Algum camarão daquele escondidinho de ontem resolveu se vingar de mim hoje.

Então. Onkotava memo?

O, yeah, ó xente, ulalá: cavalgando a bunda da Rejane de madrugada, em plena broxidão intravaginal, pra colocar a coisa de forma científica. Foi quando bati o olho na folha de jornal no chão com o anúncio do *Forever Depil Center* que eu tinha deixado ali de jeito pro gasto de uma filadinha estimulante. Na mesma hora aquela revoada de acidentes dermatológicos nas costas da Rejane saiu do raio da minha atenção, toda ela concentrada agora na modelo depilada da foto do anúncio. Usei a bela do barco de pivô duma fantasia autoemuladora que acabou incluindo também a Sossô. A foto no jornal adquiria às vezes algum cinetismo, ou eu é que fazia força pra acreditar nisso. A lancha singrava o mar de verão em alta velocidade. Eu, a morena depilada e a Sossô, pelados os três, triangulando na proa da lancha, de lado, de joelhos, sentados, deitados, eu por cima, por baixo, de todo jeito e maneira, numa pornocoreografia de lambe-chupa-tira-e-põe, convencional mas eficiente. No FM da alucinação rolava uma bossa-nova otimista combinando com a brisa que bulia nos cabelos das girls: *Dia de luz, festa de sol e o barquinho a deslizar no macio azul do mar. Tudo é verão, o amor se faz num barquinho pelo mar, que desliza sem parar...*

Deu certo. A velha piça voltou à liça. E a nababesca ilha da Zíndia retornou fulgurante ao horizonte marítimo dos meus dias. Era pra lá que rumava a lancha da minha fantasia. Eu caprichava nas estocadas, dispensando a certa altura o anúncio no jornal. Metia fumo na véia, sem chegar, no entanto, nem sequer aos subúrbios do colo do útero, se é que ele ainda estava lá. Passei a focar aquele bundão de massa sovada e fendida ao meio. Te juro que me passou pela cabeça comer aquele cu. O gozado é que bem nessa hora a Rejane tomou a iniciativa de ficar de quatro, manobra que me fez desentubar sua xota por um instante. Ouvi um "Ah..." baixinho. Mas, assim que a nova posição se consolidou, comigo de joelhos por trás dela, voltei a tacá fumo na racha da taverneira, que, por sua vez, passou a se aplicar uma caprichada siririca, sustentando o tronco num só braço.

Esqueci do cu. A coisa seguia no automático agora. Eu poderia ter ficado um tempo mais ou menos indefinido naquela meteção. Pensei em outras coisas, como, por exemplo, a possibilidade de convidar a Samayana e a trupe da surubrâmane prum workshop de bhagadhagadhogagem em Porangatuba, com o aval e a participacão da Rejane. Porangatuba jamais seria a mesma depois da passagem do Zebuh priápico. Eu botaria o Leno na parada também e encarregaria o Melquíades de se ocupar do ânus subalterno daquele Iago caiçara.

Agarrei com as duas mãos a cabelama crespa da Rejane por trás, subjugando na crina a potranca fogosa que eu montava em pelo. De vez em quando, soltava a mão direita pra dar uma alisada nos peitões da véia que balangavam livres e assimétricos debaixo dela. Rejane começou a dar pinta de que ia gozar. Soltava uns gritos roucos, tinha espasmos, se sacudia feito máquina de lavar roupa em centrifugação máxima. Continuei firme e forte na minha cavalgada. Puxava e enfiava o pau devagarinho, depois puxava rápido e tornava a enfiar lento, daí iniciava uma sequência de estocadas frenéticas, e o puto continuava teso. Até que a Rejane se esparramou na gozêra, dispensando qualquer truque ou manobra adicional.

Eu é que não tinha jeito de soltar a gala. Devia estar com o estoque baixo e, pra piorar as coisas, aquele gozão da véia tinha-lhe provocado uma distensão extra na vagina. Eu começava a badalar dentro daquilo. Busquei socorro outra vez na foto do jornal, mas não deu certo. A morena depilada na proa da lancha, sozinha agora, era só uma foto de estúdio, estática e bidimensional, e não me falou mais à libido.

Porra, não gosto de foder sem gozar. Os adamitas heréticos da Idade Média é que faziam disso. Morreram todos na fogueira da Inquisição, de pau duro carbonizado. Não tem coisa pior no sexo do que fazer força pra porra sair. Nem broxar é tão aflitivo quanto ter que esporrar por obrigação. Vi alguns atores pornôs vivendo esse drama na conclusão de uma cena. Era deprimente. O cara penava, se esforçava, fazia, refazia, metia, se contorcia, a fita digital chegando ao fim na câmera, e nada do gozo do cara vir à luz. Me vi um par de vezes obrigado a gritar pro desgraçado: "Goza logo, porra!". Se alguém pagasse a mesma coisa praqueles sujeitos passarem o dia aparando grama num asilo pra velhinhos ou fazendo bolinha de sabão pra criancinha em festa infantil, é o que eles todos correriam pra fazer, em vez de ficar ali naquela luta pra conseguir ejacular na cara ou na bunda duma puta cansada de guerra diante da câmera dum cineasta sem futuro.

Em desespero de causa, convoquei a Jôsi pra vir em meu auxílio. Ataquei de Proust e busquei na memória o cheiro do óleo rançoso frigindo as luladorês lá nas Roca. Fechei os olhos e me assisti atracando-do de voadeira na enseadinha da ilha, correndo pela praia, subindo a esplanada de areia, pulando o balcão mambembe do quiosque e juntando a menina por trás, já a lhe abrir o botão do shortinho, que eu logo tratava de abaixar, junto com a provável tanguinha preta ou vermelha. Daí, me punha a lamber um rêgo fundo entre glúteos calipígios, enfiando-lhe meia língua pelo cuzinho adentro, antes de atochar-lhe a sodomítica vara. Isso, na minha gomorrítica fantasia.

Na real, ali na cama da Rejane, larguei a cabeleira da véia, abri-lhe as nádegas, chupei o dedo e taquei-lhe no cu. Ela soltou um *Uhh!...* seguido de uhs menores. Forcei, girei, enfiei. Ela merecia o serviço completo, a minha protetora. O dedo entrou facinho, no relaxo do pós-gozo. Dei uma chuchada breve e tirei. O profumo estercorário, de par com a minha fantasia de chupar a rabiola da Jôsi no quiosque, foi a conta. Senti a porra do gozo enfim se encaminhando pelos canais competentes. Fiquei tão feliz que, na hora H, puxei o pau pra fora e reguei de porra o bundão da véia, não mais que alguns pingos valentes, mas que deram pro gasto. Minha piça tava vermelha de tanta esfregação. A taverneira num longo *ohhh* de plenitude extenuada se abandonou de bruços no colchão, cara virada de lado. Dessa vez não estava chorando. Pelo contrário, tinha um sorriso fixo de perra satisfeita. E logo afundou num sono sólido, de boca aberta. Mais sono que aquilo e seria a morte. Perfeito, pensei. O apagão da véia me poupava de protagonizar cenas românticas ou confessionais entre carinhos e cafunés, o que é sempre sacal.

O problema, gravíssimo problema, como ponderei a seguir, era aquela anciã briaca não se lembrar de porra nenhuma quando acordasse no dia seguinte, vítima de amnésia alcoólica. Lembrei duma cena do "Mulheres", do Bukowski — aliás, foi você que traduziu, não foi? — em que a aspirante a namorada do Hank não se lembra de ter trepado com ele na noite anterior, o que só acaba acontecendo quando a mulher se levanta da mesa onde os dois tomavam café da manhã e sente a porra a lhe escorrer pela coxa. Já passei por isso uma vez. Fiquei horas fodendo uma bêbada idiota de madrugada, e a filha da puta mal me reconheceu no dia seguinte no quarto mambembe do hotel do Bexiga em que tínhamos ido fazer nossa farrinha. Me olhava do fundo do poço de suas olheiras como se o mundo tivesse acabado de começar. Depois confessou que sua última lembrança da noite anterior era eu clicando o isqueiro pra acender o cigarro dela numa mesa repleta de garrafas de cerveja vazias. Tremendo mico. Você se esforça, se aplica, se esfalfa, e no dia seguinte nem uma medalhinha de honra ao mérito sexual. É de foder a alma dum pobre fodedor.

Pensei em jogar um copo d'água na cara da véia pra arrancá-la daquele coma alcoólico. Eu diria que foi sem querer, puta cagada, desculpe, eu ia beber um copo d'água, mas depois dessa SEGUNDA TREPADA MARAVILHOSA que a gente acabou de dar — lembra, sua vaca? —, fiquei meio trêmulo, olha só minha mão. Ela ia se derreter toda e me beijaria, imprimindo fundo na memória a lembrança daquela segunda comparecida. Quase fiz isso mesmo, juro. Cheguei a encher a taça de água no banheiro, mas acabei por decretar um foda-se, seja o que Deus quiser. Só mijei e voltei pro quarto com a taça vazia, que enchi de vinho mesmo. Daí, catei a caixa de fósforos com a bituca no bolso da minha camisa ainda úmida que a Rejane tinha pendurado no espaldar da cadeira, e fui dar o último pega na varanda da torre, de frente pra enseada de Porangatuba, sob o clarão baço de uma lua que já não era mais visível da varanda. Fiquei ali estirado na chaise puxando fumo e bebericando o Nora da Neve, na companhia de algumas ideias confusas e da pernilongaiada excitadíssima com o cheiro de suor e fodelança que se evolava do meu corpo. Soprava fumaça de maconha na direção do mar, e o mar me tossia de volta seu marulho gorgulhante. E assim ficamos, eu e o mar e os pernilongos bestando na escuridão. Matei um pernilongo na perna, esse ainda de barriga vazia. Falhei em várias tentativas de pegar outros no ar, e acabei me fixando na tal da Cíntia, a amiga miliardária da Rejane, em sua ilha de Paraty.

Olha só as voltas que o mundo dá, como diria o velho Carlos José, meu finado pai, em sua infinita e burocrática sabedoria. (Variante: ninguém sabe o dia de amanhã, como bem disse o Tatá do fundo de sua filosófica decadência.) Ao invés de uma cela infecta em São Paulo, era muito provável que eu fosse parar numa nababesca ilha em Paraty, é bem verdade que cercado de velhinhas taradas — nem os milagres saem perfeitos hoje em dia.

Mais ou menos à revelia da minha consciência fui armando na imaginação à solta na varanda um plot ficcional ambientado no microcosmo paradisíaco da tal ilha. Protagonistas: um cineasta maledetto de 42 anos, falido e foragido da polícia devido a crimes que não cometeu, uma biviúva sexagenária perdidamente apaixonada pelo cineasta, dona de uma pousada chique no litoral norte paulista, e a amiga miliardária dela, que eu figurava baixota e gordinha, também viúva e na certa tão velhusca quanto a Rejane.

E aí, já viu, né? Barquinho vai, champanhe vem, vão passando mansos e ensolarados os dias de ócio e fodelança cas véia lá na minha fantasiada ilha. Sim, com as duas, pois a Rejane não hesitará em me franquear à volúpia da amiga miliardária. A anfitriã achará muito excitante dar guarida a um cineasta ainda relativamente moço, recém-separado, frágil, deprimidinho, perseguido pela ex-mulher e pela justiça por causa de pensão judiciária não paga por momentânea falta de caixa. Vamos ajudar o pobre diabo bonitão e bom de cama, ora se não vamos, dirá a miliardária. Ajudê-mo-lo e desfrutê-mo-lo, olerê, olará.

Até aí, se quiser saber, acho que é mesmo o que vai rolar, se tudo correr bem, graças a essa minha capacidade recém-adquirida de me excitar com velhotas recorrendo apenas à mentalização de bundinhas jovens e apetecíveis. Um verdadeiro artista paranormal, é no que me transformei. Alguns usam sua mediunidade para entortar colheres à distância. Eu a usarei para empinar minha piroca e traçar matusalenas abonadas. Assim há de caminhar a humanidade, de acordo com a fantasia — quase um plano — que minha mente se divertia em esboçar no alto da torre, a cavaleiro do mundo. Fiquei antevendo como, entre risos e beijos e taças de champanhe, a miliardária benevolente comentará certo dia, no aconchego da nossa recente mas intensa intimidade, que hoje só acredita em "grana viva, valores concretos", fora de contas bancárias e aplicações financeiras, a pecúnia em si, sólida e palpável, livre de tributação ou sequestro judicial, como no plano Collor, ocasião em que perdeu uma fortuna em depósitos e aplicações do dia pra noite.

"Eu me lembro", pontuará Rejane. "Foi terrível, coitada. A Cíntia queria se matar."

"E pensar que eu votei naquele filho da puta do Collor!", explodirá a Cíntia.

"Eu também", dirá Rejane.

A Cíntia se voltará para mim, mão no meu antebraço:

"Cê acredita, Zeca, que eu tinha acabado de vender um apartamento de quatrocentos e cinquenta metros quadrados na rua Rio de Janeiro por dois milhões de dólares? Isso, quando o dólar ainda era o dólar, não essa merreca flutuante de hoje."

"Jura?!", eu direi, compungido.

"Ia receber um milhão quente na frente e um milhão frio depois de um mês. É mais ou menos o que todo mundo fazia. E não é que o comprador tinha depositado o milhão quente, em cruzados, na minha conta, no dia catorze de março de mil novecentos e noventa? No dia seguinte tava tudo bloqueado!"

"Nãããão!!!", exclamarei tão atônito quanto possível, como se ouvisse o pavoroso relato de uma sobrevivente de Hiroxima.

"Fui muito burra e precipitada. O Paulo Roberto tinha falecido fazia menos de um ano, eu tocava a fábrica sozinha. Precisava de capital de giro com a maior u*rr*gência (*esqueci de falar: Cíntia é carioca*). Pra completar a esparrela, o plano Collor derrubou o fazendeiro, como fez com todo mundo, e o homem precisou dos dólares frios que ia me dar."

"E aí?!", explodirei, inflado de indignação e borbulhas de champanhe.

"Daí, meu filho, o cara propôs me pagar o milhão de dólares restante em dois anos, em prestações mensais, e em cruzeiros ainda por cima. Tive que aceitar o acordo. Eu não podia processar ele nem nada, porque não era dinheiro declarado. Foi aquele perrengue."

"Ma*ish* que me*rr*da", repercutirei, solidário com o *sutaque* carioca da anfitriã.

"E pensar que aquele salafrário do Collor ainda vem agora, se elege senador e recebe elogios dos coleguinhas de Congresso em sessão solene no plenário, como se fosse o salvador da pátria voltando do exílio", rezingará Rejane com pruridos republicanos, em apoio à amiga, entre bicadas no seu drinque de champanhe matizado com o sumo de alguma fruta exótica só encontrável naquela ilha.

"Brasília é um covil", desabafará a anfitrilhoa. "Jararaca tem medo de entrar lá."

"Não vamos falar de política", dirá a Rejane. "Êta assunto chato. Não combina com mar e champanhe."

"Tem razão, Rê", concordará a Cíntia. "Sem política. Prefiro conversar de câncer, assalto, acidente de carro. Tenho cólica*sh* intestinai*sh* só de ver político na tevê."

"Podes crê", puxassacarei eu. "Pena que não dá pra cagar na cabeça dos caras. Eles é que cagam na nossa o tempo todo."

"Verdade: todos são uns cagões. Menos o Fernando Henrique", a brava Cíntia ressalvará, indicador espetado no ar.

Não resistirei a provocar a rica ilhoa:

"Menos o Fernando Henrique? E a reeleição comprada no balcão do Congresso? E a privataria? E o/"

"Pó pará! Ninguém fala mal do Fernando Henrique na minha ilha", cortará a potentada. "Aliás, você até se parece um pouco com o FHC, sabia? Tirando esses olhos azuis e a pele clara, parece muito. Não parece, Rê?"

"É a cara do Fernando Henrique", concordará a Rejane.

"Já não te falaram isso?", dirá a Cíntia, pegando com delicadeza no meu queixo.

"Falaram", confirmarei. "Melhor, em todo caso, que ser comparado ao Jânio Quadros."

Gargalhadas. Mas dona Cíntia se porá grave de repente:

"Zé Carlos, não me diga que você é lulopetista. Te mando já de volta pro continente!"

No meu lugar, até o Lula diria que não é lulopetista.

"Que nada. Lula, pra mim, só em rodelas, na frigideira", eu direi, omitindo outras formas menos ortodoxas de degustação de lulas que não vinha ao caso mencionar.

"Você votou em quem nessa última eleição?", Cíntia jogará de chofre.

Rejane me olhará com certa apreensão aguardando a minha resposta. Não vá você estragar nosso idílio paradisíaco com tolas opiniões esquerdistas, é o que estará me dizendo seu olhar. Declararei sem titubeios:

"Votei no meu candidato preferido: Nulo Branco Júnior. Não me animei a votar naquele anestesista careca. Já naquela eleição do Collor, em 89, votei no doutor Ulisses", inventarei, pra épater as véia.

"No Ulisses Guimarães?!", explodirá a Cintia, cuspindo um pouco de champanhe. "Você é a única pessoa que eu conheço que votou nele."

"Tanto que o velho teve só 1% dos votos", replicarei. "Daí por diante, só votei no FHC. Juro. Com reeleição comprada e tudo."

"Aaaaaah bom!", exultará a milionnaire.

Rejane sorrirá pra mim, orgulhosa da evidente mentira que eu terei acabado de contar, pois tenho a maior cara de quem sempre votou no porquêra do Lula mesmo, o que, aliás, é a mais comezinha verdade. E será ela a me perguntar agora:

"E pra que time você torce, Zeca?"

"Pro São Paulo", cravarei sem titubear, eu que sempre fui mais ou menos corintiano aos domingos e quartas-feiras à noite.

"Votou no Fernando Henrique, torce pelo São Paulo, é dos nossos!", comemorará Rejane.

"No Rio, sou Fluminense e não abro", prosseguirei. "Como o Nelson Rodrigues, que dizia: 'O Fluminense é o melhor time do mundo. E podem me dizer que os fatos provam o contrário, que responderei: pior para os fatos.'"

Cíntia largará sua flüte na mesa pra me aplaudir.

"Bravô! Viva o tricolor carioca! Viva Nelson Rodrigues! Viva Fernando Henrique!"

"A Cíntia é tricolor roxa e *ama* o Fernando Henrique", me cochichará Rejane, de maneira a que a Cíntia ouça também.

"Amo mesmo", a outra confirmará. "Um gostosão, esse FHC. Eu dava pra ele agora mesmo. Juro por Deus."

"E o homem nem é mais presidente. Imagine se fosse!", dirá a Rejane.

"Se fosse, eu começava dando pra faixa dele. Hahahahá!"

"Hahahahá!", eu e a Rejane acompanharemos. E eu dispararei: "Daí o FHC diria: 'Comi a Cíntia na faixa'", provocando mais gargalhadas nas véia.

"Eu também não jogaria o FHC pros tubarões", ruminará a Rejane em voz alta.

"Os tubarões das finanças já se banquetearam à larga com o FHC", emendarei, voltando ao meu perfil esquerdista só pra reapimentar a discussão. Mas, pra minha surpresa, a Cíntia me dará razão:

"Isso lá é verdade. E agora tão fazendo a festa com o Lula também. Onde há poder, tubarão se dá bem neste país", ela dirá, resumindo a crítica da economia política.

E assim se passarão as horas e os dias, entre risos e champas geladas com camarõezinhos fritos, patinhas de caranguejo e luladorês, mais charos a granel, pois a miliardária da ilha — a *milhardária* — se revelará uma grande fumeta. De vez em quando rolará um beijo a três, umas passadas de mão daqui, dali, meu pau pra fora ganhando chupetinha de uma, se enfiando na greta da outra, e tudo mais, numa esfuziante celebração pagã.

Daí, com meu faro de perdigueiro e meu instinto de bandido mexicano, intuirei que a rica Cíntia deve ter algum tipo de tesouro escondido em algum lugar daquela ilha, quem sabe antiguidades maias capazes de atingir preços astronômicos nos leilões da Sotheby's, pilhas de euros e dólares, barras de ouro, baldes de diamantes, pérolas, rubis e esmeraldas, uma coleção de consolos hindus de marfim do século 7 a.c., pinturas célebres que a mesma Sotheby's leiloaria por dezenas de milhões de euros cada peça, e sei lá mais que outras miraboludas riquezas.

Porque duvideodó que uma miliardária reclusa não vá ter parte substancial de seu tesouro enterrado na ilha que escolheu pra se exilar do mundo, a base do poder ali sob os pés e ao alcance da mão, sem agentes e instituições financeiras de intermédio, sobretudo depois da fubecada que ela terá levado do Collor — e aposto como levou alguma, na real. Vou ver se me lembro de perguntar isso pra Rejane depois. Estimei ali, de frente pro mar, na minha revêrie defumada em cannabis e regada a Nora de Neve, que essa Cíntia devia ter dois cofres na casa da ilha: um fake, atrás de um quadro famoso igualmente falso na sala (os girassóis de Van Gogh, digamos), repleto de joias de vidrilho e dólares xerocados, pra ser aberto em caso de assalto de piratas. E outro com a fortuna verdadeira, em algum lugar secreto — na adega, atrás de uma prateleira repleta de garrafas empoeiradas de Mouton Rotschild 1971, por exemplo —, protegido por senhas e sofisticados sistemas de segurança.

Meu devaneio não chegou a detalhar com precisão como eu chegava a descobrir o paradeiro e o segredo do cofre real. Só sei que a horas tantas eu convidava as duas prum passeio de lancha, só nós três, e no meio do caminho proporia um racha de natação no mar aberto. Daí, com todo mundo n'água, daria um jeito de puxar as pernas duma e doutra por baixo d'água, até vê-las exalando as derradeiras borbulhas de oxigênio rumo ao silêncio abissal do oceano. Na sequência, voltaria de lancha pra ilha, raparia a fortuna do cofre secreto e daria no pé, depois de matar o caseiro, como era provável que eu precisasse fazer, no melhor estilo Tom Ripley.

Não muito tempo depois disso, sempre de acordo com as minhas cada vez mais empolgadas elucubrations, eu me veria em algum resort dez estrelas no Caribe, cercado de coqueiros, beldades multiétnicas, sofisticados birinaites e bagulhos a vonts, acendendo charuto com nota de cem dólares.

Ôrra, meu, ali naquela varanda à beira-mar, te juro que me deu certo medo de pirar de vez e partir pra execução de algum plano maluco desse naipe, se as condições na ilha da Cíntia baterem de algum jeito mínimo com esses devaneios avarandados. De qualquer forma, antes de seguir pra ilha amanhã, vou te passar esse arquivo duma vez por todas, como venho prometendo e adiando há um certo tempo.

Acabei ali com o Nora de Neve da garrafa e fiquei contemplando mais um pouco o tapete de água escura à minha frente, túmulo dos futuros e hipotéticos cadáveres das velhas senhoras por mim assassinadas na minha rêverie, inspirada, acho eu, pela acusação ridícula do Roquete Paiva contra mim. Já que virei um homicida oficial sem ter matado ninguém, bem podia fazer jus à fama. *Pourquoi pas*, diria o Proust, ou o próprio Tom Ripley, em sua mansão de Fontainebleau.

Só então me dei conta do dia caleidoscópico que tinha me saído aquele sabadão. Começou de manhã com o Nissim no telefone confessando que praticamente abriu pra polícia meu paradeiro. Daí, sempre por telefone, o Margarido, meu bastante advogado, me diz que posso ser preso a qualquer momento. Em seguida, troco imeios com a sumida Sossô e abro outro imeio da Lia em que sou apresentado ao meu comborço — o *Júlio* — que anda futucando o reto da patroa e tendo o seu cu peludo por ela futucado. Beleza. Vou pra ilha das Rocas e flerto com Josilene, a caiçara bela. Na sequência, necrofilizo uma lula aqui em casa, desço de novo pra pousada, onde entorno várias Noras de Neve com um escondidinho de camarão e travo breve relação com a bela nora da Rejane. Pra coroar essa estonteante sequência de eventos, traço a estalajadeira — duas vezes! —, com um punhetaço de intermezzo pra Sossô no MSN.

Ufa-lelê!

Quer dizer, passo dias e dias aqui sem acontecer picas, e, de repente, num só dia me acontece de tudo. Acho que todos os astros e satélites artificiais do firmamento se alinharam no mapa do meu signo ontem. Cáspite!

Deixei a varanda à disposição dos pernilongos e voltei pra cama, onde a Rejane jazia na mesma posição em que a tinha deixado, numa roncação moderada. Deitei ao lado dela experimentando outra vez a estranha, estranhíssima sensação de que toda aquela zoeira que eu tinha recém-fabulado na varanda, envolvendo tesouros na ilha e assassinatos de velhinhas, podia, de algum jeito, e com imprevisíveis variações, estar a um passo de se realizar. Acho que dormi com aquele verso do Gardel bandoneonando nos meus ouvidos oníricos: *el que no llora no mama y el que no roba es un gil...* — se é que não estou inventando isso agora.

Bom, *meu querido*, tá mais do que na hora da Sherazade aqui dar uma pausa no teclado, descer o morro e tocar pra pousada, encerrando a minha estadia no morro. A pousada vai estar tranquila, agora que os hóspedes já terão se mandado de volta pros shoppings de São Paulo e Rio, findo o finde. Vou bater um belo ajantarado dominical em companhia da Rejane, sem as coxas nevadas da Reginora, que já estarão a bordo de seu 4x4 de 100 mil dólares, na companhia dos filhos, devorando o asfalto da BR rumo a São Paulo. Na inevitável sequência, embalado em Nora de Neve e marigonga, tentarei apresentar outra vez a piroca pa véia, que remédio. Confesso que essa perspectiva já nem me parece tão sofrível assim. Já vi que, com jeito, a coisa rola. Daí, é virar pro outro lado e dormir, que amanhã é segunda-feira e uma ilha da fantasia, só que real, me espera em algum lugar do Atlântico Sul, onde me verei cercado de água e xotas terceiridosas por todos os lados.

Pena que, com essa puta tromba-d'água que deu de cair agora, eu não vou poder carregar lá pra baixo meu notebook, como estava planejando, junto com o resto das minhas coisas dentro da mochila, que é bem pouco impermeável. Além disso, se levo um tombaço nessa piramba escorregadia, como já levei vários, adeus computinha. Mas tudo bem, amanhã bem cedo volto aqui, cato tudo, desço e desapareço de Poranga — arre! — tuba de uma vez por todas. Acho bom, de qualquer maneira, recolher a rede, desbandeirar qualquer sinal de que a casa está sendo usada, fazer minha mochila com o note dentro e esconder no forro. Devia fazer isso já, agora — jagora!

Mas, e a preguiça? Por mim, passava a noite deste domingão aqui em cima mesmo curtindo a tempestade e escrevendo mais um pouco, quem sabe até aperfeiçoando aquela fantasia criminológica com a milionária e a Rejane na ilha do tesouro. Você já deve ter percebido o quanto eu ando obcecado em narrar tudo que me acontece, e até o que não me aconteceu ainda. Armadilhas da ansiedade. Ansiedade, não depressão. A famosa depressão não cola em mim, sei lá por que motivo. Acho que a minha mioleira não dispõe dos neurorreceptores da melancolia. Fico deprimido pra valer meia hora por semestre, em média, se é que não se trata apenas de azia e má digestão. Já a ansiedade é um fungo que se espalha endêmico por todo o meu aparelho volitivo — a tal história de querer tudo ao mesmo tempo agora, em outro lugar. É o bicho a ansiedade. Às vezes o bicho sossega um pouco, mas de cá de dentro, da jaula do peito, não sai de jeito nenhum.

Cara, tá acabando meu gás aqui. Realmente. Antes de me picar pra ilha da Cíntia, amanhã cedo, pretendo comprar um par de óculos de leitura em alguma farmácia de Paraty, junto com umas caixas da pilulinha azul, pra garantir a performance cas véia.

Só mais uma coisa. Mesmo cansado e bocejante, depois de passar o dia inteiro cá na rede pitando pito de pango, bebendo pinguel e copulando em letras com Miss Hewlett-Packard, não posso encerrar esta sessão no teclado antes de contar um pequeno incidente que me aconteceu na manhã deste domingão pacato, ao sair da pousada disposto a dar um nadão no mar de almirante que fazia debaixo do astro-rei.

Eu tinha acordado sozinho lá na torre. A taverneira já tinha se levantado, tomado banho e saído pra tocar o domingão na pousada lotada. De minha parte, meti a bermuda de havaiano gay, engomada de porra seca, já que a minha roupa não estava em nenhum lugar à vista. A Rejane com certeza pegou calça e camisa pra mandar lavar e passar, deixando as chaves aqui da casa sobre o criado-mudo. Rabisquei pra ela um bilhete ridículo mas eficaz em seus baixos propósitos manipulativos: "Bela noite, Rapunzel! Espero que ainda te lembres das duas flechadas que levaste de Cupido aqui no alto da torre. Lots of love, baby. *ZC*. (PS: Vou passar o domingão trabalhando lá em cima. De noite desço pra jantar com você.)".

Por sorte não encontrei nem Rejane nem Reginora no restaurante, cheio de hóspedes tomando café da manhã. Lá fora, Porangatuba estalava sob um sol holocaústico. Sem óculos escuros, mal conseguia abrir os olhos na claridade acachapante. Tinha um bocado de gente sob tendas e guarda-sóis na praia, chapinando n'água com os filhos, dando suas braçadas no mar, lambrecando a pele de filtro solar, jogando peteca e frescobol, marchando duma ponta à outra da enseada, o que demora não mais de cinco minutos. Vi aquele adolescente hip-hop de ontem passar com uma prancha imensa de surfe. Ele fez um desvio em sua rota quando me flagrou com o canto do olho, temendo, na certa, um novo aperto de mão. Onde aquele jovem panaca pretendia encontrar ondas surfáveis naquele marzinho bobo?, é o que me deu gana de perguntar pra ele.

Também não cruzei com Reginora & kids, pra sorte minha, inda mais metido na bermuda do marido dela, o grande prospector de petróleo. Talvez ela estivesse debaixo de alguma barraca e eu não vi. A filhadaputa devia ser muito da gostosa de biquíni, e era melhor mesmo eu não topar com aquilo e começar a ter ideias mais consistentes a respeito — e botar tudo a foder logo depois da terceira caipirinha. Eu tinha investido um belo capital espermático na sogra dela e precisava fazê-lo render. Resolvi marchar por um quilômetro pela estradinha até a praia do Pontal, pra lá do Quinho. A praia do Pontal é de tombo e areia pedregosa, com uma rebentação bem agitada, o que espanta boa parte dos turistas, sobretudo quem tem filho pequeno. Nesses meus dias atléticos nadei várias vezes do Portinho, em frente à pousada, até o Pontal, em mais ou menos quarenta minutos. Uma bela performance prum quarentão desabusado. Pretendia agora fazer o mesmo trajeto, só que em sentido contrário, do Pontal ao Portinho.

No Pontal, antes de entrar n'água, abundei-me na areia à sombra de uma amendoeira, pouco acima de um casal de franceses que assavam debaixo do sol, reluzindo de branquidão europeia bezuntada de fator 100. Eram os únicos humanos naquele canto da praia, o que era mais ou menos surpreendente prum domingão ensolarado. A mulher me pareceu bem apetitosa, como um camembert recoberto de mofo branco. Os dois conversavam e riam animados, *Oui, mai non, ch'pas, moi, toi, voilá, et la mer, et la plage, et le soleil, et la France, et le Brésil, et les poissons, et les oiseaux, et la cachaçá, et le patati, et le patatá*, sinal de que tinham dado pelo menos uma boa trepada na noite anterior. Você vê um casal sem se falar na praia, ou num restaurante, e já sabe que estão há muito tempo sem sexo. Casal que fode, fala, casal que não fode, cala, e se fala é só bate-boca. Fiquei semideitado na areia dura e seca, tronco apoiado num cotovelo, desfrutando de uma brisa branda que mal dava pro gasto de me refrescar o saco e a cachola amanhecida.

De repente, me entra no campo de visão, vindo das bandas do Portinho, à minha esquerda, um caiaque vermelho de um só lugar com uma penca duns cinco ou seis moleques pendurados nele, todos de pele morena brilhando ao sol. É comum turista emprestar os caiaques alugados pra molecada local. Os carinhas tentavam se aboletar a cavalo sobre o barquinho estreito, de corpo liso e escorregadio, comandado pelo mais parrudo deles, que, entalado no habitáculo, empunhava o remo duplo. Cada vez que a trempe conseguia se empoleirar no barquinho, o remador dava não mais que meia dúzia de remadas, acertando algumas cabeças no caminho, e o barquito afundava ou virava, ou as duas coisas, lançando a garotada no mar, em grande algazarra. Daí, empurrando-se e chutando-se uns aos outros, todos forcejavam por se empoleirar de novo no caiaque, o taludo sempre no comando, puto com o assédio de tanto gafanhoto do mar em volta dele. O cara tentava remar e o périplo se reiniciava até a nave louca ir a pique mais uma vez.

Fixei minha atenção num molequinho mínimo, o menor da turma, duns 5 ou 6 anos, que male-male tentava se agarrar na popa bicuda do caiaque. No meio da zoada dos guris, ouvi o mandachuva do remo berrando e gesticulando pra ele chispar dali e voltar à praia. Mas o miúdo não queria saber de desgrudar da instável embarcação, da qual, aliás, dependia 100% pra não afundar. Eles não estavam muito longe da areia, mas ali a gente perde logo pé por causa do tombo da praia, e o gurizinho, que se espadanava em agonia cada vez que o caiaque lhe escapava das mãos, não me parecia capaz de voltar sozinho à terra firme, nem se quisesse.

Pensei: esse puto desse guri vai acabar se afogando. Mal essa impressão se formou no meu espírito ressacoso, a cambada se coordenou mais uma vez pra montar em peso sobre o caiaque, que novamente afundou com tudo, mais rápido e mais fundo agora, e a molecada toda com ele. Os garotos maiores logo voltaram à tona junto com o barco, menos o gurizinho, e ninguém do bando se dava conta disso.

Caceta, me alarmei. Cadê o gurizinho? De novo os moleques se digladiavam para subir no caiaque quando meus instintos paternais, animais, natatórios, ou sei lá que porra, me lançaram correndo na direção da água. Passei meio que por cima dos franceses sentados à minha frente. Ouvi a mulher soltar um grunhido de susto e protesto pela areia que meus pés na vula jogaram nela. Em menos tempo do que ela dizia "Merde!" eu já furava a primeira onda, avançando com braçadas vigorosas até os garotos, onde mergulhei no ponto em que tinha acabado de ver o piazito afundar. E lá estava ele, a um metro de profundidade, agitando os bracinhos raquíticos, sem força pra emergir. Enlacei seu corpitcho mirrado por trás e o trouxe à tona. Aquilo não pesava nada. Fosse o filho bem nutrido da Reginora, por exemplo, e não sei se a operação-resgate teria sido bem-sucedida.

Vim com ele enganchado num braço, usando o outro, mais as pernas, para me locomover no mar, até um ponto em que deu pé pra mim, já na beira da areia, enfrentando a força das ondas fortes e umas repuxadas na panturrilha que ameaçavam se transformar em nova e matadora cãimbra. A francesa e o marido, ligados no lance, entraram n'água pra me ajudar a recolher meu fardinho humano semidesacordado até a areia úmida, onde o deitamos de bruços, cabeça virada de lado. A francesa dizia algo sobre "respiration bouche-à-bouche", mas o que fiz foi pressionar com força as costinhas esqueléticas do menino, de baixo pra cima, como tinha visto alguém fazer num vídeo sobre técnicas de salvamento. Saiu água pra caralho pela boca do afogadinho, junto com umas golfadas de vômito amarelo. Quando o colocamos sentado, ele já abria o berreiro e se rasgava de tosse, expelindo mais perdigotos amarelos. Perguntei à francesa no meu francês capenga mas inteligível:

"Voulez-vous lui faire le bouche-à-bouche maintenant?"

"Il n'est plus necessaire, je crois", ela respondeu, disfarçando o nojinho.

O francês me espalmou com entusiasmo as costas.

"Vous l'avez sauvé, le gosse! Pas mal!"

"Bem que eu merecia uma pêta da sua patroa, né?"

"Comment?", disse o francês.

"Oui, tu l'as sauvé, ça c'est sûr", reforçou a francesa, acariciando a cabeça do guri que, aos soluços e arrotos, tentava se livrar dos afagos da mulher.

Não demorou muito, surgiu em cena uma catrumana molambenta, tão esquelética quanto o menino, só que bem mais escura que ele.

Uma negra pra todos os efeitos, com um pano amarrado na cabeça à guisa de bandana, a esbravejar:

"Qué qui foi agora, Lorivânio?! Ê muleque palerma, sem-vregonha! Já simbora pa casa! É hoje que eu te arranco esse côro, coisa ruim!"

A bruaca, com uma cara que me era estranhamente familiar, não dirigiu olhar ou palavra a nenhum de nós, o que pareceu indignar a francesa, que tentava explicar a ela, apontando para mim, que eu tinha acabado de "sauver votre fils qui se noyait tout à l'heure!"

Mas a catrumana-mére, que não parecia nenhuma francófila perdida nos desertos da América, não deu bola pra francesa. Apenas catou o frangote pelo braço-palito e saiu arrastando sua presa que mal se aguentava nos gambitos trêmulos. Os dois seguiram pela areia em direção à estrada, a catrumana aplicando uns cascudos esporádicos na cabeça raspada do afogadinho. A francesa teve o ímpeto de ir atrás deles, mas o marido a reteve, sussurrando:

"Laisse, laisse, Nicole!"

Nicole deixou barato, bufando sua indignação civilizada. Ficamos os três assistindo à cena. O berreiro do guri devia estar ajudando a ventilar seus pulmões encharcados. Tava fudido, o coitado, na mão da Jeca Tatusa, mas pelo menos se encontrava de posse da própria vida, pronto para encarar seu futuro de mão de obra desqualificada, com direito, talvez, a incursões pela marginalidade criminal e pelos presídios do estado. Ainda ia apanhar muito em casa, de cinta ou de vara de bambu, da mãe e do ogro-pai quando ele voltasse pra casa e se inteirasse do acontecido. No mar, a garotada prosseguia naquela navegação caótica em cima e em torno do caiaque vermelho. Não era impossível que mais um deles acabasse se afogando pra valer.

"Elle est incroyable, cette femme là. Et tu l'a sauvé son fils!", continuava a bramir a francesa me olhando com admiração.

"É foda", murmurei em bom português, apertando as mãos que os franceses me estendiam e dando as costas a eles e ao mar com seus moleques afogáveis.

Voilá. Fim da história. E cá estou eu maintenantemente nessa varanda voadora e sensual de onde venho deitando desembestada falação no computinha, meu vício redentor. Agora me dou conta de que o molequinho do caiaque foi o segundo ser humano que eu salvei numa só temporada à beira-mar, o primeiro tendo sido o incansável moi-même, naquele mesmo mar, dias atrás. Pensando bem, salvar minha própria vida foi um episódio mais empolgante do que salvar o gurizinho. Sou muito mais pesado que ele, e, ainda por cima, estava sendo devorado por uma cáimbra assassina. Por paradoxal que isto soe, o fato é que arrisquei heroicamente minha vida pra salvar a mim mesmo. Sou meu auto-herói. Devo-me gratidão eterna.

Ao passar diante da Chapéu-de-sol, a caminho da piramba que sobe pra cá, caçando as escassas sombras pra não escaldar os pés descalços, topei com o Tatá, já bêbado ao meio-dia. Mal me viu, foi soltando:

"Ê domingão! Hein?! Hein?! Ô! Vê uma pratinha pa nóis aí, zinfio."

Puxei pra fora os bolsos vazios da bermuda, exibindo-os pro bebum. Ele fixou os oião injetados na bermuda havagayana que eu vestia, apontou e mandou:

"Tinha pa home também donde cê comprô isso? Huá huá huá huá!"

"Vá se fodê, Tatá", encerrei eu, caindo fora rapidinho, antes que despencasse sobre a minha cabeça alguma maldição mina-euê regada a pinga vagabunda. Eu tinha um domingão pela frente, este mesmo que já vai caindo na caçapa do horizonte. O último, por um bom tempo, a ser contemplado dessa rede que só me quer bem, a mim, à minha bunda e às minhas costas largas de salva-vidas.

# <32>

Eu tinha mergulhado do barco pra tocar o fundo do mar, mas na volta via que a tona ia ficando cada vez mais distante. Não tinha mais nenhuma molécula de oxigênio nos meus pulmões. Eu mal podia ver agora a luz do dia lá em cima onde estava a atmosfera respirável. Soltei todo o ar saturado numa lufada de bolhas, e, no que meus pulmões se preparavam para aspirar uma larga dose de oceano salgado, acordei, sem fôlego, emergindo por fim daquele pesadelo. Abri os olhos pra essa segunda-feira na penumbra fresca do loft suspenso da Rejane, engolfado por uma onda de pavor. A realidade pesava toneladas e eu não tinha forças pra carregá-la. Mas, sobretudo, o que me faltava era saco pra arcar com qualquer tipo de realidade.

Em todo caso, a primeira coisa que vi da realidade foi o ventilador do teto, parado. Um arrepio criogênico me passou pela espinha: porra, e se eu morri de verdade? O ventilador parado indicava que a areia do tempo tinha engasgado na garganta da ampulheta. Ao meu lado na cama, enrodilhada de costas para mim, jazia a representante do eterno feminino pós-maduro, com quem eu tinha mais uma vez compartilhado lençóis, pernilongos e fluidos corporais. A véia ressonava forte, a um passo do ronco. O fim de semana de trampo e trepação tinha acabado com ela. Pensei ali, sem nenhuma compaixão seja pela Rejane ou por mim mesmo: Caralho, tô comendo isso aí. A que ponto chegamos.

Não vou contar como foi minha segunda noite de amor no alto da torre das véias uivantes. Digo apenas que dei uma só, pá-pumba, com razoável esforço. O método de transposição do objeto do tesão — T.O.T. — precisa de algum aperfeiçoamento. Cheguei a focar até a Hebe Camargo na minha galeria de imagens emuladoras, cê acredita? Mas, espermatozoides somados, eu diria que, pruma noite de domingo judaico-cristão, foi um desempenho até que passável. A véia, que tinha fumado maconha comigo, quis dar um repeteco meia hora depois, mas ficou na vontade. Virei pro lado e capotei legal. Agora, segundona braba, acordava morto pra realidade, sentindo na boca o gosto da tainha ao molho de jabuticaba do nosso jantar à luz de velas na varanda da torre, com tudo — louça, talheres, copos, taças, comida e baldes de gelo com Nora da Neve — levado lá pra cima na bandeja e no muque pelo inevitável Leno. O principal assunto da noite foi o nosso projeto de fuga pra ilha da miliardária. A Rejane tinha tentado contatar a amiga, mas o caseiro que atendeu o telefone via satélite, conhecido da Rejane, explicou que a patroa tinha ido de lancha à praia do Fuso pra passar o domingo, dia e noite, na casa de amigos, onde não havia telefone, mas voltaria na segunda de manhã. Até onde ele sabia, dona Cíntia passaria a semana que entra na ilha sem hóspedes. Ou seja: seríamos bem-vindos lá, com certeza, ou pelo menos foi isso que a Rejane entendeu.

Ela não deu maiores detalhes sobre a poderosa Cíntia, nem eu fiquei perguntando o tanto que queria saber. Pude pescar, no entanto, que o negócio dela é fazenda, boi, muito boi, e mineração. Bauxita. Parece que a véia é a rainha do nelore no Mato Grosso do Sul e da bauxita no Amapá. Nada a ver com fábrica nenhuma, como eu tinha imaginado. Eu ainda duvidava um pouco de que a miliardária se dispusesse a me receber. Por que diabos a rainha do nelore e da bauxita haveria de querer a companhia de um quarentão durango foragido da justiça e diretor amaldiçoado de vídeos institucionais, pornôs e delírios anarcopoéticos da estatura de um Holisticofrenia? Não fazia sentido.

Tudo isso considerado, sentei na cama e vi no despertador do criado-mudo que faltavam dez minutos pras oito da matina. Vigoravam no ambiente uns odores de alfazema matizados de flatos flutuantes, vários de minha modesta autoria. A claridade baça do dia nublado e a brisa fresca do mar entravam pelas frestas das portas-janelas, fechadas agora. Eu tinha dormido umas seis horas de um abençoado sono etílico apenas perturbado no fim por aquele pesadelo apnéico, óbvia elaboração inconsciente do meu afogamento desafogado, sendo que a mesma coisa, como vejo agora, vale praquela fantasia, quase plano, de dar um caldo fatal na miliardária e na Rejane pra afanar o tesouro da ilha.

Pulei da cama antes de começar a pensar demais da conta e acabar fundindo as biela da cachola, e fui pro banheiro dar baixa na tainha jabuticabal, operação seguida de um jato de bidê no fiofó e das abluções e escovações de praxe na pia, usando uma escova de dentes novinha, oferta mais do que simbólica da minha taverneira apaixonada. Me achei meio velhusco e abatido com aquela barba de dois dias me ensombrecendo a cara. Achei um aparelho de barba de duas lâminas dentro de uma gaveta do armário da pia, pesado, antigão, de homem. Seria do primeiro ou do segundo defunto matrimonial da Rejane? Ou seria desse último namorado que deu um chapéu nela com sua melhor amiga? Não, desse último não. Ela não guardaria nada do Conde Crápula. Só pode ter sido de um dos falecidos cônjuges. Nisso fui pensando enquanto raspava e escanhoava minha cara ensaboada, do jeito que o falecido antes de mim, o dono do aparelho, fizera muitas vezes antes de morrer. Lembrar disso não melhorou muito o meu humor matinal. As lâminas do barbeador, sem corte, também não me deixaram lá muito bem barbeado, fora os talhos pela cara toda. Quem sabe eu não estava me candidatando ali a um tétano fatal. (Vade-retro!)

Silencioso e furtivo como Arséne Lupin (o do cinema, interpretado na tela por Lionel Barrymore), de modo a não acordar minha hospedeira, catei a calça jeans e a camisa de listras azuis, dobradas, lavadas, passadas e acondicionadas numa sacola de loja. Daí, enfiei-me na bermuda — na minha, com a qual eu tinha descido no domingo à noite, e não naquele escândalo havagayano que a Rejane me emprestara no sábado —, e desci pro escritório da pousada. Cruzei o restaurante vazio, com algumas mesas postas para o café da manhã. Os poucos hóspedes remanescentes não tinham acordado ainda, o que era ótimo. Não tava com o menor saco de dar bom-dia a ninguém. Só o Leno passou por mim no pátio interno e respondeu ao meu gélido "Oi" com o meneio seco que ele forçou sua cabeça tosca a me oferecer. É mais do que evidente que ele tem rezado todo santo dia a toda a legião de diabos dos quintos dos infernos pra me ver bem longe dali o quanto antes.

Fechado no escritório, liguei o computador da Rejane resignando-me a encarar as más notícias de tocaia no webmail. Fosse a merda que fosse, eu viria em seguida aqui pra casa pra fazer minha mochila, atochar o notebook dentro dela e dar no pé rapidinho, que agora a chapa devia — e deve — tá pra lá de quente. Daí, Paraty — oui! — e a mirífica ilha do tesouro!

A maior parte dos imeios pessoais era de uns poucos amigos e conhecidos que tinham visto aquela notícia no Estadão sobre o meu rolo policial. Na coluna de *assunto*, vinha lá: "notícia ruim" ou "viu o estadão?" ou "?!?!". Tinha também um "tá bem, lindo?!?!" da Gaúcha. Até uma prima freira que mora na Itália, filha da tia Renée, ficou sabendo do rolo pela internet e me mandou um imeio com um "Deus te proteja". Agradeci de coração a solidariedade de todos, mas não abri nenhum desses imeios. A turma vai entender a falta de resposta.

Tinha mais um imeio "urgente!" da Nina. Outra vez o supersticioso *algo* me recomendava não abrir nada que se anunciasse como urgente. Se aquela peruette estiver mesmo grávida da minha pessoa, pelo menos meu novo rebento terá escolinha garantida pra cantar o "Ilari lari ê" até o saquinho de pipoca dele ou dela estourar.

Outros imeios: Sossô, Lia, Margarido, Madame AAA (minha amante alcalina e superfina), Zuba e um do Ingo. Abri o da Sossô. A mensagem dizia: "Gostou do MSN de sábado? Tem lembrancinha para você no anexo (*rs rs rs*). Bjjjjs". Nem sexo cheirava tanto a sexo quanto aquele anexo (Não, nada tema, não vou cometer mais um dos meus deletabomináveis haicais. Não agora, pelo menos.)

Cliquei na "lembrancinha" da Sossô. Era um show de slides protagonizados por uma garota branca, mignonzinha, cheia dos piercings, de costas e bunda tatuadas, mais seu partner, um negão escultural com uma jeba interminável. Na primeira foto, a garota aparecia numa cama montada a cavalo sobre o cara, com a negra pila apenas encaixada entre suas nádegas. Nessa, como em todas as outras fotos, borrões digitais cobriam suas caras. Tinha de tudo: boquetaço, enfiadas vaginais de frente e de trás, punhetas com porra voadora, close de cuzinho rosé, e outras atrações. Eram os melhores momentos do showzinho de sábado no MSN.

Tesei no ato. Por mim, já socava uma ali mesmo. Eu teria que trancar a porta interna e as janelas francesas que davam pro jardim, o que evocaria interrogações nos espíritos tacanhos das empregadas e, sobretudo, do Leno. Desisti da punheta. Fiquei só numa fricção por dentro do bolso da bermuda, passeando, ida e volta, pelas imagens do pas-des-deux sexual executado pelo bailarino negro e sua partner. Graaande Sossô, sublime putinha, meu amor de perdição. Eu daria qualquer coisa, menos o cu e a vida do meu filho, pra comer aquela girl de novo, por trás, como da primeira vez, pra ver a sublime aba de buceta se formando em torno do meu pau.

Em vez disso, cá tô eu, o bestalhão acuado pelos equívocos e a má-fé de um delegado corporativista, abandonado e escorraçado pelo melhor amigo, corneado a céu aberto e internet escancarada pela patroa, com pouco menos de mil reais no bolso e traçando uma sexagenária que pelo menos vai me tirar o rabo do braseiro, sedeusquiser.

Depois de quase gozar na bermuda com as fotos da duplinha dinâmica em desinibida atividade amatória, abri o imeio do Ingo: "Zequinha, que a força esteja contigo! Uma notícia boa, outra ruim. Qual primeiro? A boa: a Samayana veio me contar que tinha aprovado você pro vídeo do bhagadhagadhoga. Sua atuação na surubrâmane foi muito elogiada pela divina mestra. A ruim: o Anselmo, aquele magrelo da surubrâmane, foi bater pra Wyrna que você está sendo procurado pela polícia. Mostrou pra ela a tua foto no jornal, e aí fodeu tudo. Foi a Wyrna mesma que me contou. Pena, camarada. Ela se viu obrigada a desistir do convite que ia te fazer. Eu jurei que você tinha entrado nessa de bobeira, mas ela disse que preferia esperar até tudo se esclarecer no reino volátil e ambíguo de maya. Vamos deixar tudo nas mãos do destino, por enquanto. Qualquer coisa, dou notícias. Namastê. Ingo".

O Anselmo, o repugnante Anselmo, o esquelético e escalafobético Anselmo do cu arrombado tinha que foder com a minha única chance de me pirulitar dessa merda toda sem ter que passar dias e mais dias, pra não falar das noites, comendo velhotas folgazãs numa ilha abandonada no meio de um tédio marítimo sem fim. Jaipur, a cidade rosa! Eu podia estar num avião agora, classe executiva, voando pra Índia. E com a Wyrna a tiracolo! Pra isso servem os magros: pra fuder com a tua vida. Negócio daquele cara é tomar tora de negão no rabo. Veja que nenhuma das gordas me traiu. Muito menos o Melquíades. Tinha que ser o magrão sinistro, lambedor de cu peludo, devorador de badalhocas!

Abri o imeio do Margarido, de sábado: "Leu o Estadão de hoje? Fica frio. Nos falamos na segunda. Beijo".

Vi que não eram nem oito e meia, mas, mesmo assim, passei a mão no telefone e liguei pro celular do meu defensor, que demorou pra atender. Devia estar trocando o OB anal no banheiro, rosnei, como o perfeito fascista homofóbico em que me transformo às vezes com inquietante facilidade. Por fim, ele atendeu, simpático como sempre.

"Zeca? E aí, meu querido? Madrugando agora? Ou não foi dormir ainda? Hahahá! Onde cê tá? Não vai me dizer que você ainda taí em/"

"Margarido, abre logo o jogo. Que merda tá rolando, cara? Os home tão vindo me prender, ou o quê? Fala, porra!"

Antes de iniciar seu relatório, o ilustre causídico puxou um sonoro e enroscado pigarro que soou no meu ouvido como uma trombeta de Jericó pondo abaixo as muralhas da minha precária fortaleza moral. Então contou que apareceu outro vizinho, esse do predinho que fica bem defronte ao edifício Paris, dizendo que me reconheceu na foto no jornal. O cara foi correndo bater pro Roquete que tinha me visto saindo do Corsa preto do Miro no início da noite de sexta, por volta das 7 horas. E mais: era o mesmo maldito veículo que tinha abalroado a moto de um amigo dele, versão que as marcas deixadas no para--choque do Corsa comprovaram plenamente. O incidente aconteceu logo depois de eu ter saído do carro agressor, coisa que ele tinha visto muito bem. Só não tinha me flagrado entrando no edifício Paris, do outro lado da rua, ocupado que estava em perseguir o Miro.

"Puta merda. Mais um prego no meu caixão."

"Bom, meu querido, agora ficou hiperconfigurado o teu vínculo com o Miro, né? Onde cê tá, afinal? Não vai me dizer que esse número aqui no meu celular é o da pousada de Poronga...?"

"É."

"Porra, meu! Cê tá querendo ser preso, Zequinha?"

"Morte aos vizinhos!", bradei.

"Seguinte, velho: me liga de novo só quando tiver saído daí. Ou quando for preso. Tchau."

Tá mais do que na hora de partir pra ilha da coroa milonária, achei, encaixando o fone na base. O ideal mesmo seria cair fora desse mundo. Se eu me chamasse Raimundo mudava de nome na mesma hora. O mundo é o cu-do-mundo.

Isso tudo, mais ou menos, eu me pus a filopoetar com os olhos em fuga pelas portas-janelas que se abriam pro jardim e, mais além, pro mar cinzento sob a garoa fina. Porangatuba se despedia de mim com lágrimas celestiais, pensei, melodramático. Eu percebia nos músculos o quanto a minha relação com aquele lugar tinha sido intensa nesses dias míticos, à margem do calendário gregoriano. Elevando o calcanhar esquerdo do chão, podia sentir na panturrilha uns ecos da cãimbra assassina. Lembrei de que em algum casebre desses morros tinha um molequinho brincando, vendo tevê ou levando porrada da mãe ou dos irmãos mais velhos, graças a mim que o salvei da gula das águas.

Me arranquei do computador e já ia sair pro jardim, pra tomar chuvisco, quando ouço um toc-toc educado na porta interna do escritório anunciando uma Rejane de vestidão de flores coloridas contra um fundo amarelo. Ela deve ter escolhido a dedo aquele pano pra se dar a ver o mais fresca e jovial possível pelo amado amante.

"Licença...?", ela disse, fechando a porta e vindo me abraçar e beijar, trescalando a perfumaria de banho e toucador. O beijo tinha gosto de pasta de dente. Achei reconfortantes aqueles cheiros e sabores de vida resolvida, com tudo no devido lugar. Me deu um tesãozinho pela véia. Juro. Podia ser o que fosse, talvez só o meu instinto de sobrevivência em ação, pouco importa: o tesãozinho era real, e ela sentiu.

"Uia! Por que você pulou tão cedo da cama, menino? A gente podia ter aproveitado essa animação toda."

"Pois é, em vez disso vim aqui pro computador me infernizar com más notícias."

"Ische. Continua ruim a coisa?"

"Péssima."

E mandei a minha história pré-fab, explicando que o Margarido, o advogado que me chama de "meu querido" e me manda beijinhos, não tinha ainda conseguido um habeas corpus pra mim. Portanto, o mandado de prisão continuava no ar. Rejane me apertou, toda carinho e proteção.

"Cê vai sair dessa, prometo. Olha, tenho boas notícias pra compensar. Consegui finalmente falar com a Cíntia."

"E?"

"Como eu já esperava, e o caseiro já tinha dito, a gente pode ir pra lá hoje mesmo. Ela tá nos esperando. Vamos direto pro píer, em Paraty, alugamos um barco, e numa hora e pouco a gente chega na ilha Doce."

"Ilha Doce?!"

"É o nome da ilha da Cíntia."

"Jura? Dulcíssima ilha!"

Smack, de novo, em plano americano. A véia saiu do beijo animadíssima:

"O lugar é maravilhoso, Zeca, cê não vai acreditar. O paraíso perde", ela informou, perfeita agente de viagens.

"Oba", eu disse, resumindo minha aprovação. "Então deve ser o último andar do nirvana, o sétimo, se não me engano."

"Por aí. E a Cíntia mandou te avisar que tem lá uma coleção de mais de mil DVDs e um home theater de última geração. Você vai passar o resto do verão no sétimo céu com a sétima arte!"

"Será que eu mereço tanto céu e tanta arte?"

"Você tem feito por merecer", respondeu minha consumada namorada, antes de colar de novo seus lábios nos meus, me descabelando com um cafuné agressivo.

Tava tudo certo. Minhas lorotas colavam como Superbonder na superfície das aparências, graças aos ingredientes verdadeiros com que eram elaboradas: o mandado de prisão, o habeas corpus negado, o advogado fresco, a ex-mulher raivosa, a escassez do meio circulante — tudo verdade. Acho que vou acabar contando a verdade verdadeira pra Rejane: bala perdida de madrugada, morte do Miro, pó no hidrante, o amante da Lia, delegado sacana, promotor cri-cri, e tudo mais. Um belo dia qualquer, lá na ilha da Cíntia, fumando um beque na praia, eu pego e conto. Ela vai entender e aceitar, pelo menos enquanto eu conseguir ficar de pau duro dentro dela. Ainda por cima salvei aquele garoto, façanha que ainda não contei a ela. O ideal seria alguém vir lhe relatar o caso, algum local, de preferência. Achei que o Tatá, azeitado por uma nota de dê real, poderia muito bem desempenhar esse papel.

Em todo caso, acabei conhecendo a faccia da dona Cíntia nas fotos que a Rejane puxou do computador, todas feitas na ilha. A Cíntia real divergia bastante da baixinha gordota que eu tinha figurado no meu devaneio. Tal como retratada há poucos meses, ela é uma bacalhoa atlética, alta, esguia, queimadíssima de sol, olhos claros esverdeados, sem um grama de gordura num corpo mumificado por algum programa espartano de exercícios com dieta equilibrada e, talvez, alguma lipoaspiração. Olhando as fotos, fiquei sem saber se a dona Cíntia seria encarável nas mesmas bases da T.O.T. (*Transposição do Objeto do Tesão*, só pra lembrar) que até agora tinham, dum jeito ou de outro, funcionado com a Rejane. Parecia mais velha, em todo caso, esbarrando nos setentinha, e bem menos aconchegante como entidade física do que os volumes de carne carente da minha estalajadeira. Mas era muito mais classuda, isso ela era. A fortuna transparecia nela de algum jeito, como costuma acontecer com milionários em geral.

"A Cíntia pratica iatismo todos os dias", disse a Rejane, quando entrou uma foto da mulher num veleirinho branco elegante, atrás de óculos escuros de grife. "Olha só que corpão. Fala sério. Nem te conto a idade dela."

"Menos de cem? Hahahá! Brincando. Ela tá ótima pra qualquer idade. Tem menina de vinte que não bate essa bola toda", exagerei forte.

"Ela vai passar dos cem anos."

"Logo mais. Quer dizer, com certeza. Tá se vendo que ela se cuida, a sua amiga."

"Vá se preparando. A Cíntia gosta de botar os hóspedes na linha. Quero ver você correndo em volta da ilha às seis da manhã, todo dia, mais duas horas pendurado num sniper ou catamarã enfrentando ventania no mar aberto e uma hora pelo menos de natação na piscina de água do mar que ela tem lá no meio das pedras. Isso tudo faça chuva ou faça sol, e antes do café da manhã."

Cacete. Eu ouvia aquilo pensando que não ia ser fácil afogar aquela macróbia malhada num enfrentamento corpo a corpo no mar, como eu tinha — vá lá — planejado. Era até possível suceder o contrário.

A Rejane determinou que a gente sairia pra Paraty por volta do meio-dia, ou antes, se ela conseguisse se desincumbir dumas providências que precisava tomar. Não resisti, e, como quem não quer nada, soltei:

"Será que a sua amiga não enterrou nenhum tesouro lá na ilha dela? É o que eu faria se fosse um ilhéu milionário."

Rejane me deu um olhar estranhado antes de responder:

"Não sei onde a Cíntia guarda o dinheiro dela. Acho que no banco, como todo mundo. Faz diferença?"

"Só você faz diferença", eu disse, tomando a iniciativa de beijá-la com ardor. Mas, depois do beijo, ela própria voltou ao assunto:

"O tesouro é a própria ilha. A casa, então, é um sonho. A única da ilha toda. Projeto do André Vainer, encravada nas rochas à beira-mar, coisa de cinema. Nas fotos aqui já dá pra ver alguma coisa. Ao vivo, não dá pra acreditar."

"E a ilha é dela mesmo?", especulei, vendo na tela uma foto da Cíntia numa rede atada a duas pilastras de uma ampla varanda, com o marzão azul ao fundo.

"A ilha é uma concessão da Marinha, mas se ela quisesse passar aquilo nos cobres hoje pegaria uns dez milhões de dólares, fácil."

Porra, pensei. Meu planejado latrocínio perdia sua razão de ser. Eu não teria nada a ganhar matando a miliardária. Só se eu rebocasse a ilha pra fora do país, mas isso ia parecer enredo de algum romance soporífero do Saramago.

De repente, no meio desse papinho, soam os primeiros acordes eletrônicos da "Marselhesa" no meu celular, que trago ligado no bolso desde sábado. O número no visor indicava o prefixo da região de Ubatuba: 012. Puta merda, gelei. A Rejane parou de falar. E a "Marselhesa" insistindo, *allons enfants de la patrie, oh repondez-ê, s'i-il vous plaît!* Achei que podia ser um tira de Ubatuba tentando me localizar pela via mais óbvia: um telefonema pro meu celular.

Ou quem sabe...

"Alô?", eu disse por fim ao aparelho.

Ficou um silêncio. Rejane me olhava alarmada. Do outro lado, veio a voz feminina:

"Queria falar com seu José Carlos?"

"Oi! Só um minutinho", respondi. Tapando o bocal, sussurrei pra Rejane: "É a minha sogra."

Se isso fosse roteiro de telenovela eu daria aqui um break pro comercial ou até mesmo pro fim do capítulo. Como não é, darei um break pra dar uma mijada, pegar cerveja na geladeira e mastigar alguma coisinha. Em todo caso, não perca o próximo capítulo de "As Pungentes Confissões de um Cineasta Foragido"!

# <33>

A Rejane, pérola de boa educação, percebeu logo que eu me sentiria mais confortável se estivesse sozinho para lidar com aquele telefonema da minha sogra, e vazou, depois de beijar meus lábios e apertar meus ombros num "Tamos aí" silencioso. Quando ela fechou a porta e me vi sozinho, comecei, de boca colada no fone:
"Jôsi?!"
"É."
"Você ligou! Genial!"
Ouvi um risinho sufocado do outro lado.
"O senhor ainda vai querer o azul-marinho?"
"Azul-marinho? Azul-marinho... Ah, o azul-marinho! Claaaaro! Cê vai lá em casa fazer?"
"Melhor eu faço aqui em casa e levo lá", ela disse.
"Mas tudo bem cê fazer aí? E a sua mãe?"
"Tá pra fora. Meus irmão também. Todo mundo."
"Legal. Sabe onde é, não sabe?"
"Conheço. Tá no desenho que o senhor fez. Do lado da casa do senador."
"Perfeito. Que hora cê vai?"
"Depois do almoço. Quando der eu vô."
"Tá ótimo. Eu só almoço depois do almoço mesmo."
"Quê?"
"Nada, não. Quando der, cê vem. Tô esperando. Mas vem logo!"
"Tá."
E desligou. Taqueopariu! Ambilívebou! O bicho-mulher é de fato uma boceta de surpresas. Aquela ali, por exemplo, eu chamei no pio, como ouvi um caiçara dizendo por aí. Vai saber o que se passou na cabecinha da guria desde sábado lá nas Rocas. Imagino a Jôsi com o

namorado PM no domingo, o cara pegando nos peitos dela, beijando de língua, apresentando a vara, e a bonitinha com o pensamento longe, centrado no coroa paquerador de olhos azuis e cara de ricaço biruta que queria comer azul-marinho, entre outras coisas que, com certeza, ele queria comer.

Dei mais um tempo no escritório fabricando uma boa história pra contar pra Rejane. Ao sair, topei com ela no pátio interno terminando de dar ordens pra Cara-de-cuíca, que evitou meu olhar, e já saiu rebolando rapidinho aquela bunda boa dela debaixo do saião. A empregada já devia saber àquela altura que eu andava de caso com a patroa e se pelava de pudores fundamentalistas cristãos na minha frente.

"E aí, Zeca? Mais encrenca?", ela sussurrou, apreensiva.

"Não, menos. A sogrinha só queria me oferecer ajuda. Ela acha um absurdo a filha ter partido pra ignorância comigo. Diz que tá tentando convencer a Lia a retirar a queixa. Ela é o máximo, a minha sogrinha."

E é mesmo, sabia? Não sei o quanto a dona Olívia está sabendo dessa merda toda de Miro e polícia e o caralho, mas eu e a mãe da Lia, a gente sempre se entendeu bem, circunstância bastante facilitada pelo nosso escasso convívio. E a mulher dá a maior força pra gente com o Pedrocas, do qual é uma vovó de conto de fadas, toda atenções, bondades e presentes, sendo que ele é só o caçula de seus cinco netos. É uma pessoa de temperamento afável, ao contrário do sogrão, procurador aposentado, que tende ao casmurro.

"Você vai gostar também da sua nova sogra", disse a Rejane, pra minha surpresa.

"Sua mãe tá viva?"

"Por quê? Tá me achando muito velha pra ter mãe viva?"

"Tô achando nada. É que eu, por exemplo, não tenho pai e mãe vivos faz tempo. Quantos anos tem sua mãe?"

"Oitenta e oito. Quando eu nasci, já tinha três filhos, aos vinte e cinco anos. E teve mais dois depois de mim."

"Uma povoadora, a sua mãe."

"Ela é um amor de velhinha. Mais lúcida que eu e você juntos. E adora vinho. Toma duas taças todo santo dia."

*Voilà*, calculei no automático: 88-25=63. Era essa, afinal, a idade do meu brotão.

"Ok", disse eu. "Quero conhecer a dona Lúcida quando a gente voltar da ilha. Ando precisando mesmo dumas luzes."

Rejane esqueceu as sogras e se pôs pragmática:

"Olha, são nove e meia. Preciso de mais uma horinha pra ajeitar as coisas aqui. Já avisei o pessoal: se vierem perguntar, ninguém viu você."

"Cê disse isso pro Leno?"

"Disse. Falei por alto da pensão judicial. Eles entenderam a sua situação tão bem quanto eu."

Não gostei daquilo. Minha condição de foragido agora estava escancarada em Porangatuba. Enfim, foda-se. Tô sartando pra ilha mesmo, pouco importa.

"Lá pelas onze, onze e meia a gente sai pra Paraty. Vamos almoçar lá", ela disse.

Caralho, praguejei comigo mesmo. E o meu rendez-vous com a Jôsi? Eu tinha pintado em cores tão negras a minha situação que ia ser foda agora arranjar pretexto pra adiar a viagem. Sem contar o risco real de topar com os tiras a qualquer momento. Mas se eu quisesse comer buceta caiçara com azul-marinho, era arriscar ou arriscar. Arrisquei:

"Seguinte, Rejane. Depois de falar com a sogrinha, entrei na internet e vi um e-mail do Margarido que tinha acabado de chegar. Diz ele que o juiz acabou de me conceder o habeas corpus."

Ela botou uma cara de indisfarçável desapontamento.

"Jura?! Quer dizer que..?"

"Calma. É um habeas corpus temporário."

"*Temporário*? Nunca ouvi falar em habeas corpus temporário. Já ouvi falar de preventivo."

"Foi o que o Margarido disse no e-mail. Acho que é uma variação do preventivo, sei lá."

"Será, Zeca? Não é bom checar isso com outro advogado? Querendo, eu ligo pro meu."

"Não precisa, o Margarido dá conta. Na verdade, ele diz que é *líquido e certo* que o delegado vai recorrer da decisão do juiz e pedir novo mandado. Mas não é pra hoje, entende? Quer dizer, pode ser que sim, pode ser que não."

"Nossa, que coisa mais confusa!"

"É a justiça, minha filha. Ela tarda, falha e embaralha."

"Quer saber, Zeca? Não interessa se é ou não é pra hoje o mandado, o habeas temporário, o sei-lá-o-quê-das-quantas. Vamos embora duma vez. Já tá tudo organizado."

"Rê", comecei, chamando a véia assim pela primeira vez, "é o seguinte. É que... não sei se você vai entender, mas... eu adoro escrever lá em cima. A vista da varanda, a mata atrás da casa, a solidão, a passarada... Me sinto um Jobim em contato com o Brasil profundo. Pinta uma tremenda simbiose entre a minha cabeça e o lugar, saca? É superprodutivo. E eu tô na reta final do meu trabalho."

"Na ilha da Cíntia vai rolar simbiose a dar com pau, cê vai ver."

"É que eu demoro até engrenar num lugar novo. Aconteceu aqui, quando eu cheguei. Fiquei uma semana bestando até acertar a cabeça."

"Mas, Zeca!..."

"Rê, ó: eu tenho porque tenho que mandar aqueles roteiros até hoje no fim do dia. É o meu deadline. Vou aproveitar o respiro que pintou com esse tal de habeas temporário pra matar o trampo. Quero tirar isso da minha frente antes de ir pra ilha, entende? Acabo, mando, e pronto. Amanhã cedo a gente vai, sem falta. A ilha não vai sair do lugar, vai?"

Ela suspirou, batendo os braços nas coxas por cima do vestido.

"Não, mas... Bom. Cê que sabe", ela se obrigou a dizer, abafando a contrariedade. "Só não quero te ver saindo daqui algemado."

"Num tem pirigo, amor. O Margarido tá no controle. Qualquer coisa, ele me avisa em tempo. Ó: vou lá pra cima agora, escrevo o último roteiro da série e volto à noitinha de mala e cuia. Daí passo os roteiros pela internet, e um abraço. Vem cá, vem. Não fica assim..."

Dei um abraço encoxado nela.

"Certeza, Zequinha?"

"Adoro te ouvir me chamando de Zequinha, sabia? Enfuna as velas do meu coração. Do meu calção também."

Madame deu um sorrisinho chocho. Dei outro beijo nela. Aquilo começava a ficar divertido. De repente, ela se retesou, de corpo e alma:

"Olha aqui, seu Zeca, nada disso! A gente vai é hoje à noite pra Paraty, e não tem conversa. Tô ficando nervosa com essa história. Ficamos numa pousada discreta que eu conheço lá, e amanhã, raiando o sol, tocamos pra ilha Doce. Combinado?"

"Cômbi. Sete, oito da noite, eu desço com a mochila e o computador, e a gente se manda. Se aparecer alguém me procurando nesse meio-tempo, você me bate um fio no ato."

"Você até agora não me deu o número do teu celular, sabia?"

"Tem caneta aí?"

"Pode dizer. Eu gravo de cabeça."

Recitei meu número. Ela repetiu direitinho. Boa memória, a da véia. Melhor que a minha.

"Tchau", eu disse, lascando-lhe um beijo na boca.

Por cima do ombro dela, vi o Leno no jardim. Falou no diabo... Ele carregava no ombro um engradado de cerveja e me viu chupando a boca da patroa. Aquela visão deve ter sido uma punhalada funda no ego proletário dele.

"E nem vem almoçar comigo?", disse a Rejane, ao emergir toda molinha do beijo.

"Vou comer aquelas lulas que eu trouxe das Rocas."

"Ué? Ainda não comeu?"

"Só uma. Tem mais duas. Falando nisso, vou pegar umas latinhas de cerveja na sua geladeira, posso?"

"Se você voltar pra mim à noite são e salvo, pode tudo."

Dei um selinho nela e fui à caça das minhas latinhas na geladeira. Nenhum Leno à vista. O viadinho devia estar escondido em algum canto afiando seu punhal florentino. Botei meia dúzia de latinhas geladas num saco plástico e zarpei ao encontro da caiçara e do azul-marinho.

No fim da praia, ao lado do Porangatuba's Bar e Hotel, onde começa a trilha principal que traz aqui pros altos do morro, topei de novo com o Tatá, que mijava abraçado a um poste. Assim que me viu, ainda com um fio de mijo a lhe sair de um pau que mal se via em meio ao negror geral da sua figura, já lascou:

"Paga uma cachaça aí, meu bom."

"Pô, Tatá. Cachaça, segunda de manhã?"

"E daí, fio? Pra bebê carqué dia é dia, carqué hora é hora", arrazoou o beleléu-mor de Porangatuba.

Achei uma nota de dois merréis no bolso da bermuda e dei a ele. Tatá pegou com a mão molhada do próprio mijo, o negro pau já sumido para dentro do calção, preto como ele.

"Falôôô!", ele fez, e já ia se mandar, quando me lembrei de uma coisa.

"Tatá, vem cá."

"Fala, meu branco."

"Cê ouviu falar de um menino aí do morro que quase morreu afogado ontem, no Pontal?"

"Um que o francêis salvô?"

"Que francês o quê, Tatá. Fui eu que salvei o moleque. Tirei ele da água quase morto."

"Falaram que foi um francêis."

"Quem *falaram*?"

"A mãe do minino. Ela que me falô."

"A mãe do menino é uma bugra mentirosa ignorante do caralho. Fui eu que salvei o guri, porra. Eu!"

Tatá botou uma cara ofendida.

"Que foi, Tatá? Não quer acreditar em mim, não acredita. Tchau, prazer, tudo de bom."

Já ia virando as costas pra ele, quando ouvi:

"A mãe do moleque é minha irmã. O minino é meu sobrinho."

Putz, cê acredita? Por isso que aquela catrumana do caralho me pareceu tão familiar. Esse deve ser o meu ano das coincidências bisonhas. Inda bem que tá acabando, o filho da puta do ano.

"Porra, Tatá, eu não sabia. Desculpe. É que fui eu que salvei o menino. Juro por Deus. Qualquer hora a gente vai lá falar com o... Lindovânio?"

"Lourivânio. Meu sobrinho. É. Ele tamém disse que foi o gringo que desafogô ele."

"E você acha que um menininho que tá afundando lá no mar, já meio morto, vai saber quem salvou ele, Tatá?"

"Sabe. Ô. Craro. Como não ia sabê? Ele é ele, ué."

"Tão tá. Ele é ele, e eu sou eu. Vou achar o francês e a mulher dele, que tavam lá na praia e viram tudo. Eles vão dizer quem foi que salvou o moleque."

"Os francêis que tava aí já foram tudo embora cedinho. Ajudei a carregá as mala pra van. Sabia que eu sei falá francêis? Merci bocú nepadequá. Orrevuá."

E se esbodegou de rir, o Tatá. Dei pra ele uma lata de cerveja. O tremor das mãos dificultava-lhe a operação de puxar a argola na tampa. Quando por fim conseguiu, despejou um teco de líquido espumante no ar.

"Pra Mavu, criador desse mundo", dedicou, antes de sorver toda a cerveja da lata num só gole. Seu gogó de peru subia e descia durante a deglutição. O líquido espumante lhe escorria em duas cascatinhas laterais pelo queixo. Daí, amassou a latinha e a jogou pra trás, por cima do ombro, ladeira abaixo.

Dei-lhe as costas e já tinha começado a galgar a rampa, quando ouvi atrás de mim a voz pedregosa do bebum, dizendo e repetindo muitas vezes algo que me soou assim:

"*Ofá niô beuá côsséni Lógum ô, ofá niô beuá côsséni!....*"

Ele já estava fora da minha vista quando ouvi o negão declarar a provável tradução daquilo:

"'Não crave tuas frecha em nenhum de nóis, Logum, não crave tuas frecha em ninguém.'"

Caralho, não gostei de ouvir aquilo. Implicava que o tal do Logum trazia o arco retesado e a flecha apontada pro nosso rabo, pronto pra acabar com a nossa raça por dá cá essa palha. O do Tatá ele já tinha acertado várias vezes, condenando o desgraçado à miséria crônica. Mas o meu ainda tinha salvação, enquanto houvesse taverneiras apaixonadas e ilhas de miliardárias no horizonte.

Primeira providência ao chegar aqui em cima foi acender uma bagana e soprar fumaça pra todo lado pra defumar o azar. Eparrê, carai! Depois, entrei na ducha dos fundos da casa pra descarregar da pele o suor e as mandingas do Tatá. Naquele tempinho fresco, a água, vinda direto da montanha, me bateu bem mais fria que das outras vezes, e eu soltei um grito primal que deve ter afugentado todos os bugios da Mata Atlântica. Puta que la merda, pensei debaixo d'água. Salvo um menino da morte certa e o filho da puta dum francês que ficou só olhando é que leva a fama?

Mas depois de uma latinha de Skol gelada, de mais uns tapas numa brenfa e duns goles de pinguel, comecei a esquecer o assunto pra me concentrar na Jôsi que chegaria (chegará?) "depois do almoço" com o azul-marinho pra meu exclusivo desfrute. Apostei na roleta do destino que não vou ser preso hoje.

Ou será que eu *quero* ser preso hoje? A vertigem da danação te faz facilitar e antecipar tuas desgraças, é o que me ocorre agora. Mas a Jôsi vale o risco. Além disso, se fosse tão urgente pro Roquetão me prender, ele já teria feito isso ontem, ou no sábado. Ou mesmo antes. E sabe o que me veio agora à porra da cachola? Uma hipótese: e se os ratos *já* estiveram aqui enquanto eu tava lá embaixo, no sábado à noite ou no domingo, antes deu chegar aqui, ou à noite, depois que eu desci pra pousada? Ou mesmo hoje cedo? Viram a casa fechada e se mandaram. No que lhes dizia respeito, estava cumprida a diligência. Na Chapéu-de-sol é que não foram perguntar por mim, pois eu estava lá o tempo todo em que não estava aqui. Cara, tô apostando nessa possibilidade. É a mais plausível, aliás. Taí: o perigo já veio e já passou. Em todo caso, deixa a roleta rolar. *Amê ekê me nyã nyaý i le tso* — "Ninguém sabe o dia de amanhã." (Como podes ver, tenho ótima memória pra ditados em mina-euê.)

Alonguei-me, pois, aqui na rede, computinha no colo, mó de grafar mais esse segmento do roteirão que você acabou de ler. Fiquei pensando um monte também. Pensei, por exemplo, no meu finado casamento com a Lia. Parece que agora foi pro saco mesmo. Não por ela estar dando prum bostinha chamado *Júlio*, de intelecto brilhante e cuzão arrombado. Pra isso tô cagando. Buceta, lavô tá nova. Não se trata disso, de ciuminhos pequeno-burgueses, nem porra nenhuma do gênero. É que tá na cara que acabou. Simples assim. Cabô, finito.

*Família desfeita, família perfeita.* Boazinha como frase anarquista, né? Lembra um pouco "Parente é serpente", aquele filme do Moniccelli. A merda é que tá me dando uma incômoda saudade física da piranha. Mas isso passa. A caiçara vem aí trazendo o bálsamo pras minhas ardências na cumbuquinha quente dela.

Ela vem, há de vir.

De qualquer jeito, role o que rolar, rola dentro ou rola fora, sigo hoje à noite pra Paraty com a Rejane. E amanhã de manhã singraremos os verdes mares rumo à ilha Doce. E bye-bye amarguras da vida.

Lembro da primeira vez que eu vi a Lia, oito anos atrás, numa festinha. Me disse lá com meu prepúcio: vou comer essa inteleca gostosa. No jogo de cena do flerte, percebi que a parada seria dura. E não deu outra. Fiquei dois meses no xaveco até madame se resolver a chifrar, e depois largar, o namorado, um cara 20 anos mais velho que ela, seu ex-professor de antropologia. Me mudei pro apê dela no dia seguinte à nossa primeira trepada como namorados oficiais, pois eu morava de favor na casa de um amigo, e esse arranjo ia ficando insustentável. No fim do primeiro ano de casório, porém, o convívio já rolava escada abaixo. Azedumes, resmungos, rancores, ameaças, porradas, diluvianas choradeiras da parte dela, traições de ambas as partes, tédio sem fim, era essa a pauta do nosso casório. Nada de muito original, se for ver. Apenas a experiência partilhada de desencanto e confusão que alguns chamam de vida adulta. Meu jeito de enfrentar esse inferninho foi passar cada vez mais tempo fora de casa, abrigado na Khmer VideoFilmes, sob os auspícios do irmão dela. Agora, ponto-final. Fique aí, dona Lia, enfiando quantos dedos quiser no cu do seu editorzinho acadêmico, que eu vou pra ilha Doce traçar minhas velhinhas ao molho de champanhe. Se calhar, ainda saio de lá com um saco de ouro nas costas. Quem sabe?

Mas como eu ia dizendo, é bom essa caiçara dar pra mim direitinho hoje, e é bom também que ela seja tão gostosa pelada quanto de shortinho. Tô precisando dum realce na barra, porra. Aliás/ GENTE!

Palmas no portão! Caceta! A Jôsi?!?! Puta merda! Dá um tempo aí, que eu volto no próximo parágrafo. (Se não tiver próximo parágrafo, é porque era a Jôsi.)

Não, não era a Jôsi. Catso, era a caseira, a dona Dedé. Queria limpar e arrumar a casa que ela esperava desocupada, conforme combinamos no sábado. Garanti a ela que vou-me embora daqui e de Porangatuba hoje à noite, como de fato irei. E dei-lhe mais dez pila, que ela embolsou, dizendo:

"Tem pobrema, não. Vorto amanhã. Té loguinho, seu..."

"Zé. Zé da lula."

Ela arreganhou um sorriso banguelo.

"Tava boa as lula. Ô!"

E se voltou pra galgar o resto da ladeira de volta pra casa dela, no caminho do morro. Andava com a mão na lomba, como quem segura um rim pra ele não cair. Minha carga genética estava incorporada agora ao organismo daquela capiau. Quase me comoveu pensar isso.

    Mas cadê a Jôsi, porra? Não tem cabimento eu ficar aqui refritando lembranças dum casamento que já foi pro ralo até a última gota — e um ralo chamado *Júlio* ainda por cima. Só me pergunto se eles trepam de camisinha. Dá menos ciúmes saber que a tua mulher tá dando prum pinto emborrachado, não muito diferente de um dildo de pornoshop. A Lia não pode usar DIU por causa de umas menstruações hemorrágicas que ela tem. Nem tomar pílula ela pode. Mas nunca usei camisinha ca patroa. Nunca. Camisinha é equipamento de gandaia, não de fodinha conjugal no recesso do lar. E mesmo na rua, bobeou, vai sem mesmo, que é sempre mais gostoso. Comigo lá em casa era na tabelinha, gozando fora nos dias críticos, o velho esquema, apesar dos protestos veementes da Lia, "seu machista, egoísta, escrotinho", e o caralho.

    Mas o Júlio, não, o Júlio deve ser um jovem responsável, verdadeiro gentleman sexual, não há de se furtar à camisinha sem nem precisar que lhe peçam pra emborrachar o ridículo do desgraçado do mandrovazinho dele.

    Puta merda, viu. Ou eu bato logo uma punheta em homenagem fúnebre à minha extinta Lia — *tão curto amor para tão longa vida* —, ou/

    Epa. Palminhas de novo. Lá fora. Tímidas. Femininas. É ela! Só pode! CARALHO! Tem que ser ela — a minha caiçara!

    U-Hu!

## <34>

Eu não podia desencarapitar-me daqui desse morro sem te contar o que acabou de rolar neste meu palco de tantas tertúlias solitárias, cercado por mato, céu e mar, maritacas, bugios e pernilongos — e agora também por BU-CE-TA, veja você. Por uma só, mas de responsa. De 21 anos! Sabe lá o que é isso? Três vezes mais jovem que o bucetão meia-ponto-três que eu andei traçando nesse último finde e que, pelo visto, traçarei ainda muitas vezes nos próximos dias lá na ilha da Cíntia quer queira, quer não. Pena que essa bucetinha caiçara saiu da toca no meu último dia, na minha última hora em Porangatuba. Mas saiu. Ouve só.

Seguinte: quando ouvi aquela segunda salva de palmas no portão, desapeei o HP da minha barriga e fui até a mureta da varanda, de onde enquadrei minha musatlântica num lindo plongê, ela carregando o que parecia uma cumbuca de tamanho médio envolta num pano branco de algodão impecável de limpo. De cabeça baixa, jogava olhadinhas curtas pros lados, aflita. Veio com o mesmo shortinho de sábado, lavado e passado de novo. Aquela sabe tirar o máximo do mínimo. Ergueu o olhar rapidamente, me viu e teve um estremecimento. Achei que ela fosse chispar dali num risco horizontal de cartoon, e, antes que isso acontecesse de verdade, pulei de três em três os degraus de tijolo escorregadio, trombei com o maldito anão, que por muito pouco não se embola comigo no último lance da escada, e fui abrir o portãozinho pra recepcionar a visita. Antes que eu pudesse abrir a boca, e sem dizer nada ela também, Josilene me passou a cumbuca e arremeteu pra dentro de casa, subindo a escada de dois em dois degraus. Segui atrás dela observando que, junto com o shortinho hiper-sexy, a dona Jôsi tinha se lembrado de trazer o mesmo par de pernas acobreadas que eu tinha cobiçado durante uma tarde inteira lá nas Rocas, sem falar naquela bundinha fenomenal, ali, ao alcance da mão. Na verdade, ela estava até mesmo ao alcance da língua. Fiquei só assistindo àquele espetáculo glúteo, enquanto sentia nas mãos a mornidão da cumbuca bojuda que desprendia um forte perfume de coentro.

Uma vez no terraço da varanda, a figurinha se esgueirou rente à parede da casa, como se temesse se expor ao ar livre, saltando pra dentro da sala pela porta aberta. Ainda sem dizer palavra, se pôs a inspecionar todas as janelas, escrutinando com cuidado a paisagem visível de cada uma. Tentou fechar o melhor que pôde uma persiana de lâminas de madeira, meio emperrada, de um janelão lateral que dava prum pedaço de morro com uns poucos telhados despontando em meio à folhagem. Daí, examinou com atenção a vidraça fixa da parede da cozinha que dava ampla vista pro fundo da casa e, logo a seguir, pro morro. Notei quando, preocupada, ela procurou algum cortinado que não havia.

Por fim, ordenou:

"Bote a panela no fogo baixo."

A "panela" era a cumbuca de barro velho e queimado que saiu da fralda de pano branco. Tinha uma tampa, de barro também, desbeiçada.

"Adorei sua cumbuca", eu disse, acendendo o fogão com um isqueiro. Negócio mais idiota de se dizer no introito de um encontro galante, reconheço, mas disse.

"É da minha mãe", ela respondeu.

"Foi ela que fez o azul-marinho?"

"Fui eu", se jactou a caiçara.

Foi sentar por conta própria no sofazinho de dois lugares, pernas e joelhos colados.

"Demora muito pra ficar pronto?", perguntei.

"Tá pronto. É só o tempo de esquentar."

"Pelo peso, tem azul-marinho de monte aqui."

"Senhor tá com fome?"

"Desculpe, não ouvi direito. Que foi que a *senhora* disse?"

"Você tá com fome?", ela corrigiu, num encantador sorriso de bochechas que lhe deixou de fora a dentuça encavalada.

"Cheio de fome", eu disse.

Ela olhou pro chão de lajotas, simulando um encabulamento, achei. De todo jeito, talvez fosse melhor almoçar antes de tentar ir às vias de fato. Uma breja cairia do céu naquela hora, se eu não tivesse tomado todas e ainda dado uma latinha de presente praquele biruta do Tatá. Sem perguntar se a Jôsi queria ou não, enchi dois copos americanos de pinguel, botei uma pedra de gelo em cada um — só tinha dois cubos de gelo na forminha, o que me pareceu um obséquio dos fados — e encaixei um copinho na mão dela, me abancando a seu lado no sofá binário. Dois dedos de distância nos separavam. Um deles eu queria introduzir naquela vagina que o shortinho sedutor ocultava. O outro dedo, depois eu veria o que fazer com ele. Jôsi estava de sutiã debaixo de uma camiseta amarela exibindo um "High School Musical" bordado em vermelho no peito com fios cintilantes. Deu um golinho no pinguel, lambeu os lábios, estalou a língua, e declarou:
"Não sou de beber."
"E de beijar?"
Ela achou uma graça contida na minha ousadia. Colei nela, num rompante, e prensei um beijo naqueles lábios carnudos, feitos sob medida pra sucção amorosa. E sem batom, o que era uma dádiva. Ela decerto não queria se arriscar a ser flagrada de batom por Dedés e Fiocas e Lenos e Tatás e Quinhos e Quinhetes e Marlenes e Josimares e Caras-de-cuíca em seu trajeto pelas pirambeiras evangélicas de Porangatuba.
Se a Jôsi não resistiu com veemência ao meu beijo, também não colaborou muito. Chegou a tocar sua língua na minha, mas depois recolheu o molusco e fechou a porteira dentária. Não insisti quando ela desgrudou os lábios dos meus.
"Aqui não é assim não", ela disse, mais didática que ofendida. "Depois, quem leva fama de vaca cerquêra sou eu."
Vaca cerquêra?! Adorei — a expressão e a Jôsi tentando parecer moça difícil:
"Beijo é coisa séria", pontificou.
"Séria, nada. Conhece aquele poema?

'Beijo é farra,
ternura
tesão.

Beijo é beijo,
fala mal,
não.'

"Vá pensando!", ela rebateu, insensível à minha verve haicaica, que, pelo menos, fica registrada aqui pra posteridade. E arrematou, com calculada malícia: "Ninguém sabe onde um beijo vai dar".
"Eu sei onde vai dar. Quer que eu te mostre?"
Tentei pegar num peitinho por cima da camiseta, mas ela tirou minha mão. C'mon, brotinho, diziam meus olhos, vamo logo com essa buceta. Não regula, porra.
"Tem que mexer o peixe na cumbuca", ela desguiou. "Senão gruda no fundo."
"Quê? Mexer meu peixe na sua cumbuca?", lasquei sem dó. Ela abaixou os olhos. Eu estava indo muito depressa ali, ansioso como sempre, do jeitinho que as mulheres *não* gostam. Mas achei — sempre acho — melhor instaurar logo duma vez um clima de putaria na cena. Se você começa com muito protocolo e nhe-nhe-nhem romântico, o tesão empedra, o momento evapora, e aí fode tudo e acaba ninguém fodendo ninguém.
Deu mais ou menos certo. Josilene expeliu umas cacarejadas de colegial interiorana, tapando a boca com a mão espalmada. Depois ficou séria, me olhando. Botei a mãozona na coxa dela. Fria, apesar do calor ambiente. Ela devia estar nervosa, pressão baixa. Tirou minha mão da perna dela, mas só depois de alguns segundos sacanas. Botei de novo a mão lá e fui buscar outro beijo. Ela fez menção de virar a cara, mas tive a manha de caçar aquelas beiçolas com determinação, fazendo o molusco lá dentro acordar de verdade. Jôsi começava a soltar o breque. No entrevero, deixou o antebraço raspar no meu pau duro debaixo da bermuda. Acho que ela já tinha dado por cumprida a etapa de virtuosa resistência ao macho alienígena. Agora era mandar ver, que pra isso mesmo ela tinha vindo aqui. Nem o peixe embananado da cumbuca duvidava disso.
Com a canhota se insinuando pelas costas da guria, sob a camiseta, alcancei o fecho do sutiã. Em geral abro de prima qualquer fecho de sutiã fabricado de 1980 pra cá, mesmo com a canhota, como era o caso ali.

Mas dessa vez não consegui. Ô fecho filho da puta, eu quase disse. Pro inferno com o corno do designer que bolou aquela tranca inabordável que não colaborava com o meu tesão. Enquanto lutava com o fecho, fiquei mamografando a Jôsi com a destra. Ela agora deixava bulir nos peitinhos por baixo da camiseta, mas só por cima do sutiã. Isso tudo em pleno beijo. A certa altura, tirei o pau duro pra fora da bermuda.
"Nunca beijei home de olho azul", confessou, ao emergir do beijo, tentando ignorar meu pau a nu.
"Nem eu", repliquei, desencadeando sua risadinha cunicular.
Percebi que o charme daqueles dentes frontais encavalados não ia durar muito. Mas tudo bem, tranquilizei-me no ato. Eu só queria meter a cenoura na coelha, comer o peixe azul e soltar a bichinha de novo no mato de onde ela tinha saído. Minha caiçara de estimação seguiu naquele joguinho ridículo de fingir que não via meu pau de vigília na cena. Peguei a mão dela e botei lá. Jôsi fechou os dedos em torno do assunto e gemeu — *ãi...* —, como se eu estivesse penetrando algum buraquinho estreito dela. Aí deu umas apertadinhas no troço, e foi a minha vez de soltar o clássico *fffff...* aspirado. A partir daí, achei que o bicho ia pegar pra valer. Mas ela não fez mais nada. Deixou a mão onde estava, inerte.
"Agite antes de usar", sussurrei no ouvido dela.
"Ahn?!", ela fez, de sonsa, ou se fingindo de.
Fui eu mesmo quem tirou dali aquela mãozinha de filha de pescador acostumada a descamar peixe, ao erguer-lhe os braços pra livrá-la daquela camiseta do "High School Musical" e exibir sua morenice clara atrelada num sutiã preto. Dei um abraço nela, e, com as duas mãos em ação conjunta, consegui, enfim, desatar o maldito fecho do sutiã, que lhe caiu no colo. Aí vieram os peitos e também caíram. Não muito. Num dia de mau humor você diria que eram duas muxibinhas desenxabidas. Mas eu não estava de mau humor. Eu tava era cum puta tesão do caralho e sem ver peitos jovens há insuportáveis milênios. Mas, pra te falar a verdade, nem saberia dizer se aquelas peitolas de 21 anos eram assim tão mais apetitosas que as assimétricas mamas sexagenárias da Rejane, por exemplo. Sério. Os peitos da Josiane pareciam, sei lá, muito usados. Logo depois ela iria me contar que teve um filho aos dezesseis anos. O menino ficou com

os avós paternos na Ribeira do Caju, pra lá de Paraty. Os peitos que o moleque mamou, chupou, puxou, mordeu ficaram no corpo da Josilene. Cada puta aréola que mais parecia um solidéu de cardeal com o cabinho penso. E de um marrom muito escuro, sem nenhum rosinha pra atenuar, ao contrário do que seus lábios naturalmente encarnados prometiam. Peitos de indiazinha parida. Quebravam, de toda maneira, um galhão, e nem todos os peitos têm que ser um par de balões de hélio subindo pro céu, eu me dizia, tentando me afeiçoar aos peitinhos pífios da caiçara.

Agora que os peitos tavam de fora, botei de novo a mão dela no meu pau indecente de duro. Jôsi se dispôs a mexer no objeto com uma timidez sacana que por pouco não me fez esmaltar de porra suas unhas curtas. Me joguei, então, de boca e língua naquelas tresmamadas mamas. Ela gemelhicava *para... ah-AH!... para!...* Parei pra lhe dar um beijo de língua lasciva antes de voltar à chupeitança.

A certa altura, ficou travado demais o embate ali no sofazinho. O móvel rançoso, que tinha servido durante anos na casa de alguém em São Paulo antes de acabar seus dias em Porangatuba, tinha cumprido seu papel de ringue do nosso primeiro round amoroso. Chegava a hora duma horizontal em terreno mais acolhedor. Eu jorrava suor. Ela bem menos, sendo bem mais enxuta de carnes que o velho suíno safado que tentava devorá-la.

Me pus de pé e baixei a bermuda. Ela continuava sentada, com seus peitos caidotes brilhando de saliva. A ponta do meu cacete estava a milímetros daquela carinha de Iracema dos lábios de mel. Ela pegou no meu pau e começou a me masturbar, devagarinho. Canalha! Quase esmaguei a próstata de tanto me apertar por dentro pra não gozar na cara dela.

"... *ffff*... Chupa! Chupa!...", eu implorava.

Mas ela usou a boca apenas pra dizer:

"Tá cheio de virtude, hein!"

Cheio de *virtude*? Como assim?! Gostei, em todo caso, de ouvir chamarem meu pau de virtuoso. Um cazzo pieno de virtú. Ecco! Mas chupar il virtuoso, não chupava.

"Dá um beijinho nele", insisti, com as mãos enterradas nos cabelos lisos e soltos dela, chamando de leve sua cabecinha na chincha.

"Não", ela falou, enrijecendo o pescoço. "Cê é louquinho memo, né?"

"Louquinho de amor por você", não me envergonhei de dizer. Na mesma hora um bando de maritacas passou galhofando sobre o teto da casa. Ela replicou, num muxoxo coquete:

"Mentira."

"Verdade. Vai, dá um beijinho nele. Por amor..."

Minhas frases pareciam balões de quadrinhos do Carlos Zéffiro. Mas era como elas me saíam. Tava pouco me cagando pra originalidade do meu, digamos, discurso amoroso. Eu queria que a filhadaputa chupasse logo o meu pau, era só isso que eu queria.

Mas o que ela fez foi largar o objeto.

"Sou quenga de peão, agora, pra fazê essas coisa?"

"Que quenga, menina. Toda mulher faz essas coisas."

"Na zona", ela encerrou.

Não reagi. Apenas tomei as mãos dela nas minhas e guindei a guria do sofá. Entre meu corpo e o dela, uma ponte de pau duro. Botei o pau pra cima, barriga dele descansando no estômago dela, e beijei mais uma vez aquela boca turrona que insistia em se furtar ao trabalho de sopro. Passei a manipular o botão do shortinho dela que estava logo abaixo do meu saco. Foi fácil. Depois, baixei o zíper. Tranquilo também. Mais difícil foi puxar o shortinho pra baixo, de tão apertado. Quando a peça chegou nos tornozelos, ela mesma se encarregou de sair de dentro dele. Como tinha imaginado, miss caiçara vestia uma minicalcinha preta de tecido brilhante. Por cima da calcinha se via uma cicatriz de cesária. Quis puxar a calcinha também, mas ela segurou minhas mãos. Me levantei, então, e catei aquelas duas tetinhas tristes, escondendo uma em cada mão. Um bom cirurgião plástico daria um jeito naquilo. Se até um Agenor qualquer do Sacomã virava uma Lolla Bertoludzy na Augusta, por que a Jôsi não haveria de se transformar numa Gisele Bündchen de peitos perfeitos em Porangatuba?

Nos abraçamos forte, meu pau pra riba de novo, ensanduichado entre nossos corpos. A impávida fritadora de rodelas de lula se deixava acariciar na bunda e no rêgo por dentro daquela calcinha conceitual. Toquei na xota dela por trás, empalmando também uma nádega. Jôsi teve um tremelique extra. E eu uma perigosa comichão na ponta do cacete.

Abraçados e andando de lado feito dois siris apaixonados, eu nu por inteiro, ela de calcinha tapa-xota, fomos nos arrastando um ao outro pro quarto. Ni qui pisou lá dentro, porém, a louca se livrou de mim e correu pra sala. Puta merda, eu quase deixei escapar. Quê que deu nessa piaba? Nem bem adentrou o gramado já vai tirando o time, porra?

Fui atrás dela, com meu pinto em estado de alerta máximo a indicar o caminho. Encontrei-a mexendo o azul-marinho na cumbuca com uma colher de pau que ela tinha achado em algum lugar, enquanto remexia no mesmo ritmo aquela bundinha pra lá de apetitosa. Ela tinha apagado a boca do fogão pra não queimar a comida. Daí me viu, veio correndo até mim, botou meu pau pra cima — aprende rápido, essa menina — e me abraçou.

"Cê tem...?"
"Tenho. Lubrificada."
"Isso eu já tô", ela bafejou na minha orelha.

Caralho, quase gozei ouvindo isso. Caiçara do balaco, apesar da relutância no boquete. Talvez fosse dessas garotas guiadas por um critério de fidelidade elástico que lhes permite sair dando por aí feito vaca cerquêra, desde que não se entreguem a certas práticas heterodoxas com os amantes eventuais. Já vi isso. Umas não dão o cu, outras não chupam, outras chupam mas não admitem porra na boca, outras não trepam de cachorrinho, e já vi uma que, a contrapelo da regra, não dava a buceta mas liberava todo o resto com lubrificado empenho e endiabrada criatividade.

Caímos na cama, eu e a Jôsi, afundados num beijo profundo. Dessa vez ela me deixou constatar no dedo, por dentro da calcinha, que a lubrificação do preservativo seria de fato redundante ali. Resolvi meter logo. Lembrei de ter lido em algum lugar que as índias não gostam muito de preâmbulos quando o bicho tá pegando. Eu já iniciava as manobras de aproximação interfemural, por assim dizer, esquecido da camisinha, quando a Jôsi resolve se levantar pra encostar a veneziana inteiriça da janela. Deixou só uma frestinha por onde se espremia a luz baça do sol filtrada pelas nuvens carrancudas que já rouquejavam os primeiros trovões da próxima tempestade. Na penumbra abafada de maloca indígena, ela se deitou espichada no meio da cama, cobrindo-se até o pescoço com o lençol. Ficou brincando de noiva virgem em noite de núpcias. Era excitante, em todo caso, apesar de meio kitsch, aquele falso pudor.

Desejei outra vez um boquete, mas desisti de tomar alguma providência mais drástica pra conseguir isso. Não queria correr o risco de estragar a festa. Era preciso entender e aceitar que a Josilene não tinha vindo de um meio cultural que preconizasse o felácio latino logo ao primeiro contato carnal. Seus avós, pais, tios e mestres não foram hippies, beats, universitários contraculturais, militantes trotskistas, boêmios afrancesados, nem nada parecido. Não professaram fés "libertárias", não leram sobre a "política do corpo", não aprenderam a aliviar a pélvis das tensões musculares antiorgásticas em sessões de psicoterapia reichiana sobre tatames. Também não devem ter acompanhado muita sitcom nova-iorquina adulta, dessas liberadas pra depois das 23 horas em canais pagos. O máximo de heterodoxia a que se permitiram foi trocar a igreja católica pela evangélica.

Jôsi puxou o lençol até o nariz, compondo um longo véu de odalisca. Seus olhos me olhavam, nus. Rasguei nos dentes o envelope de camisinha que eu tinha visto na gaveta do criado-mudo logo ao chegar aqui. Eu tinha perdido as esperanças de usar aquilo nesta temporada, mas agora — ueba! Puxei a argolinha de látex melado de dentro do envelope, mas não a coloquei no devido lugar. O que fiz foi montar a cavalo sobre a barriga da morena amortalhada e soltar: "Vem cá. Dá uma chupadinha, dá? Juro que não gozo na tua boca."

Ela desviou o olhar pra janela, que um golpe de vento tinha voltado a escancarar:

"Se me pegam nessa reinação, tô morta", ela disse.

"Chupa", pedi outra vez, com doçura cafajeste.

Ela soltou uma risadinha nervosa e pegou no meu pau.

"Põe na boca", comandei. "Eu chupo você também, depois. Ou durante, se quiser. Cê curte meia-nove?"

"Vá pensando!", ela resistiu, tirando a mão do meu pau.

Não chupou, nem se deixou chupar. Eu tava lavado de suor. Apesar do tempo nublado, o abafamento naquela alcova era de cozinhar os bagos de qualquer homem nascido de mulher. Meu pau, por exemplo, tava virando um rosbife: cru de tesão por dentro e assado por fora.

Daí, apeei da bichinha, e, num repelão brusco, puxei o lençol do corpo dela. Jôsi soltou um gritinho e cruzou os braços sobre os peitos, com plena consciência de que eles não eram a parte mais apreciável da sua anatomia. Aproveitei que seus braços e mãos estavam ocupados pra puxar duma vez por todas aquela calcinha. Ela tentou de novo me impedir, mas dessa vez fui mais rápido. A calcinha voou longe e eu voei pra cima da morena, depois de constatar que ela tinha aparado a pentelheira em forma de bigodinho de Hitler. Em que site de sacanagem idiota ela foi se inspirar pra fazer aquilo, cacete? Eu tinha imaginado um matagal hirsuto ali, não uma xana fashion. E nazista ainda por cima. Se ainda fosse um coração, como eu vi uma vez numa puta do Joy Story, a demandar a seta certeira de Cupido...

Deitei alongado em cima do corpo dela e fiquei vampirizando seu pescocinho musculoso, com cuidado pra não deixar marca. Jôsi acabou descruzando os braços pra me envolver num abraço apertado. Não demorou muito, tomou a iniciativa de abrir as pernas. Beleza. Dei umas pinceladas na portinha molhada do terceiro reich, emboquei a chapeleta e dei uma primeira carcadinha, logo adentrando um ambiente úmido e receptivo. Um cheirinho de buceta nova subiu dali. Forcei um pouquinho e entrei mais. Lógico que eu tinha esquecido de botar a camisinha, que tinha caído no chão. Ela tinha dado de barato que eu estava de galocha, imaginei, e não se mostrou preocupada com isso.

As primeiras bombadas inauguraram uma sessão de gemidos num crescendo operístico. Gostava do basquete a caiçara. "Vai! Vaai!! Vaaai!!!" — ela pedia, trançando as pernas em torno dos meus rins. Chupei mais um pouco aqueles peitos moles, únicos de que dispúnhamos no momento, eu e ela. Firmei ali o compromisso comigo mesmo de usar a primeira grana de resposta que der bobeira no meu bolso pra pagar uma boa plástica praqueles meninos. Tem um cirurgião argentino muito boa-praça, amigo da Gaúcha, que aparece de vez em quando no Bitch. Acho que o cara, conhecendo a Jôsi, até toparia fazer o serviço no peito — nos peitos, aliás. Isso tudo eu matutava mamando uma tetinha que, se eu chupasse com mais força, me entraria inteira dentro da boca. Um silicone de alta densidade daria um belo realce naquilo.

Agora que a Jôsi já voltou pra casa e eu tô aqui sozinho, pós-coitado e estirado na rede com o notebook no colo, a relembrar os últimos lances dessa eletrizante pornovela, já não tenho tanta certeza de cumprir aquela promessa. Fala sério: ia ser um desperdício, considerando que a moça vai se casar, cedo ou tarde, com o PM ou qualquer sucedâneo local, e ter uns cinco ou seis borreguinhos mamadores em sequência. Na primeira gravidez o ginecologista do SUS já mandaria tirar o silicone pra não atrapalhar a amamentação.

Mas lá na hora, cheio de boas intenções no coração e sangue quente no cacete, eu continuava metendo e beijando aqueles peitos imperfeitos e aquela boca desenhada pra todo tipo de volúpia, quando despencou um ensaio de dilúvio lá fora. Lufadas de vento entravam pela janela junto com borrifos da chuva que me acertaram as costas e a bunda. A clorofila da mata molhada adentrou com tudo o quarto, matizando o doce aroma de vagina fornicanda. Penso agora se o toró não terá precipitado o gozo da caiçara, pois lembro que ela se pôs a berrar bem alto, confiante no efeito de camuflagem acústica da chuva e das trovoadas. Da minha parte, carquei fundo e forte, largando a gala com gosto naquela xota. Josilene urrava e gozava, e eu gozava, mas não urrava, e os trovões trovejavam, e a água caía com força no telhado.

Quando acabou a gozaria, ficamos abraçados uns minutos, eu ainda dentro dela, um boiando no suor do outro, ouvindo a tempestade dando sinais de arrefecer lá fora, cumprido seu papel de trilha wagneriana do nosso primeiro orgasmo. Daí, a morena me olhou nos olhos com uma ternura que eu não estava muito disposto a corresponder. Baixei o clima romântico pro chão prosaico:

"E o azul-marinho? Vamo comê? Depois a gente volta e capricha na sobremesa."

Ela riu e me beijou. Depois, pulamos pra fora da cama, ela se enrolou numa toalha que catou do chão e foi religar o fogão. Do banheiro, no meio dum mijão, ouço um "Ah..." vindo da cozinha.

"Cabô o gais", ela anunciou, quando cheguei nela por trás, peladão, envolvendo seu corpinho atoalhado num abraço.

"De novo?!", eu disse, achando que tínhamos entrado em algum looping temporal.
"Como, de novo?", ela estranhou.
"Lá no seu quiosque, no sábado, o gás acabou também. Lembra?"
"É sempre assim: gáis acaba quando cê mais precisa dele."
"Garanto que o meu gás não vai acabar quando você mais precisar dele", batoteei.
Ela deu um riso dengoso e eu saí pelado a procurar a chave do cadeado que tranca a casinha do gás, nos fundos da casa, onde, contra todas as minhas expectativas, encontrei um bujão cheinho, que alguma alma benfazeja tinha providenciado e mandado carregar morro acima — nas costas do Tatá, provavelmente. Esse bujão novo, diga-se de passagem, quase protagonizou uma cagada federal. Ni qui eu enfiei a ponta de uma faca no lacre de plástico, a válvula disparou e o gás começou a escapar com um chiado forte. Era muito gás saindo em pouco tempo num ambiente fechado, apesar da cozinha aqui ser conjugada à sala, cuja porta-janelão de correr estava aberta. Se um fogo-fátuo matatlântico se produzisse ali naquela hora, era bem capaz da gente ir pra casa do K-BUM! Eu não tinha a menor ideia de como deter a sangria de gás. A Jôsi tinha: catou a mangueira conectada ao fogão, já liberada do botijão vazio, e rosqueou o bico em parafuso na válvula defeituosa, estancando no ato o vazamento e provendo de gás o fogão.

Uma hora lá, o vestido de toalha que envolvia a caiçara dos peitos pra baixo desatou e caiu no chão. Chutei a toalha pra longe e dei um abraço nela, com o mãozão já escorregando pra ravina do rêgo. Jôsi se entregava agora por inteiro aos meus arroubos. Quase partimos prum repeteco. Mas acabou que nos desgrudamos, e eu fui dar um golão no pinguel e uns tapas num charo, no que ela me fez companhia com uma embocadura que denunciava conhecimento de causa. Ia ficando louquinha, a nature girl, e já não se importava tanto com o janelão lateral da sala, mal vedado pela persiana enguiçada, nem com a vidraça devassada da cozinha. Sentamos de novo no sofazinho, só que pelados agora, a beber, fumar e papear, como velhos conhecidos, enquanto a comida voltava a esquentar. Foi quando ela contou do filho que vivia com os avós maternos e dos sonhos de cair fora daquela vida de agruras e frituras em Porangatuba e arredores. Disse que já tinha ido duas vezes ao Rio, onde moravam uns tios e umas primas, e nenhuma a São Paulo. De minha parte, declarei que a receberia de braços abertos em Sampa assim que ajeitasse a vida, um tanto conturbada depois da separação recente e de um rolo sério com pensão judicial — o velho bullshitaço que, de tanto repetir pra Rejane, já tinha virado minha segunda realidade.

Ao ouvir isso, a caiçara pulou pro meu colo com sua bundinha nua e crua, e me beijou. Preciso dizer que tesei de novo? Ela acomodou meu pau entre as coxas de um jeito que parecia um grelão a lhe sair da xota. Pedi outra vez:

"Chupa?"

"Queria tomar um banho frio", ela respondeu, acariciando o grelão, que vinha a ser a ponta do meu cacete.

"Lá nos fundos tem uma ducha de cano fantástica", convidei.

A chuva tinha parado por completo, cedendo espaço ao mormaço ardido de dezembro. Fomos pelados pra ducha, eu rebocado pelo pinto duro que ela puxava com determinação. Não tava mais nem aí com a vizinhança agora. O pinguel, a maconha e a nossa repentina intimidade sexual tinham feito um bom trabalho de sapa no superego da cachopinha da terra.

Na ducha, soltou berros agudíssimos quando o jorro grosso de água fria bateu-lhe na quentura do corpo. Feito um bicho do mato, pulou em mim, enlaçando meus quadris com as pernas de cabrita dos morros, seus braços enganchados no meu pescoço. Agarrei-lhe as nádegas e meti-lhe a mandioca pela racha escancarada adentro. Com a lubrificação natural da vagina diluída pela coluna d'água, a coisa entrou espremida. Consegui pelo menos puxar a alavanca da ducha e estancar a cascata. Eu escorava com mãos e braços a bundinha e as coxas dela, tentando dar umas estocadas lá dentro, árdua tarefa. Nos beijamos muito, caras e bocas e corpos molhados. Ela mordeu meu pescoço, dando o troco da bela chupada que eu tinha lhe aplicado antes. O bicho tava pegando de novo, com força total. Dos contrafortes da serra vinham uns guinchos de algum pássaro safado, se não eram manifestações de êxtase erótico da parte do mesmo bugio que teria me visto empalando a saudosa lulagina no sábado. Agora, como o bugio podia testemunhar, a vagina tinha trazido a mulher com ela. Eu não era tão misógino assim, afinal, como ele podia constatar.

Maritacas sobrevoaram a cena, crocitando seus comentários maldosos de sempre. Me agachei, arcando com o peso da parceirinha nas coxas, e depositei sua nudez de costas com toda suavidade sobre o piso de lajotas de cerâmica, macias de tão polidas pelo ataque da água da ducha. Consegui executar a manobra sem desentubar a xota, o que foi não pouca proeza da minha parte, se você considerar que o meu pau não mede exatamente um metro de comprimento. O contato da pele das costas dela com as lajotas molhadas produzia um *shlep-shlep* deliciosamente pornográfico à medida que eu metia fundo, forte e cadenciado nela, com a minha bunda voltada pra Mata Atlântica e pra todos os bugios que quisessem admirar meu rabo peludo, minhas bimbalhantes bolas do saco e minha piroca entrando e saindo de uma bucetinha dadivosa.

Dessa vez demorei um pouco mais pra gozar. A guria delirou, se acabando em gozos encadeados. O que tava pegando era a ralação de joelhos nas lajotas, motivo pelo qual fiquei aliviado quando a porra enfim resolveu se ejetar do meu saco, recheando mais uma vez as jovens mucosas daquela vagina caiçara.

Que se foda, pensei na hora, do mesmo jeito que penso agora. Ela era a dona da buceta e guardiã de seus óvulos. Eu só entrei com o pau na história — duas entradas gloriosas. Se ela engravidar, o PM assumirá na santa inocência a autoria do filho, e pronto. No máximo, ela vai ter que adiantar o casamento. É só torcer pro bastardinho não nascer de olhos azuis. O Pedrinho, por exemplo, tem os olhos castanhos da Lia. Meu irmão morto tinha olhos castanhos também. Esses olhos azuis me vieram por herança recessiva da bisa materna, ao que me consta, uma espanhola sei lá de onde — da Andabluesia, vai ver. Devo minhas melhores trepadas, senão todas, a esse par de safiras que ganhei da natureza.

Claro que me passou pela cabeça a possibilidade de pegar uma bela duma aids com aquela popular. E se o PM dela for um putanheiro emérito que todo dia achaca e traça sem camisinha pelo menos uma puta da zona de Ubatuba? Agora, foda-se. Aparentemente, a caiçara esbanjava saúde. No máximo portaria algum tipo de fungo ou corrimento bacteriano com algum nome repulsivo terminado em *eia*.

Quando nos demos por gozados, abri de novo a tromba-d'água da ducha e nos lavamos de todos os pecados do mundo ao ar límpido da tarde enxaguada de chuva. Já saíam uns raios de sol poente pras bandas daquele litoral torto. Jôsi correu pra se enxugar dentro de casa, ciosa outra vez dos olhares do mundo, como se os corvos da paranoia tivessem retornado ao ninho depois de dar umas bandas por aí. Quando entrei, minutos depois, dei com ela na sala esfregando a toalha com vigor na cabeleira negra e brilhante.

"Tenho que ir-me embora antes de pardejá", ela disse, correndo em seguida pro quarto, de onde voltou de shortinho, turbante de toalha na cabeça, a camiseta e o sutiã na mão, os peitinhos deprimidos à solta.

"Tem tempo até pardejá, dona Jôsi. Horário de verão, lembra?"

"Só tomara que ninguém me viu...", murmurou no seu portuga peculiar, com um traço de temor genuíno na voz, que tinha baixado um tom.

"Ninguém viu nada, não, menina. Relaxa, relaxa", eu disse, numa levada de hipnotizador de circo, adentrando a bermuda, enquanto ela se trancava no sutiã e no "High School Musical".

"A gente vacilamo", ela continuou. "Passa gente no mato aí atrás. Loucura que me deu de sair pelada lá fora."

"Magina. Nesse morro só tem bugio e maritaca. Eles já viram de tudo por aqui e não contam pra ninguém. Quer dizer, até contam, mas ninguém entende."

"Não, passa gente. Passa de tudo. Té jaguatirica aparece de noite aí."

"Jura? Quer dizer que eu corro risco de ser comido por uma jaguatirica?"

"Se ela tivé com fome..."

"Então vamo combiná assim: a jaguatirica me come de noite, e você de dia."

Ela soltou uma risada involuntária, mas logo lhe voltou a sombra.

"Tá cheio de trilha nesse mato. Povo caça, pega palmito, zanza de lá pra cá."

Lembrei da trilha que subia pra rodovia, segundo a dona Dedé. Será que de algum ponto desse caminho dava pra ver os fundos aqui da casa? Achei melhor não perguntar isso pra Jôsi. Negócio era esquecer o assunto. Tínhamos um almoço pela frente. Azul-marinho. Seria minha última grande refeição aqui em Porangatuba, pelo menos até aquela merda toda se ajeitar de um jeito ou de outro em São Paulo. Queria um almoço tranquilo, com direito, quem sabe, a uma saideira que, por mim, podia vir sob a forma de um boquete. Me deu vontade também de chupar aquela buceta lavadinha, coisa que eu não tinha feito ainda.

"Vamo comê, vai. Deve tá quente o rango", eu disse.

"Mas, e se alguém viu?", ela repisou, a um passo da angústia.

"Sossega, muié. O amor faz a gente invisível."

Ela chegou em mim fazendo-se apertar num abraço paternal. Alisei seus cabelos úmidos com cheiro de água de mina. Senti o bafo quente no meu peito quando disse:

"Só que tá cheio de olho invisível por aí tamém."

"Tá não, tá não", eu falei, enfiando um dedo no cofrinho daquela bunda fresca, por dentro do shortinho e da calcinha.

Aí ela ergueu a cabeça e me encarou nos olhos.

"E esses oião azul, hein?"

Apertei uma nadeguinha dela por cima do shortinho.

"E essa bundinha totosa, hein?"

Ela riu. Pareceu se desanuviar um pouco. Saiu do abraço e foi pro fogão. Remexeu o azul-marinho de novo com a colher de pau, rebolando a bunda gloriosa, jeans e carne em simbiose exemplar. Pus os pratos e talheres no balcão com banquetas que separa a cozinha da sala.

Adianto que tava do grande caralho o azul-marinho, pivô daquela sacanagem toda, puxado no coentro e mais prum marrom esverdeado que pro azul, na verdade, embora fosse bem marinho com aqueles toletes de robalo chafurdando num molho tomatoso e embananado. Se você chamar aquilo de *Poisson Bananier à Bleu-Marin*, digamos, e servir num restaurante de *cuisine du monde* em Paris, nego vai morrer com uma pilha de euros pra degustar em êxtase a gororoba caiçara.

Jôsi explicou que se usa comer o azul-marinho com pirão ou farinha-d'água, e arroz branco. Na falta desses acompanhamentos,

batemos a peixada com uma farinha granulada de fubá que achei no armário das provisões, dos tempos do venerando José de Anchieta, a julgar pela aparência mofenta. Faltou mesmo foi a cervejinha e uma pimenta-de-cheiro. Pecado. Insisti pra ela tomar mais uns tragos de pinguel comigo, mas ela botou carinha de asco e recusou.
"Ave, chega. Esse pinguel enjoa. E me deixa num aço!"
Não resistiu, porém, a dar mais uns peguinhas no fumo depois do almoço. Contou que "tem um povinho por aí que fuma isso toda hora, mas não gosto muito não. É só assim, de ocasião".
"Bom saber. Depois cê me apresenta pra alguém desse povinho aí."
Não me segurei na bermuda e acabei dizendo que ela era a primeira mulher com quem eu me envolvia depois da minha separação. Aproveitei a onda e encaixei:
"Precisamos organizar sua ida a São Paulo. Daqui um tempinho, se não me prenderem ou me matarem, você vai."
"Fala assim não. Ninguém num vai te prender, não, nem te matar. Qué isso! Onde cê mora em São Paulo?"
"De dia em Higienópolis, de noite em Perdizes. E vice-versa."
"Que louco", ela disse, com um brilho viajante no olhar. "Me pélo de vontade de conhecer lá."
"Deixa comigo."
Parti, então, pruma bateria de perguntas escarafunchando sua vida pessoal. Tô pra ver mulher que não goste de falar de si, sobretudo depois de uma boa trepada, puxando um fuminho numa tarde vadia. Ela me confessou que não ama de paixão o PM, nem sabe se vai casar com ele.
"Ele implica muito comigo", ela disse, franzindo o nariz.
O PM, ainda por cima, tem parentalha e amigos em Porangatuba, gente que ele encarrega de controlar os passos da namorada. O motorista do único ônibus da linha Ubatuba-Paraty que entra em Poranga, por exemplo, é primo-irmão dele, pelo que a Jôsi disse. Já vi esse cara. É um magrelo de cabelo rinsado, sempre de óculos escuros do Bono Vox na cara. Ele para o ônibus no ponto final, no extremo do Portinho, e fica tomando água de coco, levando lero com os chegados, xavecando as minas locais. Outro dia, esse primo do PM sugava um coco de canudinho em companhia dum cara à sombra de uma

amendoeira, ao lado do ônibus estacionado, quando passei por ele. O tipinho voltou pra mim aquelas lentes escuras, me panoramizando na caradura. Cuzeta. Pelo jeito tô vazando na hora certa. Se eu ficasse mais uns dias por aqui é certo que comeria outras vezes a caiçara até acabar dando uma refodida merda qualquer, envolvendo PM, Rejane, pescadores e o caralho. Tá doido.

Perguntei se ela gostava de "fazer amor" com o namorado. Ela teve seu instante encabulado e confessou, diplomática:

"No começo, mais."

"E onde rola? Motel?"

"Que motel! No carro memo. Quando não é na praia, de noite."

"Ah, ele tem carro. Então é tranquilo."

"Tranquilo? Exprimenta só fazê num Corsa duas porta. Tem que sê de circo!"

"Corsa?" Porra, gelei. "Ele tem um Corsa?"

"Tem, por quê?"

"Que cor é o Corsa?"

"Preto."

"Preto?!"

"É. Quê qui tem?"

"É o terceiro Corsa preto da minha história", balbuciei, sentindo uma cólica supersticiosa no peito. Foi rápida, mas deixou um risco no meu humor.

"Que história sua?", ela quis saber, intrigada.

"Essa mesma que eu tô vivendo. Se calhar, vira filme. Sorria, você está sendo filmada."

"Filmada? Como assim?!", ela se sobressaltou, olhando em volta e pro teto. "Cê tá filmando nóis?"

"Tô."

"Cadê a câmira?!"

Apontei pra minha têmpora.

"Aqui."

"Você é maluquinho memo, né, não?"

"E você é lindinha, né, não?"

"Num fica me remedando", ela disse, me acertando um murro no ombro que chegou a doer. Fortinha, a mutchôla.

Jôsi desistiu de entender minha pinimba contra Corsas pretos e seguiu falando das outras locações em que ela exercia sua vida sexual com o PM.

"Já fizemo no mato, mas eu não gosto, que tem cobra, formiga. Praia é milhor. O povo daqui vai muito namorar na Fazendinha, aí do lado. Durante a semana é deserta. Cê forra a areia cum cobertor ou lençol, é gostoso."

"E no mar? Rola?"

"No mar é ruim. Entra água salgada, arde. Em canoa, às veiz. Mas tem que tomá cuidado pra canoa não virá."

Rendi-me ao óbvio e mandei:

"*A canoa virô, por deixá-la virar, a culpada foi a Jôsi que não soube namorar...*"

Ela abriu seu sorriso encavalado, espontâneo, cheio de uma malícia infantil e também de uma incipiente paixonite por mim. Eu estava ganhando ali mais pontos do que ia precisar, na verdade, já que não pretendia nem poderia manter um love story com a caiçara dos peitinhos xurubibos. Que o PM fizesse bom proveito do material, que eu pretendia lhe devolver intacto logo mais.

A pobre da Jôsi disse que o miliciano insiste em que os dois virem evangélicos antes de casar, que é pra mudar geral de vida. Acontece que ela não quer saber de papo com sagradas escrituras, cabelões e vestidos pelos tornozelos.

"Lá é um tal de não pode cerveja, não pode televisão, não pode baile, não pode batom, não pode biquíni, não pode sexo, não pode isso, não pode aquilo. Não pode nada. Só pode dá o dízimo pro pastor. Tô fora."

Gostei de ouvir isso. Me saía uma iluminista porreta, a morena. O namorado, claro, é "um poço de ciúme", que nunca aceitou direito ela não ser virgem e ainda ter um filho, mesmo o guri vivendo longe daqui.

Aproveitei pra perguntar quem era o pai do baby, mas ela jogou o olhar pela janela.

"Um aí."

Não era seu assunto predileto.

"Como é que chama o seu filho?"

Ela cortou, irritadinha:

"Ihh, parece o Uélinton, você."

Descobri, ora pois, que o PM se chama Wellington, se não for *Uélinton* mesmo. E, apesar de empanturrado de peixe com banana, tasquei-lhe um beijinho, por cima dos pratos sujos e da cumbuca de azul-marinho. Se eu quisesse, acho que ela topava mais um repique na cama. Mas uma luz amarela começou a piscar na minha mioleira e, acionando meus próprios sensores paranoicos, dei de sentir cheiro de tira no ar. E se os caras chegassem na hora do vamo-vê e algemassem meu pinto duro? Ia sujar legal pro lado da Jôsi, a Rejane ficaria sabendo de tudo, seria uma cagada federal. Não, eu não podia ser preso. Eu não ia ser preso. E o destino que se incumba de não me deixar ser preso, determinei.

"Que cara é essa", ela disse. "Pensano quê?"

"Pensando que você é linda demais."

"Mentira. Tá preocupado", ela cravou, apeando da banqueta. "Tô vendo."

Não retruquei. Boa dona de casa, ela transferiu as sobras generosas do azul-marinho da cumbuca de barro prum tupperware que achou no armário da cozinha, e botou na geladeira.

"Sua janta tá garantida", ela disse. "O almoço de amanhã também."

Daí, lavou a cumbuca e a respectiva tampa, enxugou, embrulhou de novo no pano branco, e veio me dar um longo beijo sabor coentro, o mesmo que prevalecia na minha boca.

"Quando a gente se vemo de novo?", ela perguntou.

"Logo."

Contei que eu ia ter de me ausentar por uns dias, talvez uma semana, até resolver a treta judicial em São Paulo. Aí voltaria ou daria notícias.

"Jura?", ela disse, sem drama. Acho que só brincava com a remota possibilidade de ser puro, verdadeiro e duradouro o meu tesão apaixonado por ela.

"Juro", respondi, sem me preocupar demais em parecer sincero.

Mesmo assim, os olhinhos dela ficaram ali, grudados nos meus, a cintilar esperanças. Até que fui pro quarto, de onde voltei com uma nota de cinquenta, que enfiei no bolso apertado do shortinho dela.

"Que é isso?!", ela se escandalizou.

"É pelo azul-marinho. Combinei de pagar, não combinei? O resto foi Deus quem deu. Não tem preço."

Bingo!

"Lindo!", ela disse comovida, cravando seus olhos nos meus e me tascando mais um beijo coentroso.

Daí, deixou o galo quieto no bolso e pulou pra porta. Olhou o mundão em volta e se mandou sem olhar pra trás, de cumbuca vazia de peixe nas mãos e xota recheada de boas lembranças entre as coxas. Segundos depois, ouvi o duplo rangido do portãozinho lá embaixo, se abrindo e fechando.

A vida pode ser bela e barata, quem disse que não pode? Por um reles galo dei duas belas bimbadas e ainda tracei um magnífico azul-marinho. Grande Jôsi. Deve estar agora em casa, sonhando com o dia da sua libertação de Durangatuba, quando seu herói de olhos azuis vier resgatá-la daquela vida opaca e besta de filha de pescador e noiva de PM ciumento com tendências evangélicas.

Caralho, já é noite. Mais do que hora de dar no pé. Daqui a pouco, Paraty! E amanhã de manhã, ilha Doce. A ver como o Margarido manobra aquela merda toda em São Paulo, mandados, laudos, habeas corp/

PUTA MERDA!!!

Explodiu um troço lá embaixo. Na praia. Estrondo surdo e novelos grossos de fumaça preta, que eu posso ver daqui. Caralho! Só pode ter sido um daqueles tambores de gasolina ou óleo diesel que os pescadores armazenam nas cabanas de sapé que abrigam as voadeiras e canoas. Não quero nem lembrar que o Monzão tá lá embaixo, numa daquelas cabanas. Se o fogo se alastrar, tô a pé nessa vida. E eu que enchi o tanque no último posto da BR antes de chegar em Porangatuba! Meu carro é um megacoquetel molotov com 60 litros de gasolina. Caceta. Será que alguém se machucou, morreu? Aposto como foi algum pescador bêbado, de cigarro na boca, transferindo combustível do tambor pro galão de plástico, como vi um cara fazendo outro dia. Se foi isso mesmo, o maluco virou um toco de carvão fumegante a essa altura.

Taqueopariu.

Acabei de subir na mureta pra olhar lá embaixo. Só dá pra ver a coluna de fumaça negra saindo de algum lugar na beira do mar. Negócio é pegá minhas traia e descer pelo outro lado, por trás da pousada do francês, pra não passar perto daquela zorra quente lá embaixo. E foda-se o Monzão. Mas foda-se mesmo é aquele Corsa preto do PM. Rapaz, encanei com essa história de Corsa preto. Faço votos pra que tenha sido o Corsa preto do Uélinton que explodiu lá embaixo — com ele dentro.

E com esse pensamento positivo e generoso dou por finda a minha temporada ponrangatúbica. Vou te passar esse arquivo lá da pousada em quinze minutos. Já disse isso mil vezes, e estou dizendo pela milésima primeira. O que vier a seguir — Paraty, ilha da Cíntia, sei lá mais o quê — já será outro filme. A "Ilha e os Dias". Ou: "Eu e as Véia Tarada na Ilha do Tesouro".

Ou...

# <35>

*Depois do sinal, diga seu nome e a cidade de onde está falando.*
"A Rejane, por favor?"
"Quem deseja?"
Quem deseja comeu teu cu atrás da igreja, viado. Era o Leno. Não falei isso pra ele, mas devia. Ouvir a voz do sacripanta por muito pouco não me fez vomitar. Se o bocal fosse a orelha do Leno eu teria vomitado. Com gosto. Sujeitinho.
"É um amigo dela", rouquejei, achando que não ia ser reconhecido.
O Leno deixou um segundo e meio se evaporar antes do primeiro ataque:
"Tá em Paraty, Zé Carlos?"
"Ubatuba", menti com naturalidade e desdém.
"Aqui no bina tá marcando 24."
"E daí?"
"Ubatuba é 12. Paraty é 24."
"Leno, vai chamar a Rejane, vai."
Ele não disse nada, só largou o fone de pelo menos um palmo de altura sobre o tampo da mesa, o que para os meus tímpanos tresnoitados de zoeira pesada foi o mesmo que um tiro de fuzil.
"Filho da puta", soltei, alto e áspero de ódio.
O cara que atende no balcão do Paraty-Amar, chamado Juvenal, me jogou o clássico olhar de viés. Eu falava do telefone público azul sobre o balcão, junto à parede, de onde podia controlar meu note deixado aqui nessa mesa do terraço, junto à calçada e seus passantes.
"É um amigo", expliquei pro Juvenal.
"Puta amigo!", ele disse detrás do balcão, balançando uma careca morena porejada de suor.

Esse comentário foi aclamado com cacarejos sardônicos por uns fulanos que tomavam cerveja na quina do balcão em L. Num faroeste do Howard Hawks ou do John Ford, eu sacaria meu Colt 45 e cortaria pela metade o cigarro dum, arrancaria os óculos cafajestes de armação branca do alto da cabeça de outro e espatifaria o copo de cerveja que o terceiro tinha na mão, com três tiros certeiros, acionando com a mão o cão da arma. Na ausência do Colt, tudo que fiz foi virar as costas pra eles e pras baias dos computadores do cotê lan house do boteco, onde um carinha de boné também tinha voltado a cabeça pra me olhar, descuidando por um segundo da batalha que travava contra uns pterodáctilos bélicos num game.

Caguei pra todo mundo, concentrando o olhar na avenida que passa defronte do terraço, a Roberto Silveira, com seu trânsito contínuo de carro, caminhão, muito ônibus, turístico e de linha, além de uma profusão de bicicletas e do corso de pernas na calçada. Aqui tem sinal de wireless, o Juvenal te dá a senha do dia, pela qual cobra dois reais. Se você gastar mais de 10 reais na conta a senha sai de graça.

Cadê a Rejane, que não vem logo atender, porra?, eu me roía na espera.

Foi quando vi passar lenta e leve na calçada rente ao terraço uma morena esplendorosa. De shortinho, pra variar. Porra, essas mina de shortinho no verão acabam comigo. Cada uma delas deve matar do coração de dois a três velhinhos por dia. Aquela que acabou de passar era capaz de matar logo uns dez. Sentia um empuxo quase físico me levando no arrasto aerodinâmico daquelas pernas. Eu iria atrás delas pra qualquer parte do mundo, pra puta que pariu, pro cu-da-mãe joana, pra casa do caralho, não importa. Estiquei o fio espiralado do fone ao máximo pra acompanhar por mais 10 décimos de segundo o desfile das indolentes pernocas da morena-morená, que serão homenageadas por mim na primeira oportunidade, mas bem merecem desde já um haicai quadrúpede:

> malemolengas gâmbias
> da bela mamelunga
> pronde é que me levais?
> (pra cova ou pro cais?)

A girl passou, como fazem todas as girls dignas de nota, e eu fiquei ali pendurado no telefone, esperando a véia atender. Catso, por que ela tá demorando tanto?, rangia minha voz-pensamento. Eu ainda tava, tô, bem torto da noitada de ontem, apesar dos litros de café com Coca light, chá de boldo de saquinho e meia dúzia de comprimidos de Tylenol 750 mg que mandei ao aterrissar aqui nesse bar às dez da manhã dessa terça estuporante de sol, vindo de uma madrugada de intensa esbórnia. Intensíssima, eu diria.

Cara, faz uma pá de tempo que eu não amarro um pifaço desse calibre, suficiente pra tirar o atraso de uma década de abstinência. Deixou de saldo meu bolso vazio e um ressacão patológico. Mandei de tudo: litros de goró vagaba, tonéis de cerveja semigelada, posêra braba, buceta a rodo e a granel.

Quando eu já começava a cogitar em desistir do telefonema, ouço uma voz de gelo no fone:

"Alô."

"Rejane?!"

O silêncio glacial ameaçava revogar o verão. Mais uma frente fria na puta da minha vida.

Repeti:

"Rejane?"

Ela estava lá, a abominável estalajadeira das neves, eu sentia isso. Mais um tempinho se passou, antes que ela dissesse:

"Tô ouvindo."

Ela tava ouvindo. Ótimo.

"Tudo bem com você?", perguntei.

"Por que você quer saber?"

Isso respondia a minha pergunta. Nada estava bem com ela. Foda-se, pensei. Eu tinha uma puta história pra contar, pra lá de plausível, bem alinhavada, empolgante e tudo mais. Tinha passado as últimas duas horas e meia nesta mesma mesa de bar cozinhando a história na minha cabeça oca de ressaca. A história foi melhorando à medida que a cefaleia alcoólica foi cedendo aos ataques da cafeína com paracetamol, mais os agentes boldoides daquele chá antibode que o Juvenal me preparou. A cascata tava no ponto. Era só mandar bem, de coração tranqüilo, com as entonações certas, que em dois

tempos aquele gelo todo viraria gel lubrificante a meu favor. Contava 100% com isso. Comecei, com cuidado:
"Tá puta, comigo, né?"
Deixei passar um hiato de silêncio teatral. Dois hiatos. Três. Puxei um pigarro catarrento — devo ter fumado uns três maços de Marlboro ontem — e fui em frente:
"Eu também estaria puto no seu lugar. Digo, puta. Digo... Claro. Sumir de repente, assim, sem mais. Há quanto tempo? Vamos ver... vinte e quatro horas? Mais? É foda. Eu sei que é. Mas deixa eu te explicar, Rejane."
Soltei um suspiro pesado. Ela não dizia nada. Continuei:
"Eu bem que devia ter te ouvido ontem e me mandado contigo pra Paraty. Uma hora dessas a gente já estaria na ilha da Cíntia e nada disso que eu vou te contar agora teria me acontecido, pra começo de conversa."
Nesse ponto, eu já sussurrava pra não atrair a atenção daqueles cretinos do balcão, nem do Juvenal, o homem do avental.
De Porangatuba só vinha aquele massacrante silêncio eletrostático. Cheguei a pensar se não era melhor encerrar o papo por ali mesmo. Recolocava o fone no descanso de mansinho e voltava aqui pro meu escritório de campo, de onde avisto, pra além da avenida e do casario, os picos mais altos da serra que sobe pra Cunha à minha direita. Acho que é a tal serra do Facão, por onde chegava o ouro das minas gerais que ia embarcar de Paraty pra Europa, segundo informa a educativa contracapa do cardápio aqui do Paraty-Amar. O mar não dá pra ver, mas deve tá em algum lugar à minha esquerda. Às vezes tenho a impressão de farejar a maresia em meio ao fumacê da avenida. Devia ter feito isso: desligava aquela porra de telefone e ia cuidar da vida. Mas disse de novo:
"Rejane...?"
"Hm."
Caralho. Resolvi desatar logo o cascatão completo pra ver que bicho dava. Contei como foi que, ontem, no comecinho da noite, terminado o meu trabalho na casa do morro, eu me preparava pra descer, o que é verdade, quando fui enquadrado por investigadores da Civil de Ubatuba, encarregados pelo DHPP de São Paulo de me prender, o que quase foi verdade.

"Os caras me pegaram bem na porta de casa, vê se pode. Tivesse saído um pouquinho antes, não me achavam", falei pra ela, que só me ouvia, em frigorífico mutismo. Contei que desci algemado até o camburão no qual fui levado até a delegacia de Ubatuba. Lá chegando, falei pro delegado sobre o habeas temporário, mas eles disseram que não sabiam de porra de habeas-corpus nenhum, que tinham recebido ordens de me prender por falta de pagamento de pensão judicial, e que, pra todos os efeitos, eu tava preso, e preso seguiria pra São Paulo.

"Os caras foram uns animais comigo, Rê, só faltou me darem porrada, pau de arara, choque no saco, agulha em brasa debaixo da unha. Me ameaçaram e insultaram de tudo que é jeito e maneira a noite inteira, entre longos chás de cadeira, e sem me tirar as algemas. E nem cadeira era. Uma porra dum banco duro encostado na parede, é o que eu tinha pra me acomodar, horas e horas a fio. Não rolou nem cafezinho. Só um copo d'água da torneira, quando viram que a minha língua tava grudando no céu boca, tanta a secura. Mal conseguia articular as palavras. Me deixaram ir à privada uma única vez, quando eu disse que ia mijar na calça, e não estava mentindo. Pra encurtar a história, só consegui livrar a cara depois de muita, muita lábia, um telefonema pro meu advogado, que fez o meio de campo com o delegado, e mil pratas, toda a grana que eu tinha no bolso. Foi minha salvação, na verdade, pois o famoso habeas temporário do Margarido já tinha caducado, veja você. Moral da história: preciso me mandar pra ilha da sua amiga *ontem*", concluí, esperando pela reação da véia, que foi nenhuma. Só ondas hostis de silêncio. Deixei o silêncio me hostilizar à vontade. Ela continuava lá, do outro lado da linha, e era isso que importava. Cheguei a ouvir um bando de maritacas passando por cima da pousada. Saudade que me deu das maritacas de Porangatuba.

Porra, a véia tá injuriada demais comigo, refleti. Que catso de merda pode ter rolado de ontem pra hoje? Por que ela não dava imediato e esfuziante crédito à minha mui verossímil e bem tramada fábula? Aquilo não era atitude de velhota apaixonada que reencontra o relativamente jovem e amabilíssimo amante desaparecido e fica sabendo que ele não teve culpa nenhuma pelo próprio sumiço, e que acaba de escapar das garras nefandas da repressão corrupta duma polícia a serviço de uma lei injusta e burra, como essa que estipula prisão por atraso na pensão judicial. Alguma coisa tava muito errada ali.

"Rejane, porra", recomecei com firmeza, no tudo ou nada. "Fala alguma coisa!"

Nenhuma resposta ou reação. O Juvenal olhou de novo pra mim. Eu devia estar falando alto de novo. Dei as costas pra ele e ponderei em silêncio, mordendo o lábio de cima, depois de ter mordido o debaixo: e agora?

Abri por fim a boca pra dizer ao telefone:

"Cê vem me encontrar aqui? Te conto tudo de novo com mais detalhes. Rolaram uns lances que só ao vivo mesmo pra explicar."

Mais silêncio, estática, ódio, morte.

Continuei:

"Ó, tô num bar aqui da avenida Roberto Siqueira, bem na frente da pousada Valhacouto do Milhafre. Sabe onde é? Fica nessa avenida comprida que vai dar no centro histórico. Não tem erro. (....) Rejane? (....) Cê tá aí?"

Demorou, mas veio a resposta:

"Tô."

Tava. Gostei do tom do *Tô*. Fofo. Me animei, achei que estava apenas diante de um caso típico de ciumeira birrenta de véia possessiva pré-esclerótica, bolerosa, bolorenta, passadista do caralho.

"Pois é, menina, foi foda", continuei, adoçando a voz. "O delegado mandou o escrivão me pedir dez mil pra *relaxar a detenção*. Pode uma coisa dessas? Falei assim pro escrivão: 'Porra, amigo, dez pau é quanto eu tô devendo de pensão pra minha ex-mulher'. Mas os putos só ali no jogo duro comigo. Fiquei a madrugada toda nessa. Foda. Tô destruído. Não dormi um segundo até agora. Por isso essa minha rouquidão de mordomo de vampiro."

"Sei", ela disse.

Por algum motivo, minha história não estava colando. Decidi que, de qualquer jeito, sem fim ela não ia ficar, a minha história. Enquanto eu tivesse aquela ouvinte única, haveria história. Relatei, então, como foi que, manhã raiada, os tiras acabaram aceitando meus caraminguás e me liberaram. Fui deixado na rodoviária de Ubatuba com cinquenta mangos no bolso e a ordem de pegar um ônibus pra

São Paulo e me apresentar no DHPP junto com o meu advogado, sem mencionar a ninguém minha agradável noitada na DP de Ubatuba, caso pretendesse voltar a essas bandas algum dia e continuar vivo pra desfrutar de suas atrações naturais.

Ou seja, na prática eu tava solto. Corri pro guichê e comprei uma passagem pra Paraty. Pretendia descer no meio do caminho, na entrada pra Porangatuba, só que, exausto da noite em claro na delegacia, ferrei no sono e só fui acordar aqui em Paraty mesmo, às portas do século 18.

Quando acabei meu relato, ouvi um suspirão do lado de lá.

"Zeca", ela começou, como estivesse encontrando grande dificuldade de articular os maxilares. "A polícia veio ontem aqui no começo da noite. Três investigadores. De São Paulo, não de Ubatuba."

"Jura?! E não deu pra você me avisar pelo celular?"

Novo suspiro na linha. Mais longo, esse. Ela continuou:

"Eles tavam voltando da casa do cunhado da Nina. Não te acharam lá. Quando foram embora, te liguei, mas só dava caixa postal."

Tentei uma tangente rápida:

"Então botaram tiras de Ubatuba e de Sampa atrás de mim. Os de Ubatuba chegaram antes e me levaram. Caralho!"

O novo suspiro da véia soou como rosnado de jaguatirica com dor de dente.

"Zeca, o investigador me disse que você está sendo procurado por homicídio e tráfico de drogas em São Paulo."

"Pé-pé-pé-peraí, Rejane! Eu posso explicar."

"Já sei a explicação. A verdadeira."

"Já? Por telepatia?"

"Por várias fontes. Primeiro, o Leno veio me mostrar uma coisa que ele achou na lata de lixo do meu banheiro."

"Bonito. Seu ajudante gosta de fuçar na merda dos outros? Que foi que ele achou, além de papel higiênico sujo de bosta?"

"Uma folha amassada do jornal de sábado com uma bela sujeira dentro: uma notícia sobre você."

Agora fodeu, pensei. Mas não entreguei os pontos:

"Se leu a notícia, viu também a versão do meu advogado. E não é versão. É a pura verdade. Não tive nada a ver com crime nenhum. Eu tava *mesmo* pegando um pó no carro do cara quando rolou o tiroteio na rua. Era a polícia atrás duns bandidos do pcc, pra variar. Não tinha nada a ver com a gente. Só que uma bala perdida acertou a cabeça do traficante ao meu lado."

"Zé Carlos..."

"Você viu também que tem um delegado sacana lá em São Paulo, tal de Roquete Paiva, que quer livrar a cara da polícia e jogar a culpa em mim. Ridículo! E tudo isso pra dar um troco prum promotor cu--de-ferro que tá no pé deles por causa de bala perdida. Quer dizer, caí de para-quedas no meio desse rolo entre polícia e ministério público, os dois de olho na mídia. Além do que, Rejane, tem o seguinte. Não saíram ainda os laudos, mas quando saírem, daqui uns/"

"Zé Carlos!"

"Rejane, me escuta. Eu ia te contar a verdade. Mas é uma história encrencada demais, porra. Precisava dum tempo até a gente se conhecer melhor. E a história que eu te contei, da pensão judicial, não é nenhuma fantasia, não. Porque, na real, eu e a Lia estamos sepa/"

"Zé Carlos! Para!"

"Eu ia te contar, Rejane. Juro que ia. Acredita em mim, porra."

"É impossível acreditar em você", ela disse numa voz de choro represado.

Tirei meu canastrão da naftalina e comecei:

"Impossível por quê, Rejane? Olha, vem pra cá que eu te explico tudinho, olho no olho. Mulher tem sexto sentido apurado, não tem? Você vai sentir que eu tô falando a verdade, somente a verdade, nada mais que a verdade. Aproveita e vem com o meu carro. A chave do Monza tá com o velho dos barcos, como ele chama mesmo? Galeno?"

"Heleno. Aliás, ele veio aqui dizer que você tá devendo a ele cinco mil reais."

"Cinco mil reais?! Ha! Pirô, o véio! Eu combinei cinquenta paus por quinze dias de estacionamento naquela palhoça dele, o que já era um roubo. Caiçara lazarento, ladrão filho da puta. Cinco mil reais! Se tem cabimento!"

"Seu carro pegou fogo, Zeca."

"Quê?!"

"E queimou o abrigo de barcos dele, com voadeira, canoa, motor, ferramenta, combustível, tudo que ele guardava lá dentro."

"Puta merda! Quando foi isso?"

"Ontem, no começo da noite."

Era essa, então, a origem da explosão e do fumacê que eu tinha visto da varanda, pouco antes de escapar pra cá: o Monzão e os 60 litros de gasosa dentro dele. Caralho. Deve ter flambado legal. E logo aquela lata velha que demorava tanto pra esquentar de manhã.

"Mas como é que foi pegar fogo no meu carro, Rejane? O desgraçado tava lá, quietinho. O velho é que me deve uma grana. Ele devia tá pitando o cigarrinho de paia dele e mexendo com combustível, e aí/."

"Puseram fogo no seu carro. Foi deliberado, não foi acidente."

"Porra! Quem iria fazer uma merda dessas? Caralho!"

"Alguém com bons motivos."

*Dzz*. Bons motivos. A véia tava sabendo de alguma coisa. De muitas coisas, pelo jeito. Ou de poucas e boas coisas.

"Ma-mas, quem é que-que iria? Por quê qui-qui? Ô-ô Rejane, eu não sei o que andaram te-te..."

"Zeca."

"Calma aí, calma aí. Eu posso expli-plicar..."

"Se poupa, Zé Carlos. E a mim também. Não precisa *expliplicar* nada. Não tem o que explicar."

"E que tal 'as aparências enganam'?"

"As aparências não enganam mais ninguém, Zé Carlos. Não tem aparência que disfarce a barbaridade que você aprontou aqui."

Barbaridade? De que porra ela tava falando?

"Vai, Rejane, abre o jogo. Que barbaridade é essa, caralho?"

Choro na linha.

"Rejane?..."

O choro não parava. Novelão. A qualquer momento, entraria no ar um anúncio de sabão em pó, de margarina — de embutidos de frango. A merda é que não dava pra mudar de canal.

"Que idiota que eu fui, meu Deus. Que imbecil, que ingênua. Que boba!", ela desabafou, quando pôde firmar um pouco a voz encharcada de lágrimas e encaroçada de soluços. "Eu não mereço isso, eu não mereço!"

"Pô, Rejane! Você confia mais no que viveu comigo ou nas merdas que um delegado inventou contra mim no jornal? Esse é o amor que tu me tinhas? Era vidro, se quebrou?"

Mas a minha fofice não emplacava de jeito nenhum. Depois de um minuto de choroluços e de uma assoada sinfônica de nariz, Rejane voltou ao modo frozen:

"Qual é seu imeio, Zé Carlos?"

"Meu imeio? Pra que imeio? Tamo conversando aqui, direto, não tamo?"

"Qualé?"

"Z K dois mil arroba yahoo ponto com. Sem bê-erre."

"Z K?"

"Isso. Dois mil arroba yahoo ponto com."

"Tá."

"Tá o quê?"

"Vou te mandar um imeio com uns arquivos. Abre aí numa lan house."

"Que arquivos?"

"Você já vai entender tudo. Se é que te falta entender alguma coisa."

"Por acaso já tô numa lan house, que também é bar e restaurante. Paraty-Amar, na avenida Roberto Silveira. Já te falei, né? Na frente duma pousada chamada/"

"Dá dez minutos e abre a tua caixa postal. "

"Rejane! Peraí! Que foi que aconteceu, meu Deus do céu? Me fala! Rejane?!"

Silêncio profundo do outro lado.

"Rejane, não desliga! Ó: em relação a nós dois, eu só disse a verdade, tá entendendo? Vale o que a gente viveu. Eu tô de fato separado da Lia. Ela tem outro cara, eu tenho você. É isso que importa. A merda é que eu venho entrando numa fria atrás da outra ultimamente. Todos os abutres do Brasil resolveram pousar na minha sorte. A única coisa boa e decente que me aconteceu nesses tempos foi você, Rejane. (....) Rejane?"

O silêncio era diferente agora. A impressão era de que a linha tinha caído pela metade. Segundos depois, a outra metade da linha caiu também. Alguém devia estar escutando numa extensão e desligou depois da Rejane. Adivinha quem? Comecei a ligar de novo, mas desisti no último número. Foda-se, foda-se, foda-se, repeti até o derradeiro foda-se do meu estoque.

Isso tudo rolou uns vinte minutos atrás. Desliguei o azulzinho e voltei aqui pra mesa, onde estou dando baixa nessa merda toda pra não ficar doido. Por que esperar dez minutos pra abrir o imeio dela? Deve ser o tempo estimado pra passar arquivos pesados por aquela droga de conexão discada. Fotos. Devem ser fotos. Que fotos? Alguma coisa a ver com a Josilene. Sim? Não? O HP taqui na minha frente, on-line, a luzinha azul do wi-fi acesa, é só dar dois cliques e entrar no webmail. Mas não sei não se vou fazer isso. Já fudeu tudo mesmo, que se foda todo o resto. Melhor é dar o fora daqui — *djá!*

Em todo caso, antes de te passar esse arquivão, deixa eu te contar rapidinho o que de fato rolou ontem. Foi tudo muito simples, e, no entanto, meio inacreditável. Fantástico. Um pequeno milagre. Assim: depois daquela memorável sessão vespertina de fodas e alta gastronomia caiçara com a Josilene, além da meia horinha que passei no teclado digerindo e relembrando os melhores momentos da tarde, botei na mochila roupas, livros que afanei da casa, mais o notebook, tranquei as portas e janelas, e já pisava o primeiro degrau da escada quando ouço vozes masculinas lá embaixo:

"Falaram que tem um anão na escada. Tá vendo algum anão?", perguntava um cara a meia-voz.

"Tô vendo picas", respondia outro cara. "Tá muito escuro. Ah, péra aí! Acho que tem um anão sim. Ou será cachorro?"

"O cachorro tá latindo, por acaso?"

"Não."

"Então é o anão, idiota."

"Bem sacado. "

"Vai, entraí logo. Tá co mandado, Cabeça?", perguntou o primeiro cara.

"Puta! Ficou na viatura", respondeu uma terceira voz de homem — de *home*, aliás.

"Tudo bem, foda-se", comandou a primeira voz. "Vai na frente, Shitão. Cabeça, segue atrás. Cuidado, que o figura deve tá armado. Se ele reagir, mete bala."

"Positivo operante", respondeu o Cabeça. Ou o Shitão. Ou o anão.

Sei é que ouvi o rangido enferrujado do portãozinho metálico às minhas costas quando eu já tinha voltado na ponta dos pés e chispava a toda pro fundo do quintal, onde fica a ducha de cano. Pulei uma cerquinha que separa o terreno da mata e me escafedi por uma espécie de tobogã natural, cavado pela enxurrada na terra nua. O tobogã desaguava lá embaixo, na ruela. Tava escuro pra danar naquele mato. Se tivesse um *tapete* no caminho, que é como os caiçaras chamam as cobras, uma jararaca distraída, por exemplo, ou uma coralzinha passeadeira, eu tava ferrado. Aterrissei lá embaixo são e sujo, embora não salvo ainda. Botei a cara na ruela em tempo de entrever um fulano de jaleco à prova de balas, com uma pistola na mão, entrando pelo portãozinho, 20 metros abaixo do ponto em que eu estava. Era o rato que tinha mandado os dois outros irem na frente. De costas pra mim, não me viu. Além do quê, eu tava imerso na penumbra, fora do tênue aro de luz neon do poste mais próximo.

Olha só o B-zão nacional de baixíssimo orçamento em que eu tinha me metido. Subi na vula a ruela, quebrei à direita no último poste de luz e enveredei pela trilha enlameada que eu esperava fosse dar lá em cima na rodovia, conforme tinha dito a dona Dedé. Lógico que o povo deve usar lanterna pra andar por ali à noite. Eu nem isqueiro tinha, esquecido na casa. Botei a alma na bacia e a ofereci às entidades da mata rogando pra ser a trilha certa.

Nos primeiros 200 metros, passei por uns casebres com luz e som de tevê. Num daqueles muquifos devia morar a dona Dedé, que tinha saboreado a lula en mi porrita no sábado. Mais pra frente era só mato e breu. Nuns trechos não dava pra enxergar tchongas, mal se divisava a trilha no chão. Se eu me extraviasse naquele ermo, na certa não veria o sol raiar. A tal da jaguatirica — se não era onça — me arrastaria de lanchinho pros filhotes dela na toca. As sobras, a urubuzada daria conta no dia seguinte. Mas fui em frente, porque voltar não voltaria mesmo, nem fudendo. Ramos, galhos, teias recém-fiadas por aranhas invisíveis batiam na minha cara. Todo um Butantã espreitava meus passos paranoicos disparando línguas bifídicas. E eu não chegava nunca a lugar algum.

No fim das contas, no mesmo tempo que demora pra subir da vila até a casa do Nissim, pouco mais de dez minutos, avistei a Rio-Santos iluminada pelos faróis dos veículos esparsos que faziam a grande curva no topo do morro. Pouco antes da trilha desembocar no asfalto, cruzei uma ponte de tábuas sobre um corgo, onde, debaixo da lua minguante, lavei pés, pernas e havaianas para não ser confundido com um ídolo de pés de barro pelos nativos. Joguei a bermuda e a camiseta enlameadas no corgo e botei calça e camisa limpas que eu trazia na mochila. Já pisando o cascalho do acostamento, avistei o pequeno abrigo com telha de amianto que sinalizava o ponto de ônibus. Uma mulher e sua filha adolescente com um nenê no colo, com quem troquei respeitosos boas-noites, esperavam o ônibus, que chegou milagrosos cinco minutos depois, com PARATY no letreiro frontal. Subi atrás das mulheres e do bebê, me sentindo acolhido nos braços da sorte, que, afinal, deve ser mulher também — fada ou madrasta, a depender das circunstâncias. O bebê até me deu uma risadinha. Devia tá sacando tudo, o malandro. Pisquei pra ele, que riu mais ainda. "Esse é dos meus", pensei.

Desci na rodoviária de Paraty, lépido e lampeiro, às oito e pouco da noite. Da rodoviária rumei, mochila às costas, pra avenida principal, a Roberto Silveira, essa mesma na minha frente agora, cheia de bares e restaurantes, pousadas, farmácias, padarias, cabeleireiros, mecânicos, lan houses, lojas de roupas, de trecos eletrônicos, de artigos pra caça e pesca, videolocadoras, clínicas odontológicas e veterinárias, escritórios de advocacia, e o cacete comercial a quatro, quase tudo decorado pro Natal, com maior ou menor exagero. Um Papai Noel badalando um sino me conduziu pra dentro de uma loja de roupas, onde comprei um par de Congas azuis.

Na sequência, me abanquei no boteco mais próximo da loja pra comemorar meu incrível golpe de sorte com um par de brejas e umas pingas, não longe desse Paraty-Amar multimídia em que me instalei hoje. Porra, cara, pensa bem: tava lá eu de roupa limpa, sapato novo, grana no bolso e livre como um pássaro noturno em Paraty. Não dava pra reclamar do destino, afinal de contas. O desgraçado até que tinha me dado uma forcinha. Senti o apelo da razão, que me impelia a ligar imediatamente pra Rejane explicando o ocorrido. Ela viria pra cá e nosso plano seguiria em frente: pousada romântica de noite e barco pra ilha Doce de manhã. Mas, catso, eu queria, eu precisava me divertir um pouco, depois de tamanha tensão. Decidi que "amanhã" — hoje, terça ensolarada — eu ligaria contando a ela toda aquela cascata sobre os investigadores, a prisão e o achaque na delegacia de Ubatuba durante a madrugada, como, aliás, acabei de fazer, com resultados pouco auspiciosos, como você deve ter notado.

Molhei, então, o dedo de cuspe e senti a direção do vento. Eu podia jurar que o vento me encaminhava pra zona mais próxima. Já animado com as cachaças e as brejas, entrei num táxi e já fui pedindo pro chofer: "Me leva pra zona, amigo. Quero ver a mulherada".

O cara veio com um papo de que "aqui em Paraty não tem disso, não, amigo", mas botei dez paus na mão dele dizendo que era por fora da corrida. O sujeito me disse que, nesse caso, ia me deixar numas "casas" que ele conhecia, num lugar tranquilo, não muito longe dali.

O lugar tranquilo ficava "no Patiti", se eu entendi direito, um bairro bem afastado do centro histórico, pra lá do trevo da BR. Rodamos uns bons vinte minutos até chegar no obscuro Patiti. Era quase que só uma rua com várias "casas", uns sobrados geminados, alguns com boteco e bilhar embaixo, outras só com uma fachada doméstica, normal, e umas luzes coloridas visíveis pela janela da sala. Nas calçadas, um discreto movimento de homens, carros e uma mulher ou outra indo de lá pra cá, entrando ou saindo dos sobrados. O chofer me explicou que é proibido girar bolsinha a céu aberto no Patiti. A putaria rola solta ali, mas na moita, tanto quanto possível.

Entrei nuns cinco ou seis botecos lazarentos abertos pra rua, todos com uma pequena mesa de bilhar, onde bati um taco com tipos inomináveis e tomei todas. Os sobrados dispunham de microboates com luzes coloridas e um globo de vidrilho pendendo do teto, onde travei relações verbais e carnais com um farto suprimento de putas, ingerindo cervejas com Drury's falsificado, vodkas horrorovskas e até uma genebra escrotérrima que me deixou um sabor de desinfetante de privada no fundo da garganta que não saiu até agora. Peguei umas quatro ou cinco putas a 30 real a unidade ao longo de umas cinco horas. Uma delas me descolou um petecão de pó por apenas 40 pilas que durou a madrugada inteira. Nos estertores da madrugada me vi na última casa-da-mãe-joana ainda aberta com três profissas dando expediente. Arregimentei as três por cem reais e me enfiei com elas numa alcova minúscula nos fundos da casa, igual às demais que eu tinha visitado antes, onde mal cabia uma cama de casal, sem janela, mas com um banheiro ínfimo onde se espremiam uma pia, uma privada e um vitrô, única comunicação com o exterior. Por ali não passaria um corpo humano, caso eu precisasse me escafeder "de voada", que nem ouvi uma puta dizer.

Uma das minhas derradeiras putanas era uns 30% japa, o que me deu saudade da Terezinha e me propiciou umas fantasias doidas com a minha famosa secretina. Aliás, só chamava a puta de Terezinha, o que a fazia morrer de rir. Outra era nórrdéstina retada. Da terceira só lembro de uma peruca loira em pele bem morena. Fiquei um tempo indefinido entregue a bárbaros e criativos folguedos narcossexuais com as três mênades de aluguel, todo mundo bebendo e cheirando a vonts, graças à cortesia aqui do coronel provedor.

Uma hora lá, procê ter uma ideia, mandei as três chuparem o meu pau ao mesmo tempo, o que elas fizeram com grande empenho, regalando-me também o saco e o rabo com suas linguadas. Aquele carnaval privê durou até o pó acabar. A essa altura, tinha sobrado só uma puta comigo, a mulata loira, fissuradaça por farinha.

É sabido o quanto a cocaína provoca tesão de argola na mulherada porra-louca, e aquela puta não foi exceção: me fez comprar dela por cinquenta paus um comprimido de Viagra, que depois de uns quinze minutos me botou em ponto de bala pra comer seu rabo profissional, com direito a um bem passado cheque. Rebocou meu pau de merda, a filha da puta da puta, e nem consegui gozar. Pelo menos eu tava de camisinha.

No final, plena manhã, a puta lambia a beirada suja de pó do meu cartão de crédito, enquanto me ouvia explicar todo o potencial anarco-niilista da poética patética da minha cinematografia apatifada pós-sganzerliana com sua narrativa brechtiano-holistocofrênica e seus personagens transapocalípticos, e o grandíssimo caralho cocainado a quatro.

A manhã já ia alta, quando um prestativo leão de chácara me botou num táxi que me devolveu aqui pra essa mesma avenida Roberto Silveira, só com a grana da corrida no bolso, ou quase. O restante do meu pecúlio tava agora nas mãos de um bando de putas, donos de botecos, traficantes e cafetões do Patiti. Eu precisava de uma base operacional, urgente. Escolhi o Paraty-Amar por causa da lan house com wi-fi. Depois de umas duas horas tentando me recuperar do ressacão terminal, arrisquei aquele telefonema pra Rejane.

E, porra, caralho, cu, buceta, merda de bosta frita — vamo lá abrir o desgraçado do imeio da véia duma vez. Foda-se. Seja a cagada que for, já foi mesmo. Melhor me inteirar das merdas adicionais que andam rolando pras bandas podres da minha periclitante existência. Mas antes vou pedir pro Juvenal uma porção caprichada de bacon com ovos. Não vai sair como o da Terezinha, mas há de quebrar o galho de uma fome que já começa a se anunciar em meio às brumas da ressaca declinante.

# <36>

Caralho.
    E digo mais, meu amigo: puta que me pariu.
    Na minha caixa de entrada, na web, tinha vários e previsíveis imeios à minha espera. Lia, assunto: "Dinheiro!" Zuba, assunto: "Devolução". Nissim, assunto: "Tá vivo?". Nina, assunto: "URGENTE!!!". (Outra vez, caralho, e com caixa alta agora.) Sossô, assunto: "E aí?". Tinha até um do Ingo. Assunto: "Bhagadhagadhoga!".
    O último imeio, encabeçando a lista, era o da Rejane, recém-enviado, "sem assunto", com meia dúzia de arquivos em jpg atachados, de 01 a 06. A mensagem do imeio dizia: "A moça prestou queixa-crime na delegacia e está internada em Ubatuba. Não quero saber da sua versão sobre o que aconteceu. Só te aviso que você está seriamente encrencado por aqui. Não me procure nunca mais, nem por telefone". O texto acabava com um post-scriptum entre parênteses: "(Entre outras coisas, você me deve um lençol de algodão indiano furado a brasa de cigarro.)"
    Filha da puta. E as trepadas que eu dei nela, não valem os furos no lençol indiano, caralho? Velha escrota. Fique aí na sua pousadinha burguesa com seu lençol indiano furado, suas toalhas egípcias e sua racha vazia, imbecil. Pensando bem, sorte minha não ter me metido numa ilha com a Rejane e a velhota miliardária. É onde eu estaria agora, não tivesse me enfarruscado com a caiçara ontem à tarde. Porra, meu pinto ia envelhecer uns 50 anos em uma semana comendo *duas* macróbias ao mesmo tempo, sem nem sombra de uma bucetinha jovem por perto pra contemplar. Vade-retro, meu. Ponho mais essa na conta da sorte que eu tô dando nas últimas catorze horas. Podia ter passado a noite em cana levando tapa na orelha de delegado e investigador, mas, em vez disso, tô eu aqui, libérrimo da silva, com o

estômago cheio dum reconfortante bacon & eggs e com a pica ralada de tanto foder as putas do Patiti, sem contar a Jôsi, ontem à tarde.

A Jôsi. Pois é. Que puta sacanagem. Vai ouvindo.

Óbvio que eu fazia uma certa ideia do que vinha pela frente. Fiz um rápido e profundo exame jesuítico de consciência tentando imaginar qual seria a bronca da caiçara contra mim que a teria levado, como disse a Rejane, a prestar "queixa-crime" na polícia. E o que teria acontecido com ela pra ser internada? Não é possível que a desgraçada tivesse alegado que era virgem e que eu a deflorei à força depois de sequestrá-la numa das pirambeiras ermas de Porangatuba, a ela e à sua cumbuca de barro cheia do azul-marinho que a pobre levava pro almoço da vovozinha.

Não é possível, o caralho. Óbvio que foi isso mesmo que ela disse. E lá estava a minha porra dentro dela, para competente análise forense em Ubatuba!

Fosse a merda que fosse, era óbvio que tinha ali o dedo do PM da Jôsi. Lord Uélinton, personagem saído das gestas medievais do alto litoral norte. E com certeza também o dedo sujo do Leno. Esse gostaria de me ver trancado no porta-mala do Monza em chamas. Vai ver, pensei ali, posicionando a setinha do mouse em cima do primeiro arquivo jpg, vai ver foi tudo uma grande armação que teve início lá na ilha das Rocas, no sábado.

Tremi só de pensar no quanto essa hipótese era probabilíssima. Por isso que a Jôsi não ligou pras carcadas sem camisinha que eu dei nela: queria guardar a prova do crime na vagina chantagista. A uma hora dessas, meu material genético já deve ter sido aspirado por um legista de avental branco com alguma cânula ou pipeta cujo manejo no interior da sua vagina em nada lhe terá lembrado as nossas boas horas de fodelança lá no alto do morro. Porra, se for isso mesmo, vai ser calculista assim na puta que a pariu.

Também, que ideia de jirico a minha, foder uma popular sem camisinha! Eu tinha fodido também a Sossô sem camisinha. Mas era diferente. Minha ninfeta primordial jamais pensaria em me processar por nada desse mundo. No máximo me pediria pra participar de uma vaquinha pró-aborto reunindo seus amantes dos últimos trinta dias. Daria uns 100 paus pra cada um, não mais, o Melquíades incluído.

Fiquei sem coragem de abrir os arquivos de fotos. Seja lá o que fosse aquilo, o certo é que tinha mais um delegado na minha cola neste momento, me caçando por estupro, com toda certeza. Ou delegada, o que seria bem pior.

Piranha fritadora de lulas!, prorrompi, cheio de raiva, mas em forçado silêncio dessa vez.

Depois de imprecar mais um pouco contra tudo e contra todos, tomei fôlego, como antes de um mergulho, e cliquei no arquivo jpg. 01.

A foto abriu de prima. Lá estava a Jôsi pelada, de costas pra câmera, trepada em mim, nós dois debaixo da ducha no fundo da casa do concunhado do Nissim. Dava pra entrever meu pau enterrado por baixo do rabão dela, a pele do meu saco esticada, as bolas bem delineadas. A água da ducha se espatifava contra nossos corpos, refratando os raios do sol em arco-íris. Bela foto, de qualidade técnica excelente. Me surpreendeu ver quão razoável ator pornô eu daria, fosse mais cacetudo e bombado, como os modelitos Mister Mundo que atuam no ramo sob cachês que variam em função da centimetragem de seus dotes — músculos e pinto — e de sua capacidade de mantê-los rijos durante as filmagens. A sanguessuga caiçara mordia o meu pescoço, feito a vampira chantagista que ela estava se revelando agora. Lembrei daquele chupada. Passei a mão no exato lugar, ainda sensível.

A jpg 02 mostrava a mesma posição, com uma diferença importante: a gente se beijava pra valer agora. "Em mútua devoração", eu diria, se estivesse escrevendo um romance de amor.

A foto 03 não me foi favorável. Era a Jôsi deitada de costas nas lajotas brilhantes de água empoçada do piso da ducha, fechada agora. E eu por cima dela, de missionário europeu carcando na chavasca da nativa. Lá estava o meu bundão em primeiro plano, com um joelho reluzente da Jôsi de cada lado. Dava pra ver meu saco outra vez, uma bola mais pensa que a outra, mas não meu pau, enterrado por completo dentro dela. Gotas d'água cintilavam em nossos corpos, num efeito mágico, em alta definição. Tremenda máquina digital era aquela que nos fotografou, na certa equipada com zoom óptico-digital de 200 mm, parecia, de última geração, que nem sequer desfocava o fundo da imagem. O puto do *paparazzo* tava atrás de mim, mocozado na mata. E eu ca rabeta arreganhada pro filho da puta.

E quer apostar quanto que aquela câmera indiscreta era a Canon reflex que eu vi o doceiro afanando do estranja lá na ilha das Rocas, sábado passado? Não tenho como confirmar isso, mas corto o meu fotogênico saco se essa não é mais uma coincidência desgraçada na minha vida. Em outras palavras, se eu tivesse dado um flagra no doceiro e recuperado a máquina do gringo, é bem possível que aquelas fotos não tivessem sido feitas. Fui conivente com o moleque malaco e me fudi. Vai ver até foi ele mesmo quem fez as fotos, que depois mostrou ao Uélinton, que em seguida as repassou ao Leno, seu parceirinho de futebol, que se incumbiu, por sua vez, de descarregá-las no computador da Rejane. O Leno devia estar dando urros de júbilo agora. A Rejane era de novo só dele. E o Uélinton, com os cornos em brasa, além de mandar tacar fogo no Monzão, devia estar preparando mais algum regalo para mim. Um pipoco no meio da testa, no mínimo.

Penso agora: se a polícia de São Paulo não estivesse no meu calcanhar de aquiles, eu poderia estar morto a uma hora dessas. Claro: se eu tivesse ficado mais algumas horas em Porangatuba, esse PM filho da puta não ia botar fogo somente no Monzão. Alguém devia estar de tocaia à minha espera, a mando dele, em algum dos muitos pontos ermos e penumbrentos daquelas pirambeiras do caralho, onde um corpo pode sofrer súbita falência múltipla dos órgãos vitais devido a perfurações e lacerações causadas por facões de estripar peixe, por exemplo, iguais àquele do Quinho. Eu só seria encontrado — pelos urubus e vira-latas, primeiro — no dia seguinte. Não imaginavam os canalhas que, pra fugir da polícia, eu ia dar a volta por cima — por cima do morro, pra ser mais exato —, pegar um buzu na rodovia e me mandar em boa paz e segurança aqui pra Paraty. Hahá! Si fuderam. Ficaram tomando sereno à minha espera, enquanto eu comia as putas no Patiti de Paraty, bebendo e cheirando todas numa boa.

Não que eu não esteja fodido. E duro, o que é pior. Mas ainda tô solto e, descontando os últimos ecos da ressaca, passando muito bem, obrigado. A merda é que o Leno sabe que eu tô aqui. A polícia de SP logo vai saber também — se é que já não está sabendo, via Leno/Uélinton/Rejane. E eu só não estou na mais absoluta lona financeira porque acabei de passar nos cobres este bravo notebook em que vou terminando de escrever isso aqui. Daqui a minutos tudo estará na sua mão via internet. Pedi pro Juvenal milão pela máquina. Ele me ofereceu quatrocentos paus, que acabei aceitando. Filho da puta, esse Juvenal. Me viu no sufoco, tirou proveito. Normal. E ainda me perguntou se eu ia usar a grana pra comprar presentes de Natal pra família. Viado. Vou comprar é uma granada pra enfiar no cu dele.

Continuando (eu já devia era estar longe daqui uma hora dessas, cacete), confesso que tá me dando certo cagaço de abrir as fotos 04, 05 e 06. Vou mijar e pensar se clico ou não. Acho que vou pedir também a primeira brejota do dia. E uma caipirinha pra acabar de rebater a ressaca. Tá mais do que na hora.

Pois então, mijei e tornei a me sentar aqui, municiado de caipira e cerva, achando que ia ver mais do mesmo, só que em outras posições. Estava convencido de que nada poderia piorar a minha situação.

Poderia. Muito.

04. Close facial da Josiane. Facial? Aquilo não era mais uma face humana. A testa, ou melhor, o que um dia foi a testa era agora um par de bossas violáceas protuberando lado a lado abaixo da linha do cabelo, uma bem maior que a outra. Os olhos — que olhos? — tinham sumido pra dentro das órbitas inchadas e rubro-negras, mais do lado esquerdo, que trazia o supercílio estourado e explodindo de inchaço. Pra compensar, era a maçã do rosto, do lado direito, a que tinha sofrido maior impacto. Com o triplo do tamanho natural e vermelha de sangue pisado, desequilibrava o conjunto, como num daqueles auto-retratos torturados do Francis Bacon. Os lábios tinham virado um suflê sanguíneo, e o nariz parecia uma beterraba esmagada por uma marreta.

Pela boca entreaberta não se viam mais os dentes de coelho. Devem ter sido arrancados pelo mesmo murro que tinha detonado os lábios. Os braços, que saíam nus da camiseta do "High School Musical" rasgada e manchada de sangue, exibiam vergões produzidos por chapuletadas de cassetete ou pedaço de pau. Uma babuína escoiceada por um jumento é o que a Jôsi parecia agora. E pensar que eu tinha beijado, lambido, chupado tudo aquilo menos de 24 horas atrás.

No fundo da foto, uma parede caiada, tinha uma ilustração de Jesus Cristo pendurada. JC aparecia em plano americano com uma coroa luminosa pairando sobre sua cabeça loira. Seus olhos de um azul intenso velavam benevolentes pela humanidade sofredora, encarnada pela Jôsi. Puta merda, aqueles olhos azuis só podiam ser um recado direto à minha pessoa. Tipo, nóis vamo te pegá pa Cristo, tá ligado, mano?

05. Plano fechado da cintura pra baixo mostrando as pernas da Jôsi saindo do shortinho apertado, com um bolso semiarrancado pendendo feito orelha de cachorro. Coxas e canelas tatuadas de hematomas e escoriações de todo tipo e formato. Um joelho inchado feito um jerimum, com a pele fendida na altura da rótula.

06. Enfermaria: Jôsi numa cama hospitalar, cara envolta agora em bandagens, um braço e uma perna engessados, curativos pelo corpo todo. Múmia triste egressa de uma chuva de porradas e cacetadas.

Porra, tadinha da guria. Vai precisar duma bateria de cirurgias plásticas quando sair debaixo das ataduras. Será que o cabo Uélinton ainda vai querer se casar com aquele escombro de mulher que ele mesmo se incumbiu de produzir? E o culpado no cartório sou eu, claro. Todo mundo deve estar acreditando nisso: a polícia de Ubatuba, a Rejane, o povo de Porangatuba. Bando de filhos da puta.

O resumo da ópera madrasta tava ali escancarado. Eu podia imaginar o ritual todo da surra, os xingamentos do PM, os gritos de dor e pavor da Jôsi ecoando pelo morro, paralisando o pulo do bugio, o avanço da onça, o bote da jararaca, o esporro das maritacas. Depois de bater nela até cansar, o puto do Uélinton fotografou, ou mandou alguém fotografar, a *minha* vítima. Aposto como foram obra do Leno aquelas fotos, tiradas com a mesma Canon roubada.

Será que o puto do PM vestia farda quando exemplou a garota? Posso até ver seu berro no coldre, algemas e balas no cinturão, o coturno e o cassetete trabalhando à vontade o corpinho da noiva traidora. A sessão de tortura deve ter sido consentida, senão mesmo assistida e auxiliada, pelos machos da família, o pai pescador, os irmãos, primos, vizinhos, todos evangélicos, cada qual despejando sua cota de pancadas na pecadora, a pedidos do corno ultrajado. Com medo de ser morta, sem ter a quem recorrer, em choque depois da tunda, a garota foi obrigada a repetir na delegacia a história que o PM montou: ao tentar fugir depois do primeiro estupro, seu algoz, bêbado e drogado, caiu-lhe em cima de porrada até ela perder os sentidos. Em seguida, o monstro, achando que tinha matado sua vítima, se escafedeu morro acima, pegou um ônibus e sumiu. Com certeza o nobre Uélinton não mostrou pra polícia a foto do beijo na ducha, tão obviamente consensual.

Puta merda. Como é que eu podia imaginar que aquelas singelas quecas vespertinas com a caiçara da ilha fossem dar nisso? Não é um exercício muito animador hipotetizar o que esses caras farão comigo se me pegarem. Imagina o tratamento reservado a um traficante assassino procurado pela delegacia de homicídios de São Paulo que vem se homiziar na praia, seduz a mui estimada matrona taverneira da Chapéu-de-sol, de olho na grana dela, e ainda estupra e espanca uma jovem caiçara, noiva de um bravo cabo da PM. Mais uma vez, como provar que não espanquei ninguém, não estuprei ninguém, não matei ninguém, não me dedico a tráfico nenhum, e ainda por cima salvei um brasileirinho da morte certa nas águas de Porangatuba, façanha, aliás, atribuída a um francês que ficou sentado na areia, ao lado da mulherzinha cremosa dele, assistindo de camarote ao salvamento.

Meu maior crime foi ter furado por acidente o lençol indiano da Rejane com a brasa de um beque. Mais nada. Preciso me benzer com uma infusão de pinga, pólvora e sangue de bode preto — no mínimo.

Quiuspariu.

Mar tá grosso, véio. Não quero parecer alarmista ou por demais pessimista aos meus próprios olhos, mas acho que vai acabar sobrando mesmo pra você essa bagaça, meu moribundo roteiro, que vou dando por findo aqui no terraço do Paraty-Amar, de onde, ou muito me engano, ou acabo de ver passar um Corsa preto pilotado pelo magrelo de cabelo rinçado, o primo do cabo Uélinton. Tinha um cara ao lado dele com um celular grudado na orelha. Os dois de óculos escuros. Vi de relance, e não sei se não terei sido visto antes por eles. Será o próprio Uélinton à paisana, o carona? Ou será que o corno espancador de mulheres foi cumprir seu plantão em Ubatuba e emprestou o carro pro outro vir com um cupincha me procurar aqui em Paraty, inteirado pelo Leno do meu paradeiro? E eu ainda disse várias vezes pra Rejane ao telefone que estava no Paraty-Amar, porra. Será que me viram? Será, será?

Devem ter me visto aqui no terraço, sim, e seguiram reto pra não me espantar. O do cabelo rinsado vai parar o carro mais adiante e ficarão, ele e seu companheiro, de campana pra me seguir e tocaiar na primeira oportunidade. Ou vão chamar a polícia pra me prender. Aliás, por que não fizeram isso ainda?

Claro, pra me pegar primeiro e fazer a festa comigo num matagal onde eu possa gritar à vontade, sendo ouvido apenas pela fauna e a flora preservadas pelo Ibama.

Caralho, caralho, caralho! E eu aqui, marcando a maior bobeira, à vista de quem quiser me avistar, só dando tempo pra merda chegar até mim.

Não quero ficar batendo na tecla das malditas coincidências, mas três Corsas pretos na mesma história é foda, hein? É a maldição do Corsa preto. O primeiro, o da Sossô, prenunciava uma suruba. O segundo começou provocando o acidente com a moto pra, horas depois, virar o próprio esquife do Miro, e quase que o meu também. O terceiro com toda certeza se transformou na ambulância que levou a espancada Jôsi pro PS de Ubatuba e, se eu der bobeira, vai virar o rabecão que transportará meu cadáver torturado no porta-mala pra desova em alguma quebrada no meio do mato. Três Corsas pretos: duas tragédias e uma suruba. Ou três tragédias, se eu tiver pego o maledeto vírus replicante de alguém lá na surubrâmane. Eu quase começo a duvidar de que isso *não* tenha acontecido.

Porra, melhor baixar a bola da nóia. Três Corsas pretos são só três Corsas pretos. Não são as três Parcas, porra. E você é você, não é o Stephen King, certo?

Portanto, não vamos partir pro melodrama de terror em plena terça-feira às duas e meia da tarde. Vou te enviar agora essa bagaça e formatar o disco rígido pra apagar todos os meus arquivos, antes de entregar o computinha aqui pro Juvenal do Paraty-Amar e embolsar as quatrocentas pilas. Aí, bye-bye Paraty. Vamos ver até onde eu consigo chegar com quatrocentos paus no bolso. Quer dizer, se sobrar alguma coisa de mim pra gastá-los.

Uma última paranoia, rapidinha, que pode render assunto pro livro que você vai — não vai? — faturar em cima desse material aqui: será que a Nina tá mesmo grávida de mim? Aquele URGENTE!!! nos imeios dela — sei lá. Se for isso, e ela tiver o baby, o Pedrinho ganha um meio-irmão. Ele pode ou não ficar sabendo disso. Caberá à Nina decidir se conta ou não conta pro Nissim de onde veio aquele feto. Dum jeito ou de outro, tô fora. Um dia, quando o moleque tiver 20 anos, convido ele — ou ela — pra tomar um chope e, quem sabe, comer uma pizza. E é provável que seja ele ou ela a pagar a conta.

E que porra seria aquele "Bhagadhagadhoga!" do Ingo na minha caixa de entrada? Um aceno de trabalho, de fuga, de salvação do meu acuado rabo?

Quer saber? Não vou abrir o imeio dele, nem de ninguém. Chega por hoje. Negócio agora é vazá, mano. Na vula. Seria o suprassumo da ironia chinfrim terminar a minha história num lugar chamado Paraty-Amar.

Paramy-Fuder, isso sim.

Vou pegar um táxi no ponto ali da esquina e voltar praquela zona do Patiti, versão tropical e proletária do nirvana samayânico. Com 400 paus na carteira dá prum cristão se esbaldar algumas horas por lá. Vou sondar quem possa me vender um cano com munição. Aquele leão de chácara que me arrumou o táxi, hoje de manhã, tem cara de quem descola tudo. Droga, arma e puta é com esses caras mesmo. Acho que duzentos contos pagam um treisoitão com série raspada mais um punhado de balas. O que sobrar, invisto numa puta novinha em folha, junto com uma falsificação de Old Eight ou Smirnoff e uma peteca do pó local. Levo tudo, berro, puta, birita e pó, pruma alcova nos fundos de um muquifo qualquer, como o de ontem, e faço a festa. O primeiro filhadaputa que passar pela porta, civil ou militar, leva um pipoco no meio da cara. O segundo, se não me acertar primeiro, pode contar também com sua ração de chumbo. E assim por diante até a última bala, que reservarei pra mim mesmo.

Se nada disso acontecer, à noite me mando com a putinha pra longe, no carro do cafetão dela, um boçal qualquer que eu já terei apagado antes: pá-pum. Simples. Se calhar o carro do cara ainda é um Monza. Ou um Corsa preto, que seria o quarto da minha história, pra não fugir à regra das coincidências. E não iremos pra Pasárgada, eu e a puta. Vamos pro Piauí. Do Patiti ao Piauí — oui! Tem um pôster de *Visite o Piauí* afixado na coluna que divide o banheiro feminino do masculino, no fundo do bar. É uma foto nirvânica de praia de rio com coqueiro em primeiro plano e uma vela branca montando guarda no horizonte azul. Vai ver esse Juvenal é piauiense. Tem sotaque nordestino, em todo caso.

Posso financiar parte da viagem com cheque sem fundo. Tenho no bolso um talão cheio deles. Todo mundo no Brasil aceita cheque de um cara de olho azul. A outra parte das despesas eu levanto botando a vagaba pra rebolar nas esquinas do caminho. Daí, num belo e ensolarado dia, a gente chega em Teresina. Parece que é longe do mar, mas tem aquelas praias de rio do pôster. O ideal seria roubar uma câmera de vídeo digital de alguma loja — na "Paratytech", por exemplo, que dá pra ver daqui —, e ir fazendo um road-movie no caminho. Bem capaz de estourar num festival alternativo. A galerinha vai delirar com o filme — Sossô incluída. Posso convidar minha performer sexual preferida pra vir morar comigo e a puta no Piauí, sem bailarino boiola pra dividir as prendas.

Porra, já pensou, véio? Eu ia virar o novo bandido da luz vermelha do cinemá brésilien, herói dos cineclubes, campeão de acessos no Youtube, e o cacete.

Porra, sabe o que eu tô sentindo agora? Umas cólicas na mioleira, um frisson nas interbreubas, um desejo difuso de enfiar a mandioca num lugar quente e lubrificado com cheiro de buceta. Numa buceta, por exemplo. Hahahahá!

Essa é boa: o que é o que é? Tem formato de buceta, tem pentelho de buceta, tem cheiro de buceta, tem lubrificação de buceta, tem o quentinho aglutinante da buceta.

Hein?

Buceta!

Hohohohô! Que engraçado. Não acha? Eu acho. Bom, divirta-se, cumpadre. E *bom trabalho*, como os babaquaras dizem aí em São Paulo. Talvez eu acabe abrindo, afinal, aquele novo imeio do Ingo, o "Bhagadhagadhoga!". Quem sabe não rolou algum milagre Zebuh--natalino, e o maluco do Ingo não conseguiu afinal convencer a gostosa da Samayana a me mandar pra Jaipur com ela pra fazer o supervídeo do Zebuh piçudo. Jaipur, a Cidade Rosa. Acho também que não seria impossível convencer a divina mestra a contratar a Sossô de minha assistente. Ou dela mesma. Porra, amice, ia ser demais: aquele rabo receptivo da Samayana, o brinquinho de ouro na xota da Sossô, e a Cidade Rosa, a Cidade Rosa...

ESTA OBRA FOI COMPOSTA PELA ABREU'S SYSTEM EM ADOBE GARAMOND E IMPRESSA EM OFSETE PELA LIS GRÁFICA SOBRE PAPEL PÓLEN SOFT DA SUZANO PAPEL E CELULOSE PARA A EDITORA SCHWARCZ EM FEVEREIRO DE 2019

A marca FSC® é a garantia de que a madeira utilizada na fabricação do papel deste livro provém de florestas que foram gerenciadas de maneira ambientalmente correta, socialmente justa e economicamente viável, além de outras fontes de origem controlada.